KARL S. GUTHKE

WEGE ZUR LITERATUR

KARL S. GUTHKE

WEGE ZUR LITERATUR

STUDIEN ZUR DEUTSCHEN
DICHTUNGS- UND GEISTESGESCHICHTE

FRANCKE VERLAG BERN
UND MÜNCHEN

VOM SELBEN VERFASSER

Englische Vorromantik und deutscher Sturm und Drang, 1958.
Das Leid im Werke Gerhart Hauptmanns (Mitverfasser Hans M. Wolff), 1958.
Geschichte und Poetik der deutschen Tragikomödie, 1961.
Gerhart Hauptmann: Weltbild im Werk, 1961.
Haller und die Literatur, 1962.
Der Stand der Lessing-Forschung, 1965.
Modern Tragicomedy, 1966.

VORWORT

Wer eine Auswahl aus seinen Essays und Aufsätzen in einem Sammelband wiederveröffentlicht, betont in der Regel deren « inneren » Zusammenhang. Die in diesem Band vereinigten Studien hingegen sind gerade im Hinblick auf ihre Vielfalt ausgewählt, nicht zwar – oder doch nicht in erster Linie – in der Hoffnung, daß, wer vieles bringt, manchem etwas bringen wird. Denn nicht um eine planlos-beliebige Vielfalt handelt es sich hier, sondern um eine sinnvoll organisierte, nämlich thematisch gegliederte. Das heißt: diese Untersuchungen lassen sich nach Gesichtspunkten ordnen, die charakteristischen Fragestellungen und Forschungsrichtungen der Literaturwissenschaft entsprechen. Als Ganzes mag das Buch daher eben in seiner Vielfalt eine – jedenfalls angestrebte – Zusammenschau einiger wesentlicher und typischer Zugänge zur Literatur darstellen oder auch eine Übersicht über ein paar charakteristische Fragen, zu denen literarische Texte immer wieder herausfordern: die Frage nach dem Verfasser, nach seinen Anregungen, nach dem Welt- und Menschenbild seiner Werke und dessen Wirkung auf Zeitgenossen und Spätere, die Frage nach den für einen Autor charakteristischen Motiven und Themen und schließlich die sich daran anschließende Frage nach dem geistesgeschichtlichen Horizont, in dem sein Werk steht.

Solche Fragen, solche Zugänge zur Literatur sind nicht notwendigerweise unabhängig voneinander, vielmehr sind sie häufig miteinander verschränkt und ineinander impliziert. Genau genommen lassen sie sich nur theoretisch scheiden; in der Praxis kann oft nur von der *relativen* Bevorzugung des einen oder andern solchen Weges die Rede sein, von dem aus sich Ausblicke auf benachbarte und überschneidende von selbst ergeben. Nichtsdestoweniger sind ihre verschiedenen Richtungen klar erkennbar. Zu literaturwissenschaftlichen Expeditionen verlocken sie alle; und wenn der Leser hier und da – in Zustimmung oder Ablehnung – den Reiz des geistigen Abenteuers solcher Forschung spürt, so hat dieses Buch seinen Hauptzweck erfüllt.

Die Studien sind stilistisch und sachlich bearbeitet und nach Möglichkeit auf den neusten Forschungsstand gebracht.

University of Toronto   Karl S. Guthke
Juli 1966

I

DIE FRAGE NACH DEM AUTOR

HALLER, LA METTRIE UND DIE ANONYME SCHRIFT *L'HOMME PLUS QUE MACHINE*

Eine der geistesgeschichtlich belangvolleren *querelles célèbres* der Aufklärungszeit war die Auseinandersetzung zwischen Albrecht von Haller und Julien Offray de La Mettrie, die die gelehrte Welt mehr als ein halbes Jahrzehnt in Atem hielt, von 1745 bis 1751. Dieser Streit ist in der wissenschaftlichen Literatur bereits des öfteren ausgiebig besprochen worden; Ernst Bergmann hat ihm sogar eine detaillierte Monographie gewidmet[1], in der alle Phasen des gelehrten Hin und Her ausführlich und kritisch dargestellt werden. Trotzdem sind aber bis heute noch längst nicht alle Einzelheiten dieser literarischen Fehde erhellt. Und zwar trifft diese Feststellung besonders auf eine ihrer wichtigsten Episoden zu, der man in den letzten Jahren wieder gesteigerte Aufmerksamkeit geschenkt hat, nämlich auf das Problem der Schrift *L'homme plus que machine*, die 1748 ohne Angabe des Verfassers, vorgeblich in London, erschien, doch, nach der drucktechnischen Aufmachung zu urteilen, höchstwahrscheinlich in Leiden, im Verlag des Herausgebers von *L'homme machine*, Elie Luzac, jedenfalls gedruckt, wenn auch nicht ausgegeben wurde[2]. Genauer geht es um die schon beim Erscheinen des Werkes aufgeworfene Frage nach der Autorschaft von *L'homme plus que machine*, die bis heute noch nicht befriedigend beantwortet ist.

Drei Autoren sind bisher als Verfasser in Betracht gezogen worden: La Mettrie, Elie Luzac und Haller.

Daß La Mettrie überhaupt als Verfasser namhaft gemacht worden ist[3], mag zunächst überraschen, da es sich bei *L'homme plus que machine* um eine radikale Widerlegung von *L'homme machine* handelt, der zwar ebenfalls anonym herauskam, aber doch von Anfang an als aus der Feder La Mettries stammend

---

[1] *Die Satiren des Herrn Maschine, ein Beitrag zur Philosophie- und Kulturgeschichte des 18. Jahrhunderts*, Leipzig 1913, 103 Seiten. Vgl. auch Ernst Bergmann, «Neues zum Streit zwischen Haller und La Mettrie», *Studien zur Literaturgeschichte*, Festschrift für Albert Köster, Leipzig 1912, S. 114–123. Weitere Literatur bei Raymond de Saussure, «Haller and La Mettrie», *Journal of the History of Medicine and Allied Sciences*, 1949, 431–449.

[2] Vgl. Saussure 431.

[3] J. E. Poritzky, *J. O. de Lamettrie: sein Leben und seine Werke*, Berlin 1900, S. 181; Raymond Boissier, *La Mettrie*, Paris 1931, S. 168; Ernst Bergmann S. 25 f.; Pierre Lemée, *J. O. de La Mettrie*, 1954, S. 122–126.

erkannt wurde. Immerhin enthält die Amsterdamer Gesamtausgabe der Werke La Mettries, die im Jahre 1774 erschien, *L'homme plus que machine*. Doch ist diesem Umstand wenig Bedeutung zuzumessen, da diese Edition dreiundzwanzig Jahre nach dem Tode des Verfassers erschien und keine Authentizität beanspruchen kann. Man hat nachgewiesen, daß diese Zuschreibung auf einen Rezensionsartikel zurückgeht, der 1748 in den *Göttingischen Zeitungen von Gelehrten Sachen* erschien[4]. Der Verfasser dieser Besprechung war Albrecht von Haller, wie sich mit Hilfe des Materials des Haller-Nachlasses in der Burgerbibliothek Bern feststellen läßt[5]. «Das eigenste bey der ganzen Sache ist», so schließt er die Anzeige, «daß der Hr. de La Mettrie selber der Verfasser dieser Schrift, nach zuverläßigen Nachrichten ist, und durch dieselbe den Vorwurf ablehnen wollen, den er sich bey allen Gott- und Wahrheitliebenden durch die starke Vermuhtung zugezogen, daß er der Verfasser des *homme Machine* seye.»

Obwohl noch hin und wieder davon die Rede ist, daß La Mettrie sich dieses Manöver tatsächlich erlaubt habe, ist vor mehreren Jahren mit verschiedenen Argumenten überzeugend nachgewiesen worden, daß er als Verfasser unter keinen Umständen in Frage kommen kann[6]. Allerdings hat man damit zugleich die Hypothese verknüpft, daß der wahre Autor Haller selbst sei, daß er sich gerade durch die Zuweisung von *L'homme plus que machine* an La Mettrie einen Scherz[7] erlaubt habe, der den Franzosen in denkbar ungünstiges Licht zu setzen geeignet war, während Haller selbst in den Hintergrund zu treten und so der Sache den Anstrich größerer Objektivität zu geben schien. Nun ist gleich zu bedenken, daß der sprichwörtlich humorlose Haller sich kaum zu einer solchen Spielerei, einer solchen «Farce» hergegeben hätte. Er war doch im Gegenteil viel zu autoritätsbewußt, als daß er sich die Gelegenheit hätte entgehen lassen, das volle Gewicht seiner Meinung in die Waagschale zu werfen. Darüber hinaus wird bei dieser Spekulation viel mehr Versteckspielen unterstellt, als tatsächlich gerechtfertigt ist: die Überschrift «London» über der Rezension von *L'homme plus que machine* ist keineswegs als *mise en scène* aufzufassen, «as if Haller had not written it»[8]. Die Artikel in den *Göttingi-*

---

[4] S. 486 ff. Dazu Saussure 440, 444.

[5] Mss. Haller 55, 335 v.

[6] Saussure 440–442 (1949). Pierre Lemée schreibt das Werk noch 1954 La Mettrie zu (*J. O. de La Mettrie*, o. O. 1954, S. 122–126).

[7] Saussure 444. «Our hypothesis is that Haller had not really affirmed that the treatise was written by the French materialist, but that he wanted to pay La Mettrie in kind for what the latter had done to him. La Mettrie wanted Haller to endorse materialistic theses by means of his preface to *L'Homme machine*; Haller, by his allusion in his review, wanted to create an impression of La Mettrie's conversion» (ebd.).

[8] Saussure 444.

schen Zeitungen erhielten nämlich, wie man leicht nachprüfen kann, in der Regel den Erscheinungsort der betreffenden Schrift, nicht aber den Wohnort des Rezensenten als Überschrift; andernfalls hätten ja alle Überschriften in diesen frühen Jahren «Göttingen» lauten müssen! Auch daß Haller in einer Aufzeichnung über *L'homme plus que machine* nicht von La Mettrie spricht, sondern von Demetrius, ist kein Verdachtmoment und schon gar nicht «an expression of his desire to conceal something» — wenn man weiß, daß La Mettrie zum Beispiel den Brief an Haller, der seiner *Art de jouir* (1751) als «Widmung» diente, mit «Alethejus Demetrius» unterschrieben hatte[9]. Schließlich: daß die Überzeugungen, die in *L'homme plus que machine* ausgesprochen sind, gewisse Ähnlichkeiten mit denen Hallers aufweisen, hat gar nichts zu besagen. Denn natürlich betrachtete Haller wie so viele andere (die zum Teil Gegenschriften veröffentlichten) den atheistischen Materialismus von *L'homme machine* als gefährlichen Angriff auf seine geheiligtesten Überzeugungen; und natürlich lehnte er darum *L'homme machine* gleich nach Erscheinen mit Entschiedenheit ab; und ebenso natürlich weist er dann auf die Gegenschrift hin. Der schwerflüssige Stil von *L'homme plus que machine* braucht ebenfalls nicht auf Haller zu deuten (so sehr er auf jemand anders als La Mettrie weist); Haller war ja im 18. Jahrhundert nicht der einzige, der sich des etwas umständlichen Gelehrtenstils der Zeit bediente. Andere «Indizien» sind belanglos[10].

Auf die richtige Spur führt uns vielmehr ein Nachtrag zu Hallers Rezension von *L'homme plus que machine*, der von dem Urheber der Spekulation über Hallers Verfasserschaft nicht beachtet worden ist. Die ursprüngliche Besprechung war am 30. Mai 1748, in der «dritten Zugabe zum May» erschienen. Am 24. Juni des gleichen Jahres[11] steht nun aber, ganz am Ende des Stückes, der folgende Absatz:

Ein Holländischer junger Gelehrter, dessen Anfangsbuchstaben wir blos mit E. L. anzeigen wollen, hat an uns geschrieben, und uns versichert, daß er der

[9] Bergmann S. 93. Saussure 445. – Saussure gibt die Herkunft und das Datum der Aufzeichnung nicht an. Ich vermute jedoch den *Catalogus Librorum* in der Burgerbibliothek Bern als Quelle – wo die Datierungen in der Regel nicht genau sind. Übrigens ist das genaue Datum nicht sehr wichtig, da La Mettrie sich in dem genannten Brief von 1751 nicht zum erstenmal als Demetrius bezeichnet hat. Denn die Aufzeichnung beginnt: «Demetrius nam ita amabat se vocare, hic [in *L'homme plus que machine*] se ipsum refutat.» Saussure übersetzt den Satz: «Demetrius loved as much, to quote himself as to contradict himself.» Das ist eine Falschübersetzung für «Demetrius – denn so nannte er sich gern – widerlegt sich hier selbst». Auf das «denn so nannte er sich gern» kommt es eben an. Schon 1748 erschien La Mettries *Ouvrage de Pénélope* unter dem Pseudonym Alethejus Demetrius. Eine Rezension in den *Gött. Zeitungen* (1748, S. 674 ff.), die das Pseudonym durchschaut, schreibt Bergmann (S. 26) Haller zu.

[10] Saussure 446.   [11] S. 560.

Verfasser des *homme plus que machine* wäre, von dem andere Gönner uns benachrichtigt, daß sie des Hrn. *La Mettrie* eigene Arbeiten wäre. Ob uns nun wohl des Hrn. *E. L.* ganz genaue Bekanntschaft und Verknüpfung mit dem Verfasser des *homme machine* wohl bekannt ist[12], so haben wir doch um unsre Unpartheylichkeit ihm zu bezeugen, seine gethane Versicherung bekannt zu machen nicht unterlassen wollen.

Soll man diesen Nachtrag nun als Fortsetzung der *mise en scène* auffassen, die Haller angeblich schon mit der ursprünglichen Rezension aufgeführt hatte? Hatten wir dort schon Bedenken, so müssen diese sich angesichts des Postscriptums wohl noch erheblich verstärken. Doch wir brauchen uns glücklicherweise nicht auf bloße Vermutungen zu verlassen. Tatsächlich nämlich ist der Brief, von dem Haller am 24. Juni spricht, keineswegs eine spielerische Fiktion. E. L. bedeutet natürlich Elie Luzac, den Herausgeber von *L'homme machine*. Dieser Elie Luzac wird, wie bereits angedeutet, gelegentlich, allerdings ohne näheren Beleg und Nachweis, vielmehr aus « inneren » Gründen, als Verfasser des *Homme plus que machine* in Anspruch genommen[13]. Daß er jedenfalls in Betracht kommt, geht vor allem daraus hervor, daß er La Mettries *L'homme machine* eine Vorrede beigegeben hat, in der er sich von den Thesen des Verfassers distanziert[14]. Wenn man ferner daran denkt, daß Luzac wegen der Veröffentlichung des *Homme machine* gerichtlich belangt wurde und ins Exil nach London gehen mußte, so wird es immerhin wahrscheinlich, daß er den Versuch unternahm, sich in Fortführung seiner bereits in der Vorrede geäußerten Bedenken durch eine Schrift gegen La Mettrie zu rehabilitieren. Nun hat man mit Recht betont[15], in diesem Falle hätte Luzac seine Verfasserschaft doch wohl seinen Zeitgenossen bekannt gemacht, das sei aber nicht der Fall[16]. Daß es doch der Fall ist, geht aber aus dem Brief an Haller, den Direktor der einflußreichen *Göttingischen Zeitungen*, hervor.

[12] Luzac war Verleger und Herausgeber von *L'homme machine*.

[13] Dazu Saussure 442–443. Besonders Hester Hastings, « Did La Mettrie write *L'Homme plus que machine?* », *PMLA*, LI (1936), 440–448.

[14] Vgl. das Zitat daraus bei Saussure 442–443. Merkwürdigerweise nimmt Saussure ausgerechnet diese Stellen für seine Auffassung in Anspruch, Luzac könne der Verfasser nicht sein. Luzac gebe sich nicht als Orthodoxer, sondern als Agnostiker. Aber es ist doch zu bedenken, daß Luzac, wie er im Vorwort selber betont, nicht gut schweres Geschütz auffahren konnte gegen ein in seinem eigenen Verlag erschienenes Buch; außerdem hatte er ja erst nach seiner Vertreibung aus Holland (wegen des *Homme machine*) allen Grund, sich stärker zur Gegenposition zu bekennen.

[15] Saussure 443.

[16] Allerdings erschien 1755 eine zweite Auflage mit der Verfasserangabe Elie Luzac, was Aram Vartanian bewog, die Schrift Luzac zuzuschreiben (« Elie Luzac's Refutation of La Mettrie », *MLN*, LXIV, 1949, 159–161). Lemée wies dieses Argument jedoch zurück (s. o. Anm. 3).

Ein solcher Brief ist tatsächlich keine Fiktion. In dem von Hallers Sohn Gottlieb Emanuel angelegten handschriftlichen Register der Briefe an Haller, das in der Burgerbibliothek Bern aufbewahrt wird, ist ein Brief Elie Luzacs an Haller vom 12. Juni 1748 verzeichnet: die Datierung stimmt also sehr gut mit dem Zeitpunkt des Erscheinens von Hallers Bekanntgabe dieses Briefes zusammen. Leider ist aber gleich hinzuzufügen, daß der Brief in der Briefsammlung der Burgerbibliothek nicht mehr vorhanden ist. Er fand sich schließlich in der Handschriftenabteilung der Universitätsbibliothek Leiden, im Archiv der Familien Luzac und Siegenbeek van Heukelom. Im folgenden wird er erstmalig veröffentlicht. Er bestätigt auf das schönste den oben entwickelten Gedankengang, der seinerseits dazu angetan ist, die Glaubwürdigkeit von Luzacs Brief zu bekräftigen. Und daß dieses wiederum wünschenswert ist, mag besonders daraus hervorgehen, daß Luzac es in seinem Brief für nötig hält, hinzuzufügen: «Je n'espère-pas, Messieurs, que vous vouliez me deshonorer au poins que de me faire faire parade des productions d'un autre.» Trotzdem glaubte Haller ihm nicht, wie aus dem skeptischen Ton der zitierten Notiz in den *Göttingischen Zeitungen* zu entnehmen ist, in der er von Luzacs Brief Mitteilung machte[17].

Der Brief vom 12. Juni 1748, der im 19. Jahrhundert bei einem Auktionsverkauf von der Familie Luzac zurückerworben wurde, folgt hier im exakten Wortlaut:

De Bremen le 12. Juin 1748

Messieurs,

Excusez la liberté que je prends de vous adresser celles-ci. Sans avoir l'honneur de vous connoître, sans avoir celui d'être connu de Vous, j'ose, Messieurs, me flater que Vous voudrez bien prendre en bonne part quelques plaintes que je vai vous faire au sujet de l'article de Londres, qui se trouve dans vos Nouvelles Litteraires No. 61., & où Vous faites mention de *l'Homme plus que Machine*. Ce n'est pas, Messieurs, que je trouve à redire sur la manière dont vous avez parlé de cette production. Je n'entends pas assez la langue allemande pour en pouvoir juger; & tous les jugemens à cet égard me sont assez indifferens; mais je n'ai pu que m'étonner que vous faites finir cet Article en attribuant ce petit Ouvrage à Monsieur de la Mettrie, que Vous faites en même-tems Auteur de l'*Homme-Machine*. Je ne sai, Messieurs quels sont vos Correspondans Litteraires, mais à l'égard de l'Homme plus que Mach. ils se trompent grossièrement;

---

[17] Herr Dr. P. C. Boeren, der Leiter der Handschriftenabteilung der Leidener Universitätsbibliothek, teilte mir weiterhin mit, daß sich in dem genannten Archiv ein Exemplar von *L'homme machine* und eins von *L'homme plus que machine* befindet, worin — von gleicher Hand — die Verfasser angegeben sind: La Mettrie und Elie Luzac; auf der Titelseite von *L'homme machine* stehe außerdem unter der handschriftlichen Angabe «par La Mettrie» die Bemerkung: «Dit werkje is anterieur aan 'l'homme plus que machine' van E. Luzac.»

& par ce que j'aurai l'honneur de Vous dire, vous verez Messieurs qu'il ne faut pas être trop facile & fort reservé quand on veut faire connoître au Public les Auteurs, qui ne se soucient pas d'être connus. Je vous l'avoue, Messieurs, j'ai été surpris que Vous ayez donné dans le panneau. Il y a-t-il rien de plus facile que de voir que l'Homme-Machine & plus que Machine ne peuvent pas être les productions d'un même Esprit. L'un ignore profondement la Logique & l'autre la Medecine, sans parler du Stile, qui seul suffit pour prouver ce que je dis ici. Lisez Messieurs ces deux brochures, & vous verrez à la prémière Lecture que vous y êtes allé un peu trop legèrement. Je m'en reporte à vous-mêmes. Si dans mon Voiage je n'avois presenté comme une production de ma plume quelques exempl. de l'Homme plus que Machine aux Savans, que j'ai eu l'honneur de voir, je n'aurois fait aucune attention à votre Article; et encore n'y aurois-je prêté aucune si vous vous etiez borné aux Conjectures. Vous allez plus loin à ce qu'on me dit: Selon vous la chose n'est pas douteuse. Je n'espère-pas, Messieurs, que vous vouliez me deshonorer au poins que de me faire faire parade des productions d'un autre. La brochure en question est de trop peu de consequence, & cette atteinte à mon honneur ne pourroit que me faire user des moyens par lesquels je pourois desabuser le public, en lui prouvant combien vous vous êtes trompé.

Si je n'ai pas mis mon nom à cet Ouvrage, ce n'est pas Messieurs que je veuille le desavouer. D'autres raisons m'y ont porté & je veux bien vous les communiquer, si vous le souhaitez. Je [sic; wohl: Ce] suffira, Messieurs, pour le présent que je Vous dise que la Dedicace ne contient rien de supposé. J'y parle à Monsieur J. Lulofs, Prof. en Philosophie à Leyde, & sous qui j'ai fait 6 ans d'études. Je suis né dans un Village à 2 lieues de la Ville de Leyde. Je fais cas de la simplicité & de la franchise. En voilà assez je crois Messieurs pour briser sur cette matière. J'espère que mon Ami qui m'a indiqué ce passage dans votre gazette, m'indiquera dans peu un autre où le public sera desabusé; & que vous voudrez bien le faire aussi simplemens qu'il sera possible & sans me nommer au reste, Messieurs, s'il vous reste quelque doute sur ce que je vien de vous marquer, vous pouvez vous adresser à Mr. Lulofs. Ce Savant a lu la plus grande partie de mon Mos. [sic; wohl Ms.] avant que je le fis imprimer. Il n'est pas probable qu'un Homme de bien de condition, & qui a un caractère public vous cache la Vérité. J'ai mieux aimé, Messieurs, vous ecrire directement, que de faire inserer quelques lignes dans les Nouvelles d'Allemagne. Je suis Ennemi déclaré des guerres, & rien ne m'est plus chèr que l'Amitié des Personnes d'etude. Je me recommande à la votre, Messieurs, & vous assure que je me ferai un vrai plaisir de Vous pouvoir être de quelque utilité. Je vous offre à tous égards mes services, & suis

Messieurs,

Votre très humble & obei-
sant serviteur
Elias Luzac junior.

Mon adresse est
   Elias Luzac junior
     Imprim. & Lib.
     à Leyde

Durch dieses Dokument wird nun eine über zweihundert Jahre alte Kontroverse, die gerade in den letzten Jahren wieder aufgeflammt ist, endgültig abgeschlossen. Haller hat übrigens seine anfängliche Skepsis gegenüber Luzacs Schreiben auch bald aufgegeben. Am 12. März 1753 ist in den *Göttingischen Zeitungen* die Bemerkung zu lesen: «Der homme plus que Machine ist eine Arbeit des Leidenschen Buchhändlers Elie Luzac's und nicht des Hrn. v. Haller.»[18] Der Artikel, in dem dieser Hinweis steht, ist in Hallers Handexemplar der *Göttingischen Zeitungen* (Stadtbibliothek Bern) mit «H» bezeichnet, stammt also von Haller selbst. Merkwürdig ist an dem zitierten Satz jedoch der Hinweis «und nicht des Hrn. v. Haller». Erwarten würde man: und nicht des Herrn de La Mettrie, da Haller doch eben diesem die Autorschaft zugeschoben hatte. Man darf daraus wohl schließen, daß nicht erst im 20., sondern schon im 18. Jahrhundert vermutet worden ist, Haller selbst habe *L'homme plus que machine* verfaßt. In der Tat soll Friedrich der Große diesen Gedanken geäußert haben[19]. Damit wäre die zeitgenössische Verwirrung in bezug auf den Autor der Schrift also noch größer gewesen, als bisher angenommen wurde; um so erfreulicher natürlich der Fund des lange verschollenen Briefes von Elie Luzac, der die alte Streitfrage ein für allemal entscheidet, und zwar zugunsten von Luzac selbst.

[18] S. 303 f.   [19] Lemée S. 122.

EIN PSEUDO-KLEISTISCHES GEDICHT

Im Jahre 1829 erschienen in Amadeus Wendts Leipziger *Musenalmanach für das Jahr 1830* unter dem Titel «Nachgelassene Sprüche von Heinrich von Kleist»[1] acht ungleich lange reimlose Strophen, deren oft recht unbeholfene Blankverse unermüdlich in immer neuen und immer abwegigeren Bildern den Gedanken wiederholen, daß sich das Glück im Leben nur mit Mühe und Ausdauer erkaufen lasse:

> Nicht aus des Herzens bloßem Wunsche keimt
> Des Glückes schöne Götterpflanze auf.
> Der Mensch soll mit der Mühe Pflugschar sich
> Des Schicksals harten Boden öffnen, soll
> Des Glückes Erntetag sich selbst bereiten,
> Und Taten in die offnen Furchen streun...[2]

In Ludwig Tiecks Ausgabe von 1821 war dieses Gedicht nicht enthalten gewesen. Nach der Erstveröffentlichung in Wendts Almanach erschien es jedoch in jeder folgenden Gesamtausgabe. Eduard von Bülow setzte eigenmächtig die Überschrift «An Wilhelmine» hinzu, ohne anzugeben, daß sie im Manuskript nicht vorhanden ist[3]. Die Authentizität wurde dadurch nur noch unangreifbarer. Noch die beiden Auflagen der Standardausgabe von Erich Schmidt, Reinhold Steig und Georg Minde-Pouet enthalten die Verse, ohne daß Kleists Verfasserschaft, trotz Karl Biedermanns vorsichtig geäußerten Bedenken[4], im geringsten angezweifelt würde. Erst die Ausgabe von Helmut Sembdner hat diese Strophen zusammen mit einigen bedeutungsloseren Werkchen (dem Neujahrswunsch für das Jahr 1800, zwei Epigrammen, zwei Albumblättern und «Geistererscheinung») aus dem Kanon ausgeschlossen, da Kleists Autorschaft «höchst zweifelhaft» sei[5]. Zu einer Begründung dieser Entscheidung fehlte der Raum, und vielleicht ist das der Grund, weshalb eine Stellungnahme von seiten der Fachkollegen ausgeblieben ist. Doch über diese offene Frage Klarheit zu schaffen, ist um so wünschenswerter, als damit auch geklärt würde, wie Kleists früheste schriftstellerische Versuche aussahen. In der Tat läßt sich an Hand mehrerer Indizien nachweisen, daß Kleist mit an Sicherheit grenzender Wahrscheinlichkeit nicht als Verfasser in Betracht kommt.

[1] S. 89 ff.

[2] *Heinrich von Kleists Werke*, im Verein mit Georg Minde-Pouet und Reinhold Steig herausgegeben von Erich Schmidt, Leipzig o. J. (1904/05), IV, 9–12.

[3] *Heinrich von Kleists Leben und Briefe*, Berlin 1848, S. 249.

[4] *Heinrich von Kleists Briefe an seine Braut*, Breslau 1884, S. 240 f. Fußnote.

[5] München 1952, II, 936.

Am 21. August 1800 schreibt Kleist seiner Braut Wilhelmine von Zenge aus Coblentz bei Pasewalk, wo er sich mit seinem Freund Brockes aufhält, bevor sich beide auf die Würzburger Reise begeben: «Auch Brokes sieht ein, daß die Wahrscheinlichkeit eines glücklichen Erfolges groß ist. Wenigstens, sagte er, ist keine Gefahr vorhanden, in keiner Hinsicht, und wenn ich nur auf Deine Ruhe rechnen könnte, so wäre ein Haupthinderniß gehoben. Ich hatte über den Gedanken dieses Planes schon lange lange gebrütet. Sich dem blinden Zufall überlassen, und warten, ob er uns endlich in den Hafen des Glückes führen wird, das war nichts für mich. Ich war Dir und mir schuldig, zu handeln. 'Nicht aus des Herzens bloßem Wunsche keimt etc.' – 'der Mensch soll mit der Mühe Pflugschaar' etc. etc. – das sind herrliche, wahre Gedanken. Ich habe sie oft durchgelesen, und sie scheinen mir so ganz aus Deiner Seele genommen, daß Deine Schrift das übrige thut, um mir vollends einzubilden, das Gedicht wäre von keinem Andern, als von Dir. So oft ich es wieder lese fühle ich mich gestärkt selbst zu dem Größten, und so gehe ich denn fast mit Zuversicht meinem Ziele entgegen.'»[6]

Die Zitate sind die Zeilen 1 und 3 des in Frage stehenden Gedichts. Eben diese Briefstelle nun führt Erich Schmidt als Beweis für Kleists Verfasserschaft der acht Strophen an[7]. Tatsächlich sprechen sie aber, liest man sie unbefangen, gerade dagegen, denn Kleist redet offensichtlich von einem Gedicht von fremder Hand, von dem seine Braut Wilhelmine ihm beim Abschied in Frankfurt eine Abschrift mit auf die Reise gegeben hatte – zu seiner Tröstung und Beruhigung offensichtlich –, da die lehrhafte Ermahnung so gut auf Kleists damalige Situation paßte. Ebenso führte ja Kleist die Aufsätze seiner Braut mit sich und las sie unterwegs[8]. Man könnte sogar daran denken, daß es sich bei dem Gedicht um eine als Beleg oder Illustration gedachte Beilage zu einem der Bildungsaufsätze handelt, die Kleist Wilhelmine schreiben ließ, vielleicht sogar zu einer Bearbeitung einer der bekannten Themenstellungen[9].

Wir wissen, daß Kleist erst auf der Würzburger Reise der Gedanke kommt, Schriftsteller zu werden. Die entsprechenden Bemerkungen in den Briefen tauchen aber erst etwa ein Vierteljahr nach dem frühstmöglichen Entstehungsdatum des in Rede stehenden Gedichts auf; und wenn Kleist wirklich der Verfasser der fraglichen Strophen wäre, so wäre es doch höchst merkwürdig, daß er in seinen vielen ausführlichen Briefen an die Braut oder auch an

[6] 2. Auflage der Schmidtschen Ausgabe, Leipzig o.J. (1938), I, 85.
[7] 1. Auflage, IV, 239.
[8] 2. Auflage, I, 75 f.
[9] 2. Auflage, I, 60: «Darf man sich in dieser Welt wohl bestreben, das Vollkommene wirklich zu machen, oder muß man sich nicht begnügen, nur das Vorhandne vollkommner zu machen?»

die Schwester nicht ein einziges Mal auf diese immerhin recht ehrgeizigen
Verse zurückkommt, zumal er doch sonst jede Gelegenheit wahrnimmt, seinen
Namen mit Literatur in Verbindung zu bringen, und das Gedicht, wenn es
von ihm wäre, den einzigen dichterischen Versuch des jungen Mannes darstellen würde[10].

Theophil Zolling bringt als weiteren Beweis für Kleists Verfasserschaft den
Gedanken, daß der bildhafte Sentenzenstil von «Nicht aus des Herzens bloßem
Wunsche ...» auffällig übereinstimme mit dem der Briefe aus der Zeit der
Würzburger Reise, in denen Kleist gelegentlich auch in sehr manierierter
Weise den Bedeutungsinhalt von Bildern bis ins letzte ausschöpft, Beziehun-
gen symbolischer und allegorischer Art herstellt und die Braut auffordert, sich
in der rationalen Ausdeutung derartiger Gleichnisse systematisch zu üben[11].
Diese Argumentation übersieht jedoch zweierlei:

Das Gedicht stammt gar nicht aus der Zeit der Würzburger Reise, sondern
aus der Zeit vorher. Das geht deutlich daraus hervor, daß Kleist in dem zitierten Brief vom 21. August 1800 erwähnt, er habe von Wilhelmine noch keinen
Brief erhalten[12]. Denn da Kleist zum gleichen Zeitpunkt die Abschrift des Gedichts bereits besitzt, muß er sie schon aus Frankfurt mitgebracht haben, und
die Strophen müssen vor dem 14. August, dem Abreisedatum – von wem auch
immer –, verfaßt sein. Andererseits läßt sich aus den Briefen erkennen, daß
die dem Gedicht entsprechende weithergeholte Gleichnishaftigkeit erst acht
Wochen später einsetzt, nämlich mit dem Brief vom 11. Oktober 1800. Und
die *Theorie* dieser (der aufklärerischen Dichtungsübung nicht fernstehenden)
Bildersprache und des scharfsinnigen Auffindens von Ähnlichkeiten und Entsprechungen folgt erst weitere fünf Wochen später in dem Brief vom 16. und
18. November aus Berlin, ebenso wie die Aufforderung an Wilhelmine, zu
einem Ideenmagazin, einer Sammlung interessanter, gedanklich reichhaltiger
Bildvorstellungen, beizutragen. Erst damals, mehr als ein Vierteljahr nach
dem denkbar spätesten Entstehungsdatum des Kleist zugeschriebenen Gedichts,
vertieft sich Kleist also in die handwerklichen Anfangsgründe seines späteren
Dichtens, in dem sich noch häufig der Zusammenhang mit der Gleichnis-
sammlung dieser Zeit verraten sollte. Auch wenn man Kleists Äußerung, die
das Aufdämmern dieser Erkenntnis der Ausdeutbarkeit der Sprachbilder – das

---

[10] Nicht mitzählen darf man hier das später im *Phöbus* (1808), wahrscheinlich in
überarbeiteter Form, gedruckte ausgesprochene Jugendgedicht «Der höhere Frieden»
(IV, 12), das nach Kleists eigener Datierung im Alter von 15 oder 16 Jahren entstanden
war. Die beiden Neujahrswünsche für das Jahr 1800 sind zu konventionell-gesellschaft-
liche Kunstübung, um als Dichtung angesprochen werden zu können. Überdies hält
Sembdner (II, 936) Kleists Autorschaft für höchst fraglich.

[11] *Heinrich von Kleists sämtliche Werke*, hg. von Zolling, Berlin und Stuttgart o.J., I, 5.

[12] 2. Auflage der Schmidtschen Ausgabe, I, 84.

Interesse an der gedanklich abstrahierenden Interpretation der zeichenhaft auf das Menschliche verweisenden Naturdinge und Naturerscheinungen – in die Zeit des Aufenthalts in Würzburg verlegt[13], Glauben schenkt, was einigermaßen schwerfällt angesichts des Fehlens konkreter Hinweise in der sonst so gewissenhaften und ins einzelne gehenden Korrespondenz aus dieser Zeit und angesichts des Neuheitscharakters der Entdeckung, als er später davon berichtet –, so liegt zwischen dem Gedicht «Nicht aus des Herzens bloßem Wunsche ...» und diesem Zeitpunkt noch immerhin ein Intervall von rund vier Wochen. Ferner ist auch hier wieder höchst seltsam, daß Kleist im Zusammenhang seiner Bildersprache und ihrer Theorie nicht einmal auf dieses Gedicht als beispielhafte Erfüllung seines Kunstwollens verweist und daß die Gleichnisse des Gedichts in den früheren Briefen überhaupt nicht begegnen oder auch nur anklingen. Das in Frage stehende Gedicht kann also mit dem Hinweis auf den bildhaften Stil keineswegs für Kleist in Anspruch genommen werden, vielmehr spricht gerade dieser Gesichtspunkt für die gegenteilige Auffassung, daß Kleist nicht der Verfasser sein kann.

Dazu stimmt denn auch, daß Kleist zu den Zeilen:

> Er [der Mensch] soll des Glückes heil'gen Tempel sich
> Nicht mit Hermeos' Caduceus öffnen. (Z. 7–8)

anmerkt: «Merkurs Zauberstab, der alle Schlösser löste» – ganz als ob es sich um ein fremdes Werk handelte, das für Wilhelmine oder für ihn selbst einer Erklärung der mythologischen Anspielung bedarf. Darüber hinaus enthält die Zeile 8 die falsche Genitivform «Hermeos» und die unrichtige Betonung «Caducéus» statt Cadúceus, zwei sehr primitive Fehler (die zum Beispiel Schiller in einer ganz ähnlichen Zeile in «Pompeji und Herkulanum» nicht unterliefen), die man Kleist bei seinen Griechischkenntnissen nicht wird zumuten wollen, zumal er noch fünf Tage vor der Erwähnung des Gedichts und zwei Tage nach der Abreise aus Frankfurt der Braut in seiner lehrhaften Weise die Bedeutung eines griechischen Wortes erklärt, was er auch sonst in der Korrespondenz gern tut[14].

Die Tatsache schließlich, daß in Wilhelmine von Zenges Nachlaß eine mit «H.K.» unterzeichnete Abschrift dieses Gedichts in Kleists Handschrift aufgefunden wurde[15], spricht nicht gegen die hier vorgetragene Auffassung. Wie schon Biedermann vermutete[16], wird man annehmen dürfen, daß Kleist eine Abschrift des ihm von der Braut übergebenen Gedichts herstellte und diese

---

[13] 2. Auflage, I, 170; vgl. 185.
[14] 2. Auflage, I, 72, auch 172, 174.
[15] Zolling S. 4.
[16] S. 241, Fußnote.

dann an Wilhelmine schickte, da die darin vorgetragene Lehre ja auch zu *ihrer* damaligen Lage und zu Kleists beständigem Mahnen paßte, daß sich bei Ausdauer und Glauben an den Geliebten alles zum Guten wenden würde. Die Unterschrift «H. K.» bedeutet dann nur eine Zueignung, ganz wie man Zitate mit dem eigenen Namen zu unterzeichnen pflegt, wenn sie Beiträge zum Poesiealbum darstellen. Mit etwas mehr Wahrscheinlichkeit könnte man auch vermuten, daß Kleists Abschrift ebenfalls schon vor der Abreise aus Frankfurt entstand und daß sich Wilhelmine und Kleist die Kopien, jeweils in der Handschrift des anderen, als Unterpfand ihrer beiderseitigen Beständigkeit während der Zeit der Abwesenheit des Bräutigams gegenseitig anvertrauten. Im Sinne einer solchen Mahnung, einer solchen haltgebenden Verpflichtung zitiert denn ja Kleist auch die Zeilen aus dem Gedicht.

Auch die Fehler, die Kleist bei seiner Abschrift unterliefen[17], hätten dem Autor dieser Strophen unmöglich passieren können, da sie zu sinnentstellend und mechanisch sind und von geringer Kenntnis des Kontextes zeugen, wie man es nur bei einem fremden Leser vermuten kann.

So spricht denn alles dafür, daß es sich bei dem Gedicht um ein Werk eines Unbekannten handelt, das Wilhelmine wahrscheinlich aus einem obskuren Almanach oder Taschenbuch exzerpierte und dem Bräutigam wegen der Angemessenheit an beider Situation auf die Reise mitgab. Die Erwähnung in Kleists Brief, die die angeführten Zeilen ganz als fremdes Werk behandelt, ist dann nur eins der Zitate und eine der literarischen Anspielungen, die sich gerade in dieser Zeit so zahlreich in Kleists Briefen finden und seinem damaligen Stil wesentlich zugehören. Zukünftige Kleist-Editoren könnten also mit gutem Gewissen «Nicht aus des Herzens bloßem Wunsche ...» aus dem Kleist-Kanon streichen[18].

[17] Verzeichnet in der ersten Auflage der Schmidtschen Ausgabe, IV, 385.

[18] Das Gedicht fehlt auch in der zweiten Auflage der Ausgabe von Sembdner, München 1961, I, 918 (Hinweis auf meine Studie). II, 965: «sehr wahrscheinlich nicht von Kleist.» Sembdner fährt jedoch fort: «Andererseits muß ich darauf hinweisen, daß das Bild von der 'Pflanze des Glückes' wiederholt bei Kleist auftaucht.» Die Stellen, die er anführt, stammen aber aus der Zeit *nach* dem Gedicht, beweisen mithin nichts. In der dritten Auflage (1964) hat Sembdner das Bedenken fallengelassen und unter Hinweis auf meine Arbeit bemerkt, das Gedicht sei «mit Recht aus Kleists Werken gestrichen» (I, 918). Doch vergleiche die Anmerkung zu dem Brief vom 21. August 1800 (II, 967).

MYRSA POLAGI – EIN DRAMA VON LENZ?

I

Eine historisch-kritische Ausgabe des dichterischen und schriftstellerischen Gesamtwerks von Jakob Michael Reinhold Lenz ist trotz mancher Vorarbeiten immer noch ein Desiderat. Einer der größeren Steine auf dem Wege zu einer solchen Edition dürfte die Frage der Authentizität einzelner Schriften sein. Seit es Lenz-Ausgaben gibt, stolpert man darüber. Tiecks Aufnahme des *Leidenden Weibs* in seine höchst unvollständige Gesamtausgabe erwies sich zwar rasch als Irrtum. Und Franz Blei konnte im fünften Band seiner Ausgabe noch rechtzeitig darauf aufmerksam machen, daß er in den vierten Band irrtümlich eine Abhandlung Lichtenbergs aufgenommen hatte[1]. Aber Blei selbst schrieb nach dem Vorgang von Rosanow[2] – und ebenfalls ohne Begründung – Lenz einige anonyme beziehungsweise nur « L. » gezeichnete Arbeiten zu, die 1781 in der Mitauer Unterhaltungszeitschrift *Für Leser und Leserinnen* erschienen sind[3]; diese fehlen jedoch in der ebenfalls nach der Publikation von Rosanows Biographie herausgekommenen Gesamtausgabe von Ernst Lewy, doch ohne Angabe von Gründen[4]. P. Th. Falck hat überdies bereits 1889 in der *Allgemeinen Enzyklopädie* von Ersch und Gruber noch weitere, ebenfalls 1781 in *Für Leser und Leserinnen* anonym gedruckte Artikel Lenz zugewiesen[5]. Ob Bleis und Lewys Auslassung dieser Arbeiten aus Unkenntnis oder selbständiger Urteilsbildung erfolgt ist, läßt sich nicht ausmachen. Blei druckt ferner einen angeblich « Lenz » signierten Beitrag aus *Für Leser und Leserinnen*, « Empfindsamster aller Romane »[6], von dem Rosanow jedoch nur vermerkt, er sei möglicherweise von Lenz, woraus zu schließen ist, daß er nicht mit vollem Namen oder auch nur mit L. unterzeichnet ist[7]. Schließlich läßt Rosanow jedoch selbst der Spekulation Tür und Tor offen, wenn er diesen ganzen Zusammenhang mit dem Satz abschließt: « Es ist leicht möglich, daß auch noch andere in der Mitauer Zeitschrift enthaltene Aufsätze Lenzens Feder entstammen. »[8]

Das nur als Beispiel für gewisse Schwierigkeiten der Lenz-Edition. Und

---

[1] *Gesammelte Schriften*, München und Leipzig 1909–1913, V, 392.

[2] M. N. Rosanow, *Jakob Michael Reinhold Lenz, der Dichter der Sturm-und-Drang-Periode. Sein Leben und seine Werke*, übersetzt von C. von Gütschow, Leipzig 1909, S. 404 bis 407. Die russische Ausgabe erschien 1901.

[3] *Gesammelte Schriften*, IV, 398, und V, 392.

[4] *Gesammelte Schriften*, Berlin 1909, vier Bände. Aus dem Vorwort zum vierten Band geht hervor, daß Lewy Rosanows Buch bekannt war (S. VIII).

[5] Abt. II, Bd. 43, S. 90 f.   [6] V, 392.

[7] S. 507, Anm. 64.   [8] S. 407.

zwar ist der Fall der Beiträge zu der Mitauer Zeitschrift mit Bedacht gewählt: er skizziert nämlich zugleich den Zusammenhang, in dem die folgenden Bemerkungen von Interesse sein mögen.

II

In Josef Körners *Handbuch des deutschen Schrifttums* steht im Lenz-Abschnitt die Angabe: «Das 1924 durch O. v. Petersen entdeckte ungedruckte Lustspiel *Myose* [sic] *Polagi* (BM 60, S. 595) wurde bisher nicht veröffentlicht.»[9] Dieser Hinweis ist irreführend. Tatsächlich machte Otto von Petersen in einem 1929 im sechzigsten Band der *Baltischen Monatsschrift* (Riga) erschienenen Aufsatz über «J.M.R. Lenz und die Forschung der Gegenwart»[10] auf ein Stück *Myrsa Polagi* aufmerksam, das 1782 im zweiten Quartalsheft des ersten Jahrgangs der Fortsetzung der Zeitschrift *Für Leser und Leserinnen*, des *Liefländischen Magazins der Lektüre* (Mitau: Johann Friedrich Steffenhagen), ohne Verfasserangabe gedruckt ist[11] und das Petersen, einer Anregung des rigaischen Stadtbibliothekars Dr. Nikolai Busch folgend, mit Sicherheit Lenz zuschreibt. Er faßt in dieser Studie die Argumentation für die Authentizität zusammen, die er 1924 in seiner maschinenschriftlichen, bis heute nicht veröffentlichten, von Albert Leitzmann beaufsichtigten Jenenser Dissertation über «*Myrsa Polagi oder die Irrgärten* – ein neuentdecktes Lustspiel des Sturm-und-Drang-Dichters Jakob Michael Reinhold Lenz» (164 Blatt) dargelegt hatte. Als Werk aus der Feder Lenzens stellt *Myrsa Polagi* für Petersen eine kaum kaschierte Beschreibung der Situation Lenzens am Weimarer Hof (1776) dar. Er schließt seine Ausführungen in der *Baltischen Monatsschrift* mit dem Satz: «Nach mehr als einer Richtung hin dürfte der *Myrsa Polagi* im Verfolg wissenschaftlicher Lenz-Fragen bedeutungsvoll werden.»

Das ist bisher nicht geschehen, und wohl aus gutem Grund. Denn zunächst stellt sich die Frage, ob die Beweisführung der Dissertation Petersens schlüssig ist[12]. Ihre Überprüfung wird durch den Umstand erschwert, daß schon damals – 1924 – das *Liefländische Magazin* eine bibliographische Seltenheit war, wie Petersen selbst bemerkt: «Auf eine Anfrage an das Auskunftsbüro deutscher Bibliotheken, Berlin (Preußische Staatsbibliothek), erhielt ich die Antwort, daß die genannte Zeitschrift sich bereits bei wiederholten Rundfragen nicht habe ermitteln lassen», heißt es im Vorwort der Dissertation. Auch der Ver-

---

[9] Bern 1949, S. 265.

[10] S. 590–597, über *Myrsa Polagi* S. 595–597.

[11] S. 229–281.

[12] Die Universitätsbibliothek Jena stellte mir dankenswerterweise einen Mikrofilm zur Verfügung.

fasser hat sich jahrelang vergeblich um den Nachweis eines Exemplars bemüht. Durch die Zuvorkommenheit des Direktors der *Fundamentālā Biblioteka* der Lettischen Akademie der Wissenschaften in Riga, der ihm Anfang 1963 einen Mikrofilm des betreffenden Jahrgangs des *Liefländischen Magazins* zukommen ließ, ist es nun jedoch möglich, Petersens Argumentation im einzelnen kritisch zu verfolgen. Nach einer solchen Prüfung wird man zwar eine gewisse Skepsis gegenüber der These Petersens, daß *Myrsa Polagi* mit Sicherheit als Werk von Lenz anzusetzen sei, bewahren. (Das von Petersen überhaupt nicht erwähnte Manuskript des Lustspiels ließ sich, nebenbei bemerkt, trotz verschiedentlicher Nachforschungen nicht ausfindig machen.) [13] Andererseits kann man sich kaum der Tatsache verschließen, daß die Frage, auch bei der Unmöglichkeit eines bündigen Beweises, sorgfältiger Überlegung bedarf. So dürfte ein von der Entdeckerfreude distanziertes Durchdenken der detektivischen Darlegungen Petersens nicht fehl am Platze sein. Darüber hinaus sind Erwägungen ins Feld zu führen, die Petersen merkwürdigerweise nicht berücksichtigt hat, die aber seine These zum Teil umzuformen, doch keineswegs zu widerlegen angetan sein mögen. Im Gegenteil: sie bekräftigen sie und fügen einige « missing links » ein, die ihr überhaupt erst den Grad der Schlüssigkeit geben, dessen alle ernstzunehmende Konjekturalkritik bedarf.

III

An den Anfang der Überlegungen stellt man tunlich Petersens eigenen Hinweis, daß sein Unternehmen die Probe der Sieversschen Schallanalyse nicht bestanden hat. «Herr Prof. Sievers hat das Lustspiel *Myrsa Polagi* nach der von ihm ausgearbeiteten schallanalytischen Methode untersucht und ist zu einem meiner Arbeit entgegengesetzten Resultat gekommen», heißt es im Vorwort. Freilich ist die Leistungsfähigkeit eben dieser Methode angezweifelt worden.

Wichtiger ist, daß Lenz nachweisbare Beziehungen zum *Liefländischen Magazin* gehabt hat. Darin erschien im ersten Heft 1782 seine Tragödie *Die Sizilianische Vesper*, während in *Für Leser und Leserinnen*, deren vom selben Verleger und vom selben Herausgeber betreute Fortsetzung, wie gesagt, das *Lief-*

---

[13] Anfragen bei der Lettischen Staatsbibliothek Riga, der Universitätsbibliothek Dorpat, der Staatsbibliothek Mitau (Jelgava), den Universitätsbibliotheken Moskau, Zürich und Basel, der Deutschen Staatsbibliothek Berlin, der Stiftung Preußischer Kulturbesitz in der Staatsbibliothek Marburg und der Universitätsbibliothek Tübingen, beim Freien Deutschen Hochstift, beim Goethe- und Schiller-Archiv (Weimar), beim Schiller-Nationalmuseum (Marbach) sowie bei Dr. Martin Bodmer (Genf) und Günther Mecklenburg (Stargardt, Marburg) waren ergebnislos.

ländische Magazin darstellt, mindestens *eine* – ebenfalls mit vollem Familien-
namen signierte – seiner Arbeiten gedruckt ist[14].

Myrsa Polagi erschien anonym. Petersen erklärt das damit, daß Lenz auch
die übrigen Werke, die seine Weimarer Erlebnisse zum Vorwurf haben, nicht
mit seinem Namen versehen hat, ja überhaupt nicht hat drucken lassen: nämlich den *Waldbruder, Tantalus* und *Die Laube* (S. 10). Hier ist jedoch gleich zur
Erwägung zu geben, daß, wie eingangs bemerkt, *Myrsa Polagi* nur *eins* der anonym veröffentlichten Lenz zugeschriebenen Werke ist, daß die anderen aber
keineswegs Weimarer Erlebnisse behandeln. Zweitens ist zu bedenken, daß
Lenz *Tantalus* und *Waldbruder* immerhin an Goethe geschickt hat, aus dessen
Hand die Manuskripte dann an Schiller kamen, der sie 1797/98 in den *Horen*
veröffentlichte. (*Die Laube* hat erst Weinhold aus Lenzens Nachlaß ediert.)

Das Irrgarten-Motiv in *Myrsa Polagi* soll nach Petersen (S. 11 f.) auf eine
Weimarer Überlieferung zurückgehen. C.A.H. Burkhardt teilt in seiner Schrift
Die Entstehung des Weimarischen Parkes 1778 bis 1828 mit, «daß Carl August
seinen [1774 gestorbenen] Hofgärtner Braun veranlaßt hätte, einen Irrgarten
anzulegen, damit der alte Kämmerer, Sigismund Engel, darin auf und ab irren
sollte, was Carl August offenbar zur Erheiterung diente»[15]. Die Erinnerung
daran, meint Petersen, möge 1776, als Lenz sich in Weimar aufhielt, noch
frisch gewesen sein. In der Szenerie-Angabe möchte Petersen sogar Weimarer
Landschaft erkennen. Freilich ist diese Angabe recht unbestimmt. Das Labyrinth ist ferner eine allzu verbreitete Vorstellung, als daß spezifische lokale
Anregungen nötig wären.

Einen anderen Hinweis auf eine Verbindung des *Myrsa Polagi* mit dem
Weimar der siebziger Jahre erblickt Petersen in dem Untertitel «ein Lustspiel
à la chinoise» (S. 13–14). «Daß in Weimar ein lebendiges Interesse für Er-
zeugnisse à la chinoise bestand, das sich auch Lenz mitgeteilt und ihn veranlaßt haben mag, sein Stück 'Lustspiel à la chinoise' zu nennen», wird jedoch
weder durch die vereinzelten Bemerkungen Petersens erwiesen, die nur *Goethes* Interesse an der Chinoiserie (noch dazu in seiner vorweimarischen Zeit)
belegen, noch durch Weimarer Aufführungen von chinesischen Schattenspie-
len nach 1778 (also mindestens zwei Jahre nach Lenzens Abreise aus Weimar
und, nach Petersens Datierung, zwei Jahre nach Abfassung des *Myrsa Polagi*).

---

[14] Petersen, Diss., S. 8 f. Vgl. das Zeugnis Dumpfs bei Rosanow S. 507, Anm. 64. Zu
den anonymen und «L.» gezeichneten, Lenz zugeschriebenen Beiträgen zu *Für Leser und
Leserinnen* vgl. oben Abschnitt 1.

Seitenzahlen beziehen sich im folgenden, sofern nicht anders angegeben, auf die
Diss. Petersens.

[15] Petersens Formulierung (S. 11). Burkhardts Buch (Weimar 1897) war mir un-
zugänglich.

Übrigens war das Interesse für Chinoiserien eine europäische Zeitmode. Überdies handelt es sich bei *Myrsa Polagi,* wie Petersen (S. 14) selbst bemerkt, überhaupt nicht um eine chinesische Spielwelt: Kolorit und Kostüm sind vielmehr eindeutig persisch.

Eben dies bringt Petersen nun aber wieder mit Lenzens Weimarer Aufenthalt in Verbindung. Die Argumentation ist etwas umständlich: Zum großen Teil wird das persische Kolorit durch die exotischen Namen und Bezeichnungen erzielt. Diese finden sich « fast ohne Ausnahme» (wie auch «ein Teil des Inhalts» der Irrgarten-Komödie) in der *Moskowitischen und persianischen Reisebeschreibung* von Adam Olearius, «aus der der Verfasser des Lustspiels ohne Zweifel geschöpft hat» (S. 15 f.). «Von Myrsa Polagi ist in dem genannten Werke des breiteren die Rede. Es werden seine Schicksale geschildert und unter anderem mitgeteilt, wie er von seinem Verwandten, dem Mogul von Indostan, Coram, der in dem Lustspiel nur flüchtig genannt wird, vertrieben, nach Persien flieht und an Schach Abas' Hofe Schutz sucht und findet (484–85). Auch von Belustigungen des Myrsa in einem Garten, wo er, auf Polstern sitzend, die Gesandten empfängt, wird berichtet (485–86)» (S. 16). Außer den genannten kommen auch die folgenden Personennamen des Lustspiels in der *Reisebeschreibung* vor: Sefi, Chodabende, Ali Hassein, Sarucho, Fatima, Abumasar (ein Sternseher), dazu mehrere exotische Titel und Bezeichnungen (S. 16 f.). Es unterliege danach keinem Zweifel, daß der Verfasser des *Myrsa Polagi* dieses orientalische Kolorit wie auch die Figur des Myrsa selbst und des Abumasar der *Reisebeschreibung* des Olearius entnommen hat. «Jedoch der Inhalt ist ganz originell ausgesponnen, wie auch Abumasar und Myrsa Polagi zu neuen Gestalten werden» (S. 18). Es stellt sich mithin die Frage: Hat Lenz dieses Werk gekannt?

Petersen sucht das mit erstaunlichem Spürsinn plausibel zu machen. Den ersten Hinweis auf Olearius' *Reisebeschreibung* möge Lenz durch Herders Fabel «Die Frau und die Henne, die goldne Eier legt» empfangen haben, deren Stoff aus dem Anhang der *Reisebeschreibung* stammt und die Herder zusammen mit anderen Fabeln aus Bückeburg an Lenz schickte, der sie an Wieland weiterleitete, in dessen *Teutschem Merkur* sie noch 1776 erschienen[16]. In der herzoglichen Bibliothek in Weimar, aus der Lenz sich Bücher entliehen hat[17],

---

[16] Zweites Quartal, S. 201 ff. Vgl. Herder an Lenz, Ende April 1776, und Lenz an Herder, 9. Juni 1776 (*Briefe von und an J. M. R. Lenz,* hg. von Karl Freye und Wolfgang Stammler, Leipzig 1918, I, 242, 270). Im *Teutschen Merkur* wird allerdings die Quelle dieser Fabeln nicht genannt (Loqmāns [Lockmanns] Fabeln im «Persianischen Rosenthal» im Anhang der *Reisebeschreibung*). Hat Herder Lenz brieflich auf die Quelle hingewiesen? Auffällig ist, daß Lockmann in *Myrsa Polagi* erwähnt wird (I, 5; S. 245).

[17] Lenz an Herder, 29. oder 30. November 1776 (*Briefe,* II, 57).

befanden sich nach der von Petersen mitgeteilten Angabe des Direktors, Prof. Deetjen, zur Zeit von Lenzens Aufenthalt in Weimar mindestens zwei Ausgaben dieses Buches, eine Hamburger aus dem Jahre 1696 und eine Schleswiger von 1663. In dieser letzten fehlt der Fabel-Anhang jedoch. Trotzdem möchte Petersen annehmen, daß Lenz gerade diese Ausgabe benutzt hat (freilich nicht notwendigerweise *nur* diese). Der Grund für die Annahme ist, daß dieses Exemplar Unterstreichungen aufweist, die auf Lenz zu deuten scheinen: «Unterstrichen nämlich sind: Heimatorte Lenzens, wie Dorpat (S. 115), Riga (51), Reval (51, 73, 75, 81), Narwa (51, 75, 115) und einmal, wo von den Festungsanlagen Narwas die Rede ist, der Name des berühmten Heerführers Pontus de la Gardie; ferner sind unterstrichen Worte, die mit Gefahren auf dem Meere zusammenhängen, die die Gesandtschaft, bei der Olearius sich aufhält, erduldet: Wellen (63), Wind (76, 77), Wirbelwind (79), das erzürnte Meer (75), Gefahr, da wir doch noch auff einem zertrümmerten Schiff mitten in den ungestümen Wellen schwebeten (75), da wir mit unsern zerbrochenen Schiffen in die gefährlichen Schiffbrüchigen-Klippen uns wagen wolten (75); weiter die Worte: Scharfsinnigkeit, List (188), zwei Namen des Lustspiels: Schach Ab[b]as (553, 554, 765) und Sefi (765)» (S. 21 f.). Militärische Fragen interessierten Lenz damals[18]; an der Soldatenlaufbahn reizte ihn überdies die Gefahr; der Bildkomplex Meer, Schiffbruch, Wind, Wellen kehrt in seinen Werken «immer wieder» (S. 22) und gelegentlich auch in *Myrsa Polagi* (II, 6). «Mit einem hohen Grade von Wahrscheinlichkeit» stammen also, meint Petersen, die Unterstreichungen von Lenz. Sie markierten infolgedessen den Keim des *Myrsa Polagi*. Wenn das durchaus einleuchtend klingen mag, so kann man sich jedoch hier auch leicht zum Advocatus diaboli machen und annehmen: irgendein früherer Forscher, der denselben Zusammenhang zwischen der *Reisebeschreibung* und *Myrsa Polagi* vermutete, habe diese Unterstreichungen vorgenommen. Petersen spricht ja selbst den Argwohn aus, daß er in seinem Unternehmen Vorgänger außer dem genannten N. Busch gehabt hat, die allerdings nichts Schriftliches dazu hinterlassen haben (S. 7 f.). So eignet sich diese Vermutung also keineswegs zu einer Widerlegung der These Petersens.

Als weitere Stütze seiner Auffassung macht Petersen eine freilich recht entfernte motivische Verwandtschaft zwischen *Myrsa Polagi* und Goethes Singspiel *Erwin und Elmire* namhaft, das Lenz kurz nach seiner Ankunft in Weimar kennenlernte und in einem Gedicht feierte. Weinhold[19] hatte bereits motivische Verbindungen zwischen *Erwin und Elmire* und der *Laube* entdeckt. Dieses Werk wiederum steht motivisch dem *Myrsa Polagi* nahe (S. 34–37).

[18] Vgl. Lenz an Goethe und Seidel, 27. Juni 1776 (*Briefe*, II, 4).
[19] *Dramatischer Nachlaß von J. M. R. Lenz*, Frankfurt a. M. 1884, S. 111.

Doch wie gesagt: die Entsprechungen sind vage. Vollends muß man gegenüber Petersens Auffassung, es bestehe auch ein formaler «Einfluß» der Goetheschen Operette auf *Myrsa Polagi*, Skepsis bewahren: die bloße Einstreuung von zwei scherzhaften Liedern (I, 8) beweist gar nichts. Auch die gelegentliche Wiederkehr des Reimes «Ruh – zu» in Lenzschen Werken besagt kaum etwas (S. 24f.).

Auf weniger schwankenden Grund begibt sich Petersen, wenn er darauf aufmerksam macht, daß die moralische Sentenz, auf die *Myrsa Polagi* hinausläuft (Glück ist, andere glücklich machen), für Lenz «das A und O der Prinzipien der Moral überhaupt» sei (S. 29). Immerhin stimmt der «Versuch über das erste Prinzipium der Moral» (aus der Straßburger Zeit) damit überein.

Auch die motivischen Parallelen zu den 1776 entstandenen Werken *Der Waldbruder, Tantalus* und *Die Laube*, die Weimarer Eindrücke, vor allem Lenzens eigene tragikomische Rolle, wie auch seine unglückliche Liebe zu Henriette von Waldner verarbeiten, vermag Petersen durchaus einleuchtend aufzuweisen (S. 30–37). Wie man in diesen Werken Figuren aus Lenzens Weimarer Bekannten- und Freundeskreis gesehen hat, so sucht nun auch Petersen im persischen Kostüm des *Myrsa Polagi* Weimarer Personen und Lenz betreffende Personenkonstellationen zu erkennen[20]: Abumasar (die Hauptgestalt) = Lenz, Myrsa Polagi = Herzog Carl August, Chodabende und Ali Hassein = Goethe, Sefi = Friedrich Hildebrand von Einsiedel, Kura = Henriette von Waldner, Nurmala, die Cassa von Siam und Pegu = Frau von Stein. In dieser Weise entschlüsselt, gibt das Stück als seine «Tendenz» nichts Geringeres zu erkennen als einen «Angriff des gereizten aud aufs tiefste verwundeten Lenz gegen seine Weimarer Spötter». «Die Cassa läßt den Irrgarten anlegen, damit der Myrsa eine Weile seinen rauhen Spaß treibt, führt ihn aber dann über diese Späße hinaus zu Höherem. Auch Ali Hassein = Goethe, der ihn vorher verspottet hatte, vereinigt sich mit ihr zu edlem Werk. So stehen die beiden Gestalten, die einen so großen Eindruck auf Lenz gemacht hatten, als bewunderte Bilder nebeneinander» (S. 63).

An dieser Stelle mag es angezeigt sein, die Umstände von Lenzens Weimarer Aufenthalt (1776) zu skizzieren, soweit sie für den von Petersen angesetzten autobiographischen Gehalt von *Myrsa Polagi* relevant sind.

Was Lenz bewogen hat, im Frühjahr 1776 von Straßburg nach Weimar zu reisen, wird in keinem seiner Briefe aus der fraglichen Zeit ausgesprochen. Man darf jedoch, wie es herkömmlich geschieht, annehmen, daß er in der Erwartung kam, in Weimar gewisse militärische Reformprojekte durch erhoffte hohe Protektion durchzusetzen. Vor allem weist ein Brief an Herder vom März

[20] S. 41–63. Die Liebe zu Henriette von Waldner fällt natürlich in die vorweimarische Zeit, wird aber gerade in Weimar Gegenstand seiner literarischen Arbeiten.

1776[21] in diese Richtung, in dem Lenz schreibt: «Ich habe eine Schrift über die Soldatenehen unter Händen, die ich einem Fürsten vorlesen möchte, und nach deren Vollendung und Durchtreibung ich – wahrscheinlich wohl sterben werde.» (Ähnlich bedrängt der Sternseher den Myrsa mit seinen Projekten.) Lenz ist rasch in den Kreis Goethes, seines Freundes aus der Straßburger Zeit, eingeführt und scheint die neue Umwelt in vollen Zügen zu genießen. Bald erweist es sich jedoch, daß der gesellschaftlich wenig gewandte und erfahrene Lenz nicht in die Hofatmosphäre Weimars paßt. Kaum ist er da, begeht er auf einem Hofball eine Taktlosigkeit, über die Goethe am 25. April an Frau von Stein schreibt: «Lenzens Eseley von gestern Nacht hat ein Lachfieber gegeben. Ich kann mich gar nicht erhohlen.» Durch seine Ungeschicklichkeiten macht Lenz sich in der Hofgesellschaft rasch zum Gegenstand des Gelächters, wohlwollenden Gelächters immerhin, aber trotzdem ist es ihm peinlich genug, so daß er sich von Ende Juni bis Anfang September in den benachbarten Badeort Berka zurückzieht. «Ich geh aufs Land», so verabschiedet er sich von Goethe, «weil ich bey Euch nichts thun kann.»[22]

Freilich ist das Weimarer Intermezzo mit der fluchtartigen Abreise nach Berka (selbst Kamm und Rasiermesser muß er sich nachschicken lassen) nicht beendet. Im September kehrt Lenz zurück. Nun aber treten die Schwierigkeiten seiner Lage noch merklicher zutage, namentlich auch die Differenzen mit Goethe, die durch Frau von Steins Interesse an Lenz – sie läßt sich bis Ende Oktober auf Gut Kochberg von ihm englischen Unterricht erteilen – nur gesteigert werden konnten. Hals über Kopf – nur ein Tag Aufschub war ihm noch durch Herders Fürsprache gewährt worden – verläßt Lenz dann auf Befehl des Herzogs am 1. Dezember Weimar. Was war geschehen? Wieder eine «Eseley», wie Goethe am 26. November im Tagebuch vermerkt. Worum es sich dabei genauer gehandelt hat, ist jedoch nur zu vermuten. Im allgemeinen nimmt man auf Grund der Briefe aus diesen Tagen an, Lenz habe, wie es den Gepflogenheiten am Weimarer Hof entsprach, wo man sich gegenseitig in satirischen «Matinées» verspottete, ein «Pasquill»[23] verfaßt, darin aber die Grenzen des Taktes überschritten. Gekränkt wurde durch diese Entgleisung besonders Goethe, auf dessen Beziehungen zu Frau von Stein Lenz vermutlich angespielt hatte. Lenz suchte den Bruch sofort zu heilen; aber auch später ist es nicht zu einer Versöhnung gekommen.

Diese Episode seines Lebens hätte Lenz also, à la chinoise verhüllt, in der Komödie um den von seiner höfischen Umwelt genarrten lebensfremden Sterngucker Abumasar (Lenz) ins Poetische transponiert.

[21] *Briefe*, I, 197.
[22] 27. Juni 1776 (*Briefe*, II, 3).
[23] Lenz an von Kalb, 29. November 1776 (*Briefe*, II, 56).

IV

Kehren wir nach diesem Exkurs zu Petersens Beweisführung zurück. Den weitaus größten Teil seiner Argumentation (S. 63–157) macht der Versuch aus, charakteristische Vorstellungskreise, wie sie aus Lenzens authentischen Werken zu gewinnen seien, das heißt gewisse Motive, die die schöpferische Phantasie des Dichters, zum Teil mit bestimmten sprachlichen Wendungen, immer wieder aufgreift, auch in *Myrsa Polagi* aufzufinden. Und zwar stützt Petersen sich dabei auf die von Hans Sperber entwickelte wort- und motivanalytische Methode, besonders häufig wiederkehrende Vorstellungskreise im Werk eines Dichters als in der seelischen Struktur des Verfassers begründete stilistische Kennmarken zu erweisen [24]. Während nun aber Sperber sein Verfahren an einem Schriftsteller demonstrieren konnte, der betonte stilistische Eigenständigkeit zeigt, besonders auch in puncto Neubildungen, die, wie Petersen Sperber selbst zugesteht, «der eigentliche Prüfstein der Methode» sind (S. 65), so ist es die Schwäche des Versuchs Petersens, daß es nicht gelingt, Vorstellungen und Kennwörter zu isolieren, die so präzis und originell sind, daß sich auf deren Identität (in *Myrsa Polagi* und authentischen Werken Lenzens) die These der Verfasser-Identität gründen ließe. Diese Vorstellungskreise sind die «1. des geheimnisvollen Verbergens und Maskenspiels, 2. der Intrige, 3. des Mißtrauens, 4. weiter Reisen und Irrens, 5. großer Taten, 6. des Todes, 7. des Lachens» (S. 63). In der ausführlichen Darstellung werden diese Motive keineswegs präzisiert. Überdies wäre es vor der Konzentration auf gerade diese Vorstellungskreise zunächst einmal nötig, statistisch zu erweisen, daß sie wirklich die auffällig vorherrschenden und die *einzigen* vorherrschenden sind. Motivfrequenzen zu messen, dürfte jedoch eine kaum erfüllbare Aufgabe sein. Leider stützt nun Petersen aber seine Argumentation überwiegend grade auf solche vermeintliche Motivparallelität und schenkt dem Wortmaterial selbst zugegebenermaßen (S. 64) wenig Beachtung. Er kann daher auch nicht darlegen, was er selbst prinzipiell für die Sperbersche Methode fordert: «daß das betreffende Wort weit häufiger als nötig und an Stellen, wo es sonst nicht ohne weiteres verwandt wird, vorkommt. Darin zeigt sich sodann, daß das betreffende Wort nicht allein durch das Motiv bedingt ist, sondern, daß es die in der Psyche des Dichters latente affectbetonte Vorstellung ist, die das Wort in die Darstellung ungewollt einfließen läßt» (S. 64 f.). Petersens ausgedehnte Motiv- und Worttabulation ist daher nicht überzeugend. Das gleiche muß von seinen allzu flüchtig ausgefallenen Ausführungen in den Kapiteln «Stilistisches» (S. 157–160) und «Interpunktion»

---

[24] Hans Sperber, «Motiv und Wort bei Gustav Meyrink», in: *Motiv und Wort, Studien zur Literatur- und Sprachphysiologie*, Leipzig 1918.

(S. 160–161) gelten: wiederum sind die Eigentümlichkeiten, die angeblich in Lenzens Werken und in *Myrsa Polagi* besonders häufig vorkommen (stilistische Selbstkorrektur, Aposiopese und Gedankenstrich), viel zu allgemeiner Natur.

V

Diese Kritik läßt Petersens These aber keineswegs in sich zusammenfallen. Zwar ist es ratsam, den soeben erörterten spekulativen Hauptteil, auf den Petersen das größte Gewicht zu legen scheint, zu ignorieren. Aber die vorausgeschickten, mehr externen Argumente sind nicht in den Wind zu schlagen, obwohl sich, wie angedeutet, bei einigen Bedenken regen, wenn auch nicht radikaler Art. Die *kollektive* Überzeugungskraft der Erörterungen Petersens darf man ernst nehmen und als durchaus erwägenswert gelten lassen.

Im Zusammenhang dieser mehr äußeren Beweisführung mögen noch zwei weitere Überlegungen nützlich sein, die bei Petersen merkwürdigerweise fehlen. Sie betreffen die Umstände der Entstehung und der Veröffentlichung des *Myrsa Polagi*. Wenn Petersens Zuschreibung zu Recht besteht, bestärken sie seine Beweisführung, legen aber eine leicht veränderte Auffassung des Gesamtkomplexes nahe.

Obwohl Petersen auf die Frage der Entstehungszeit des *Myrsa Polagi* nicht eingeht, nimmt er mehrmals als selbstverständlich an, daß das Stück noch in der Weimarer Zeit geschrieben ist[25], und zwar als Antwort auf die lächerlichklägliche Rolle, die man Lenz am Hof spielen ließ und zu der er sich nur allzugut eignete. Petersen spricht geradezu vom «Angriff» des Beleidigten (S.63) und von seinem «gereizten Ichgefühl» (S. 155). Eine solche Haltung wäre vor Lenzens Verbannung aus Weimar durchaus denkbar. Aber handelt es sich wirklich um ein im Ton der Verbitterung geschriebenes Werk? Spricht dagegen nicht schon die von Petersen (in dem zitierten Wort über die «Tendenz») selbst bemerkte versöhnliche und um Versöhnung bittende Note des Schlusses, die Bitte um Gunst und die Reuebekundung geradezu, die sich in dem positiven Schlußbild Ali Hasseins (= Goethes) und Nurmalas (= Frau von Steins) zu erkennen gibt? Die Geste des Versöhnungswillens läßt vielmehr daran denken, daß *Myrsa Polagi* erst *nach* dem erzwungenen Weggang aus Weimar verfaßt wurde: als Ersatz für die erhoffte[26], doch nicht gewährte Chance zur Verständigung und Aufklärung seiner, wie allgemein angenommen[27], Goethe und Frau von Stein gleicherweise beleidigenden «Eseley». Von

[25] S. 13, 30, 155.

[26] Lenz an von Kalb, 29. November 1776 (*Briefe*, II, 55); Lenz an Herder, 29. oder 30. November 1776 (*Briefe*, II, 56).

[27] Doch vgl. K.R.Eissler, *Goethe, A Psychoanalytic Study*, Detroit 1963, I, 23ff.,

dieser Vermutung aus mag man dann auch einem Briefkonzept einen Sinn abgewinnen, das bisher nur eine unbeantwortete Frage aufgegeben hat:

Hier gnädige Frau eine kleine Scharteke in der ich mich an allen Ecken und Enden selbst abgemalt habe zufrieden wenn in unserm so Schmerz als Scherz leeren Jahrhundert wo ein jedes unter und ausser der Last seiner Pflichten hinschleicht als ob eine Welt auf ihm allein läge, ich meinen Freunden wenigstens ein wenig das Zwerchfell zu erleichtern im Stande bin.

Ew. Gnaden gehorsamster Diener
Lenz.

Meine zweyte Reise in die Schweitz war an neuen Gegenständen und sonderbaren Schicksalen noch mannigfaltiger als die erste. Vielleicht unterhalt ich Ew. Gnaden ein andermal damit. Sagen sie Goethen ich hab ihn zu grüssen von der Reuß und den Leuten die ihn drin haben baden sehen.

Erich Schmidt, der den Brief zum erstenmal ungekürzt veröffentlichte, hatte Frau von Stein als Empfängerin vermutet[28]. Stammler gibt dagegen als Tatsache an: «Lenz an Frau von Stein»; Schmidt habe nur eine «ungenaue Kopie» vorgelegen[29]. Übrigens hatte Karl Weinhold bereits in seiner Ausgabe der *Sizilianischen Vesper* diese Zeilen als an Frau von Stein gerichtet verstanden[30]. Datiert wird der Briefentwurf bei Schmidt «August oder September 1777», bei Stammler (und schon bei Weinhold) «August 1777». Dafür ist der Hinweis auf die «zweyte Reise in die Schweitz» ein genügender Anhalt. Es bleibt die Hauptfrage: was ist mit der «kleinen Scharteke» gemeint? Offenbar ein seit der Abreise entstandenes beziehungsweise fertiggestelltes Werk. Schmidt vermutete den *Landprediger*, gab aber gleich zu: «was freilich schlecht paßt». In der Tat paßt die Beschreibung nicht auf diese Erzählung. Stammler nimmt die Vermutung denn auch gar nicht erst wieder auf. Er vermerkt statt dessen, es sei «unbekannt», was man sich unter der «Scharteke» vorzustellen habe. Eine komische Selbstdarstellung ist gemeint – könnte es das (oder ein) *Myrsa-Polagi*-Manuskript gewesen sein, als eine nachträglich um Versöhnung bittende Geste? Das einzige andere Werk, an das man im ersten Augenblick denken könnte, ist das tragikomische Dramolett *Tantalus*, dem aber eben die versöhnliche Note fehlt und das Goethe nach einem Tagebucheintrag bereits am 14. September 1776 gelesen hat, das also im Hofkreis bei

---

224–229. Eissler vermutet, Lenzens «Pasquill» habe auf Goethes Neigung zur Herzogin Louise angespielt, die er für stärker hält, als man bisher angenommen habe (S. 216–224). Doch gelingt es ihm nicht, eindeutige Indizien nachzuweisen. Für die übliche Auffassung sprechen die am Ende dieses Abschnitts zitierten Briefe Goethes an Frau von Stein.

[28] *Sitzungsberichte der Preußischen Akademie der Wissenschaften*, 1901, S. 1017.

[29] *Briefe*, II, 273 zu Nr. 282.

[30] Breslau 1887, S. 68.

seinen «Freunden», an die Lenz ja die «Scharteke» p. A. Frau von Stein schickt, schon bekannt war[31]. *Myrsa Polagi* kommt offenbar eher in Frage.

Wie ist es aber zu verstehen, daß ein 1776/77 entstandenes Werk erst 1782 im Druck erscheint? Ende 1780, Anfang 1781 denkt Lenz daran, eine Gesamtausgabe seiner Werke herauszubringen[32]. Aus der Gesamtausgabe wurde zwar nichts. Auffällig ist aber, daß Lenz statt dessen gerade in dieser Zeit Arbeiten in *Für Leser und Leserinnen* sowie im *Liefländischen Magazin (Die Sizilianische Vesper)* unterbringt. Möglich, daß diese ihm gerade durch die Bemühung um eine Gesamtausgabe nahegebracht worden sind. Aus einem Brief Wielands[33] geht hervor, daß Lenz sich in der Angelegenheit der Gesamtausgabe nach Weimar wandte: vielleicht in der Absicht, sich dort hinterlassene Manuskripte nachschicken zu lassen? In diesem Zusammenhang muß Lenz auch an Goethe geschrieben haben, eventuell unter Einschluß einer Notiz an Frau von Stein oder mit einem Parallelbrief an sie. Das geht aus Goethes Brief an Frau von Stein vom 23. März 1781 hervor: «Hier ist ein Brief an Lenzen», schreibt er, «du wirst daraus sehen was und wie du ihm zu schreiben hast»[34]. Beide Antwortschreiben an Lenz sind verschollen. Ist es nicht denkbar, daß Lenzens (ebenfalls nicht bekannt gewordener) Brief unter anderem auch *Myrsa Polagi* betroffen hat, der dann 1782 im *Liefländischen Magazin* erschien – besonders wenn es sich bei der an Frau von Stein geschickten «Scharteke» um das einzige Exemplar gehandelt haben sollte?

VI

Eine naheliegende Identifikationshilfe hat Petersen unerklärlicherweise überhaupt nicht beachtet: die lexikalischen und grammatikalischen estnisch-livländischen Provinzialismen. Vorausgeschickt sei, daß es dabei nicht erforderlich ist, zwischen estnischen und livländischen Idiotismen zu unterscheiden, obwohl geringfügige Unterschiede im Deutsch der baltischen Provinzen durch-

[31] Vgl. dazu Karl S. Guthke, «Klingers Fragment *Der Verbannte Gottessohn*, Lenzens *Tantalus* und der humoristische Fatalismus und Nihilismus der Geniezeit» in: *Worte und Werte* (Markwardt-Festschrift), Berlin 1961, S. 111–122; auch Guthke, *Geschichte und Poetik der deutschen Tragikomödie*, Göttingen 1961, S. 69–72.

[32] Vgl. Lenz an Lavater, nach dem 5. Juli 1780 (*Briefe*, II, 180), wo freilich vorerst nur an eine Ausgabe von *Der Hofmeister*, *Der neue Menoza*, *Die Soldaten*, *Die Freunde machen den Philosophen* und *Der Engländer* gedacht ist. Doch vgl. Wieland an Merck, 2. März 1781: Lenz «möchte gern seine *Opera omnia*, vermehrt [!] und verbessert, *à son propre profit*, herausgeben, weiß aber nicht, wie ers anfangen soll» (*Briefe an J. H. Merck von Goethe, Herder, Wieland und andern bedeutenden Zeitgenossen*, hg. von Karl Wagner, Darmstadt 1835, S. 286).

[33] Vgl. die vorige Anmerkung.

[34] Vgl. Goethe an Frau von Stein, 25. März 1781: «Ich dancke für den Brief an Lenz.»

aus bestehen, Unterschiede, deren Isolierung voneinander man allerdings nicht immer für nötig gehalten hat[35]. Und zwar ist für den gegenwärtigen Zweck eine Unterscheidung deswegen wenig sinnvoll, weil Lenz zwar (1751) in Livland geboren ist, aber von 1759 bis 1768 im estnischen Dorpat aufwuchs. (1768 bis 1771 hielt er sich in Königsberg, anschließend in Straßburg und Weimar auf; in die Heimat kehrte er erst 1779 zurück, zuerst nach Riga, dann, 1780, nach Dorpat; von 1781 bis zu seinem Tod lebte er in Moskau.) Baltendeutsche Provinzialismen hat man in Lenzens Schriften des öfteren beobachtet[36]. Weinhold hat sie 1874, als der Brief F.M. Klingers (an Reich, 6. März 1777) aufgetaucht war, in dem er die Verfasserschaft der *Soldaten* für sich in Anspruch nimmt, sogar zum Nachweis der Lenzschen Autorschaft herangezogen[37]. Im vorliegenden Falle ist das Problem freilich anders und schwieriger, da eben nicht die Wahl zwischen zwei Verfassern, einem livländisch-estnischen und einem rheinischen, zu treffen ist. Der Nachweis livländisch-estnischer Idiotismen würde überdies nicht einmal eindeutig auf einen Baltendeutschen als Verfasser weisen, denn bekanntlich sind diese Provinzialismen, soweit sie deutsch sind (und nur solche finden sich in *Myrsa Polagi*), einfach niederdeutsch. Auch Curt Pfützes Beschreibung der Lenzschen Spracheigentümlichkeiten hilft hier kaum weiter, da nicht ausreichend geklärt wird, wieweit Lenzens Sprache Individualitätscharakter besitzt. Immerhin widerspricht die Sprache des *Myrsa Polagi* den von Pfütze namhaft gemachten Sprachgewohnheiten Lenzens nicht, soweit Vergleichbares vorkommt und zu erwarten ist (kraftgenialisches Sprachgebaren fehlt natürlich in der «Chinoiserie»). Schließlich ist im Auge zu behalten, daß die Sprache des *Myrsa Polagi* (wie auch die Lenzens allerdings) durch gewisse Ambivalenzen gekennzeichnet ist: *größest* und *größt*, *verdrüßlich* und *verdrießlich*, *Ich habe nicht Zeit* und *Ich habe keine Zeit* usw.

Diesen Schwierigkeiten zum Trotz über die Evidenz der sprachlichen Indizien zu spekulieren, verböte sich selbst, wenn Lenzens Sprache nicht durch eine dialektgeographisch höchst sonderbare und seltene Eigentümlichkeit gekennzeichnet wäre, die den sprachlichen Vergleich auf eine etwas tragfähigere Basis zu stellen geeignet sein mag. Bei Lenz finden sich nämlich nicht nur livländisch-estnische Provinzialismen, sondern auch oberdeutsche. Pfütze hat in seiner Dissertation auf solche oberdeutsche Spracheigentümlichkeiten hin-

---

[35] W. von Gutzeit, *Wörterschatz der deutschen Sprache Livlands*, I, Riga 1864, S. VIII; K. Sallmann, *Neue Beiträge zur deutschen Mundart in Estland*, Reval 1880, S. 2.

[36] Curt Pfütze, *Die Sprache in J.M.R. Lenzens Dramen*, Diss., Leipzig 1890; auch Karl Weinhold (Hrsg.), *Die Sizilianische Vesper*, Breslau 1887, Anhang.

[37] «J.M.R. Lenz ist Verfasser der *Soldaten*», *Zeitschrift für deutsche Philologie*, V (1874), 199–201.

gewiesen, allerdings allzuoft in Wendungen wie «Anlehnung an die (besonders oberdeutschen) Volkssprachen» (S. 13). Es käme also, um ganz sicherzugehen, darauf an, eindeutig süddeutsche Provinzialismen, am besten lexikalischer Art, zu isolieren. Pfütze bemerkt: «Die Wörter *halt* und *gelt*, die in Norddeutschland nicht vorkommen, eignete sich Lenz jedenfalls im Verkehr mit seinen Straßburger Bekannten an» (S. 56). *Gelt* kommt nun tatsächlich in *Myrsa Polagi* zweimal vor: «Gelt, das war dir nicht recht ...» und «Gelt, da fiengst du an zu lachen ...» (I, 4; S. 240f.). Es ist freilich dieselbe Person, die diese beiden Sätze spricht, aber von Charakterisierung der Figuren durch Dialektgebrauch kann in *Myrsa Polagi* nicht die Rede sein.

Daneben kommen aber in *Myrsa Polagi* – wie in den authentischen Werken Lenzens – auch estnisch-livländische Provinzialismen niederdeutscher Herkunft vor. Besonders auffällig sind die folgenden.

1. «Gieb nur Acht, er *verbüstert* sich noch in den Irrgarten hier, um den Myrsa und den ganzen Hof zu lachen zu machen» (I, 3; S. 239). Nach K.Sallmann ist *büstern* («in der Irre herumlaufen, im Wüsten tappen») eine «plattdeutsche Entlehnung» im estnischen Hochdeutsch[38]. *Büstern* und *verbüstern* verzeichnet auch das *Preußische Wörterbuch* von G.E.S. Hennig[39], ebenfalls das *Bremisch-Niedersächsische Wörterbuch* der bremischen Deutschen Gesellschaft[40]. Beide fehlen dagegen, wie zu erwarten, sowohl bei Adelung wie bei Campe[41].

2. «Fürchtest du dich *für* den Myrsa? den Myrsa, den du so nahe gesehen ...» (II, 3; S. 270). *Für* und *vor* waren im 18.Jahrhundert bekanntlich noch austauschbar, auch bei Lenz[42]. Aber man erwartet hier natürlich die Konstruktion mit dem Dativ wie zum Beispiel bei Gottsched, *Sterbender Cato*: «Ich fürchte mich *für* nichts als Eurem Zorn und Haß» (II, 7). Doch steht in dem Satz aus *Myrsa Polagi* eindeutig der Akkusativ. K. Sallmann führt nun aus, im estnischen Schriftdeutsch habe sich nach *bange sein* und *sich fürchten* das ältere *für* statt des «heute gewöhnlichen» *vor* erhalten (S. 154). Leider zeigt sein Beispiel für *sich fürchten* aber nicht den Kasus an, mit dem diese Wendung konstruiert wird; dieser läßt sich jedoch als Akkusativ statt als Dativ erschließen aus dem Beispielsatz für *bange sein für* (nämlich: «für den Tod»). Übrigens ist die Akkusativkonstruktion nach Präpositionen, die im Hochdeutschen den Dativ verlangen, im Plattdeutschen gang und gäbe[43].

[38] S. 28, 30. – *Sich verirren* kommt in *Myrsa Polagi* I, 1; S. 231, vor.
[39] Königsberg 1785, S. 41.
[40] I, Bremen 1767, S. 171f.
[41] Bei Gutzeit fehlt *büstern*, bis V ist sein Lexikon nicht gediehen.
[42] Vgl. Pfütze S. 62f.
[43] Vgl. Hubert Grimme, *Plattdeutsche Mundarten*, 2. Aufl., Berlin und Leipzig 1922, S. 116f.

3. Daß bei Lenz die Verbindung von Präpositionen mit dem falschen Fall
(Dativ statt Akkusativ und Akkusativ statt Dativ) öfters vorkommt, besonders
nach *an* und *auf*, ist gelegentlich beobachtet worden[44]. Daß namentlich nach
an und *auf* der Dativ steht, wo im normalen Hochdeutsch der Akkusativ erwartet wird, bezeichnet W. von Gutzeit als [sicher niederdeutsche] Eigenart
des livländischen Hochdeutsch[45]. In *Myrsa Polagi* paßt dazu die Stelle: «Geh
am Galgen mit deiner Unschuld.»[46]

Das Vorkommen von sowohl livländisch-estnischen Provinzialismen niederdeutscher Provenienz wie auch mindestens *einer* eindeutig oberdeutschen
Wendung deutet auf einen Verfasser, dessen sprachlicher *background* von der
Art dessen gewesen sein muß, den der Sturm-und-Drang-Dramatiker Lenz
nachweislich gehabt und in seinen Dramen zum Ausdruck gebracht hat.

Das sind also die – alten und neuen – Indizien, die man bei der Erwägung
der Verfasserfrage im Auge behalten sollte. Der sehr selten gewordene Text
des *Myrsa Polagi* ist 1964 im *Jahrbuch des Freien Deutschen Hochstifts* wiederveröffentlicht worden; damit ist dem Leser, der unserem Gedankengang
soweit gefolgt ist, Gelegenheit gegeben, sich selbständig dafür oder dagegen
zu entscheiden, oder vielmehr: die faszinierende Verzwicktheit der Frage nach
dem Autor von *Myrsa Polagi* selbst nachzuempfinden.

[44] Weinhold S. 69; Pfütze S. 28 f.
[45] Vgl. unter *an* und *auf*.
[46] I, 9; S. 263; doch vgl. «Gehn Sie an den Galgen …» (I, 6; S. 252).

II
ANREGUNGEN

DIE GNOSTISCHE MYTHOLOGIE
IM SPÄTWERK GERHART HAUPTMANNS

Das Terzinenepos *Der Große Traum* ist von Kennern des Hauptmannschen Werks wiederholt als das Bedeutendste und Tiefste bezeichnet worden, was wir aus der Feder des Dichters besitzen; und wenn man diese Dichtung als den absoluten Gipfelpunkt im Panorama des Gesamtwerks auffaßt, so hat man dafür vom Dichter selbst die Vollmacht; denn er war in seinen letzten Lebensjahren überzeugt, «etwas Letzteres» nicht geben zu können[1]. Aber trotz der allgemeinen Anerkennung der überragenden Bedeutung dieses Lebenswerks (1914–1942) steckt die wissenschaftliche Interpretation noch in den Anfängen.

«Aus der düsteren Innerlichkeit der Kriegsjahre»[2] entstanden und in der Not der Zwischenkriegszeit und des Zweiten Weltkriegs fortgeführt, beabsichtigt *Der Große Traum* eine dichterische Gesamtschau und Deutung des unheilvollen Geschehens dieser Zeit, in der Weise jedoch, daß trotz der vielfach sehr greifbaren aktuellen Züge jeweils die allgemeingültigen Aspekte aus dem Zeitbedingten herausgehoben werden, wie es Hauptmanns Dichtungsauffassung entspricht. Diese Tendenz geht so weit, daß die handfeste Gegenständlichkeit, die noch den *Till Eulenspiegel* auszeichnete, zurücktritt zugunsten einer sonst nicht erreichten Abstraktion in der Erhebung «vom zeitlichen ins ewige Schicksal»[3]. Mehr noch: das Konkrete wird ins Mythische transponiert. Einen Mythos schaffen, bedeutet für Hauptmann einen Akt der Selbsterhaltung des Menschen gegenüber dem übermächtig Chaotischen und Abgründigen, das für ihn in jede Lebenserfahrung eingeht. Der Mythos stellt für den Dichter des *Großen Traums* den Versuch dar, sich im Bilde über die Beschaffenheit des Lebens zu verständigen, es durch derartige Orientierung an einem erdachten bildhaften Bezugssystem erträglich zu machen[4]. So taucht schon

---

[1] C. F. W. Behl, *Zwiesprache mit Gerhart Hauptmann*, München 1949, S. 104. «Von allen meinen Werken wird dieses vielleicht am längsten leben», äußerte der Dichter zu Rolf Italiaander und meinte, *Der Große Traum* stelle in seinem Schaffen das dar, «was uns bei Goethe der 'Faust' bedeutet», wobei er weniger an die künstlerische Vollendung als an den geistig-dichterischen Standort dachte; s. *Gerhart Hauptmann Jahrbuch* 1948, S. 134. Die bisher einzige Behandlung des *Großen Traums* ist die von F. B. Wahr, «Comments on Hauptmann's *Der Große Traum*», *Germanic Review*, XXVIII (1953), 42–54.

[2] Hauptmann in der *Neuen Rundschau*, 1927, S. 12.

[3] Ausgabe letzter Hand, Berlin 1942, XVII, S. 368 (Centenar-Ausgabe, VI, 989). Gegenüber seinem eigenen Stil nannte Hauptmann Dante einen «Naturalisten des Inferno» (Behl, *Zwiesprache*, S. 103).

[4] Neben den den Mythos behandelnden Partien des *Neuen Cristophorus* und des *Grie-*

früh, von *Helios, Der Mutter Fluch* und der *Versunkenen Glocke* an, der Licht-
mythos auf, der noch lange nachwirkt und zum Beispiel alle Künstlerdramen
als Ordnung ihrer Welt durchzieht[5]. Prometheus spielt als mythische Figur
eine Rolle[6]; die Jesusstudien finden im *Quint* ihren Niederschlag; später, besonders seit der Griechenlandreise, ist es dann Dionysos, der in das Bedeutungsgefüge von Werken wie *Der Ketzer von Soana* und *Die Insel der Großen
Mutter* eingeht; schließlich ist seit *Im Wirbel der Berufung* Lucifer für Hauptmann eine Schlüsselfigur des mythischen Weltverständnisses geworden.

Im Werk des reifen Alters jedoch bringt eine der zahlreichen Metamorpho-
sen des Dichters die Wendung zu einem weiteren und ganz neuen Mythos mit
sich. Es ist der Mythos von den Brüdern Satanael und Christus, wie er sich
andeutungsweise im *Dom* (1942) und in voller Entfaltung im *Großen Traum*
darbietet[7]. Er ist eine noch unerschlossene Welt. Zwar wird man, zumal in der
Gestalt Satanaels, gewisse Affinitäten zu früheren Mythenfiguren des Dichters,
zu Lucifer und Prometheus insbesondere, nicht verkennen, doch darf man im
Großen Traum keine einfache Fortführung der vorhergehenden Mythen-
komplexe, etwa in der Form der Gleichsetzung Satanael–Lucifer, sehen, wie
dies – in eingestandenermaßen vorläufiger Beurteilung – geschehen ist[8]. Zu
der neuen Mythenwelt führte eine neue Anregung. Am 12. März 1944 er-
klärte Hauptmann C.F.W. Behl, «das Werk Ignaz Döllingers, des Begrün-
ders des Altkatholizismus, über Jesus und seinen Bruder Satanael habe *entscheidend* auf die *Vorstellungswelt* des *Großen Traums* eingewirkt»[9]. Damit
kann nun keineswegs die visionäre Bildwelt des Traums gemeint sein, die
andere Quellen hat[10], sondern nur das Bedeutungsgefüge. Diesem Einfluß des

chischen Frühlings vgl. den von Thieß vollendeten *Winckelmann*, Gütersloh 1954, S. 167,
181 f., 189 f.

[5] Vgl. K.S. Guthke, «Die Gestalt des Künstlers in G. Hauptmanns Dramen», *Neophilologus*, XXXIX (1955), 23–40.

[6] F.B.Wahr, «Hauptmann and the Prometheus Symbol», *Monatshefte*, XXX (1938),
345–354.

[7] F.A.Voigt bedauerte noch 1935, daß Hauptmann sich über die Satanael-Vorstellung, «die eine große Rolle in der Weltanschauung des Dichters spielt», in den veröffentlichten Werken noch nicht zur Genüge ausgesprochen habe. Der Mythos tritt dann erst
in den vierziger Jahren ans Licht. Vgl. Voigt, *Antike und antikes Lebensgefühl im Werk
G.Hauptmanns*, Breslau 1935, S. 125, Anm. 29.

[8] H. Schreiber, *G. Hauptmann und das Irrationale*, Aichkirchen 1946, S. 282.

[9] Behl, *Zwiesprache*, S. 204. Kursivdruck nicht im Original. Ein derartiges Buch
existiert nicht. Gemeint ist *Beiträge zur Sektengeschichte des Mittelalters, Erster Theil:
Geschichte der gnostisch-manichäischen Sekten im frühen Mittelalter*, München 1890. Der
Große Traum wird nach Band XVI der Ausgabe letzter Hand und Band IV der Centenar-
Ausgabe zitiert. Die «vollständige» Neuausgabe von Hans Reisiger, Gütersloh 1956,
empfahl sich nicht wegen der eigenmächtigen Anordnung der Gesänge.

[10] Vgl. Hauptmanns Äußerungen bei Behl, *Zwiesprache*, S. 114, 170, 199, 204.

Döllingerschen Buches auf die Ausprägung der Mythologie des späten Hauptmann soll hier nachgegangen werden. Eine Gesamtinterpretation des *Großen
Traums* ist dabei nicht beabsichtigt, sondern eine Deutung des geistig-dichterischen Grundgerüstes: der Mythologie, eben dessen also, was der Dichter
selbst für am wesentlichsten hielt. Immerhin darf man im Hinblick auf den
oft gerügten mangelhaften Aufbau des Epos hinzufügen, daß in dem Mythos
auch das strukturbildende Element greifbar wird, daß er folglich neben dem
Gehalt zugleich die Komposition im wesentlichen bestimmt. Das läßt sich
schon erkennen, wenn man sich die Grundzüge dieses Mythos vergegenwärtigt, ohne allerdings bereits auf die Einzelheiten einzugehen, die später im ge-
naueren Vergleich mit der Quelle zur Sprache kommen sollen.

Christus ist nicht der einzige Sohn des biblischen Gottes; er hat einen älteren
Bruder namens Satanael. Dieser, der erstgeborene, dient dem Träumenden in
den meisten Gesängen der Dichtung als Führer, ähnlich wie Vergil in der
Divina Commedia. Satanael wurde von Gottvater verstoßen, weil er die Schöpfung für unvollkommen hielt: aus Mitleid mit den ersten Menschen hatte er
die Schlange, die Eva zur Übertretung des göttlichen Gebots verleitete, aus
dem Paradies in die Hölle zurückgeschleudert, aus der sie gekommen war. In
der Verbannung wurde er Schöpfer neuer Menschen und der Demiurg der
Erde, in der sich Leid und Glück untrennbar mischen, da Satanael keine vollkommene Schöpferkraft besitzt und die Mächte des Abgrunds, in der Schlange
allegorisiert, in seine Welt hineinwirken. Ferner sind Christus und Gott seine
Widersacher. Von Gott wird den Menschen, die Satanaels Welt bevölkern, dennoch eine endzeitliche Erlösung verheißen.

Die Vorstellung von den göttlichen Brüdern Satanael und Christus ist außer
dem in Döllingers Buch nur beiläufig erwähnten Euchitismus nur dem dort
eingehend dargestellten kosmologischen Lehrgut der Bogomilen eigen, einer
im 12. Jahrhundert aufkommenden manichäischen Sekte, die vorwiegend im
Orient und in Südosteuropa verbreitet war. Ihrer Theologie verdankt Hauptmann vieles, namentlich die mythische Figurenkonstellation; zweifellos haben
aber auch Lehrvorstellungen von anderen ebenfalls bei Döllinger besprochenen Sekten entscheidend eingewirkt, wovon später die Rede sein wird[11].

Satanael ist für die Bogomilen der ältere Sohn Gottes; Machtgier und Stolz
trieben ihn zur Auflehnung gegen Gott, zu der er auch einige Engel verführte.
Nachdem Gott sie auf die formlose Erde verstoßen hatte, unternahm Satanael

[11] Döllingers Bericht über die Bogomilen S. 34–51. Wahr nahm *en passant* nur bogomilischen Einfluß an, was insofern nahelag, als ja die Satanael-Vorstellung fast nur in
dieser Sekte zuhause ist. Allerdings konnte Wahr in seinen ganz anderen Zusammenhängen auf dieses Problem, insbesondere die Abhängigkeit Hauptmanns von Döllinger,
nicht eingehen.

es, mit der ihm verbliebenen göttlichen Bildnerkraft nun seinerseits eine Welt
zu erschaffen. Das ist die in der Genesis beschriebene Schöpfung. Es gelang
ihm jedoch nicht, die Menschen, Adam und Eva, zu erschaffen, vielmehr entstand bei dem Versuch eine Schlange. Die Menschen wurden dann erst durch
die Hilfe Gottes, der den Lebensfunken aus dem Pleroma hinabschickte, zum
Leben erweckt, so daß das Menschengeschlecht die Seele von Gott, den Leib
aber von Satanael hat. Um dieses ihm und dem Vater gemeinsam gehörende
Geschlecht von Gott abzuwenden, zeugte Satanael in der Gestalt der Schlange
mit Eva Kain, der seinen Bruder erschlug. Darauf entzog Gott Satanael seine
himmlische Gewalt, ließ ihn «finster und mißgestaltet» werden, erlaubte ihm
aber, weiterhin die Welt seiner Geschöpfe zu beherrschen. Erst als der Abtrünnige – namentlich durch sein Werkzeug Moses – fast alle Menschen völlig
von Gott entfremdet hatte, sandte Gott seinen zweiten Sohn, Christus, auf die
Erde, der Satanael durch Kreuzestod und Auferstehung überwand und ihn ge-
fesselt in den Tartarus einschloß. Nichtsdestoweniger war aber damit die Herrschaft der mit Satanael gefallenen Engel unverändert geblieben, da Gott den
Sturz der machtvollen «Dämonen» nicht zulassen wollte.

Schon auf den ersten Blick erkennt man erhebliche Übereinstimmungen
zwischen Hauptmanns Mythos und der Doktrin der Bogomilen. Diese profi-
lieren sich jedoch klarer, wenn man zuerst einige Einzelheiten des Mythos,
dann die Zentralgestalt Satanael und schließlich die umfassende mythische
Kosmologie vergleicht.

Daß Hauptmann mit seiner oft gerühmten Gründlichkeit gerade die Darstellung der Lehre der Bogomilen auch in Einzelheiten *sehr genau* studiert
hat, bezeugen einige übernommene Kleinigkeiten. So wird gleich eingangs
vermerkt, daß Satanael «des heiligen Kreuzes Zeichen trug zum Schmucke, /
als ob er Lust an Jesu Leiden hätte»[12]. Die Bogomilen lehnten, wie die meisten anderen gnostisch-manichäischen Sekten, die Verehrung des Kreuzes ab,
da es ihnen kein heiliges Symbol, sondern gerade, wie bei Hauptmann, das
Zeichen Satanaels war, des Widersachers, der seinem Bruder Christus damit
den irdischen Tod bereitet hatte[13]. Ferner sind die Erwähnungen der «reinen
Lilie», die von der Korruption der christlichen Lehre unter den Händen der
Satanael dienenden «Römischen» nicht geknickt sei und mit deren reinem
Tau «der Schlange Gift» sich nicht mische, Reflexe der allegorischen Bibel-
interpretation der Bogomilen, die sich mit den Lilien auf dem Felde verglichen, deren Pracht in dem «Glanze der Seelenreinheit und dem Wohlgeruche
ihrer Tugenden» bestehe[14]. Gleiches gilt auch für die allegorisierende Auf-

[12] XVI, 241 (C.-A., IV, 957).
[13] Döllinger S. 19, 20, 40, 86.
[14] XVI, 294, 298 (C.-A., IV, 1001, 1004); Döllinger S. 48.

fassung der Perle[15]. Schließlich erscheint auch bei Hauptmann Satanael als widergöttlicher Versucher in der Gestalt Moses', den die Bogomilen als Werkzeug und Erscheinungsform des Widersachers ansahen[16]. Von diesen Details, die eine eingehende Beschäftigung mit Döllingers Sektengeschichte vermuten lassen, ist nun zu den großen Zügen des Mythos überzugehen, zuerst zu der Gestalt Satanaels.

Im zweiten Gesang des *Großen Traums* wird Satanael, in Übereinstimmung mit Döllingers Bericht über die Bogomilen, als «Ältester von Gottes beiden Söhnen» und als Weltschöpfer eingeführt.

> Horch, wie die Wälder, Auen, Ströme tönen!
> Sie sind das Werk von deinen Sünderhänden,
> das du bevölkert hast mit Brudersöhnen
>
> ruchloser Schöpferkraft aus Götterlenden.
> Du buhltest mit dem Ton, daß er gebäre,
> erweckt von Küssen und belebt von Bränden.
>
> (XVI, 247; C.-A., IV, 962)

Schon in einer Notiz zum *Dom* hatte Hauptmann Satanael und Christus gegenübergestellt: «Urdrama: die Brüder Satanael und Christus. Satanael dasselbe wie Maro.»[17] Im *Großen Traum* ist Satanael also der Weltschöpfer. Die Motivation und damit die Sinngebung werden aber gegenüber der bogomilischen Lehre völlig geändert. Gleich zu Anfang gewinnt Satanael bei Hauptmann eine des Tragischen fähige Größe; denn nicht mehr bestrafte *superbia* ist die Formel seines Schicksals wie in der Theologie der Bogomilen, sondern der Sohn widersetzt sich Gott aus höchsten altruistischen Antrieben. Seinem Gerechtigkeitssinn scheint Gottvaters Schöpfung nicht gut und weise genug eingerichtet, da das Böse nicht ausgeschlossen ist; so bestraft er die Schlange, die Adam und Eva, die Geschöpfe Gottes, zum Unrecht gegen Gott verführte, indem er das «Giftgewürm» aus dem Garten Eden in die Hölle zurückwirft. Als er für diese Eigenmächtigkeit von Gott verstoßen worden ist und seine eigene Welt und seine eigenen Menschen geschaffen hat, ist er aber selbst kaum mehr als eine Kreatur in seiner unvollkommenen Erdenwelt. Und wenn er nun gerade dieses Dasein mit heldenhafter Leidensbereitschaft auf sich nimmt, so wird er eine große tragische Gestalt. In allem Heilenden und Großen, was er schuf, ist «Gift», doch er bejaht diese Welt in ihrer von ihm mitverschuldeten Zwienatur:

[15] XVI, 248, 303, 343 (C.-A., IV, 963, 1010, 1042); Döllinger S. 46.
[16] XVI, 322–324 (C.-A., IV, 1024–26).
[17] C.-A., VIII, 1011.

So, wisse, gab ich hin mein höchstes Leben
und bin nun selber darin nur zu Gaste,
dem Bettler gleich, Almosen aufzuheben.

Doch klag' ich nicht, selbst wenn ich darbend faste.
Denn was ich gab und so verlor, verlieren:
das war mein Wille und fällt mir zu Laste.

Die Perle mag des Buddhas Stirne zieren.
Ich will den Irrtum, und ich will das Leiden
in Not und Mühsal unter Mensch und Tieren.

So kam's, daß ich vom Vater mich zu scheiden
beschloß, mit seinem Zorne dann beladen,
in Gram, in Schmerz, in Wollust mich zu kleiden,

zu wandern auf chaotisch dunklen Pfaden,
zu fliehn, zu suchen, endlich auch zu finden,
Gefundnes im Triumphe heimzutragen,

Gebundenes befrein, Befreites binden,
des Unvollkommnen froh bei jedem Schritte
im Unterliegen und im Überwinden.

So bin ich, wollt' ich sein, was ich auch litte.
So, Lieber, sieh empor zu meiner Sonne,
dem Lichtbrunn über uns in Himmelsmitte.

Nenn sie den Born des Wehs, den Born der Wonne:
sie wird uns keins von beiden rein kredenzen,
sie mischt mit Wonne Weh, mit Weh die Wonne.

(XVI, 248 f.; C.-A., IV, 963)

Dieser Satanael ist nicht mehr der machtgierige, auf seinen Vater eifersüch-
tige Betrüger Gottes, wie er in der bogomilischen Lehre zu einem neben Gott
bestehenden, freilich sekundären Weltprinzip gesteigert wurde. Schon von der
Symbolik her läßt sich die Umwandlung erkennen; nicht mehr finster und
häßlich ist dieser Gottessohn, sondern Licht und Schönheit, deren Sinnbild-
lichkeit schon früh in Hauptmanns Schaffen bedeutsam ist, sind seine Attribute[18].

Unverkennbar werden hier Wesenszüge von Prometheus, der Sinnfigur des
frühen Hauptmann, in das Charakterbild der neuen mythischen Gestalt ein-
geschmolzen: das Mitleid mit den Menschen und das Aufsichnehmen der Leiden, die der Vatergott ihm als Strafe für seine großmütige Tat im Dienste des
unvollkommenen Menschengeschlechts auferlegt hat. Die besondere Art je-

---

[18] XVI, 284 f., 541 f., 358 (C.-A., IV, 992 f., 1040 f., 1054 f.).

doch, das Leid und die Lust, das Irdische und das Göttliche als das gegebene
Lebensganze zu bejahen und in schöpferischer Bewältigung immer aufs neue,
in Niederlage und Gelingen, zu gestalten, war für Hauptmann das Luciferi-
sche, wie er es in dem Roman *Im Wirbel der Berufung* gedeutet hat[19]. Und
schließlich hat Satanael, ganz im Gegensatz zu der bei Döllinger gelesenen
Auffassung, auch mit Christus, dem im Göttlichen verbliebenen Bruder, einen
Wesenszug gemein. Die «Leidenswollust» Satanaels, seine grenzenlose Bereitschaft zur liebenden Hingabe wurde schon erwähnt: mit eben diesen Eigenschaften wird aber im *Großen Traum* das Wesen des Christus bezeichnet[20].
Ja, der Träumende, dem Satanael die Welt zeigt, erkennt, daß der abtrünnige
Gottessohn «weit höher steht, als tief er fiel»:

> Dein Bruder kam, um abermals zu scheiden
> die Böck' und Lämmer, wie die Sintflut tat.
> Du aber wirkst mit Liebeskraft in beiden.
>
> Täglich erneust du die Erlösertat,
> nie müde über Welt und Himmel brütend,
> so trotzend dem, der sie verworfen hat.
>
> Ich sehe dich die Böck' und Lämmer hütend,
> den beßren Hirten, als dein Bruder war. –
> «Doch traf ihn Gottes Zorn nicht weniger wütend»,
>
> sprach jemand deutlich, aber unsichtbar.
>
> (XVI, 318; C.-A., IV, 1021)

Tragen dementsprechend die Nachwirkungen der für Hauptmann früheren
Mythenfiguren wesentlich zur Veredelung Satanaels zur großen Tragödien-
figur bei, so wäre es doch verfehlt, Satanael nur in die Prometheus- oder Luci-
fer-Nachfolge einzuordnen. Vielmehr ist das Abgründige, Böse noch in ihm
lebendig, bleibt er doch ganz wie bei den Bogomilen der böse Dämon, der listen-
reiche Verführer, der Versucher Jesu in der Wüste, ja sogar, in einer der charakteristischen Hauptmannschen Mythen- und Symbolsynthesen, der Maro
der buddhistischen Lehre. Sündenschuld und Seelenadel halten sich rätselhaft
die Waage. Das mythische Handlungssymbol dafür ist, daß Satanael die
Schlange als Verkörperung des widersinnig Bösen straft, aber zugleich von
ihr gebissen, eben durch ihr Gift in seinem positiven, göttlichen Wesen beeinträchtigt wird[21].
  In Satanael bilden also die drei Mythengestalten Prometheus, Lucifer und
Christus zusammen mit dem Abgründigen eine Synthese, die in Hauptmanns

---

[19] XIII, 539–541 (C.-A., V, 1230–1232).
[20] XVI, 266f. (C.-A., IV, 978f.).
[21] XVI, 286, 290, 322–324, 251, 297 (C.-A., IV, 994, 998, 1024–1026, 965, 1004).

Werk einzig dasteht. Diese Figur geht nun auch in einen neuen Bedeutungszusammenhang ein. Denn die Szene der Verstoßung des älteren Gottessohns, die oben kurz erwähnt wurde, weist bereits auf die zugrunde liegende mythische Kosmologie, die jetzt zu betrachten ist. Wie die Gestalt des Satanael weicht auch diese von der skizzierten bogomilischen Theologie etwas ab. Sehr bedeutsam ist zunächst die Abänderung des Schlangenmythos. Satanael hat die Schlange nicht selbst geschaffen, auch hat er Eva nicht in der Gestalt der Schlange zur Übertretung des göttlichen Gebots gereizt wie in der bogomilischen Doktrin. Umgekehrt: der Gottessohn straft die Schlange für ihr Vergehen an den ersten Menschen. Dafür verstößt Gott ihn aus seiner Schöpfung[22]:

> «Dir schien mein Werk voll Makel», sprach er leise,
> «es war dir fehlerhaft und unvollkommen.
>
> Geh nun, versuch es ganz auf deine Weise,
> und mögen diese beiden [Adam und Eva] dich begleiten,
> des Wurms Gelüsten und der Würmer Speise.
>
> Du hast die Weiten, hast die Ewigkeiten,
> hast Kraft von meiner Kraft, Blut meines Blutes,
> vielleicht gelingt es dir, Beßres zu bereiten.
>
> Ich wollte Schlechtes nicht, noch wollt' ich Gutes.
> Ihr aßt vom Baum des Guten und des Bösen:
> das Gute und das Böse, geht und tut es.
>
> Der Schlaf, der Tod, um euch aus Kampfgetösen
> zurückzunehmen in das Ungeborne,
> sei mit euch: und er wird euch einst erlösen.»

(XVI, 251; C.-A., IV, 965f.)

Wird in dieser Verstoßungsgeschichte zunächst einmal das besprochene hochherzige, doch bestrafte Streben Satanaels in eine mythische Fabel eingekleidet, so sind an dieser Stelle außerdem zwei entscheidende Bedingungen zu erkennen, die für das Bild der Welt in dieser Dichtung von weittragender Bedeutung sind und an mehreren Stellen wieder erwähnt werden.

Adam und Eva, nach bogomilischer Lehrauffassung Geschöpfe Satanaels, sind bei Hauptmann der Schöpfung Gottes – noch vor dem Abfall des Gottes-

---

[22] XVI, 285 (C.-A., IV, 993) soll Satanael für seine Schöpfertaten verbannt sein. Wenn damit nicht die Vertreibung der Schlange aus dem Paradies gemeint sein soll, so ist das entweder eine Unstimmigkeit, die auf Rechnung der hastigen Beendigung und der mangelnden Durcharbeitung geht, oder bedingt durch die begrenzte Perspektive des Träumenden, der diese Worte spricht. Eine gewisse Unfertigkeit des Epos wird in der Literatur allgemein zugegeben. Der unvollendete zweite Teil des *Großen Traums* ist erst nach Hauptmanns Tod herausgegeben worden. So ist das Epos in zweifacher Hinsicht unvollendet geblieben.

sohnes – zugeordnet. Dennoch wird Satanael der Welt- und Menschenschöpfungsauftrag gegeben, den er, wie schon aus der vorher zitierten Stelle ersichtlich und vielfach wiederholt, auch ausgeführt hat. Das ist wiederum ganz in Übereinstimmung mit dem bei Döllinger über die Bogomilen Gelesenen. Der Widerspruch in der Auffassung der Menschen als Geschöpfe Gottes beziehungsweise Satanaels klärt sich indes, wenn man erkennt, daß Hauptmann hier auf andere Partien der Sektengeschichte Döllingers zurückgreift, nämlich auf die Darlegungen über das Lehrgut der Bagnoleser, einer Katharersekte, die nach Döllingers Darstellung theologisch als eine Weiterführung der bogomilischen Doktrin unter Einfluß des Dualismus der ebenfalls gnostisch-manichäischen Pauliciner anzusehen ist[23]. In dieser Sekte wurde die biblische Genesis nicht, wie bei den Bogomilen, als Bericht über die Weltschöpfung Satanaels gedeutet. Adam und Eva sind im Gegenteil Engel und als solche dem göttlichen Schöpfungsraum zugehörig. Dieser ist, wie bei Hauptmann, abgesetzt gegen die irdische Schöpfungswelt Satanaels, des Gottessohnes. Die Engel Adam und Eva (in anderen Versionen Adam allein) werden von Gott in die Welt Satanaels hinabgeschickt. Hinabgestiegen aus Gottes Reich, werden ihre Seelen von Satanael in irdische Leiber eingeschlossen; so werden sie dann die Stammeltern des Menschengeschlechts. Meistens liegt dem Abstieg der Engel Adam und Eva eine Sünde gegen Gott voraus. Genau diese Tradition verwendet Hauptmann im *Großen Traum*, wenn er die beiden ersten Menschen in das Reich des älteren Gottessohnes verstoßen sein läßt; er benutzt dabei lediglich die bekanntere Version des Sündenfalls Adams und Evas aus der biblischen Genesis. Auch die weitere Deutung dieser zentralen Episode bleibt in den Bahnen manichäisch-gnostischer Vorstellungen. Es war ein «Fundamentaldogma» des dualistischen Manichäismus, daß die Menschen eine vorweltliche Präexistenz als Engel hatten, dann, infolge einer gegen Gott begangenen Sünde, aus dem Himmel verstoßen, auf der Erde von den Dämonen in irdische Leiber eingekörpert, aber dennoch von Gott zum Heil bestimmt seien und der Erlösung harrten[24]. So sind auch in Hauptmanns Epos Adam und Eva trotz ihrer göttlichen Substanz verstoßen und bleiben doch in der Schöpfung Satanaels der Verheißung der Gnade, der Erlösung und Rückkehr ins Gottesreich gewiß:

> Der Schlaf, der Tod, um euch aus Kampfgetösen
> zurückzunehmen in das Ungeborne,
> sei mit euch: und er wird euch einst erlösen.

Die gleich folgende Vision des Knaben aus dem Totentempel, der in «Nacht und Wirrnis, Wut und bittrem Wehe» «wonnige Gesichte» sieht, dürfte

[23] Döllinger S. 118, 157 ff.
[24] Döllinger S. 55, 112, 118, 137 und *passim*.

auch, wenn auch nicht ausschließlich, unter dem Gesichtspunkt dieser manichäischen Seelenlehre zu verstehen sein[25]. Und schließlich hat die Vorstellung
von dem heilsgeschichtlichen Kreislauf zurück zu Gott, zum Ursprung, in der
Konzeption der Totenstadt ihre klarste Ausprägung und damit zugleich entscheidende Bedeutung für den *Großen Traum* als Ganzes gewonnen. Hier gilt
sie nicht mehr nur für Adam und Eva, sondern für die Menschen überhaupt.
« ... alles, was geschah und wird geschehen, mit mir zu heben aus den Dunkel-
heiten », hatte Satanael verheißen:

> Es ist ein Quell, benannt der Frühe Morgen,
> aus dem dereinst die Welt hervorgegangen
> mit Tag und Nacht, mit Wonnen und mit Sorgen.
>
> Dort wird sich endlich stillen ein Verlangen,
> mit dir verbunden schmerzlich süßer Treue,
> seit du die Pilgerreise angefangen.
>
> Du brauchst nicht fürchten, daß es sich erneue
> und wieder dich zu andern Zielen locke,
> zu Irrtum, Täuschung, Sündenschuld und Reue.
>
> (XVI, 241; C.-A., IV, 957)

Dieses Programm wird im Gang durch die irdischen und überirdischen Be-
reiche in visionärer Schau erfüllt. Die « tote Inselstadt des wahren Lebens »[26],
in die die Wanderung ausmündet, wo man « dem letzten Wissen nah », ist der
Ort, an dem der Mensch nach seinem Erdenleben der Auferstehung in das
wahre Sein harrt, in dem er seinen Ursprung hatte und dem er wesensmäßig
zugehört[27]. Diese Sicht der Heilsgeschichte der Seele stimmt also in den
Grundzügen überein mit dem Zentralsatz der manichäischen Theologie, wie
Hauptmann ihn wieder und wieder in Döllingers Buch vorfand.

Dem Bisherigen entsprechend stellt sich die Mythologie des *Großen Traums*
wie folgt dar: Für seinen Widerstand gegen die Schlange wird Satanael von
Gott aus dem Paradies, das heißt aus der göttlichen Schöpfung, verstoßen;
Adam und Eva werden, wie bei den Bagnolesern, als gefallene Engel mit verbannt, doch wird ihnen, wie in der allgemeinen manichäischen Seelenlehre,
Erlösung verheißen. Satanael unternimmt die Weltschöpfung. Diese im einzelnen oft original Hauptmannsche Fabel vom Sündenfall Satanaels und der

[25] XVI, 257 (C.-A., IV, 970); auch die vier letzten Zeilen XVI, 264 (C.-A., IV, 977,
Zeile 24–27).
[26] XVI, 329 (C.-A., IV, 1030).
[27] XVI, 332 (C.-A., IV, 1033). Vgl. auch C.-A., IV, 1230. Als Menschenschöpfer
besaß Satanael natürlich göttliche Kraft, wie Gottvater selbst zugesteht (XVI, 251;
C.-A., IV, 965f.).

ersten Menschen birgt nun eine zweite Abweichung gegenüber der bogomilischen Lehre in sich: die dualistische Vorstellung von Gott und Widergott als
ewigen entgegengesetzten Urprinzipien des Kosmos. Denn Satanael trat ja mit
seiner Bestrafung der Schlange bereits «der frühsten Höllen Wüten»[28] entgegen, demgegenüber auch Gott machtlos war. Um Eden, den Garten Gottes,
«raucht» die Hölle. In sie schleuderte Satanael die Schlange zurück, die den
Widerpart Gottes allegorisch repräsentiert. Schon vor der Feindschaft von Gott
und Satanael ist also ein Urgegensatz da. Während es bei den Bogomilen,
denen Hauptmann die Christus-Satanael-Mythe verdankt, nur einen relativen
Dualismus gibt, nämlich den der beiden Gottessöhne, der im Kern doch wieder auf eine monistische Gottvater-Theologie verweist, so geht Hauptmann
hinter diesen sekundären kosmischen Zwiespalt zurück auf einen bleibenden
Dualismus von Gott und Hölle. Daneben verbleibt aber die aus dem Vatergott
entsprungene, sekundäre Entgegensetzung von Christus und Satanael. Aus
dieser zweifachen Dualität in der mythischen Kosmologie ergibt sich folglich
die paradoxe Konstellation, daß sowohl Gott als auch Christus und Satanael
die höllischen Mächte des Chaos, des absoluten Abgrunds, bekämpfen und
unter ihnen leiden.

Satanael liegt auch nach seinem Abfall von Gott beständig im Kampf mit
der Schlange, die ihm seine Schöpfung zu zerstören droht. Über die chaotischen Zustände in seiner Schöpfungswelt sagt der Demiurg:

> Ich weiß, wer unentweget
>
> mir Fäulnisgift in meine Schöpfung trägt.
> Die Schlange ist's, die ich vergeblich suche,
> seit ich dereinst das Handwerk ihr gelegt
>
> im Paradies und sie mit meinem Fluche
> vorausgeschleudert in den Höllensumpf.
>
> (XVI, 292f.; C.-A., IV, 1000)

Darum muß er rastlos tätig sein, damit nicht «Abgrundswölfe» seine Herde
würgen. Letztlich ist er gegen den «alten Feind», gegen «der Schlange Gift»
machtlos[29].

Nicht anders ist sein Bruder Christus dem Abgrund, der «rätselhaften Ur-
feindin, die in Gottes Eden drang», wehrlos ausgesetzt, wofür Hauptmann das
allegorisch dichte Bild der sich um den Kruzifixus ringelnden Schlange findet[30]. Und selbst Gott ist machtlos gegen das Wüten jener unerklärlichen Ge-
genkraft:

[28] XVI, 252 (C.-A., IV, 966).
[29] XVI, 286, 329 (C.-A., IV, 994, 1030).
[30] XVI, 311 (C.-A., IV, 1016).

> Auch jetzt hast du die Macht zunicht gemacht,
> die Allmacht heißt und doch nicht kann bestehen
> vor dir, du allgewaltige Niedertracht.
> Wo kommst du her, wo hast du dein Entstehen?
>
> (XVI, 312; C.-A., IV, 1016)

Im Bild des Gotteshauses, in dem die Dämonen ihr Wesen treiben, hat dieser letztliche, göttlich-diabolische Weltdualismus, hat «die unentschiedne Schlacht der lichten und der finsteren Gewalten»[31] in Höllen- und Abgrundvisionen von apokalyptischem Grauen die eindringlichste Gestaltung gefunden:

> Meister, gewiß, das Heiligste ist hier,
> doch harte Quadern konnten nicht verhüten,
> daß drin der Wurm sitzt, das verfluchte Tier,
>
> um seine Hölleneier auszubrüten.
> Warum sagt Gott nicht: Ite, missa est!
> und läßt das Gift der Schlange heimlich wüten?
>
> (XVI, 297; C.-A., IV, 1004)

> Ohnmächtig ist Gottvater hier und Sohn,
> von beider Geist wird keiner hier verspüret.
>
> (XVI, 306; C.-A., IV, 1012)

War der relative Dualismus von Christus und Satanael bogomilischem Lehrgut entlehnt, so mag der letztbesprochene absolute in seiner spezifischen Ausgestaltung ebenfalls auf Döllingers Darstellung zurückgehen, und zwar auf seine ausführlichen Berichte über die Paulicianer, Katharer und verwandte dualistische Sekten, die in ihrer Kosmologie zwei gleichursprüngliche und ewige Urmächte, Gut und Böse, Gott und Satan, setzten und die Weltgeschichte als deren Konflikt verstanden. In der Doktrin der hierher gehörigen Priscillianisten wurde sogar der mosaische Jahwe, genau wie in der Luther-Episode in Hauptmanns Versepos, mit dem Bösen identifiziert[32]. Dem Widergott gehört bei Hauptmann wie in der «Quelle» die irdische Welt, und dieser ist für das dort herrschende Chaos verantwortlich, während der «gute» Gott nicht helfend eingreifen kann. Ferner werden in Döllingers Sektengeschichte und im *Großen Traum* die Katholiken oder die «Römischen» ausdrücklich als Anhänger des widergöttlichen Prinzips verstanden im Gegensatz zu den «Christen», den Gottergebenen, als die sich die Manichäer ausnahmslos ansahen[33]. Schließlich ist bei beiden die Schlange (abweichend von der auf die

---

[31] XVI, 312 (C.-A., IV, 1017). Vgl. auch C.-A., IV, 1215.
[32] Döllinger S. 55, Hauptmann XVI, 322f. (C.-A., IV, 1024f.).
[33] Zum Beispiel Döllinger S. 22, 184f.; *DgT* Gesang VIII, auch XVI, 292 (C.-A. S. 999f.).

Bogomilen beschränkten Auffassung als Geschöpf und Erscheinungsform Satanaels) das allegorische Bild für das widergöttliche Urwesen[34].

Hauptmanns Vorstellung von der dämonenbeherrschten Welt, als die er seine wirre Zeit deutet, ist jedoch infolge von Vermengung bogomilischer und dualistischer Anregungen nicht bis zur völligen Eindeutigkeit gediehen. Denn die Welt, wie sie in der ersten Hälfte des *Großen Traums* gesehen wird (Gesang I bis X), ist einerseits – sehr selten – bogomilisch als das Reich Satanaels, des *relativen* Widersachers[35], andererseits dualistisch-katharisch als Stätte der Herrschaft des *absoluten* Gottesfeindes aufgefaßt[36]. Doch bleibt die absolut dualistische Sicht durchaus die bestimmende. Das ist schon in die Führerhaltung Satanaels eingegangen: mit verbitterter Resignation zeigt er dem Träumenden das Wirken der überlegenen Abgrundsmächte in seiner Schöpfung, die ursprünglich zwar nicht restlos gut sein konnte, aber doch weniger chaotisch böse angelegt war. –

Bisher wurde die Kosmologie der Mythenwelt des späten Hauptmann in ihren grundlegenden *konstanten* Zügen entworfen. Es fragt sich nun, was für einer Lösung das kosmische «Urdrama» des zweifachen Gegensatzes in der Struktur der Welt zustrebt. Nur eine relative Lösung gibt es. Der Träumende hat die Vision eines rauschhaften Bacchantenzuges, der von Satanael – in der Gestalt des Dionysos – angeführt wird (Gesang XV). Doch dann verwandelt sich in der visionären Traumatmosphäre Satanael-Dionysos in ein Wild, das die Mänaden jagen und schließlich auf dem Parnaß ans Kreuz schlagen. Die letzte Metamorphose Satanaels hat sich vollzogen: er erleidet bis in alle Einzelheiten das Schicksal seines Bruders Christus; er und der Kruzifixus verschmelzen zu einer Gestalt und zu einem Schicksal (Gesang XVI). Der gekreuzigte Satanael-Dionysos[37] ist die mythische Chiffre für das Streben des späten Gerhart Hauptmann nach der Überwindung der Antinomie von Weltverleugnung und Hingabe an die Welt. Diese Antinomie kennzeichnete ja sein gesamtes Werk, etwa in der Gegenüberstellung von Quint und dem Ketzer von Soana, in der zwiegespaltenen Existenz der Künstlergestalten und in dem Kontrastbild Ketill–Veland.

In der Vereinigung der Gottessöhne Satanael und Christus vermag man wiederum die Nachwirkung einer – vagen – Anregung des Döllingerschen Buches zu erkennen, sofern nämlich dort von den Vorläufern der Bogomilen,

---

[34] Döllinger S. 137.

[35] XVI, 265, 344f. (C.-A., IV, 977f., 1043f.).

[36] Neben den bereits zitierten Stellen s. S. 271, 273, 317, 392 (C.-A., 982, 983f., 1020, 1084); alle diese Stellen gelten auch für den folgenden Satz.

[37] Das Motiv der Synthese von Christus und Dionysos, zweifellos von Hölderlin angeregt, taucht auch sonst bei Hauptmann auf. Vgl. F.A. Voigt und W.A. Reichart, *Hauptmann und Shakespeare*, Goslar 1947, S. 125–127.

den Euchiten, in dem von Hauptmann offensichtlich am gründlichsten studierten Kapitel berichtet wird, daß sie eine endzeitliche Versöhnung der streitenden Gottessöhne lehrten[38].

Dennoch geht man fehl in der Auffassung, hiermit sei bei Hauptmann nun eine letztgültige Synthese von Weltprinzipien erreicht[39]. Der primäre Dualismus von Gott und Widergott bleibt vielmehr bestehen. Dies ist auch der Sinn der auf die Synthese von Christus und Satanael noch folgenden durchaus antithetischen Traumbilder. Es sind dies die Vision « der wahren Höllen Glut», deren Abgründe der christliche Dichter Dante niemals sah, in Gesang XVIII und XIX, und die Schau des höchsten Gottes (Gesang XX) als Gegenpol des chaotischen Abgrunds. Der Widerspruch im Wesen der Welt bleibt demgemäß auch in Hauptmanns letztem vollendeten Werk, der *Atridentetralogie*, noch bestimmend für die Sinnstruktur: denn dort bleibt auch nach dem Opfertod Iphigenies der Zwist der Götter, die Dialektik in der Idee in Hebbels Terminologie, als ständig latente Möglichkeit bestehen.

Die Ergebnisse lassen sich wie folgt zusammenfassen. 1. Die eine, die relative Antinomie (Satanael–Christus) übernahm Hauptmann aus der bogomilischen Lehre von den beiden Gottessöhnen. Doch gestaltete seine mythenbildende Phantasie schon hier die Umstände des Sündenfalls Satanaels und der Genesis des Menschengeschlechts frei um, wobei er sich zum Teil an den biblischen Bericht anlehnte. Dadurch wurde einmal Satanael eine Synthese des abgründig Bösen und der drei mythischen Gestalten, die Hauptmanns Schaffen vorwiegend früher bestimmten: Prometheus, Lucifer, Christus. Zum andern ließ der Dichter sich in der Auffassung von Wesen, Ursprung und Bestimmung des Menschen von der Seelenlehre und heilsgeschichtlichen Konstruktion des dualistischen Manichäismus anregen. In der spezifisch *mythischen* Version des Ursprungs der Satanaels Schöpfung bewohnenden Menschen ließ Hauptmann sich von der bagnolesischen Auffassung Adams und Evas als verstoßener, doch zum Heil bestimmter Engel leiten[40]. 2. Hinter dem Gegensatz der Gottessöhne Satanael und Christus kennt die mythische Weltordnung des *Großen Traums* aber noch eine absolute Antinomie, die in das Bild des

---

[38] Döllinger S. 34f. Doch vergleiche die vorige Anmerkung. Die Anregung von Hölderlin ist fraglos die primäre.

[39] So noch Voigt, *Antike*, S. 122f., auch *Hauptmann und Shakespeare*, S. 127. Für den monistischen Euchitismus war das der Fall, da dort der Dualismus nur ein relativer war und in Gott gelöst wurde. Bei Hauptmann kommt der Ur-Zwiespalt hinzu.

[40] Das *ganze* Menschengeschlecht geht jedoch bei Hauptmann nicht auf Adam und Eva zurück; daß Satanael seinerseits Menschen schafft, geht unter anderem aus der zitierten Stelle XVI, 247 (C.-A., IV, 962) hervor. Falls das ein Widerspruch ist, erklärt er sich durch die gleichzeitige Benutzung der Abschnitte über die Bogomilen und derer über die anderen Sekten sowie durch unzureichende Überarbeitung des Ganzen.

Kampfes von Gott und Höllenmacht gefaßt ist. Hierfür ist ein Anstoß in der allgemeinen dualistischen Tendenz der Katharer und anderer Sekten zu suchen, die Döllinger eingehend behandelt. 3. Der Widerstreit von Christus und Satanael wird in der Mythologie Hauptmanns in einer Weise überwunden, die an eine – jedenfalls sekundäre – Anregung durch die bei Döllinger dargestellte Lehre der Euchiten, der Vorläufer der Bogomilen, denken läßt. Der absolute Dualismus von Gott und Widergott bleibt jedoch ungelöst.

Wenn man einmal das lebensvolle Werk einer formelhaften Abstraktion unterziehen will, so kann man sagen: im Mythos des *Großen Traums* hat sich eine Synkretion zweier manichäischer Glaubenspositionen vollzogen: katharisch-dualistische und bogomilisch-monistische Elemente haben zu einer durchaus eigenen Mythologie zusammengewirkt, die zwar ihre Voraussetzungen in früheren Werken des Dichters hat, aber doch wesentlich Kennzeichen des Alterswerks ist. Dementsprechend hat Hauptmann den *Großen Traum*, den er seinen *Faust* nannte, in betonter Absetzung gegen sein sonstiges Schaffen als sein eigentliches Vermächtnis betrachtet wissen wollen. In diesem Versepos hat er sich nicht in ästhetischer Selbsterlösung, wie sie in seiner Zeit nicht selten war, über die Not des Lebens erhoben, sondern sie im Spiegel des Mythos geklärt, gedeutet und ins Allgemeine gewendet. Damit hat er das Leben orientiert, wie es seiner Mythenauffassung entsprach. Das tragische «Urdrama» von Weltkräften vollzieht sich weiter, aber es gibt für Hauptmann das Geschenk des Einklangs vor diesem Hintergrund der Zwiegespaltenheit. In dieser polaren Spannung von Konflikt und Lösung bewegte sich schon das Hauptmannsche Schaffen als Ganzes, sofern in ihm die «fatalistischen» Tragödien mit den versöhnenden, ausgleichenden Lebensbildern wechselten [41].

Eine Untersuchung der Hauptmannschen Altersmythologie, die, um sie einleuchtender zu gestalten, den Weg des Vergleichs mit der Quelle beschreitet, *kann* den Eindruck erwecken, als werde eine unselbständige Übernahme fremden Gutes behauptet und die dichterische Originalität bagatellisiert. Das ist natürlich nicht gemeint. Vielmehr verbindet Hauptmanns mythenschaffende Phantasie die disparatesten Anregungen zur Schau eines Ganzen, das als solches nur das Signum des Dichters trägt. Das war, wie jeder Kenner weiß, stets die Schaffensweise des durchaus unbegrifflich und bildhaft konzipierenden Gerhart Hauptmann. Selbstverständlich kommen in dem neuen Mythos einige Züge früherer Hauptmannscher Weltauffassung zur Entfaltung: zum Beispiel in der Erlösungs- und Kreislaufvorstellung Elemente des Sonnenmythos des Komplexes *Helios, Der Mutter Fluch* und *Die Versunkene Glocke*, oder in dem

---

[41] So konnte der Dichter von *Magnus Garbe* sagen: «In diesem Stück waltet ein tiefer Pessimismus. Meine innere Heiterkeit steht auf einem anderen Blatt» (Behl, *Zwiesprache*, S. 92).

absoluten Dualismus Hauptmanns lebenslange Hinneigung zu Böhme. Aber all das bereitete nur den Boden für die Aufnahme des neuen Saatguts, dem Hauptmann selbst die «entscheidende» Einwirkung zubilligte[42].

[42] Siehe oben. Zu dieser Frage ist interessant, daß Hauptmann das folgende Fontanewort für «sehr richtig» hielt: «Man braucht das Bewußtsein, daß ein bestimmtes Quantum von Sachlichem neben einem liegt, und aus diesem Bewußtsein heraus produziert man dann. Wie oft habe ich schon gehört: 'Aber Sie scheinen es nicht gebraucht zu haben!' Falsch. Ich habe es doch gebraucht. Es spukt nur hinter der Szene» (Hans v. Hülsen, *Freundschaft mit einem Genius*, München 1947, S. 118).

DER ZERBROCHENE KRUG
UND LA PUTAIN RESPECTUEUSE

Gleich zu Beginn von Jean-Paul Sartres ehrbarem Skandalstück *La putain respectueuse* hören wir einen Dialogfetzen, der uns stutzen macht. Als Lizzie, die Dirne, nach beruflicher Liebesnacht mit dem Senatorssohn Fred auf ihr neues Quartier in einer Stadt des amerikanischen Südens zu sprechen kommt, heißt es plötzlich: «Tu ne connais pas un marchand de gravures? Je voudrais mettre des images au mur. J'en ai une dans ma malle, une belle. *La cruche cassée*, ça s'appelle: on voit une jeune fille; elle a cassé sa cruche, la pauvre. C'est français.» Fred fragt darauf: «Quelle cruche?» Die Antwort: «Je ne sais pas, moi: sa cruche. Elle devait avoir une cruche» (I, 2). Worum handelt es sich bei diesem Kupferstich? Etwa um den von Le Veau, der dem Deutschen vor allem dadurch bekannt sein dürfte, daß er Heinrich von Kleist zu seinem *Zerbrochenen Krug* anregte?[1] Auch wenn wir das offenlassen, bleibt die Frage, warum in Sartres Stück so nachdrücklich von einem zerbrochenen Krug die Rede ist. Denn offensichtlich muß eine solche Äußerung bei einem so sparsam und umsichtig verfahrenden Dramatiker wie Sartre irgendeinen Bezug auf das Sinngefüge des Stücks haben, und sollte das nur der sein, daß mit dem Symbol des zerbrochenen Kruges auf den Verlust der jungfräulichen Unberührtheit hingedeutet wird? Sicher spielt das eine Rolle. Aber damit erschöpft sich die Bedeutung dieses markanten Hinweises kaum. Erinnert man sich an Sartres eingehende Kenntnis der deutschen Literatur, so ist der Gedanke vielleicht nicht abwegig, daß wir es bei dem Hinweis auf einen zerbrochenen Krug auch mit einem spielerischen Wink für den an deutscher Literatur interessierten Leser zu tun haben, mit einer Anspielung auf Kleists Lust-

[1] Vgl. Hans M. Wolff, *Heinrich von Kleist: die Geschichte seines Schaffens*, Bern und Berkeley/Los Angeles 1954, S. 162: «Wie fern der Idealismus, der sich in Eves Adel offenbart, uns Heutigen steht, zeigt das Stück von Jean-Paul Sartre: *La Putain Respectueuse*. Lizzie, obwohl ursprünglich entschlossen, durch eine wahre Zeugenaussage den bedrohten Neger zu retten, gibt schließlich unter dem Druck der öffentlichen Meinung nach und macht eine falsche Aussage. Die folgenden Worte, die sich nach dem Text allerdings nur auf den Stich von Le Veau beziehen, klären das Verhältnis von Sartres Drama zu dem Kleists: '*La cruche cassée*, ça s'appelle: on voit une jeune fille; elle a cassé sa cruche, la pauvre' (I, 2).» Hier wird also eher Wert gelegt auf den *Gegensatz* zwischen den beiden Dramen, der sich doch erst profiliert, wenn man die Gemeinsamkeiten in Augenschein nimmt; und die sind allerdings erstaunlich. – Sartres Text nach der Ausgabe des *Théâtre*, Paris: Gallimard, cent troisième édition, o. J., Kleist nach der ersten Ausgabe der *Werke* von Erich Schmidt (1905). Römische und arabische Zahlen im Text bedeuten Akt und Szene.

spiel gleichen Namens. Über das «Vielleicht» kommen wir bei dieser ebenfalls spielerischen Spekulation nicht hinaus. Aber versuchen wir, ihr ein wenig
nachzugehen und zu sehen, wohin sie uns führt.

Auf den ersten Blick scheinen die Frauengestalten in beiden Dramen, so
verschieden sie an sich auch sind in ihren jeweiligen Charakterzügen, scheinen
Lizzie und Eve viel miteinander gemein zu haben, und zwar namentlich was
die Konstellation betrifft, in die sie hineingestellt sind, und die Möglichkeiten,
die sie haben, mit dieser Situation fertig zu werden. Bevor das im einzelnen
kurz dargelegt werden soll, ist natürlich der denkbare Verdacht abzuweisen,
daß es sich hier um einen direkten «Quellen»nachweis handle. Ein solches
Unterfangen wäre schon darum absurd, weil, wie noch zu zeigen, nur die
Grundstruktur beider Stücke die gleiche ist, im übrigen jedoch Sartre in der
Aktualisierung dieser Grundstruktur von Kleist wesentlich unterschieden
bleibt. Interessant ist aber immerhin, daß vielleicht so etwas wie eine arche-
typische Verwandtschaft zwischen beiden sonst so verschiedenen Stücken besteht, Kleists Komödie also etwa als literarische Figuration für *La putain respectueuse* in Frage käme. Solche Erscheinungen sind dem Literarhistoriker
ja vertraut. Man denke nur an Lessings Verfahren, seine *Emilia Galotti* grundsätzlich nach der Figuration des Virginia-Schicksals zu gestalten, an die Über-
höhung der Marwood in *Miss Sara Sampson* durch den Hinweis auf Medea,
oder auch an seinen Bezug auf den *Hercules Furens* als mythisches Vorbild für
den für ein Drama ins Auge gefaßten Masaniello (besser bekannt aus Weises
Tragödie). Das ganze bürgerliche Drama des 18. Jahrhunderts ist weithin,
trotz aller anscheinenden Realistik und alltäglichen Gegenwärtigkeit, von
solchen Darstellungstendenzen getragen[2]. In *diesem* Sinne also soll hier auf
einige Übereinstimmungen zwischen Kleists *Zerbrochenem Krug* und Sartres
La putain respectueuse hingewiesen werden.

Beiden Dramen liegt die Aufbauform des Verhörs zugrunde, so zwar, daß
der Zuschauer oder Leser schon von vornherein vollständig im Bilde ist über
den Tatbestand, der erfragt werden soll. Und auch dieser selbst ist bei Kleist
und Sartre überaus ähnlich. Handelt es sich doch in beiden Fällen um einen
nur wenige Stunden zurückliegenden Vorfall, den das Strafgesetzbuch als Sitt-
lichkeitsvergehen bezeichnen würde. Wie Eve im *Zerbrochenen Krug* nächt-

---

[2] Selbst für den *Zerbrochenen Krug* darf man bei wohlwollender Dehnung des Begriffs
auf eine solche «Figuration» hinweisen, nämlich auf eine Situation in Sophokles' *König
Ödipus*. Kleist machte selbst darauf aufmerksam (*Werke*, IV, S. 318). Recht und Grenze
einer Parallele zwischen beiden Dramen hat Hans M. Wolff dargelegt und so der gang
und gäbe gewordenen Annahme einer allzu direkten Beziehung von *König Ödipus* zum
Zerbrochenen Krug einen Riegel vorgeschoben. Siehe «*Der Zerbrochene Krug* und *König
Oidipus*», *MLN*, LIV (1939), 267–272.

lich in ihrem Schlafzimmer von dem Dorfrichter Adam behelligt wurde, der in dieser niederländischen Gemeinde nicht nur die Obrigkeit repräsentiert, sondern sich schon zum ebenso selbstbewußten wie korrupten Alleinherrscher aufgeschwungen hat, so war ganz ähnlich Lizzie, in einem Eisenbahnabteil, den unzüchtigen Annäherungen eines Mitglieds jener Familie ausgesetzt, die in dem betreffenden amerikanischen Südstaat alle politische Macht in den Händen hält. Ist dies noch eine vage Übereinstimmung, die nichts zu besagen hätte, wenn sie die einzige wäre, so werden die Ähnlichkeiten noch viel markanter, sobald das gefährliche Spiel um die Vertuschung des Vorfalls angeht; und dieses beherrscht ja in beiden Fällen das ganze Drama.

Zunächst ist an den ironischen Sachverhalt zu erinnern, daß der Richter in beiden Fällen der Schuldige ist. Bei Kleist profiliert sich das deutlich genug, beinah schon schwankhaft. Versteckter ist das gleiche Verhältnis in der *Putain respectueuse*. Gewiß, der Täter tritt dort überhaupt nicht auf, folglich auch nicht als Richter, aber für die These des Stücks ist entscheidend, daß es hier ja auch nicht um ein Verbrechen eines einzelnen geht, sondern um das Kollektivverbrechen der allmächtigen Familie des Senators Clarke, und diese figuriert zugleich als Kollektivrichter: Fred, der mit Lizzie eine Liebesnacht verbringt, nur um sie bei der späteren «Verhandlung» mit der auf Prostitution stehenden Gefängnisstrafe erpressen zu können, seine beiden rabiateren Komplizen John und James, der Senator schließlich, das Haupt dieser Familie, der vor Lizzie als ihr väterlicher Richter posiert, ja als das amerikanische Nationalgewissen, als Uncle Sam – in ihnen allen ist die von Kleist bekannte Ironie auf Figur gebracht.

Vor allem aber ist die Hauptgestalt bei Kleist und bei Sartre von dem gleichen Persönlichkeitskonflikt her aufgebaut. In dem einen Stück dreht sich offensichtlich alles um die Dirne Lizzie, während in dem anderen die eigentliche Hauptfigur der Dorfrichter Adam zu sein scheint; das ist aber nur der Fall, wenn man das Drama unter dem Gesichtspunkt seiner lustspielhaften Qualitäten ins Auge faßt; sieht man es dagegen von der Perspektive der Persönlichkeitsproblematik, so hat Adam nur auslösende Funktion, und Eve rückt in den Mittelpunkt, dem Dorfrichter an dramatischer Relevanz mindestens ebenbürtig[3]. Eve und Lizzie haben beide zwischen Wahrhaftigkeit und Lüge zu entscheiden, und für beide steht dabei viel auf dem Spiel, denn die Situation ist diese: Wenn Lizzie die Wahrheit bekennt, nämlich daß es die Familie der Machthaber in diesem Staat ist, die das Vergehen beging, so hat sie erhebliche Repressalien gegen sich zu gewärtigen; sie wäre verloren: zunächst einmal wird man sie wegen ihres Gewerbes hinter Gitter schicken, dann droht man

---

[3] Die Gleichgewichtigkeit der Rollen betont auch Wolff (*Kleist*, S. 159), allerdings auf Grund anderer Überlegungen.

ihr noch mit der Aufstöberung und Bestrafung von Delikten aus ihrer New-Yorker Zeit, die, nach Lizzies Verhalten zu urteilen, schwerwiegend gewesen sein müssen. Wenn sie lügt, nämlich gerichtlich bezeugt, ein völlig unschuldiger Neger sei der Täter, dann empört sich in ihr ein letzter Rest von menschlichem Gewissen, den sie trotz ihres Berufs noch behalten hat. Ähnlich Eve: sagt sie die Wahrheit, so gefährdet sie sich in vielfacher Weise, einmal würde sie als «Metze» gelten, wie ja immer wieder klar gemacht wird, dann wäre sie der Rache des dörflichen Allgewaltigen ausgesetzt, und besonders ihre Liebe zu Ruprecht, den der Richter in diesem Falle in ein Todesbataillon nach Batavia schicken würde, wie er ihr unmißverständlich androht (v. 528 ff.). Und lügt sie oder verschweigt sie auch nur, wer es gewesen ist, der sie in der Kammer überraschte, so vernichtet sie damit in anderer Weise ihre Existenz, denn die steht und fällt mit ihrer inneren Wahrhaftigkeit einerseits und mit ihrer bürgerlichen Ehre als deren Ausdruck andererseits. In beiden Fällen richtet sich die Wahrhaftigkeit gegen das Ansehen der Obrigkeit, das in der Kleinstadt des amerikanischen Südens ebenso ernst genommen wird wie in der holländischen Provinz, zumal der Gerichtsrat Walter gegenwärtig ist und diesen Gesichtspunkt als *cura prima* herausstellt (v. 1629 ff.). Nur die Lüge würde es retten. Und bei Sartre sowohl wie bei Kleist kompliziert sich die Lage dadurch, daß die weibliche Zentralgestalt ebensosehr vom Willen zur Ehrlichkeit bestimmt wird wie von einem starken Wunsch zur Verheimlichung und diesen Widerstreit in sich auszukämpfen hat. Eve versucht um ihrer selbst und um des Geliebten willen bis zuletzt, den Schleier des Geheimnisses über die Vorgänge der letzten Nacht zu ziehen; am liebsten sagte sie überhaupt nicht, um wen es sich da gehandelt hat (v. 1268). Und ebenso läßt Lizzie gleich im ersten Wortwechsel mit dem Neger keinen Zweifel darüber, daß sie am liebsten die Sache auf sich beruhen lasse, da sie andernfalls nur noch größere Unannehmlichkeiten zu fürchten habe. Soweit die grundsätzliche Lage der beiden jungen Mädchen; ist sie schon ähnlich genug, so lassen sich noch weitere Verbindungslinien herüber und hinüber ziehen, wenn man jetzt ihr Verhalten in diesem Dilemma in Augenschein nimmt.

Dieses Verhalten ist ein Schwanken zwischen Aufrichtigkeit und Lüge, zu dem beide gezwungen werden. Und zwar wird der Lüge in beiden Fällen die gleiche relativ sichere Ausflucht angeboten, einen anderen, einen Unschuldigen, zu bezichtigen. In der *Putain respectueuse* ist das der Neger, der zufällig im gleichen Eisenbahnwagenabteil gesessen hat, bei Kleist ist es Ruprecht, den Eve liebt. Senator Clarke und Konsorten ebenso wie Dorfrichter Adam suchen mit allen Mitteln, eben dieses «Geständnis» zu erpressen, und beide Frauengestalten gehen jedenfalls momentan darauf ein. Lizzie unterschreibt nach einigem Hin und Her eine Zeugenerklärung, die den Neger beschuldigt; und

Eve, die in der ersten Bestürzung selber schon auf diesen Ausweg verfiel (auf die Frage, ob es Ruprecht gewesen sei, gab sie ein knappes «Wer sonst?» zur Antwort), läßt sich im Verlaufe der Gerichtsverhandlung von Adam, dem Schuldigen, zu dem wenn auch weit weniger entschiedenen «Geständnis» erpressen, kein anderer als Ruprecht sei in jener Nacht bei ihr gewesen (v. 1162 ff.). Die fälschlich Bezichtigten streiten die Anschuldigung natürlich in beiden Dramen auf das bestimmteste ab, und in beiden Dramen stellt sich dann auch fast sofort nach der falschen Erklärung der Widerruf der Aussage ein. Kaum hat Lizzie ihre Unterschrift unter die Erklärung gesetzt, heißt es: «*Elle reste écrasée, puis se précipite vers la porte:* Sénateur. Sénateur. Je ne veux pas! Déchirez le papier. Sénateur» (S. 284). Ebenso Eve, als die Mutter vor Gericht jenes verzweifelte «Wer sonst?» meldet:

> Was schwor ich Euch? Was hab' ich Euch geschworen?
> Nichts schwor ich, nichts Euch –   (v. 781 f.)

Und später noch einmal: «Den irdnen Krug zerschlug der Ruprecht nicht» (v. 1195). «Und wenn ich's gestern sagte, war's gelogen» (v. 1198). Bei dem Franzosen wie bei dem Deutschen ist es mithin so, daß die schuldige «Obrigkeit» den Verdacht und den Skandal von sich abzulenken sucht, indem sie nahelegt, einen Unschuldigen als Täter zu bezeichnen, im Weigerungsfalle mit Repressalien droht (*Krug*, v. 1100 ff.), ja geradezu den Unschuldigen bereits als zu Recht Beklagten behandelt (vgl. *Krug*, v. 846). Ferner ist es in beiden Fällen so, daß die «Zeugin», ebenfalls Opfer dieser Justizwillkür, zunächst auf die Unredlichkeit eingeht, dann aber einen Rückzieher macht. Und weiterhin ist bei diesem Widerruf übereinstimmend, daß Eve beziehungsweise Lizzie nicht gleich so weit gehen, den wahren Schuldigen anzuklagen, sondern fürs erste nur den fälschlich Angeklagten retten wollen: «Ich kann hier, wer den Krug zerschlug, nicht melden» (v. 1268). Erst nach einer Reihe weiterer Zwischenfälle können sich beide dazu entschließen: Lizzie setzt ihrem Besucher Fred die Pistole erst auf die Brust, als die Vorfälle sie aufs äußerste empören, und Eve stößt erst auf dem Höhepunkt der obrigkeitlichen Ungerechtigkeit hervor: «Er dort, der Unverschämte, der dort sitzt, Er selber war's» (v. 1890 f.).

Stimmt dieser Wandel in den Verhaltensweisen zu dem gleichen Dilemma schon an sich merkwürdig überein, so wird solche Ähnlichkeit noch verstärkt durch einen weiteren Umstand, der eben jenen Geständniswandel noch stärker profiliert: nämlich, daß er gegen den Druck der öffentlichen Meinung erfolgt, die sich ganz auf Seiten der Obrigkeit stellt. Es kommt damit im Kräftespiel um Lüge und Ehrlichkeit ein neuer Faktor zur Geltung. Bei Kleist wird er vertreten von Frau Marthe und den übrigen Dörflern:

Nun ja, Frau Marthe kam, und geiferte,
Und Ralf, der Nachbar, kam, und Hinz der Nachbar,
Und Muhme Sus' und Muhme Liese kamen,
Und Knecht' und Mägd' und Hund' und Katzen kamen ...   (v. 1036 ff.)

Sie alle glauben, Ruprecht sei der Schuldige, und üben in diesem Sinne Druck auf Eve aus, arbeiten also dem Dorfrichter Adam in die Hände, der natürlich, im Gegensatz zu ihnen, genau weiß, daß diese öffentliche Meinung unrecht hat, aber das im eigenen Interesse verheimlicht und den Verdacht sogar noch planmäßig bestärkt. Und genau so ist es bei Sartre: der Mob ist überzeugt, daß der Neger die Tat begangen hat; durch das ganze Stück hindurch hört man den Lärm der Menschenjagd auf den Straßen der kleinen Stadt im amerikanischen Tiefen Süden. Wie Eve so bringt auch Lizzie den Mut auf, sich dagegen zu behaupten. Eine ganze Stadt mag sicher sein, daß es der Neger war, aber die ganze Stadt hat unrecht. –

Blicken wir zurück, so zeichnet sich in der Figurenkonstellation und in der Entwicklung der inneren Handlung in Kleists und Sartres Drama eine überraschende Übereinstimmung ab. Um diese ging es in diesen Zeilen. Es war dabei natürlich, daß die Unterschiede zu kurz kamen. Aber das Entscheidende ist doch, daß solche Unterschiede eben nicht die zugrunde liegende Konstellation betreffen, die das ganze Drama hier wie dort bestimmt, sondern vielmehr Einzelzüge der Charaktere, die sich in dieser Konstellation zusammenfinden. Und da sind die Differenzen deutlich genug. Vor allem betreffen sie den jeweiligen weiblichen Typ[4]. Das ist offensichtlich. Um so reizvoller schien es, die weniger auf der Hand liegenden, aber weit bedeutenderen Ähnlichkeiten in der Anlage beider Stücke ans Licht zu stellen.

---

[4] Daß Eve sich zuletzt doch wieder von ihrem Entschluß, der Wahrheit zu ihrem Recht zu verhelfen, abbringen läßt (wie Lizzie in den letzten Augenblicken des Stücks), ist schlechterdings nicht denkbar. Vgl. die erste Anmerkung.

III
MENSCH UND WELT
IM WERK

RÄUBER MOORS GLÜCK UND ENDE

«Es gibt kaum ein Erstlingsdrama der Weltliteratur, das so verschiedene Bewertungen erfahren hat wie Schillers *Räuber*.»[1] Mit diesem Satz beginnt in Benno von Wieses Schillerbuch von 1959 die Besprechung des Räuberdramas. So bedauerlich es scheinen mag, daß an der sachlichen Richtigkeit dieser Feststellung kaum zu rütteln ist: der Satz hat etwas wohltuend Beruhigendes. Beruhigend ist daran, daß er manchen – zum Leidwesen anderer – den Mut gibt, mit unermüdlicher Einseitigkeit immer wieder neue Interpretationen am geduldigen Text zu erproben. Als solches Opfer fahrlässiger Courage möchte ich versuchen, ein paar bisher nicht gesehene Nuancen im Menschenbild von Schillers erstem Drama kenntlich zu machen, Nuancen, von denen man schlimmstenfalls sagen kann, daß sie neu sind, und bestenfalls, daß sie überlegenswert scheinen.

Und zwar könnte man da Schlimmeres tun, als von der Bemerkung auszugehen, daß Schiller die Vorrede zur «Schauspiel»-Fassung «D. Schiller» signiert hat, also Dr. med. Schiller. Denn diese Kennzeichnung ist gerade hier sinnvoll. Tatsächlich schreibt ja der junge Dramatiker sein Stück in mancher Hinsicht durchaus mit dem Blick des Mediziners, wie auch umgekehrt der Mediziner Schiller seine Dissertationen mit dem Instinkt des Dichters schreibt, jedenfalls die zweite, die – trotzdem – angenommen wurde. Friedrich Wilhelm von Hoven berichtet in seinen Erinnerungen, dem Karlsschüler Schiller, der 1776, im Jahr der vermutlichen Konzeption der *Räuber*, zum Medizinstudium überwechselte, «schien die Medicin mit der Dichtkunst viel näher verwandt zu sein als die trockene positive Jurisprudenz»[2]. Worin das Dichtung und Medizin Gemeinsame besteht, ist leicht zu erschließen: es ist die Richtung auf den Menschen, genauer das spekulativ-philosophisch bestimmte psychologische und dazu ethische Interesse, an dem ja auch die derzeitige Arzneiwissenschaft weithin orientiert war. Das Bedeutsame an dieser Begegnung von Medizin und Dichtung ist, ganz allgemein gesprochen, zunächst dies: daß dem jungen Idealisten Schiller (dessen früher schwärmerischer Idealismus bezeugt ist) in der medizinischen Wissenschaft seiner Zeit ein Menschenbild entgegentritt, das für seinen idealistischen Entwurf des Menschen eine bedenkenswerte Provokation darstellen mußte: ein Bild vom Menschen als physischem Wesen,

---

[1] Benno von Wiese, *Schiller*, Stuttgart 1959, S. 136.

[2] *Schillers Persönlichkeit: Urteile der Zeitgenossen und Dokumente*, hg. von Max Hecker, I, Weimar 1904, S. 141. – Nach Streichers Zeugnis fällt die Konzeption der *Räuber* in das Jahr 1776/77; vgl. Nationalausgabe, III, 261. – Textzitate nach der Nationalausgabe. Die «Trauerspiel»-Fassung wird nicht berücksichtigt.

Triebwesen, Sinnenwesen, als «Maschine», wie der junge Dichter-Mediziner selbst gern sagt.

Und natürlich: es fallen einem mühelos die vielen Stellen in den *Räubern* ein, an denen der Mediziner Schiller durch den Mund seiner Figuren zu sprechen scheint – Stellen, die er dann zum Teil auch prompt in der zweiten Dissertation als Belege für seine medizinischen Auffassungen pseudonym zitiert. Ich meine da vor allem Franz Moors Zerstörung und Desillusionierung jeder menschenwürdigen Ideologie durch eine schon an die *Genealogie der Moral* erinnernde, am psychologischen Materialismus orientierte Theorie ihrer Verursachung. In solchen Übereinstimmungen zwischen Schillers medizinischen Dissertationen und manchen räsonierenden Passagen in den *Räubern* erschöpft sich aber keineswegs die Bedeutung des medizinischen Wissens für *Die Räuber*. Zu denken wäre darüber hinaus an die offensichtliche Anwendung medizinischer Einsichten in der dramatischen *Gestaltung*, wie etwa in der Donauszene, wo unter anderem dargestellt wird, wie ein Trunk Wasser, ganz im Einklang mit den Schillerschen psychosomatischen Theorien, nicht nur das physische Wohlbefinden wiederherstellt, sondern zugleich auch die geistige Balance und den idealistischen Impetus, während der Räuber Moor sich vorher in der physischen Erschöpfung in nihilistischen Gedanken ergangen hatte. Man spürt an einer solchen Stelle die echte Besorgnis des Dichter-Mediziners um den Menschen, um ein würdiges Bild vom Menschen: Eine Tasse Kaffee ändert die Weltanschauung, soll William James gemeint haben; Schiller befürchtet offenbar, daß ein Hut voll Regenwasser es auch tut.

Aber selbst mit solchen beunruhigenden Perspektiven ist die Bedeutung des Medizinischen für die *Räuber* nicht erschöpft. Noch wesentlicher scheint mir, daß der in der medizinischen Theorie und Praxis erworbene und in den Dissertationen reichlich dokumentierte Blick für den Menschen als konkret-physisches und auch im Seelischen menschlich-allzumenschliches Wesen dem dramatischen Menschengestalter in hervorragender Weise zugute gekommen ist; und zwar in dem Sinne, daß Schiller in dem mit seinen medizinischen Dissertationen zugleich entstandenen Drama die Menschen, oder jedenfalls die Hauptfiguren, nicht als plakathafte Ideenschemen, als auf Figur gebrachte Begriffe gestaltet, sondern als sehr komplexe, vieldeutige Erscheinungen, wie sie der medizinisch gebildete Menschenkenner versteht.

Gegen eine solche Behauptung erhebt sich freilich sofort der Einwand: der lebensfremde Schiller habe keine Menschen gestalten können, besonders nicht in seinen frühen Dramen. Kronzeuge ist übrigens Schiller selbst, der 1784 in der «Ankündigung der Rheinischen Thalia» schrieb: «Wenn von allen den unzähligen Klagschriften gegen die Räuber eine einzige mich trifft, so ist es diese, daß ich zwei Jahre vorher mich anmaßte, Menschen zu schildern, ehe mir

noch einer begegnete» (XXII, 94). Man glaubt Schiller diese offensichtliche
Captatio benevolentiae und glaubt zu wissen etwa: «daß die Existenz des
Schillerschen Menschen ... identisch ist mit seinem Programm und seinem
Willen», daß seine Figuren also «unmittelbar ideell bedingt» seien; eine
Ideologie sei «für sie konstitutiv», die «psychologische Durchführung» aber
errege «schwerste Bedenken»; im Psychologischen sei Schiller unsicher und
ungewandt, «unfähig, die Personen als Menschen zu sehen», deren «seelisches Leben» erschöpfe sich eben schon in ihrer «Idee-Erfülltheit», sei mithin «eigentlich heteronom vom Gedanklichen bestimmt»[3]. Psychologische
Betrachtung würde daher der «Grundabsicht» des Verfassers von Ideendra-
men nicht gerecht[4].

Diese Ansicht wird durch ihr hohes Alter ehrwürdiger, aber nicht überzeu-
gender. Denn wenn man meint, psychologische Betrachtungsweise sei zu
«modern» für ein Schillersches Drama, so ist bescheiden daran zu erinnern,
daß sie nicht moderner ist als Schiller selbst. Denn Schiller lenkt ja in seinen
Vorreden und Kommentaren zu den *Räubern* und anderen früheren Dramen
unser Interesse gerade auf das Menschengestalterische, nicht aber auf eine
vermeintliche Ideenverkörperung. Jeder kennt die Stellen, auf die ich an-
spiele: «die Seele gleichsam bei ihren geheimsten Operationen zu ertappen»,
«das ganze innere Räderwerk» des Seelenlebens, die «geheimsten Bewegun-
gen des Herzens» darzulegen, das ist Schillers Absicht, nicht aber: «idealische
Affektationen», «Kompendienmenschen» zu gestalten (III, 5f., 243). Das
entspricht überhaupt seiner Dramaturgie in den achtziger Jahren: die moralische Anstalt ist ja nach Schillers Willen nichts weiter als eine Schule der
Menschenkenntnis, «ein unfehlbarer Schlüssel zu den geheimsten Zugängen
der menschlichen Seele».

Es liegt kein Grund vor, solche Fingerzeige des Dichters selbst einfach zu
ignorieren, statt sie auf ihre hermeneutische Brauchbarkeit hin zu untersu-
chen, wie das Adolf Beck, Martini, E. L. Stahl und andere in bezug auf andere
Jugenddramen Schillers bereits mit interessanten Ergebnissen getan haben.
Denn ignoriert man die Hinweise des Dramatikers, die den Interpreten zur
Beachtung des Psychologischen, Charakterlichen im Menschenbild seiner Dramen einladen, so läuft man Gefahr, sich allzusehr in den Denkbahnen eines
abstrakten philosophischen oder theologischen Problems zu bewegen, blind für

---

[3] Karl G. Schmid, *Schillers Gestaltungsweise: Eigenart und Klassik; Wege zur Dichtung*,
XXII, Frauenfeld und Leipzig 1935, S. 26, 27, 36, 158, 161. Ähnlich schon Ludwig
Bellermann, *Schillers Dramen*, 3. Aufl., Berlin 1905, I, S. 86: «Unreife des Dichters
bei Gestaltung und Zeichnung der Charaktere» (über *Die Räuber*). So noch Wilhelm
Grenzmann, *Der junge Schiller*, Paderborn 1964, S. 36, 37.

[4] Grenzmann, S. 38 f.

die im Charakter gestalteten Nuancen, die das Problem doch erst eigentlich wirklich und lebendig werden lassen und seine Eigenart ausmachen.

Dieser Gefahr ist man bei der Deutung der *Räuber* nicht entgangen. Dagegen hat – von ganz anderen Voraussetzungen her – bereits vor über zehn Jahren Elisabeth Blochmann Bedenken erhoben, als sie der ausschließlich theologisch orientierten Forschungsrichtung die skeptische Frage stellte: «Ob man wirklich sagen kann, das Thema [der *Räuber*] sei 'Der Mensch als Gegner und Mitspieler Gottes'. Ob man vom 'freien Opfertod' des 'tragischen Märtyrers' sprechen darf oder von Karl als dem 'Blutzeugen Gottes' ... Ob 'Gott als den Helden der Tragödie' sehen, nicht heißt, ihren Schwerpunkt verschieben?»[5] Indem wir versuchen, solche Fragen zu beherzigen, soll es natürlich nicht darum gehen, die üblichere Interpretation zu widerlegen, sondern darum, sie zu *ergänzen*. Denn mit einer Entweder-Oder-Fragestellung ist den Dramen des Klassikers der Mehrdeutigkeit von vornherein nicht beizukommen.

Wir beginnen dabei mit dem bekannten großen Schlußmonolog Karl Moors, in dem dieser seine «ungeheure Verirrung» einsieht und sich der irdischen Gerichtsbarkeit ausliefert. Die landläufige Deutung spricht von Läuterung, Sühne, Demut, Unterwerfung unter die verletzten göttlichen Gesetze, Aufgabe der selbstherrlichen Vermessenheit, Hinwendung zur «Reinheit der Idee» (Fricke) usw. Der Text spricht durchaus für diese Interpretation. Die Frage ist nur, ob er ausschließlich für sie spricht.

In der Tat ist der Wortlaut zweideutig. Ja: die Doppelsinnigkeit ist geradezu zum beherrschenden Stilzug geworden, der sich in einer Reihe von interessanten Widersprüchlichkeiten kundgibt. Da ist der Ton der Demut: «Ich maßte mich an, o Vorsicht die Scharten deines Schwerdts auszuwezen und deine Partheylichkeiten gut zu machen.» Doch sofort nach dieser Absage an die Anmaßung der anmaßende Satz, «daß zwey Menschen wie ich den ganzen Bau der sittlichen Welt zu Grund richten würden». Vor über sechzig Jahren hat man dazu schon bemerkt: «Freilich ist auch dies Bekenntnis noch stark von jenem prahlerischen Pathos gefärbt, das [Karl Moors] Wesen bezeichnet; denn wir haben mehr Zutrauen zu dem 'Bau der sittlichen Welt', als daß wir zugeben könnten, zwei Phantasten wie Karl Moor ... würden ihn zugrunde richten.»[6] Weiter äußert sich Räuber Moor: «Gnade – Gnade dem Knaben, der Dir vorgreiffen wollte.» Gewiß ist das Demut gegenüber der Vorsehung und den herrschenden Mächten. Aber demonstriert uns nicht Karl Moor schon wenige Sätze später genau dieses «Vorgreifen», wenn er sich hier und jetzt der Justiz überliefern will und hinzufügt: «Nicht, als ob ich zweifelte, sie werde

---

[5] Elisabeth Blochmann, «Das Motiv vom Verlorenen Sohn in Schillers Räuberdrama», *DVJS*, XXV (1951), 478.
[6] Bellermann S. 88.

mich zeitig genug finden, wenn die obere Mächte es so wollen. Aber sie möchte mich im Schlaf überrumpeln, oder auf der Flucht ereilen, oder mit Zwang und Schwerdt umarmen, und dann wäre mir auch das einige Verdienst entwischt, daß ich mit Willen für sie gestorben bin. » Schließlich die dritte Widersprüchlichkeit: «Du bedarfst nicht des Menschen Hand», sagt Karl Moor, an Gott gerichtet. Ein paar Zeilen später heißt es jedoch: «Sie [nämlich die 'mißhandelte Ordnung' der göttlichen Schöpfung] bedarf eines Opfers – Eines Opfers, das ihre unverlezbare Majestät vor der ganzen Menschheit entfaltet – dieses Opfer bin ich selbst.» Ist das nicht *auch* Vermessenheit, die den Menschen extrem erhöht zum Werkzeug Gottes, das dieser *braucht* zur Herstellung der «Harmonie der Welt»? Spricht hier wie an den anderen widersprüchlichen Stellen nicht der alte Karl Moor, der sich in seiner Hybris als «Arm höherer Majestäten» (IV, 5) bezeichnete, der Mann mit dem Christuskomplex, den wir bereits kennen? Und noch etwas wirkt bekannt an diesem Ende Karl Moors: der Genuß der großen, theatralischen Geste, die Haltung der – auch noch so kaschierten – *Selbstbewunderung*, in der dieses Opfer wortreich gebracht wird und in der bereits wenige Minuten vorher ein Opfer gebracht wurde, als Karl Moor auf seine Geliebte verzichtete, den Verzicht der Räuberkumpane ausdrücklich übertrumpfend.

Warum auch, so darf man fragen, das Öffentlich-Plakathafte der Sühne am Schluß? Warum statt des privaten Freitodes im Angesicht Gottes, dem er sich in den letzten Momenten gegenüber weiß, der sicher nicht untheatralische Sühnetod vor versammeltem Publikum, «vor der ganzen Menschheit»? Wir erinnern uns: einen privaten Selbstmord hatte Karl Moor ja schon einmal vermieden, in der fünften Szene des vierten Aktes, vermieden in der Geste des Stolzes, ja der Vermessenheit. Läßt uns die Motivwiederholung am Schluß nicht an die erste Selbstmordsituation denken – und an die dort wirksamen Motive der Vermeidung des Freitodes? Nun meint man natürlich in der Forschung: die irdischen Gesetze, denen Karl Moor sich unterstellt und für die er sterben wird, stünden stellvertretend-sinnbildlich für das göttliche Ordnungsgefüge[7]. Gewiß, das entspricht Schillers Denken. Muß das aber das kritische Mißbehagen an der Theatralik der großen Geste, mit der diese Unterwerfung vollzogen wird, unbedingt ausschließen? Muß sich dieses Mißbehagen mit dem allzubequemen Hinweis auf «pathetischen Stil» abfertigen lassen? Ist es ein Zufall, daß einer der Räuber Karl Moors Monolog mit den Worten kommentiert: «Es ist die Groß-Mann-Sucht. Er will sein Leben an eitle Bewunderung sezen», an jene Bewunderung, von der auch – bewundernd – die Rede ist in dem gleichzeitigen Gedicht «Monument Moors des Räubers». Wenn dieser Satz eingefügt worden ist, *nur* um Karl Moor die Gelegenheit zu der Erwide-

---

[7] Zum Beispiel von Wiese S. 167, Grenzmann S. 34.

rung zu geben: «Man könnte mich darum bewundern», wo hinzuzusetzen wäre: man solle es aber nicht – dann bewiese das doch gerade, daß der Gedanke an die selbstbewundernde Theatralik als Oberton der demütigen sühnenden Unterwerfung eben nicht absurd ist!

Man darf in diesem Zusammenhang daran erinnern, daß Schiller das Motiv der Selbstbewunderung, des theatralischen Genusses der großen Geste als menschlich-allzumenschliche Motivationskomponente, die das idealistische Handeln ins Zwielicht stellt, gerade in dieser Zeit durchaus geläufig ist. Der Abschnitt «Aufopferung» in der «Theosophie des Julius» spricht von solchen falschen, egoistischen Motiven. Der Verzicht Fieskos in der Mannheimer Bühnenfassung kommt nach Becks eindringlicher Deutung «nicht aus wahrer Sittlichkeit, sondern letztlich aus einer Sucht nach Selbstbewunderung und Selbstgenuß, die zur Pose führt»[8] – ähnlich wie die verzichtende Großmut der Lady Milford der Louise Millerin gegenüber[9]. Und das idealistische Streben des Marquis Posa entlarvt die Königin Elisabeth unwiderleglich mit dem Wort: «Sie haben nur um Bewunderung gebuhlt» (IV, 21). Sollte dieses menschlichallzumenschliche verfälschende Motiv nicht auch in der wortreichen idealistischen Schlußwendung des Räubers Moor angedeutet sein? Ist es nicht denkbar, daß Schiller gerade auch hierauf anspielt, wenn er am 24. August 1784 an Dalberg über die geplante *Räuber*-Fortsetzung schreibt, es müsse sich dort «alle Immoralität in die erhabenste Moral» auflösen? Bekanntlich setzt ja die Fortsetzung voraus, daß der Schluß des Räuberdramas, wie wir es kennen, verworfen ist.

Aber die eigentliche Frage ist natürlich, ob die Motivik, die wir am Schluß des Stücks entdecken zu können glaubten, also: die egozentrische Vermessenheit und Selbstbewunderung, bereits vorher im Drama angelegt ist. Wir dürfen diese Frage bejahen. Mehr noch: in der Tat ist der Genuß der vom Publikum geachteten und bewunderten Mittelpunktstellung, der Genuß der mehr oder weniger theatralischen Führerrolle, eine wesentliche Komponente von Karl Moors Vorstellung von seinem *Glück*, auf das er geradezu Anspruch zu haben glaubt.

Vielsagend ist in dieser Hinsicht der Eingang des vierten Aktes. Räuber Moor kehrt in die Heimat zurück und empfindet zum erstenmal, daß und wie ihm das Glück, die Glückseligkeit, zwischen den Fingern zerronnen ist. «Die goldne Mayenjahre der Knabenzeit leben wieder auf in der Seele des Elenden», heißt es da, «– da warst du so glüklich, warst so ganz, so wolkenlos heiter – und nun – da liegen die Trümmer deiner Entwürfe! Hier solltest du wandeln

---

[8] «Die Krisis des Menschen im Drama des jungen Schiller», *Euphorion*, IL (1955), 178 f.

[9] Vgl. ebd. S. 179 f.

dereinst, ein groser, stattlicher, gepriesener Mann – hier dein Knabenleben in
Amalias blühenden Kindern zum zweytenmal leben – hier! hier der Abgott
deines Volks ... Lebt wohl, ihr Vaterlandsthäler! einst saht ihr den Knaben
Karl, und der Knabe Karl war ein glüklicher Knabe – izt saht ihr den Mann,
und er war in Verzweiflung.» Es ist deutlich: Glück, Glückseligkeit (die Aus-
drücke werden in den *Räubern*, wie weithin in der Zeit, synonym verwendet)
bedeutet für Karl Moor unter anderem auch den Genuß der großen Zentral-
rolle des bewunderten Herrschers und Führers. Der Wille zum Glück aber ist
überhaupt, wie schon Robert Petsch vor über sechzig Jahren erkannt hat[10],
Räuber Moors Hauptimpuls, der bei ihm alles Tun bestimmt. Schon die grund-
legende Handlungsvoraussetzung ist von daher zu verstehen: denn erst als
das Glück dem «unglüklichen Bruder», als den der Brief von Franz Moor ihn
bezeichnet, *versagt wird*, wird aus Karl Moor der Räuber Moor, der in der
Banditenexistenz ein Ersatz-Glück sucht[11]. Und kennzeichnend ist, daß für
ihn dazu von vornherein die glorreiche Führerstellung gehört: «Ich möchte
ein Bär seyn, und die Bären des Nordlands wider dies mörderische Geschlecht
anhezen ... oh daß ich durch die ganze Natur das Horn des Aufruhrs blasen
könnte, Luft, Erde und Meer wider das Hyänen-Gezücht ins Treffen zu führen» (I, 2). Wesentlich und diesen Bildern entsprechend ist, daß Karl Moor
erst in der Rolle des von seinen Kumpanen bewundernd umringten Räuber-
hauptmanns, nicht schon in der des Räubers, sein neues Glück zu finden hofft.
«Wie egoistisch handelt der Weltreformator, in dessen Seele erst der Zuruf
der Gesellen zündet: 'Du sollst unser Hauptmann sein'», hat dazu bereits
Petsch bemerkt[12]. Und Franz Moor hatte gewiß so unrecht nicht, als er seinem
Vater gegenüber von dem «kindischen Ehrgeiz» seines Bruders sprach[13]. –
In der nächsten Karl-Moor-Szene, II, 3, in den böhmischen Wäldern, erkennt
man wieder dieselbe herrische Pose in dem arroganten «Wer überlegt, wann
ich befehle?» der eigenen Bande gegenüber und in dem stolz-selbstgerechten
Welterlöserkomplex in der Robin-Hood-Rolle dem Pater gegenüber; schließ-

---

[10] Robert Petsch, *Freiheit und Notwendigkeit in Schillers Dramen*, München 1905, S. 64.
Doch sieht Petsch diesen Drang nach Glückseligkeit, den er als den «Mittelpunkt seines
[Karl Moors] Denkens, den Ausgangspunkt seines Wollens» bezeichnet, nur bis zur Ermordung Amalias wirksam (S. 73). Den Schluß des Dramas sieht er in der üblichen
Weise, von seinen Voraussetzungen her genauer als Absage an das Glückseligkeitsstreben
(S. 76).
[11] Vgl. auch III, 2, als Karl Moor den Räubern schwört: «ich will euch niemals verlassen»: «Schweizer: 'Schwöre nicht! Du weist nicht, ob du nicht noch glüklich werden,
und bereuen wirst.'»
[12] Petsch S. 64.
[13] I, 1. Dazu Petsch S. 62: Franz Moors Schilderung seines Bruders sei «sicherlich
nicht unzutreffend; die Malice liegt nur in dem Ton, mit dem sie vorgetragen wird».

lich fällt da die selbststeigernde Herausforderung an die Kumpanen auf, ihn
auszuliefern, eine Herausforderung, die doch mit Wallensteinischem Spieler-
geschick nur darauf berechnet ist, die Räuber um so fester an sich zu binden,
seine Führerstellung noch zu steigern. So ist es auch kein Zufall, daß Karl
Moor in IV, 5, als er sich die Brutus-Cäsar-Strophen vorsingt, sein Kraftgefühl
wiederfindet in der Identifikation mit Brutus, dem « grösten Römer», an dessen Bahre zugleich nichts weniger als ganz Rom verröchelt sei. Das wirkt wie
die größtmögliche Ausweitung des egozentrischen Selbstgefühls; aber schon
in derselben Szene wird es über dieses Stadium hinaus noch in die metaphysische Dimension übersteigert: Als einer der Räuber Spiegelbergs Anschlag auf
Karl Moors Leben vereitelt, deutet Moor dieses Vorkommnis, ganz wie Fiesko
in seiner Hybris, ganz auch wie Wallenstein, sofort als Fingerzeig der Nemesis
oder des «Lenkers im Himmel» – genau wie er in derselben Szene sich zum
Werkzeug Gottes ausersehen glaubte und berufen, seinen Bruder zur Strecke
zu bringen – genau wie er noch später, in V, 2, den Selbstmord Franz Moors
als besonderes Zeichen der Gunst des Himmels gegen sich versteht, der ihm
also den Brudermord erspare.

Es ist durch diese Hinweise wohl deutlich geworden: der Genuß der Mittelpunktstellung ist eine wesentliche Facette des Glücks für Karl Moor, eine
wenig schmeichelhafte Facette gewiß, noch weniger schmeichelhaft dadurch,
daß gerade sie auch noch in den Schlußmomenten, in Räuber Moors Ende, angedeutet ist, wie vorhin erwähnt.

Das Glück nun beschäftigt Karl Moor in ungewöhnlichem Maße. Ein starker
Wille zum Glück geradezu ist in ihm lebendig, besser: zur Wahrnehmung seiner Glückseligkeit, auf die ihm die Weltordnung angelegt zu sein scheint.
Kaum je verläßt ihn der Gedanke des Glücks. So sind die depressiven Reden
am Anfang der Donauszene ganz auf den Ton des Gegensatzes zwischen der
«glüklichen» Welt und dem eigenen Unglück gestimmt, das der Welt weh-
leidig-postulativ vorgehalten wird. Als Karl Moor erfährt, daß der Verstoßungs-
Brief eine Fälschung war, ist sein erster Gedanke: «Ich hätte glüklich seyn
können» (IV, 3). Als Amalia sich von seiner Hand den Tod erbittet: «Willst
du allein glüklich seyn» (V, 2). Und daß die Glückseligkeit etwas ist, was ihm
die Weltordnung schuldet, das wird am deutlichsten in dem großen Monolog
in IV, 5. Karl Moor erwägt hier den Selbstmord und läßt sich davon abhalten
unter anderem durch den Gedanken: «Aber wofür der heiße Hunger nach
Glükseligkeit ... Nein! Nein! es ist etwas mehr, denn ich bin noch nicht glüklich gewesen.» Das entspricht im Prinzip gewiß dem Aufklärungsdenken
über die Glückseligkeit als Schöpfungsziel und «Bestimmung des Menschen».
Schiller äußerte sich ja in seiner ersten Dissertation selbst in diesem Sinne.
Aber ist in der zitierten Formulierung nicht zugleich mehr ausgesprochen,

nämlich statt der an den Schöpfer gerichteten *Dankbarkeit* die fordernde *Arroganz*, die eben nicht der aufgeklärten Gläubigkeit entstammt? Zu solcher aufgeklärten Gläubigkeit würde ja auch der gleich anschließende Verdacht nicht passen: «Oder willst Du [Gott] mich durch immer neue Geburten ... von Stufe zu Stufe zur Vernichtung führen?» Und schon gar nicht paßt der Schluß des Monologs zum dankbaren Glücksglauben der Aufklärung: «Soll ich für Furcht eines quaalvollen Lebens sterben? – Soll ich dem Elend den Sieg über mich einräumen? – Nein! ich wills dulden! ... Die Quaal erlahme an meinem Stolz!» Das Bestehen auf dem Recht auf Glück, darauf wollen diese Beobachtungen hinaus, ist auch zu sehen als eine Komponente der Haltung des *Egozentrikers*, dem die bewunderte Mittelpunktstellung lebenswichtig ist.

Fassen wir zusammen.

Die Reinheit des Idealismus Karl Moors wird unter anderem beeinträchtigt durch den Drang zur bewunderten Mittelpunktsstellung, die eine Facette seines Glücksstrebens ausmacht. Selbst am Ende des Stücks, im großen Konversionsmonolog, kann man dies noch erkennen. Es ist das ein Streben nach einem wenig edlen Glück: egozentrisch, arrogant, oberflächlich, beifallsbedürftig.

Darauf einmal aufmerksam zu machen, scheint – als Ergänzung anderer Interpretationen – nicht unnötig und schon gar nicht unfair. Denn mit der Betonung dieser Nuance in der Persönlichkeitsstruktur Karl Moors möchte Schiller natürlich nicht etwa dessen idealistisches Wollen entlarven und desavouieren. Im Gegenteil: er ehrt und achtet es – doch eben nur mit dem klaren Blick des Wissenden, der die Menschen kennt in ihrer Anfälligkeit für Menschlich-Allzumenschliches – und sie dennoch liebt und gestaltet aus dem Geist dieser Liebe.

STRUKTUR UND CHARAKTER
IN SCHILLERS *WALLENSTEIN*

I

In der landläufigen Schiller-Auffassung scheinen noch weithin gewisse althergebrachte Klischees zu herrschen: Schiller der unproblematische Idealist, der entschiedene Moralist, der Verherrlicher der siegend untergehenden Idee usw. Die wissenschaftliche Forschung der letzten Jahre hat dieses formelhaft erstarrte Schiller-Bild, das nicht ohne Grund zu dem bekannten «Klassikerstreik» der deutschen Schuljugend geführt hat, gründlich korrigiert und eine tiefere Problematik erkannt, ohne allerdings ihrerseits zu einer einhelligen Auffassung zu gelangen. Im Gegenteil: als «spannungsreich und widerspruchsvoll» konnte Benno von Wiese 1953 die Forschungslage beschreiben und mit Recht feststellen, daß die im Brennpunkt der Schiller-Diskussion stehende Bemühung um den *Wallenstein* «noch zu keinem eigentlichen Abschluß gelangt» sei[1]. Und das dürfte sich bis heute nicht geändert haben.

Die unvereinbaren Gegensätze in der *Wallenstein*-Deutung, wie sie sich etwa in den Interpretationen von Hermann Schneider und Kurt May[2] offenbaren, mögen nun zum Teil darin begründet sein, daß man die Tragödie bisher kaum als ein künstlerisches Strukturganzes ins Auge gefaßt hat. Ein derartiges Vorgehen, das hier versucht werden soll, vermag in der Tat neues Licht auf das Drama zu werfen, und zwar nicht primär auf seine äußere Formung, sondern auf das Sinngefüge. Denn mit dem Begriff der Sinnstruktur, die zum Gegenstand der folgenden Untersuchung gewählt wird, ist nicht die äußere Form des dramatischen Baus und Verlaufs gemeint, sondern die spezifische Konstellation der Kräfte und Wertpotenzen, die in der poetischen Welt wirken und Handlung konstituieren. Ihr Zusammen- und Gegeneinanderwirken stellt ein je individuelles Bedeutungsgefüge her, eine bestimmte Ordnung der dichterischen Welt[3]. Formale und gehaltliche Gesichtspunkte sind also im Begriff der Sinnstruktur zu einer übergreifenden Einheit zusammengenommen, die verspricht, gerade Schillers *Wallenstein* gerecht zu werden. Denn in der Gestaltung dieses Stoffes macht sich Schiller nach fast zehnjähriger Unterbre-

[1] B. v. Wiese, «Bericht über die Schillerforschung seit 1937», *DVJS*, XXVII (1953), 459, 471.

[2] H. Schneider, Schiller-Nationalausgabe, VIII (1952), Nachwort. (Nach dieser Ausgabe alle Zitate.) Kurt May, *Friedrich Schiller, Idee und Wirklichkeit im Drama*, Göttingen 1948, S. 99 ff.

[3] Näheres zum Begriff der Sinnstruktur in Kapitel I meines Buches *Englische Vorromantik und deutscher Sturm und Drang*, Göttingen 1958.

chung der dramatischen Produktion eine ganz neue künstlerische Einstellung zu eigen: zum erstenmal begreift er sich dem Stoff gegenüber als bewußt formenden Gestalter und legt den größten Wert auf Plan und innere Aufbauform. Jeder Teil soll vom ideellen Zentrum her konzipiert, zweckvoll in das künstlerische Planganze eingefügt und auf dieses abgestimmt werden[4].

Betrachtet man also das Wallenstein-Drama unter dem Gesichtspunkt der Struktur, so fällt natürlich sofort die rein äußerliche Gliederung der Geschehenswelt auf: Wallenstein und Max Piccolomini sind die am stärksten profilierten bewegenden Kräfte, beide stehen in Bezug zu der dritten Kraft: dem Kaiser, der durch Octavio und Questenberg repräsentiert wird. Dazwischen, weniger scharf markiert, sich nach den drei Kräften orientierend, füllt das Heer den Raum, dessen einzig legale Bindung jedoch die an den Kaiser ist. Nur im Hinblick auf den Kaiser, die dritte Macht also, die den Hintergrund bildet, kommt übrigens auch der Gegensatz von Max und Wallenstein zur Entfaltung. Dieser Konflikt ist zunächst das Hauptmotiv des dramatischen Aufbaus der Trilogie. Schon im *Lager* ist er vorgeformt, wenn in dem Streit um das Verhältnis Wallensteins zum Kaiser Auffassungen aufeinanderprallen, die später von Max und Wallenstein vertreten werden; bis zu Maxens Tod ist der Konflikt offensichtlich genug, und in den zwei letzten Akten wendet Schiller alle Sorgfalt darauf, Max noch indirekt wieder in das dramatische Gefüge einzuordnen: durch den nur scheinbar unnötig langen Bericht über seinen Tod auf dem Schlachtfeld, durch Wallensteins große Erinnerungsrede und schließlich durch die ausführliche Konfrontation Buttlers mit Gordon, die, von der Struktur her gesehen, ihre Funktion darin hat, daß in Gordons Haltung Maxens Einstellung und Problematik in andeutender Weise wiederholt wird[5].

Geht man von diesen formal-strukturellen Beobachtungen einen Schritt weiter und fragt nach den Sinngehalten, die in den beiden Figuren, Wallenstein und Max, auf deren Gegeneinander die Struktur des Dramas zunächst gestellt ist, zur Geltung kommen, so mag es sinnvoll sein, sich an die Begriffe zu halten, die Schiller selbst gebraucht. Am 21. März 1796 schreibt er an Wilhelm von Humboldt, er habe bei der Arbeit am *Wallenstein* «einige äuserst treffende Bestätigungen meiner Ideen über den Realism und Idealism bekommen, die mich zugleich in der dichterischen Composition glücklich leiten werden»[6]. Manche Forscher[7] haben sich durch diese Äußerung verleiten las-

---

[4] Dazu W. Spengler, *Das Drama Schillers. Seine Genesis*, Leipzig 1932, S. 52 ff., 94 ff.

[5] In welchem Sinne davon die Rede sein kann, wird erst aus der folgenden Analyse der Figur Maxens deutlich werden.

[6] *Schillers Briefe*, hg. von Fritz Jonas, Deutsche Verlags-Anstalt, o. J., IV, 436.

[7] Eugen Kühnemann, *Die kantischen Studien Schillers und die Komposition des Wallenstein*, Marburg 1889; Gottfried Wälchli, *Schillers Wallenstein: Innere Entstehung und innere Form*, Diss. Zürich 1925.

sen, die Gegenüberstellung des Friedländers und des jungen Piccolomini als eine Konfrontation von exemplarisch reinem Realismus und exemplarisch reinem Idealismus (in Schillers Wortverstand) aufzufassen. Das mag allenfalls zutreffen für Schillers Auffassung des Wallenstein-Dramas vor dem Konzeptionswandel im Winter 1796/97. Doch ist schon gleich hier ein Bedenken zu erwähnen: Schiller spricht von «Ideen über», und er verweist auf die Bemerkungen am Schluß seiner Schrift «Über naive und sentimentalische Dichtung»; hier wird jedoch der idealistische und realistische Menschentyp durchaus nicht in schematischer Vereinseitigung gesehen, sondern gerade in seiner jeweiligen Problematik, die sich aus «Inkonsequenz» ergibt. Aber immerhin: was den uns vorliegenden endgültigen *Wallenstein*-Text betrifft, so herrscht in der Forschung weitgehend Übereinstimmung darüber, daß die Gegenüberstellung von Wallenstein und Max nicht auf die einfache Formel Realismus–Idealismus zu bringen ist[8]. Genauer: man meint, daß Wallenstein nicht dargestellt ist als der Realist, der sich also nur bestimmen ließe von menschlich niedrigen, egoistischen Antrieben, wie von seinem Willen zur Macht – statt von den «Ideen» des Moraldenkens des 18. Jahrhunderts. Und diese Auffassung besteht zu Recht. In der Tat hat Schiller im Laufe der Arbeit das ursprüngliche Verständnis Wallensteins als des in seinem Sinne realistischen Verbrechers aufgegeben und auch positive, ja «idealistische» Züge, etwa die idealpolitische Zielsetzung und die (umstrittene) «Läuterung» vor dem Tod, in sein Charakterbild eingezeichnet. Er hat den realistischen Machtpolitiker also auf die von Max vertretene Wertwelt der Ideale hin veredelt – allerdings auch ohne nur dem geringsten Zweifel an den negativen Zügen Raum zu geben[9].

Zugleich ist aber mit Recht bemerkt worden, daß durch diese Aufhellung von Max Piccolominis Gegenfigur das Planganze, die Sinnstruktur in dem hier verwendeten Wortsinn, empfindlich gestört wird, wenn nun also der reine Idealist, als der Max interpretiert wird, dem aus idealen und realen Zügen «gemischten Charakter» gegenübergestellt ist, der sich seinerseits noch fort-

---

[8] Die antithetische Entgegensetzung noch besonders bei May. Dagegen schon v. Wiese *DVJS*, 1953, 467 f., und *Die deutsche Tragödie von Lessing bis Hebbel*, 6. Aufl. Hamburg 1964, S. 209, 227 f. Auch Schiller spricht in den letzten Absätzen von «Über naive und sentimentalische Dichtung» allgemein über die Ähnlichkeit des Realisten mit dem Idealisten.

[9] Vgl. auch an Böttiger, 1. März 1799 (Jonas, VI, 14), und an Körner, 13. Juli 1800 (Jonas, VI, 172). Stimmen zur Idealität Wallensteins aus der uferlosen Sekundärliteratur anzuführen, wäre müßig. Es genügt, darauf hinzuweisen, daß die idealen Motive in Wallensteins Charakter nur bei May und H. A. Vowinckel, *Schiller, der Dichter der Geschichte: Eine Auslegung des «Wallenstein»*, Berlin 1938, geleugnet werden. Diese Autoren entwerfen ein ausschließlich realistisches Wallenstein-Bild. Dagegen zum Beispiel v. Wiese, *DVJS*, 1953, 467 f.

laufend ins Ideale, ja Erhabene steigert[10]. Dennoch ist weder an der Richtigkeit der skizzierten Charakterdeutung Wallensteins zu zweifeln noch daran, daß Schiller bis zuletzt den sinnvollen inneren Zusammenhang des Gefüges geradezu ängstlich als die gestalterische Hauptsache betrachtet hat. Dafür sprechen briefliche Äußerungen über die abgeschlossene Trilogie. Schiller hofft zum Beispiel, «jedes einzelne Bestandstück des Gemähldes durch die Idee des Ganzen begründen zu können»[11], und will das Drama als «Kunstproduct» verstanden wissen, «insofern es mit Kunstsinn entworfen ward, ein lebendiges Werk, wo alles mit allem zusammenhängt, wo an nichts gerückt werden kann, ohne alles von der Stelle zu bewegen»[12]. Und schon 1797, während der Arbeit, schreibt er an Körner: «... der Plan läßt mich noch immer mehr erwarten. Auf den Moment freue ich mich schon im Voraus, wenn ich Dir dieses Kunstganze werde vorlegen können. Es soll ein Ganzes werden, dafür stehe ich Dir, und leben soll es auch in seinen einzelnen Theilen.»[13] Aber was ist «die Idee des Ganzen», von der Schiller spricht?

Das ursprünglich geplante einfache Bauschema (reiner Kontrast des Idealisten und des Realisten) ist offenbar in der Endfassung aufgegeben. An seine Stelle ist eine komplexere Aufbaukonzeption getreten. Denn tatsächlich läßt sich auch nach der partiellen Idealisierung von Wallensteins Charakter und damit nach der Beeinträchtigung der klaren Entgegensetzung von Realismus und Idealismus noch ein nicht ganz so deutliches, aber um so künstlerischeres Strukturverhältnis in der Konstellation Wallenstein–Max erkennen. Und zwar hat Schiller dies dadurch erreicht, daß er Max nicht als eindeutigen Idealisten gezeichnet hat (wie man in der üblichen Deutung meint), ebenso wie er Wallenstein nicht als konsequenten Realisten dargestellt hat. In Max scheint statt des entschiedenen, vorbildhaften Idealismus eine innere Krise des Idealismus gestaltet zu sein, die ihn in die dem Ideal ferne politische Wirklichkeit verwickelt und so in die Zone des Realismus hinüberführt. Wie der Friedländer idealistische Züge erhält, so bekommt Max fortschreitend problematische, die ihn schließlich fast zur Marionette der idealfernen politischen Realität werden lassen. Während Wallenstein der Fall des Realisten ist, der – nach einem Satz aus «Naive und sentimentalische Dichtung» – «würdiger handelt, als er seiner Theorie nach zugibt», deutet sich in Max eine tragische Selbstauflösung des Idealismus an, die von Schillers tiefer Skepsis zeugt.

[10] Zum Beispiel Theo Modes, *Die Urfassung und die einteiligen Bühnenbearbeitungen von Schillers Wallenstein*, Köln 1930, S. 30: «die klare Organisation des Werkes» wird durch die partielle Idealisierung Wallensteins «empfindlich geschädigt».

[11] an Böttiger, 1. März 1799 (Jonas, VI, 14).

[12] an Körner, 24. März 1800 (Jonas, VI, 142).

[13] 23. Januar 1797 (Jonas, V, 146).

Gehen wir diesem Gedanken etwas weiter nach.

Natürlich hat man Max immer als tragische Figur verstanden; aber doch in dem Sinne, daß der Mensch, der das Ideal in der Geschichte zu verwirklichen sucht, von den stärkeren Mächten der Realität einfach erdrückt werde, oder in der Weise, daß er seine irdische Existenz bewußt dem Ideal opfere und, es verherrlichend, sieghaft, in Freiheit und Reinheit, in den Tod gehe, «das Vollkommene in der Gebärde des Todes».[14] Bei der ersten Auffassung wird jedoch allzusehr über Maxens innere Auseinandersetzung hinweggesehen, über sein seelisches Drama, bei der zweiten seine ausweglose Verzweiflung, in der er den Tod sucht, außer acht gelassen. Eine derartige Betrachtung setzt unbewußt noch die ursprüngliche Strukturkonzeption voraus; das heißt, sie wertet Max unbesehen als bloße Kontrastfigur zu dem Realisten Wallenstein (der aber in der gedruckten Fassung schon auf dem Weg zur Idealität ist und folglich nicht mehr reine Komplementärgestalt sein kann). Tatsächlich hat Schiller aber in späteren Schaffensphasen Max mehr Raum zur Entfaltung einer eigenen inneren Problematik gegeben[15]. Um das zu erfassen: daß also der Idealismus des jungen Piccolomini nicht nur von den äußeren Gegenmächten gefährdet wird, sondern auch von innen heraus, empfiehlt es sich, daran zu denken, daß Schiller ja niemals einen wirklich unproblematisch idealistischen Charakter geschaffen hat, der sozusagen die vorbildliche, gültige Verkörperung dieser Lebenshaltung wäre. Was Schiller reizt, ist die Problematik. Dafür ein paar Beispiele.

Karl Moor verfällt in seinem sozial orientierten Idealismus der «ungeheuren Verirrung» (Vorwort), daß er, um sein Ideal durchzusetzen, nicht nur die menschliche Gesellschaft gefährdet, sondern paradoxerweise auch zugleich sein Ideal der gerechten Ordnung, sofern dieses nämlich schon in der geschichtlichen Welt bis zu einem gewissen Grade wirklich geworden ist. In der Mannheimer *Fiesco*-Fassung, in der sogenannten idealistischen Version des «republikanischen Trauerspiels», maskiert der Verzicht auf die Herrscherrolle in Wirklichkeit doch nur den unveränderten Machtwillen des Herzogs[16]. Bei Ferdinand in *Kabale und Liebe* klingt schon Kleistische Existenzunsicherheit an, wenn er die Stimme seines Herzens durch die Sprache des äußeren Scheins – des gefälschten Briefes – übertönen läßt. Die bedrohliche Fragwürdigkeit des Idealismus Marquis Posas hat Schiller selbst in seinen «Briefen

---

[14] Max Kommerell, *Geist und Buchstabe der Dichtung*, 2. Aufl., Frankfurt 1943, S. 162.

[15] Vgl. seine Besorgnis über die Erweiterung der Max-Handlung, die größere Ausmaße annahm, als Schiller zuerst beabsichtigt hatte: an Goethe, 9. November 1798 (Jonas, V, 459).

[16] Vgl. A. Beck, «Die Krisis des Menschen im Drama des jungen Schiller», *Euphorion*, IL (1955), 178 f.

über *Don Carlos*» herausgearbeitet. Maria Stuart, in der sich Ideales und Menschlich-Allzumenschliches mischen, vermag sich erst in den allerletzten Augenblicken für die Reinheit der idealistischen Haltung zur Welt und Überwelt zu entscheiden, als alle Hoffnung auf Befreiung enttäuscht ist. In der Jungfrau von Orleans verquickt sich, nicht ganz ohne Peinlichkeit, das religiöse Sendungsbewußtsein mit einem fanatisch-destruktiven Willen zur Macht[17]. Tell, den man noch am ehesten als reinen Idealisten auffassen könnte, muß um der Verwirklichung des Ideals willen einen Mord auf sich laden und damit selbst gegen sein Ideal verstoßen. Darüber hinaus werden hier Privatsache und idealistisch-gemeinnützige Handlung zu einer Deckung gebracht, die letztlich doch problematisch bleibt[18]. Über Don Cesar in der *Braut von Messina* hingegen sind die Meinungen (Realist oder Idealist) geteilt, was immerhin auf eine Krise des Idealismus in diesem Werk deuten mag. Aber im letzten Werk, im *Demetrius*, ist dann die radikalste Erschütterung des Idealismus zu beobachten.

Ähnlich liegen die Dinge bei Max Piccolomini, der in der bisherigen Forschung jedoch regelmäßig als *die* Verkörperung der idealistischen Lebenshaltung begriffen wird (wenn man ihn auch gelegentlich, damit nicht im Widerspruch, als den «reinen Toren», als Schwärmer und ähnliches getadelt hat)[19]. Wir wollen statt dessen versuchen, in Max einen problematischen Idealisten, eine Auseinandersetzung *mit* dem Idealismus sichtbar zu machen, um damit zugleich einer vertieften Auffassung des Dramas und seiner Sinnstruktur zu dienen. Denn es überzeugt wenig, daß es Maxens Funktion in dem «Kunstganzen» des Dramas sein soll, den absoluten Maßstab der Idealität abzugeben, an dem Wallenstein zu messen und zu richten wäre, wenn dieser selbe Max doch in seinen Überzeugungen wankend wird und in eine Verzweiflung stürzt, die seine Existenz im tiefsten erschüttert. Treffend hat man – von ganz anderen Voraussetzungen allerdings – bemerkt, Wallenstein könne an moralischen Richtstäben überhaupt nicht gemessen werden[20]. Und sicher ist Schillers *Wallenstein* kein moralisches Lehrstück. Aber was für eine Funktion kommt dann Max zu, wenn man nicht, gegen Schillers Diktum, das Werk für zusammenhanglos erklären will?

[17] Vgl. William F. Mainland, *Schiller and the Changing Past*, London 1957, S. 87 ff., und D. E. Allison, «The Spiritual Element in Schiller's *Jungfrau* and Goethe's *Iphigenie*», *German Quarterly*, XXXII (1959), 316–329.

[18] Vgl. L. Kahn, «Freedom: an Existentialist and an Idealist View», *PMLA*, LXIV (1949), 5–14.

[19] H. Cysarz, *Schiller*, Halle 1934, S. 315. Auch G. Fricke, «Schiller und die geschichtliche Welt», in Fricke, *Studien und Interpretationen*, Frankfurt 1956, S. 116, und H. A. Vowinckel.

[20] Zum Beispiel v. Wiese, *Tragödie*, S. 233 f.

Eine wohl zutreffendere Deutung Max Piccolominis ergibt sich, wenn man den strukturbestimmenden Gegensatz Max – Wallenstein als einen wechselseitigen auffaßt, das heißt, nicht nur Wallenstein von Max her betrachtet, sondern auch Max von Wallenstein und dessen Welt her ins Auge faßt. Denn nur in ständiger Bezogenheit auf diese Welt (und auf die des Kaisers) entfaltet sich sein Charakterbild. Sehen wir zu, wie das im Verlauf der dramatischen Handlung geschieht.

II

Im *Lager* spielt Max noch kaum eine Rolle, außer daß seine günstigen Beziehungen zum Friedländer wie auch zum Kaiser angedeutet werden, die Zwischenstellung also, die ihm verhängnisvoll werden wird und die zugleich das äußere Zeichen seiner inneren Problematik ist, wie sich später herausstellt (v. 1036–40). Im übrigen wird im *Lager* das Verhältnis Wallensteins zum Kaiser exponiert, das Verhältnis der Mächte, zwischen denen Max zu entscheiden hat. Im *Piccolomini*-Drama ist diese Beziehung auf höherer Ebene noch einmal behandelt. Dort wird es dann ganz offensichtlich, daß der Kaiser seinen Eid, Wallenstein unumschränkten Oberbefehl zu lassen, mit List und juristischer Spitzfindigkeit gebrochen hat und daß das Heer in dieser Auseinandersetzung für Wallenstein Partei nimmt. Questenberg, der Abgesandte und Vertreter des Kaisers, hat den ganz konkreten und begründeten Anschuldigungen Wallensteins gegen den Kaiser nichts zur Verteidigung entgegenzuhalten als einen kahlen Begriff der militärischen Pflicht, der rein formal wirkt (*Pic.*, v. 209). Vollends fragwürdig wird diese Pflicht gegen den Kaiser, wenn Octavio in ihrem Namen seinen Freund verrät und ans Messer zu liefern bereit ist (v. 350 ff.). Max steht hier noch ganz auf seiten Wallensteins; ja, er rechtfertigt ihn gegen die Vorwürfe des Hofes, er handle zu eigenmächtig: Wallenstein sei das geborene Herrschergenie:

> Es braucht
> Der Feldherr jedes Große der Natur,
> So gönne man ihm auch, in ihren großen
> Verhältnissen zu leben. Das Orakel
> In seinem Innern, das lebendige –
> Nicht tote Bücher, alte Ordnungen,
> Nicht modrigte Papiere soll er fragen. (v. 456 ff.)

Die Dreigliederung des Kräftespiels und damit die der dramatischen Struktur zeichnet sich hier schon ab; sie gewinnt aber dadurch noch an Prägnanz, daß Max Piccolominis Stellungnahme für Wallenstein nicht einfach jugendlich begeisterte Heldenverehrung ist, sondern motiviert ist durch den Einsatz für einen hohen «Wert» (*Pic.*, v. 484), einen großen Zweck, für den er sein Leben in den Dienst des Friedländers stellt. Erst damit wird dieser Charakter recht eigentlich als Idealist konstituiert: Mit Frieden, Menschlichkeit, Werten des Herzens und schließlich auch «Europas großem Besten» bezeichnet Max selbst die Ideale, die ihm im Erwachen der Liebe als die eigentlichen Lebensgehalte bewußt geworden sind. Sie will er in der geschichtlichen Welt verwirklichen, sie glaubt er durch den Feldherrn vertreten, und darum richtet sich sein Unwille gegen den Kaiser, der diese idealistischen Bestrebungen offenbar zu hintertreiben sucht. Ja, die Handlungsweise des Hofes mache Wallenstein «zum Empörer und, Gott weiß! / Zu was noch mehr» (*Pic.*, v. 572 f.), hält er Questenberg entgegen. «Wie ich das Gute liebe, haß ich euch» (v. 578). Er ist sogar bereit, für Wallenstein und sein Ideal gegen die kaiserliche Partei zu kämpfen (v. 579–82).

Schon an dieser Stelle wird, wie auch später noch, deutlich, wie wenig Max ein *neuer* Typ des Idealisten in Schillers Werk ist. Mit den früheren Idealisten, Karl Moor, Posa, Carlos, hat er gemein, daß sein Streben sich nach der Verwirklichung eines hohen Menschlichkeitsideals, eines *Wertes* ausrichtet; keineswegs ist in seiner Haltung etwa die Erhebung über die Zeitlichkeit und die Triebsphäre in das Bereich der intelligiblen Freiheit, also etwas rein «Formales», das allein Ausschlaggebende. Nun hat man zwar den durch Schillers Kant-Studien scheinbar berechtigten Versuch[21] unternommen, in dieser Hinsicht einen Wandel in Schillers Idealistendarstellungen glaubhaft zu machen: nämlich einen Wandel vom gehaltlich orientierten, «platonischen» zum formalen, «kantischen» Idealismus, der mit dem *Wallenstein* einsetze. Aber damit ist man begreiflicherweise nicht durchgedrungen. Denn es stellen sich dieser Auffassung doch schon von Schillers «kantischen» Schriften selbst her Bedenken in den Weg: mit Recht hat Herbert Cysarz[22] betont, daß bei Schiller der Formalismus der kantischen Ethik einer inhaltlichen Erfüllung des ethischen Idealismus Platz gemacht hat, die sogar den Verweis auf Max Schelers materiale Wertethik nahelegte. So bietet denn auch die Dramatik vor und

[21] G. Fricke, «Die Problematik des Tragischen im Drama Schillers», *Jahrbuch des Freien Deutschen Hochstifts* 1930, 3 ff., besonders 26, 27, 52, 56.

[22] S. 208. Vgl. auch M. Kronenberg, *Geschichte des deutschen Idealismus*, München 1912, II, 496; G. H. Streurman, *Schiller en het Idealisme*, Amsterdam 1946, wo besonders S. 31 ff. und 48 das Platonische betont wird. Auch Bruno Bauch, «Schiller und die Idee der Freiheit», *Kantstudien*, X (1905), 346–372, besonders 354 f., 364, 368 f.; Julia Wernly, *Prolegomena zu einem Lexikon der ästhetisch-ethischen Terminologie Friedrich Schillers*, Leipzig 1909, S. 61 f. Eine Einheit in der Reihe der Schillerschen Idealisten vor und nach dem Kant-Studium sehen auch zum Beispiel F. A. Hohenstein, *Schiller. Die Metaphysik seiner Tragödie*, Weimar 1927, S. 47 ff.; Kühnemann S. 85; H. A. Korff, *Geist der Goethezeit*, II, Leipzig 1930, S. 228, 238 f.; Kronenberg S. 494 f.; F. A. Schmid, *Kantstudien*, X (1905), 264.

nach dem Kant-Studium das Bild eines durchaus gehaltlich orientierten Idealismus. Für den gegenwärtigen Gedankengang ist hier also festzuhalten, daß Max Piccolominis Idealismus einen idealen Wert und Inhalt als Objekt hat – wie auch der der späteren Tragödiengestalten: Maria Stuarts, die im Tode der Gerechtigkeit dient, der Jungfrau, der es «um die verkörperte Idee von Königtum geht, die Gerechtigkeit und Gnade heißt» (v. Wiese), schließlich Tells, der Recht und Menschenwürde wiederherzustellen bemüht ist.

Im Namen seines inhaltlich erfüllten Idealismus kann dann auch Max in der Questenberg-Szene über einen Kaisertreuen, der gegen Wallensteins Ordre des Kaisers Befehl ausgeführt hat, das Todesurteil aussprechen, (*Pic.*, v. 1207), um so sicherer, als der Kaiser durch den Eingriff in Wallensteins Befehlsgewalt zuvor eidbrüchig geworden ist. Im Konflikt der Loyalitäten entscheidet Max sich also offen für Wallenstein und gegen den Kaiser, oder: für die von Wallenstein vertretenen Ideale und gegen das rein formale Pflichtprinzip, für das ein Gehalt nicht in Sicht kommt. Und es ist wichtig, zu erkennen, mit welchem Kunstsinn Schiller gerade Max «nach einer langen Pause» das Verdikt über den Kaisertreuen sprechen läßt, während alle anderen Offiziere, mit Ausnahme des moralisch fragwürdigen Illo, «bedenklich schweigen», weil für sie, die vorwiegend als Opportunisten gezeichnet sind[23], der Autoritätenkonflikt nicht so klar, durch das bloße Gewissen, zu lösen ist. Um so eindringlicher Max Piccolominis Entscheidung.

Um so inkonsequenter muß aber auch seine Wandlung im Schlußakt der *Piccolomini* erscheinen, als Octavio ihm eröffnet, Wallenstein wolle die Armee – um sein Friedensideal durchzusetzen – dem Feinde, den Schweden, zuführen, und es Max unvorstellbar ist, daß sein Freund auch nur daran denken könne, die Truppen «von Eid und Pflicht und Ehre wegzulocken» (v. 2328). Die Pflicht gegen den Kaiser bekommt für ihn plötzlich eine ganz neue, höhere Bewertung als vorher, wo er ihr im Namen seines Idealismus entgegentrat. Pflicht und Eid gelten jetzt auch noch gegenüber dem Herrscher, der sie seinerseits schon gebrochen hat, und zwar auch durch die Ächtung Wallensteins, von der Max gerade jetzt erfährt. Noch widerspruchsvoller wird Maxens plötzlich hervorgekehrter Pflichtstandpunkt dadurch, daß er das Verhalten seines Vaters, der aus «Pflicht» (v. 2454), um «dem Kaiser wohl zu dienen» (v. 2459), den niederträchtigsten Freundesbetrug übt, schärfstens verurteilt. Und zwar prangert er diese hörig pflichtgemäße Haltung als reinen Formalismus an, der als solcher Unmoral sei (v. 2461 ff., 2601 ff.). Mit seinem Klarblick in sittlichen Dingen erkennt er, daß die Schuld auf seiten der Kaiserpartei liegt: «Ja, ihr könntet ihn, / Weil ihr ihn schuldig wollt, noch schuldig machen» (v. 2634 f.). Er weiß demgegenüber: «Mein Weg muß grad sein»

---

[23] Vgl. besonders *Tod*, II, 5, 6; siehe auch Korff S. 257.

(v. 2603) – aber eben das ist nun der Weg, auf dem der Idealist sich verirrt. Das zeigt der dritte Teil der Trilogie.

Erst jetzt, in *Tod*, II, 2, tritt der bisher nur latente, strukturbestimmende Kontrast zwischen Max und Wallenstein, dem Idealisten und dem gemischten Charakter, ins volle Licht. Wallensteins Entschluß zum Verrat zwingt Max, «eine Wahl zu treffen zwischen dir und meinem Herrn», das heißt dem Kaiser (*Tod*, v. 718). Auch Wallenstein ist eine Entscheidungssituation nicht erspart geblieben, aber da lagen die Dinge anders. Denn sofern *er* zögerte, den Schritt zum Verrat zu tun, so lähmte ihn das Entsetzen vor der Bedrohung seiner Freiheit durch Notwendigkeit, den «Notzwang der Begebenheiten», und sofern *er* moralische Bedenken gegen den unausweichlich gewordenen Entschluß hegte, so handelte es sich vorherrschend, wenn nicht ausschließlich[24], um das Rechnen des Politikers mit dem Gewissen der Menschen als einem unwägbaren, aber realen, geschichtlichen Machtfaktor, und das um so mehr, als er das Wirken dieser Macht in sich selbst spürte. Der «Doppelsinn des Lebens» wird auch eine gutgemeinte Tat verurteilen. Was Wallenstein fürchtete, war die konventionelle Gewohnheitsmoral ohne sittliche Gewissensentscheidung, eine Moral, die sich aus bloßer Tradition mit den auch noch so korrupten Mächten der Legalität identifiziert; denn «was grau vor Alter ist», das ist dem Menschen «göttlich». Dies und der ganze Schluß des berühmten Monologs erinnert merkwürdig an das, was Max im zweiten Teil der Trilogie Questenberg vorhielt.

Dennoch gründet Maxens Entscheidung in anderen Voraussetzungen. In einem von vornherein unwiderruflich feststehenden Gewissensspruch sagt er sich, wenn auch nicht ohne inneren Kampf, von Wallenstein los, als dieser zum Verräter wird:

Seis denn! Behaupte dich in deinem Posten
Gewaltsam, widersetze dich dem Kaiser,
Wenns sein muß, treibs zur offenen Empörung,
Nicht loben werd ichs, doch ich kanns verzeihn,
Will, was ich nicht gut heiße, mit dir teilen.
Nur – zum Verräter werde nicht! Das Wort
Ist ausgesprochen. Zum Verräter nicht! (*Tod*, v. 768 ff.)

Es ist nicht ganz einsichtig, warum Max sich an dieser Kernstelle so formaljuristisch an den Begriff des Verrats im Unterschied zur Empörung klammert. Man hat gemeint, nur durch Verrat würde eben die gerechte Sache aufgegeben,

---

[24] Vgl. *Tod*, I, 4. Korff S. 243; Kommerell, «Schiller als Psychologe», *Geist und Buchstabe der Dichtung*, S. 211 f.; May S. 130–132; H. Pongs, *Das Bild in der Dichtung*, II, Marburg 1939, S. 565–567; v. Wiese, *Tragödie*, S. 230 f. (im Anschluß an Pongs: Deutung der Konventionsmoral als Ausdruck von im Unbewußten waltenden «Stimmen der Tiefe», treibenden Kräften in Wallenstein selbst).

die Max als Gegenstand von Wallensteins Streben erkennt: die Verwirklichung einer idealen menschlichen Gesellschaftsordnung in Europa[25]. Aber diese Hypothese entbehrt der Grundlage im Text. Vielmehr geschieht die spitzfindige Unterscheidung aus der Haltung des Idealisten, dessen Weg grade sein muß, der die «Wahrhaftigkeit, die reine» (v. 1202) zur alleinigen Richtschnur seines Handelns macht. Die Heimlichkeit des Verrats wäre gegen seine Überzeugung.

Aber eben hier liegt Maxens Tragik begründet. Denn diese Entscheidung gegen Wallenstein muß ja zugleich die Aufgabe aller der idealen Werte und Inhalte bedeuten, die Maxens Idealismus bisher bestimmten; Max weiß ja, daß der Kaiser, zu dem er sich nun schlägt[26], dem Frieden als dem Inbegriff der Humanität entgegenarbeitet! Gerade durch Max ließ Schiller ja die dunklen Machenschaften des Kaisers gegen Wallenstein entlarven und die Verurteilung des Kaisers, auf dessen Veranlassung Octavio und Questenberg so moralisch fragwürdig handeln, aussprechen. Tatsächlich hat Max denn auch dem Friedländer kein anderes, inhaltlich bestimmtes Ideal entgegenzuhalten, sondern nur die Haltung der – in der Questenberg-Szene noch abgelehnten – Pflichttreue, die als solche rein formal bleibt; denn Max weiß ja selber, hat es ja oft genug formuliert, daß die Partei, der gegenüber er diese Treue wahren will, deren nicht wert ist – sie gründet selbst auf List und Verrat, Wortbruch und Gemeinheit, sie ist die Hauptschuldige, sie hat durch ihren Eidbruch Wallensteins Gegenbewegung selbst ins Rollen gebracht, ihn zum Verrat getrieben. Überhaupt ist das Verhältnis des Feldherrn zu seinem Kaiser nicht ein sittliches, sondern es beruht auf «Macht und Gelegenheit», betont die Gräfin Terzky, der Schiller «einen großen Zweck» und «moralische» Handlungsweise zusprach[27]. Der Vertrag ist schon mit unlauteren Absichten vom Kaiser eingegangen. Gegen diesen Herrscher hebt sich die sittliche Verbindlichkeit des Eides von selbst auf. Wenn Max sich trotzdem auf seine Haltung versteift, so darf man von einer völligen Inhaltlosigkeit, besser: von einer Entleerung seines früheren Idealismus sprechen; seine Orientierung ist rein formal geworden, so formal, daß die Gehalte völlig preisgegeben werden. Schiller ist dies selbst bewußt geworden, als er diese Szene[28] schrieb: «Besonders bin ich

[25] Joachim Müller, «Die Tragödie der Macht», *Die Sammlung*, II (1947), 521.

[26] In der Literatur wird manchmal geltend gemacht, Max entscheide sich nicht für den Kaiser, sondern sein unbedingter Idealismus geböte ihm die Absage an den Kaiser ebenso wie die an Wallenstein (May S. 125, Hohenstein S. 36). Aber dagegen spricht doch das auffallend häufige Bestehen Maxens auf der Verbindlichkeit der «Pflicht» und des Eides (s. u.). Meiner Auffassung auch v. Wiese, *Tragödie*, S. 226 f., Schneider S. 395, ohne auf die andere Deutung einzugehen.

[27] An Böttiger, 1. März 1799 (Jonas, VI, 14).

[28] Daß die im Folgenden zitierten Worte sich auf diese Szene (*Tod*, II, 2) beziehen,

froh», schreibt er am 27. Februar 1798, lange nach der entscheidenden Konzeptionskrise, an Goethe, «eine Situation hinter mir zu haben, wo die Aufgabe war, das ganz gemeine moralische Urtheil über das Wallensteinische Verbrechen auszusprechen und eine solche an sich triviale und unpoetische Materie poetisch und geistreich zu behandeln, ohne die Natur des moralischen zu vertilgen. Ich bin zufrieden mit der Ausführung und hoffe unserm lieben moralischen Publikum nicht weniger zu gefallen, ob ich gleich keine Predigt daraus gemacht habe. Bei dieser Gelegenheit habe ich aber recht gefühlt, *wie leer das eigentlich moralische ist* ...[29]»

Das ist die Entleerung des Idealismus von seinen ursprünglichen Gehalten; sie spricht sich genauer darin aus, daß Max die Stimme seines Gewissens und Herzens gleichsetzt mit seinem Eid, mit der Pflicht gegen den von ihm verachteten Kaiser (*Tod*, v. 814, 2177, 2246, 2317). Nun kann zwar ein Eid eine Verpflichtung vor dem Göttlichen, Konkretion eines göttlichen Gebots auf Erden sein[30], wesentlich ist aber, daß Schiller diesen Aspekt nicht mit einem Wort hervorhebt. Der Eid, so wie er im *Wallenstein* erscheint, ist vielmehr ein politisches Moment, das von den Kaiserlichen als Machtfaktor ausgenutzt und von den Generalen und den Soldaten nur von dem Gesichtspunkt der Konventionsmoral und vor allem von dem der politisch-beruflichen Opportunität betrachtet wird. Um dies zu zeigen, schafft Schiller mehrere sonst ziemlich funktionslose Szenen. Der Eid ist ein Glied im Gefüge der realen Mächte in ihrer geschichtlichen Auseinandersetzung um praktische Vorteile; er gehört der Welt an, die dem Ideal am fernsten ist. Wenn Max sich damit und mit der auf der Anklagebank sitzenden Legalität (Kommerell) identifiziert, so liegt das tragische Mißverständnis des Idealisten vor, der in seiner Entschiedenheit so blind wird, daß er selbst den ihm wesentlich fremden Realbezügen verfällt, dem Hin und Her der politischen Mächte – im Glauben, seinem Idealismus die Treue zu wahren, während er sich wirklich mißversteht und die Idee unmerklich verfälscht hat. Es ist die «Passion der Idee», daß sie, wie auch im *Don Carlos* und in *Kabale und Liebe*, verfälscht wird[31]. Eben dies ist die innere Problematik und Tragik Max Piccolominis, und nicht nur die, daß die äußeren, historischen Mächte ihn erdrücken und aus der Welt treiben, wie es so oft heißt.

Die Paradoxie des sich selbst zerstörenden Idealismus wird in den letzten Szenen mit Max noch klar herausgearbeitet. Max leidet wissentlich und un-

---

weist Kühnemann S. 27–29 nach. Ihm folgen unter anderen Modes S. 17; v. Wiese, *Tragödie*, S. 675, Anm. 31.

[29] Jonas, V, 351. Kursivdruck nicht im Original.

[30] So Wälchli S. 117; May S. 145.

[31] Kommerell S. 161, jedoch ohne Bezug auf *Wallenstein*.

wissentlich am Selbstwiderspruch. So kann er im gleichen Atem behaupten, kein Kaiser habe dem Herzen vorzuschreiben, und: er werde des Herzens Stimme – das heißt aber im Zusammenhang: des Kaisers Befehl, der Pflicht – folgen. «Pflicht und Ehre! / Das sind vieldeutig doppelsinnge Namen», sagt die Gräfin Terzky (*Tod*, v. 1316f.), doch für Maxens Unbedingtheit gibt es offensichtlich nur Eindeutigkeit des Begriffs. «O Gott! Wie kann ich anders! Muß ich nicht? / Mein Eid – die Pflicht» (v. 2176f.) ist alles, was er Wallenstein antworten kann.

Erst nach dieser Entscheidung kommen die Zweifel. Das Herz, das Max den Weg zur «Pflicht» wies, «empört» sich plötzlich; er ist unsicher, ob er «recht und tadellos» handelt, muß als ein «roh Unmenschlicher» dastehen; zwei Stimmen werden laut, und er «weiß das Rechte nicht zu wählen». Dahinter steht der quälende Gedanke, zu viel auf «das Herz» vertraut zu haben (v. 2272ff.). Unentschieden zwischen den Pflichten, überläßt er Thekla den Schiedspruch, die jedoch klarsichtig erkennt, daß sein Herz schon für die Soldatenpflicht gesprochen hat. Daß dieser Entschluß keineswegs inhaltlich orientiert ist, wird wieder deutlich: weiß Max doch, daß er alles, was ihm «wert» ist, zurückläßt (v. 2385ff.). Wenn er zum Kaiser übergeht, ist er seinem früheren Idealismus abtrünnig geworden. Was bleibt, ist eine rein formale Pflichtgemäßheit, für die Sinn, Telos und Gehalt nicht in Sicht kommen – anders als in den Gewissensentscheidungen etwa Karl Moors, Don Carlos', Fiescos (in der zweiten Fassung), Maria Stuarts oder Tells, so sehr auch dort, wie gesagt, andere Motive mitspielen. Gerade der Vergleich mit Tell wirft Licht auf Max: auch dort geht es um den Bruch der rein formal gewordenen Pflichten gegen einen ungerechten, eidbrüchigen Kaiser; Maxens Tragik ist, daß er sich in seiner Gewissensängstlichkeit nicht zu einer Tat für die Bewahrung des Ideals aufschwingen kann, die der Tells gleichkäme. Denn eine sittliche Fundierung des Kaisertums ist in beiden Dramen nicht ausgesprochen; Max entlarvt ja gerade ihren falschen Schein.

Nicht einen Kampf zwischen «Pflicht und Neigung» hat also Max auszufechten, wie man in einer von Kant verstellten Sicht gemeint hat[32], sondern die Entscheidung zu treffen zwischen dem auch sonst bei Schiller geltenden inhaltlich erfüllten Idealismus, den idealen Zielen und Gehalten, einerseits und dem formal-idealistischen Prinzip der Wahrhaftigkeit und Gradheit an-

---

[32] Zum Beispiel H. C. Mettin, *Der politische Schiller*, Berlin 1937, S. 45; Müller S. 520. Anders als im *Don Carlos* und in der *Jungfrau von Orleans* lenkt ja im *Wallenstein* die Liebe nicht von den idealistischen Zielen ab, sondern zu ihnen hin, da sie sie erst bewußt macht. Es ist Liebe im Sinne des Platonismus. Daher hat die Gegenüberstellung mit Thekla ihren besonderen Sinn darin, an diese idealen Lebensgehalte wieder zu erinnern. Zum Idealismus der Liebe vgl. besonders May S. 124; Wälchli S. 117; Streurman S. 31ff.; Kronenberg S. 460ff.

dererseits. Daß er die glühend verfochtenen Ideale aufgibt – aus Konsequenz, wie er meint –, das macht ihn zu der problematischen Figur, das läßt ihn den Tod suchen in der ausweglosen Verzweiflung darüber, daß diese Entscheidung nicht letztlich befriedigend ist – obwohl die «Stimme des Herzens» sie diktiert. Daß er den formal-idealistischen Gewissensanspruch noch mit der realpolitischen Pflichtbindung, mit dem Politicum des Eides, gleichsetzt, ist bloß Ausdruck des Selbstmißverständnisses[33]. Insofern wird der von seinen eigenen Voraussetzungen gefährdete und verblendete Idealist in tragischer Weise in die Wirklichkeitsbezüge verwickelt. Er endet also nicht in der Befreiung, die die Erfüllung des Vernunftgesetzes dem Idealisten, Schillers Theorie zufolge, gewähren soll, sondern als «Verzweifelnder», als den er sich in seinen letzten Worten selbst bezeichnet.

Erst jetzt erkennt man den geheimen Sinn der Entgegensetzung von Wallenstein und Max, die neue Sinnstruktur nach der Aufgabe der alten, schematischen: auf der einen Seite der Realist, der fortschreitend idealistischer gezeichnet wird[34], auf der anderen der Idealist, der gerade durch seine bedingungslose Unmittelbarkeit im Idealismus, durch Selbstverkennung, in sein Gegenspiel, in die Anerkennung der realen Machtverhältnisse als verpflichtendes Gesetz getrieben wird. Somit enthüllt sich die Sinnstruktur als eine parallel-gegenläufige Bewegung der bestimmenden geistigen Kräfte des Dramas. Nicht den reinen Realisten und reinen Idealisten stellt Schiller gegenüber, sondern zwei Gestalten, die, je verschieden, zugleich an beide Seinsbereiche grenzen und beide an dieser Doppelstellung tragisch scheitern. Das macht sein Menschenbild weniger schematisch, komplexer und vielleicht ein wenig interessanter.

III

Dieses Ergebnis, besonders die Deutung Max Piccolominis also, paßt sich in die Resultate der Schiller-Forschung der letzten Jahre ein, insofern es ein weiteres Licht auf Schillers Wissen von den immanenten Gefahren des Idealismus wirft. Das bedeutet natürlich nicht, daß er ihn aufgegeben habe. Denn gerade der kritische Blick auf die Schwächen, die Verirrungen, zeigt sein Bemühen um einen reiferen, wissenden Idealismus als mögliche Lebensform inmitten gefährdender Kräfte. Das bezeugen auch die Prosaschriften. Dort lassen sich

[33] Der Vergleich mit der Tragik Louisens in *Kabale und Liebe* liegt nahe. Auch Louise geht zugrunde, weil sie sich durch den Schwur verpflichtet glaubt, den sie dem Vertreter der moralisch völlig substanzlosen höfischen Gesellschaft geschworen hat. Doch besteht insofern ein Unterschied zu Max, als Louise sich in der religiösen Tradition ihres Vaterhauses, in einer konservativen Gläubigkeit gebunden sieht (Schwur auf die Bibel!).

[34] Das wird in der Forschung, mit wenigen Ausnahmen, allgemein anerkannt. Aus Raumgründen kann das hier nicht im einzelnen rekapituliert werden.

gewisse Gedankenmotive nachweisen, die die obigen Ausführungen über Max als Verkörperung einer inneren Krise des Idealismus stützen. Natürlich weiß die Schiller-Forschung seit langem[35], daß Schillers Dichtung, und besonders der *Wallenstein* als das erste Werk nach dem Kantstudium, über die theoretischen Bemühungen weit hinausgeht und von diesen aus in ihrer ganzen Fülle nicht zu fassen ist. Wir können deswegen in diesem Exkurs nur von gedanklichen Ansätzen sprechen, die dann im Drama zur Entfaltung gekommen sind.

Die *Geschichte des Abfalls der Vereinigten Niederlande* ist dem Wallenstein-Stoff thematisch verwandt. Auch dort geht es um Eidbruch, um Rebellion gegen den gesetzmäßigen Oberherrn im Namen der Menschenrechte und des «gemeinen Besten». Auch dort hat dieser zuerst den Eid gebrochen, auch dort bestehen seine korrupten Anhänger auf der Einhaltung des völlig formelhaft und inhaltsleer gewordenen Eids. Schiller verteidigt nun aber die «gerechte Sache» der Aufständischen, auch ihr heimliches Vorgehen (trotz der Erkenntnis der niedrigen Motive, die mitspielen). Kritik klingt durch, wenn er von dem «großen Haufen» spricht, der sich bei der Geusenverschwörung «nur an das Gesetzwidrige ihres Verfahrens» halte und für den «ihr besserer Zweck» nicht vorhanden sei[36]. Auch erinnert Egmont entfernt an Max, wenn es von seiner «redlichen Einfalt» heißt: «Sanft und menschlich war seine Religion, aber wenig geläutert, weil sie von seinem Herzen und nicht von seinem Verstande ihr Licht empfing. Egmont besaß mehr Gewissen als Grundsätze; sein Kopf hatte sich sein Gesetzbuch nicht selbst gegeben, sondern nur eingelernt, darum konnte der bloße Name einer Handlung ihm die Handlung verbieten [wie Max sich an den «Namen» Verrat klammert] ... in seiner Sittenlehre fand zwischen Laster und Tugend keine Vermittlung statt»[37].

Auch in der *Geschichte des Dreißigjährigen Krieges*, aus der der *Wallenstein* hervorging, ist der Historiker keineswegs gegen den Eidbruch eingestellt, hält es vielmehr für erlaubt, «einem eidbrüchigen Beherrscher [die] Pflicht aufzukündigen»[38]. Und die Pflicht selbst? Von der Willkür des Kaisers heißt es: «Unter dem Schutz eines ungereimten positiven Gesetzes glaubte man ohne Scheu das Gesetz der Vernunft und Billigkeit verhöhnen zu dürfen.»[39] Leicht stellt sich bei einem Satz wie dem folgenden die Assoziation Max Piccolomini ein: «... in den Köpfen dieses Zeitalters wurden oft die seltsamsten Widersprüche vereinigt. Dem Namen des Kaisers, einem Vermächtnisse des despotischen Roms, klebte damals noch ein Begriff von Machtvollkommenheit an, der

---

[35] Schon Korff S. 238, vgl. v. Wiese, *Tragödie*, S. 203 f., 211. Vgl. auch den Brief an Humboldt vom 27. Juni 1798 (Jonas V, 398): während der Arbeit am *Wallenstein* sei die Philosophie suspendiert gewesen.

[36] Säk.-Ausg., XIV, 198.   [37] Säk.-Ausg., XIV, 77.

[38] Säk.-Ausg., XV, 107.   [39] Säk.-Ausg., XV, 76.

gegen das übrige Staatsrecht der Deutschen den lächerlichsten Abstich machte, aber nichtsdestoweniger von den Juristen in Schutz genommen, von den Beförderern des Despotismus verbreitet und von den Schwachen geglaubt wurde.»[40] Noch stärker waren derartige Bedenken schon in der «Gesetzgebung des Lykurgus und Solon». Und in den «Briefen über *Don Carlos*» wird nicht nur die gesetzwidrige Auflehnung gegen die legitime Macht ebenfalls gutgeheißen (8. Br.), auch die innere Gefährdung des Idealismus kommt zur Sprache; mutatis mutandis werfen folgende Worte des 11. Briefes auch ein Streiflicht auf Max, nämlich auf seine Verwechslung von Gewissensanspruch und politischer Abstraktion:

Durch praktische Gesetze, nicht durch gekünstelte Geburten der theoretischen Vernunft soll der Mensch bei seinem moralischen Handeln geleitet werden. Schon allein dieses, daß jedes solche moralische Ideal oder Kunstgebäude doch nie mehr ist als eine Idee, die ... in ihrer Anwendung also auch der Allgemeinheit nicht fähig sein kann, in welcher der Mensch sie zu gebrauchen pflegt, ... müßte sie zu einem äußerst gefährlichen Instrument in seinen Händen machen ... Diese [Erfahrung] meine ich, daß man sich in moralischen Dingen nicht ohne Gefahr von dem natürlichen praktischen Gefühl entfernt, um sich zu allgemeinen Abstraktionen zu erheben, daß sich der Mensch weit sicherer den Eingebungen seines Herzens oder dem schnell gegenwärtigen und individuellen Gefühle von Recht und Unrecht vertraut, als der gefährlichen Leitung universeller Vernunftideen, die er sich künstlich erschaffen hat – denn nichts führt zum Guten, was nicht natürlich ist.

Man spürt: Schillers Kant-Kritik der neunziger Jahre ist hier schon (1788) vorweggenommen. Und natürlich spielt in unsere Fragestellung das viel und widerspruchsvoll diskutierte Problem «Schiller und Kant» hinein. Eine eigentliche Wende hat das Kant-Studium nicht bewirkt. Das Wesentliche wurde dazu schon gesagt: Schiller überwindet Kants Formalismus zugunsten einer inhaltlich orientierten Wertethik, die bei ihm bereits vorgebildet war. Trotz ganz vereinzelter, schulmäßig angeeigneter Äußerungen im Sinne Kants hat Schiller vielfach gegen Kants «mönchischen» Pflichtrigorismus, den kategorischen Imperativ, Einspruch erhoben und der Ehrung des Menschen als Selbstzweck das Wort geredet. «War es wohl bei dieser imperativen Form zu vermeiden, daß eine Vorschrift, die sich der Mensch als Vernunftwesen selbst gibt, die deswegen allein für ihn bindend und dadurch allein mit seinem Freiheitsgefühle verträglich ist, nicht den Schein eines fremden und positiven Gesetzes annahm ...!»[41] Abfällig äußert Schiller sich über den «schulgerechten

---

[40] Säk.-Ausg., XV, 40.
[41] Säk.-Ausg., XI, 220. Vgl. XI, 217, 226 f., XII, 48 f., auch *Ästh. Erz.*, XXVII: über den ethischen und ästhetischen Staat. Vgl. den Brief an Goethe vom 22. Dezember 1798 (Jonas, V, 474).

Zögling der Sittenregel», der «jeden Augenblick bereit sein wird, vom Verhältnis seiner Handlungen zum Gesetz die strengste Rechnung abzulegen»[42].
Noch am 2. April 1805 schreibt er Wilhelm von Humboldt: «Die speculative
Philosophie, wenn sie mich je gehabt hat, hat mich durch ihre *hohle Formeln*
verscheucht, ich habe in diesem kahlen Gefild keine lebendige Quellen und
keine Nahrung für mich gefunden.»[43] – Die kritische Einstellung zum Kantischen Rigorismus schärfte dem Dichter erneut den Blick für alle Arten von
Verirrungen des Idealismus. Man denkt an Maxens Tragik (die Gleichsetzung
seines moralischen Anspruchs mit dem Politicum des Eides), wenn Schiller
davor warnt, das Muster der Idealität der Wirklichkeit zu entnehmen (*Ästh.
Erz.*, IX), oder wenn es heißt: «... läßt er andere gern über seine Begriffe die
Vormundschaft führen, und geschieht es, daß sich höhere Bedürfnisse in ihm
regen, so ergreift er mit durstigem Glauben die Formeln, welche der Staat
und das Priestertum für diesen Fall in Bereitschaft halten. Wenn diese unglücklichen Menschen unser Mitleiden verdienen ...» (*Ästh. Erz.*, VIII). Die
oben getroffene Unterscheidung von Form und Inhalt eines Strebens ist Schiller zudem ganz geläufig: bloße Konsequenz in der Befolgung von Grundsätzen
(«theoretische Vernunft») setzt er gegen das auf einen «Zweck» bezogene
Denken («praktische Vernunft») ab; «es kann der nämliche Gegenstand mit
der theoretischen Vernunft vollkommen zusammenstimmen, aber doch der
praktischen im höchsten Grade widersprechend sein». Das ist genau der Fall
Max Piccolominis. Aber «das Gute», fährt Schiller fort, ist nur in der Zusam-
menstimmung gegenwärtig, «wenn seine Form zugleich auch sein Inhalt ist»,
was also bei Max nach der obigen Deutung nicht zutrifft[44].
  Schließlich gehören in diesen Zusammenhang auch die Gedanken, die
Schiller auf den letzten Seiten von «Über naive und sentimentalische Dichtung» über den Idealisten geäußert und (wenn auch schon im Frühjahr 1796)
in engsten Zusammenhang mit dem *Wallenstein* gebracht hat. Der Idealist
dringt «auf das Unbedingte in allen Erkenntnissen, im Praktischen ein mora-
lischer Rigorismus, der auf dem Unbedingten besteht». Was Schiller hier
eigentlich interessiert, ist jedoch wieder das «Extrem», die «Überspannung».
Der Idealist kann durchaus

mit seinem philosophischen Wissen das Ganze beherrschen und für das Be-
sondre, für die Ausübung, dadurch nichts gewonnen haben: ja, indem er überall
auf die obersten Gründe dringt, durch die alles möglich wird, kann er die nächsten Gründe, durch die alles wirklich wird, leicht versäumen; indem er überall

---

[42] Säk.-Ausg., XI, 221 f. («Über Anmut und Würde»).
[43] Jonas, VII, 228. Kursivdruck nicht im Original.
[44] Säk.-Ausg., XI, 277 («Zerstreute Betrachtungen über verschiedene ästhetische
Gegenstände»).

auf das Allgemeine sein Augenmerk richtet, ... kann er leicht das Besondere vernachlässigen ... Er wird ... oft an Einsicht verlieren, was er an Übersicht gewinnt. Daher kommt es, daß ... der gemeine Verstand den spekulativen seiner Leerheit wegen verlacht; denn die Erkenntnisse verlieren immer an bestimmtem Gehalt, was sie an Umfang gewinnen.

Auch vermag der Idealist nichts, «als insofern er begeistert ist». Und Max in den letzten Szenen, in seiner ethischen Entscheidung, ein Enthusiast? Das würde man wohl kaum behaupten wollen. Vielmehr: «So geschieht es denn nicht selten, daß er über dem unbegrenzten Ideale den begrenzten Fall der Anwendung übersiehet und, von einem Maximum erfüllt, das Minimum verabsäumt, aus dem allein doch alles Große in der Wirklichkeit erwächst.» So muß der Idealist tragisch «mit sich selbst zerfallen». «Was er von sich fordert, ist ein Unendliches; aber beschränkt ist alles, was er leistet.» Konsequenter Idealismus ist für Schiller, nach diesen Zitaten zu urteilen, nicht durchführbar; er kann den Anforderungen der Wirklichkeit nicht nachkommen, weil er sich über sich selbst täuscht, sein Verhältnis zum praktischen Leben verkennt. Wenn der Idealist handelt, muß er vielfach hinter seinem Ideal zurückbleiben, es zur Formel entleeren, «nicht selten sogar unter dem niedrigsten Begriffe ['der Menschheit' = des Menschentums] bleiben»; und zwar gerade obwohl und wenn er wähnt, es zu erfüllen. So ist es gerade der Idealist, der die «Bedürftigkeit der menschlichen Natur beweist» und (ebenso wie der Realist) «das Ideal menschlicher Natur» durch seine Einseitigkeit verfehlt. Um den «Wert», den «zeitlichen Gehalt» unseres Lebens ist es «getan», wenn der Idealist sich «anmaßt, mit unserer bloßen Vernunft» der Welt begegnen zu wollen[45]. – Soweit also die gedanklichen Ansätze, die im Wallenstein-Drama in der Gestalt Max Piccolominis zur Entfaltung gekommen sind.

IV

Zurück zur Struktur. Die Konfrontation des Realisten, der nicht ganz Realist sein kann und Züge des idealistischen Friedensherrschers annimmt, mit dem Idealisten, dem die Erfüllung des Idealismus nicht gelingen will, so daß er sich von der idealfernen politischen Realität bestimmen läßt, wurde als das komplexe Aufbaugesetz der Trilogie gekennzeichnet. Beide Hauptfiguren sind in ihrer Problematik einander zugeordnet; so entgegengesetzt ihre Ausgangspunkte auch sind, bewegen sie sich doch aufeinander zu und werden beide, eben wegen dieser Uneinheitlichkeit in der Wesensstruktur, große tragische Gestalten. Diese Deutung stellt den kunstvoll verschränkten Ganzheitscharakter des Dramas ins volle Licht, der bei den bisherigen Interpretationen viel-

[45] Säk.-Ausg., XII, 254–261.

fach verdunkelt worden ist zugunsten einer Nebenordnung zweier wesentlich voneinander verschiedener und unabhängiger Einzeltragödien. Erst wenn man, wie hier, den ganzheitlichen Zusammenhang in den Blick bekommt, erfaßt man, daß «nichts Blindes darin» bleibt, wie Schiller am 2. Oktober 1797 an Goethe schrieb. Schon Goethe hatte übrigens einen Blick für das Verbindende der beiden Hauptcharaktere, als er *beide* zugleich ideale und – *phantastische* Existenzen nannte [46].

Diese Strukturform liegt gewissermaßen in der Horizontalebene der dichterischen Welt. Doch die Gesamtstruktur, die Weltordnung greift höher hinaus in einen übergeordneten Bereich: Das letztlich entscheidende Bau- und Sinnelement der poetischen Wirklichkeit des Wallenstein-Dramas ist *das Schicksal*. Es überwölbt die bezeichnete Grundstruktur, ergänzt sie in der Vertikalen. Hier darf man sich auf Andeutungen beschränken, da der Sachverhalt vertrauter ist.

In der «Krise» der Gestaltung (28. November 1796) schrieb Schiller an Goethe: «Das eigentliche Schicksal tut noch zu wenig, der eigne Fehler des Helden noch zu viel zu seinem Unglück», und der Prolog betont, die Kunst «wälzt die größre Hälfte seiner Schuld / den unglückseligen Gestirnen zu» (v. 109 f.). Schon früh im dramatischen Verlauf hat der Dichter das Bild der Welt ins Übersinnliche, ins Metaphysische erweitert: Mit Wallensteins Sternenglauben kommen die höheren Mächte ins Spiel. Aber nun ist es für das Verständnis der Sinnstruktur des ganzen Dramas wichtig, zu beachten – und es ist bisher nicht beachtet worden –, daß Wallenstein sich zunächst mit dieser beschworenen Überwelt in Übereinstimmung weiß, sich in ihr geborgen fühlt, daß aber die höheren Kräfte gerade in dem Augenblick anfangen, sich als eigenmächtig und unberechenbar zu enthüllen, als der bisher strukturbildende Konflikt seine letzte Klärung erhalten hat und damit als das hauptsächliche dramatische Agens und Aufbauelement «aufgehoben» ist. Denn eben haben sich in der entscheidenden Auseinandersetzung von Wallenstein und Max (*Tod*, II, 2) in der ersten Schicht der Sinnstruktur die Fronten geklärt, eben ist der Problemcharakter der Situation der beiden Hauptfiguren deutlich herausgearbeitet, als in der darauffolgenden Szene schon offenbar wird, wie das Schicksal den Feldherrn nicht begünstigt, wie es den Anschein hat, sondern auf das grausamste täuscht: «Lügt er, dann ist die ganze Sternkunst Lüge», sagt Wallenstein von Octavio (v. 893), aber seit Maxens Unterredung mit seinem Vater (*Pic.*, V, 1) steht schon fest, daß Octavio seinen gutgläubigen Freund betrügt; das Schicksal, die Sterne täuschen also. Das wird dann besonders markant in Wallensteins «Beweis» für seinen Glauben an die Verläßlichkeit des Schicksals: In einem Augenblick, wo er sich dem «Weltgeist» näher glaubte als

[46] Weimarer Ausg., 1. Abt., XL, 63 f. («Die Piccolomini», 1799).

sonst und eine «Frage an das Schicksal» frei zu haben meinte, bat er das Schicksal um ein Zeichen: Der treuste Freund sollte der sein, der ihm am nächsten Morgen zuerst entgegenkäme; es war Octavio – so erzählt Wallenstein jetzt – Octavio, der Verräter, wie *wir* bereits wissen (*Tod*, v. 891ff.). Das Strukturmoment Max–Wallenstein hat seine Funktion im Sinngefüge erfüllt. Jetzt offenbart sich der neue und eigentliche Gegenspieler Wallensteins: die Sterne, das Geschick, höhere Mächte, die unberechenbar aus dem Verborgenen walten [47].

Die zweite Schicht in der Sinnstruktur des Dramas beginnt sich zu enthüllen; das täuschende Schicksal ist auf den Plan getreten. Bis zum Schluß ist das Motiv der Täuschung, des Irrtums, der Fehldeutung und des Selbstmißverständnisses geradezu leitbildlich in fortlaufender Steigerung durchgehalten [48]. Die vielberufene pointierte Ironie in den letzten Wallenstein-Szenen (daß nämlich der Herzog sich vom Weltgeist gefördert glaubt, während in Wirklichkeit seine Lebensminuten schon gezählt sind), diese Ironie bezeugt ja nicht nur überlegene Distanzhaltung des Dichters zu seiner Dramenfigur; sie wäre an sich funktionslos, wenn sie nicht, gerade in ihrer Pointierung, darauf verwiese, daß die Mächte, die jetzt im Spiel sind, dem verstehenden und leitenden Zugriff des Menschen entzogen bleiben und sich ins Rätsel hüllen. Der menschliche Konflikt von Max und Wallenstein, der Konflikt um die Verhaltensweisen in der Welt, verklingt, geklärt, vor dem Hereinbrechen der irrealen Wirkenskräfte eines undurchschaubaren Schicksals und dem Kampf des Menschen mit ihnen. Über dem Ausgang des Kampfes liegt Dunkel. Holt die Nemesis den Verbrecher ein? (v. Wiese und viele andere). Wächst der politische Täter ins Erhabene hinaus? (H. Schneider). Wird das Walten der Vernunft in der Geschichte «desavouiert»? (Kurt May). – Wir treten in diese Diskussion nicht ein. Für das Verständnis der Sinnstruktur genügt es, zu erfassen, wie sich über der ursprünglichen strukturbildenden Gestaltenkonstellation (um die es in dieser Studie vornehmlich ging) ein Bereich von andersartigen Kräften auftut, der diese überwölbt. Von ihm aus versteht sich letztlich der Mensch, von ihm aus wird auch letztlich über das Menschliche bestimmt und entschieden – nur nicht mit der Eindeutigkeit, die häufig erwartet wird.

---

[47] Vgl. besonders Pongs, *Bild in der Dichtung*, II, 580 (auch zu der unten erwähnten Ironie). Das Motiv der Schicksalbestimmung ist vorgebildet in dem überleiteten Motiv des «Notzwangs der Begebenheiten» (besonders *Tod*, I, 3, 4).

[48] Wallenstein bleibt in der Täuschung befangen. Aber vielsagend sind ganz unwillkürliche durchschauende Äußerungen wie «O grausam spielt das Glück mit mir» (*Tod*, v. 2007 f.), «Mich hat Höllenkunst getäuscht» (*Tod*, v. 2105).

GERHART HAUPTMANNS FAUST-VERSE

«Viel Chaos empfinden heißt weise sein», lautet eine Aufzeichnung Gerhart Hauptmanns[1]. Manches in seinem Werk mag sie bestätigen, und man kann sich leicht vorstellen, mit welcher Genugtuung sich diejenigen Kritiker, die von der Kompositionslosigkeit der Hauptmannschen Dichtungen überzeugt sind, auf einen Ausspruch wie diesen stürzen. Doch er sagt nur die halbe Wahrheit. Denn zeitlebens hat es Hauptmann für die eigentliche Aufgabe des Künstlers gehalten, «aus dem Chaos den Kosmos zu bilden», wie er es 1934 in der Rede über «Das Drama im geistigen Leben der Völker» formulierte[2]. Das heißt: das dichterische und künstlerische Tun bleibt zwar stets auf jenes letztlich Unergründliche und Unendliche bezogen, das mit der Chiffre «Chaos» angedeutet ist; es ist aber zugleich auch Gestaltung – Gestaltung freilich, in der sich doch nur wieder «das große Schweigende schweigend ausspricht», wie es in einem Aphorismus heißt[3]. «Das Größte, unaussprechlich, wie es ist, in Zeichen und Symbolen zu berichten»[4] – das ist die Aufgabe, die der Dichtung für Hauptmann zukommt.

«Zeichen und Symbole»: Dazu gehören bei Hauptmann in erster Linie die mythischen und quasi-mythischen Sinnfiguren, die in der europäischen Geistesgeschichte auch sonst weithin bestimmend gewesen sind, und zwar auch dort, wo scheinbar radikal entmythisiert wird, wie im sogenannten bürgerlichen Drama des 18. Jahrhunderts. Prometheus, Satanael, Christus, Dionysus, oberer und unterer Zeus, Apoll und Artemis-Hekate, Christophoros, Hamlet – das sind nur einige dieser symbolischen Gestalten, die zu verschiedenen Zeiten und in verschiedenem Grade in Hauptmanns Werk als Leitbilder bestimmend gewesen sind. Die besondere Art und Weise, in der Hauptmann sie auffaßt, ist in der Forschung eingehend untersucht worden. Keineswegs ist das jedoch der Fall bei einigen weniger prominent verwendeten Gestalten des Mythos und der volksläufigen Sagentradition. Und namentlich gilt das nicht für die Bedeutung der Faust-Gestalt im Werke Gerhart Hauptmanns.

Das ist verwunderlich, wenn man sich erinnert, daß doch gelegentlich «das Faustische» sogar als die Formel des Hauptmannschen Wesens ausgegeben worden ist[5]. Ob mit Recht, lassen wir dahingestellt, fragen statt dessen lieber nach der besonderen Gestalt, die Faust in Hauptmanns Augen angenommen

---

[1] Ausgabe letzter Hand, XVII, 380, (Centenar-Ausgabe, VI, 999).

[2] XVII, 265 (C.-A., VI, 882).

[3] XVII, 415 (C.-A., VI, 1027).

[4] XVI, 379 (C.-A., IV, 1073).

[5] Eugen Lundberg, *Neue Rundschau*, XXXIII (1922), 1156.

hat. Bestärkt werden wir in der Verfolgung dieser Frage vor allem durch die
Bemerkung, die Hauptmann in der Autobiographie über eine *Faust*-Aufführ-
rung im Salzbrunner Kurtheater macht, die er als Achtjähriger besuchen
durfte, die Bemerkung: «Welche Ursache, welche Wirkung!»[6]

Über die frühen Eindrücke läßt sich freilich nichts Genaueres ausmachen.
Die Autobiographie befleißigt sich in dieser Hinsicht größter Zurückhaltung[7].
Auch aus der Tatsache, daß in Hauptmanns bisher veröffentlichtem Gesamt-
werk über hundertmal aus Goethes *Faust* zitiert wird[8], ist wenig zu schließen:
sie weist allenfalls auf eine extensive Wirkung, nicht aber auf ihre besondere
Richtung. Und was den gelegentlich behaupteten «Einfluß» von Goethes
Faust auf Werke wie *Die versunkene Glocke* und *Till Eulenspiegel*[9] angeht, so
ist zu sagen: daß diese «Einflüsse» eben nichts über Hauptmanns Faust-
Auffassung zu erkennen geben; vielmehr verweisen sie gerade auf das zugrunde liegende hermeneutische Problem zurück: daß eine solche Einwirkung
nur dann verläßlich ermittelt werden kann, wenn man sich zuvor über Hauptmanns Faust-Auffassung Klarheit verschafft hat.

So sind wir für Hauptmanns theoretische Selbstvergewisserung über die
Bedeutung der Faust-Gestalt vor allem auf ein paar Bemerkungen in der
Goethe-Rede angewiesen, die er 1932 in der Columbia University gehalten
hat. Interessant ist daran zunächst einmal – im Hinblick auf unsere einleitende
Überlegung –, daß das «eigentliche faustische Wesen» verstanden wird als
eine mögliche Weise, «im Chaos den Kosmos zu begreifen»[10]. Faust also als
Figuration einer der grundlegenden «Bemühungen des Menschengeistes»,
wie es in der eingangs erwähnten Rede geheißen hatte. Und man spürt sofort:
wenn Hauptmann sagt, Faust suche «im Chaos den Kosmos *zu begreifen*»,
dann klingt eine im Zusammenhang der Faust-Tradition längst geläufig gewordene Vorstellung an. Hauptmann formuliert sie so: Goethe habe im *Faust*
versucht, «die Agonie zu gestalten, in die der Mensch sich hineingezwungen
sieht mit dem Wunsche, Gott und Welt zu umfassen und anders als bisher zu
begreifen»[11].

Das besagt nun allerdings nicht eben viel. Und wendet man sich von der
Literaturkritik Hauptmanns seiner dichterischen Produktion zu, so wird man
zunächst auch wieder enttäuscht, wenn auch in anderer Weise. Denn in dem
einzigen bekannteren Werk, in dem Faust, der «Magister Faust», *in persona*

---

[6] XIV, 129 (C.-A., VII, 556).

[7] XIV, 430, 682, 697 (C.-A., VII, 794, 991, 1003).

[8] Siegfried H. Muller, *Gerhart Hauptmann und Goethe*, Goslar 1950, S. 28.

[9] Muller S. 27 ff.

[10] XVII, 226 (C.-A., VI, 851).

[11] XVII, 215 (C.-A., VI, 842).

auftritt, in der fragmentarischen *Dom*-Dichtung, wird er (wie schon gelegentlich in der volksläufigen Erzähltradition und später bei F. M. Klinger, Niklas Vogt, Julius v. Voß und anderen[12]) mit dem Mainzer Buchdrucker Fust identifiziert, und zwar so, daß nun – ganz anders als in Klingers Roman etwa – alles «Faustische» völlig verschwindet hinter der Selbstzufriedenheit des biederen Handwerkers, den auch nicht die geringste intellektuelle Unruhe anficht.

Freilich ist diese Faust-Gestalt im *Dom* nur als bescheidene Randfigur im breiten kulturhistorischen Panorama der Reformationszeit verwendet, so daß man der Deutung, die Hauptmann ihr gibt, nicht allzuviel Gewicht beizulegen braucht. Mehr Aufschluß darf man erwarten, wenn der Dichter Faust zum Titelhelden eines ganzen Werkes wählt, und sei es auch ein noch so bescheidenes. Daß das tatsächlich geschehen ist, ist bei den meisten Hauptmann-Lesern heute wohl in Vergessenheit geraten. Man denkt vielleicht im ersten Moment an den *Großen Traum*, den Hauptmann gelegentlich seinen *Faust* genannt hat[13], oder auch an den *Neuen Christophorus*, den man eventuell mit noch mehr Recht so bezeichnen könnte, nicht aber an die zirka 350 Verse, die Hauptmann im Sommer 1926 in Kloster auf Hiddensee als Erläuterung zum Faust-Film der Ufa geschrieben hat.

Diese sind heute wenig bekannt. Das einzige, was man im allgemeinen davon weiß, ist aus der knappen Bemerkung in der *Chronik von Gerhart Hauptmanns Leben und Schaffen* zu entnehmen: «Auseinandersetzungen mit dem Verfasser des Films, Hans Kyser. Der Film wird ohne Hauptmanns Zwischentexte vorgeführt, die aber gedruckt erscheinen.»[14]

Das scheint noch im gleichen Jahr gewesen zu sein. Die Textveröffentlichung selbst trägt jedoch kein Datum. Ihr Titel lautet: Gerhart Hauptmann, *Worte zu «Faust, eine deutsche Volkssage»* («ein Ufa-Film ... Manuskript: Hans Kyser, Regie: F. W. Murnau, Hauptdarsteller: Emil Jannings, Gösta Ekman, Camilla Horn, Yvette Guilbert, Universum-Film-A.-G.»).

Bei der Deutung und Auswertung dieser «Worte zu Faust» ist natürlich, um ein falsches Bild zu vermeiden, grundsätzlich dem Umstand Rechnung zu tragen, daß Hauptmann durch seinen Text eine bereits vorliegende und ohne seine ausschlaggebende Beteiligung zustande gekommene Bildhandlung durch klärende Worte zu ergänzen beauftragt war. Aber: der sich hier leicht einstellende Verdacht, daß Hauptmann – hätte er sozusagen «in eigener Regie» gearbeitet – möglicherweise etwas ganz anderes geschaffen hätte, als uns jetzt zur Hand ist, vermag dennoch wenig zu überzeugen. Denn wenn Haupt-

---

[12] E.M. Butler, *The Fortunes of Faust*, Cambridge (England) 1952, S. 161, 211, 213.
[13] *Gerhart Hauptmann Jahrbuch*, 1948, S. 134.
[14] *Chronik ...*, von C.F. W. Behl und F.A. Voigt, München 1957, S. 93. Vgl. S. 134 («Chronik der Erstveröffentlichungen»).

manns Erläuterungen auch an den vorgegebenen Gang der Handlung gebunden blieben, ihm jedenfalls nicht direkt zuwiderlaufen durften, so darf man
in diesen Zwischentexten doch ohne Zweifel wenigstens *Ansätze* zu Hauptmanns Deutung der Faust-Gestalt erwarten – und damit einen Einblick in
seine geistige Welt, der mindestens durch seine besondere Perspektive neu-
artig und interessant zu sein verspricht.

Für die relative Eigenständigkeit der Hauptmannschen Deutung der Faust-
Handlung und der Faust-Gestalt, für eine gewisse Unabhängigkeit von der
Konzeption der Filmproduzenten spricht schließlich Folgendes. Die Filmhand-
lung war von vornherein nicht einfach als Verbildlichung des Goetheschen
Faust – als der am stärksten ins Volksbewußtsein eingegangenen Fassung des
Stoffes – gedacht gewesen. Vielmehr handelte es sich dabei um ein Konglome-
rat von Motiven «aus der gesamten originalen Faustliteratur»[15], einschließlich des Volksbuches. Für den Kommentator hat das einen offensichtlichen
Vorteil: dieses Verfahren der Filmleute (das also eine Kombination von Synthese und Ausfilterung von Motiven darstellt) lief im Effekt auf die Erstellung
der auf ihr Allgemeinstes und Geläufigstes reduzierten Faust-Tradition hinaus; *diese* muß dann aber Hauptmanns Deutung immerhin einen erheblichen
Spielraum gelassen haben. Hinzu kommt, daß viele Motive der Faust-Hand-
lung, die bildlich leicht zu vergegenwärtigen sind, verschiedene Interpretationen zulassen, die stark voneinander abweichen können (man denke etwa
an die medizinische Tätigkeit Fausts). Diese Interpretation zu geben, blieb
aber Hauptmann allein überlassen. Und wo er sich in dieser Hinsicht eng an
das Vorgegebene anschloß, kann sein Text doch nur Zustimmung bezeugen.
Es ist ja bekannt, daß er sich nur zu Bearbeitungen von im weitesten Sinne
kongenialen Werken verstand; die Einstudierung von Hebbels *Nibelungen*
zum Beispiel lehnte er ab.

Derartige Überlegungen mögen es rechtfertigen, kurz auf Hauptmanns
Faust einzugehen. Um so mehr auch, als die reichhaltige Literatur über die
nach-goetheschen Faust-Dichtungen[16] ihn nicht einmal erwähnt.

Den Zwischentexten ist ein Geleitwort vorausgeschickt, das uns sofort auf
einen wichtigen Punkt weist:

> Ein Faust in Bildern, warum denn nicht?! –
> Nicht Goethes unsterbliches Weltgedicht ...

[15] Hans Kyser, «Der deutsche Faustfilm», in Gerhart Hauptmann, *Worte zu Faust*,
S. 9. S. 11 bis 14 umreißt Kyser den «Gang der Bildhandlung». Seitenverweise im Text
beziehen sich auf diese Ausgabe.
[16] Julius Petersen, «Faustdichtungen nach Goethe», *DVJS*, XIV (1936), 473–494;
Ilse Ancker, *Deutsche Faustdichtungen nach Goethe*, Diss. Berlin 1937; E. M. Butler, *The
Fortunes of Faust*, Cambridge (England) 1952.

Diese Bemerkung ist nicht zufällig. Denn seit 1790, seit dem Erscheinen des *Fragments*, ist kaum eine der deutschen Bearbeitungen des Stoffes – und allein seit 1832 waren das weit über fünfzig[17] – um eine Auseinandersetzung mit Goethes Faust-Auffassung und eine Abgrenzung davon herumgekommen. Ja: die Goethesche Faust-Auffassung ist zum Teil verantwortlich für die ungeheure Beliebtheit des Stoffes seit dem Ende des 18. Jahrhunderts. Tieck macht sich schon 1801 darüber lustig, indem er in seiner Farce *Anti-Faust* sogar die Teufel in der Hölle Faust-Literatur und namentlich das *Fragment* – als berufliche Fortbildungslektüre – lesen läßt. Lenau schreibt eine Generation später auftrumpfend, der Faust sei «kein Monopol Goethes»[18], und Arnim verlangte, jeder Dichter solle seinen eigenen Faust schreiben[19]. Hauptmann konnte sich in seinem Versuch zur Unabhängigkeit von dem «Oberkollegen» noch auf seine Anschauung stützen, daß Goethes *Faust* Ausdruck des Goetheschen «Wesens» sei und daher individuell und unwiederholbar[20]. Trotzdem kann natürlich auch er die geschichtliche Entwicklung der Faust-Gestalt nicht überspringen, in der nach einem Wort Gottfried Kellers «Goethe weder zu umgehen, noch als bloße Beziehung zu verdauen ist»[21]. Am deutlichsten ist das Goethe-Erbe bei Hauptmann in der starken gehaltlichen Betonung der Gretchentragödie erkennbar. Denn diese Motivreihe hat bekanntlich erst Goethe in den Faust-Stoff integriert[22]. Und die zentrale Bedeutung, die der Gretchentragödie in Goethes *Faust* zukommt, hat Hauptmann sogar selbst formuliert, wie aus einer mündlichen Äußerung zu entnehmen ist[23]. Auf andere Beziehungen zu Goethes *Faust* ist später noch aufmerksam zu machen. Doch sei gleich vorweggenommen, daß eine engere Verbindung gehaltlicher Art, die Hauptmann zum Epigonen machte, *nicht* besteht.

Der Gehalt oder besser: ein Teil des Gehalts, den Hauptmann seinerseits in den Faust-Stoff hineinsehen möchte, ist in den Schlußversen des Geleitworts angedeutet:

[17] Butler S. xvii.

[18] An Justinus Kerner, 27. November 1833 (*Sämtliche Werke*, hg. von E. Castle, III [Leipzig 1911], 244).

[19] Vorrede zu Wilhelm Müllers Übersetzung von Marlowes *Doctor Faustus*, 1818, S. XVII.

[20] XII, 278; XVII, 212–214 (C.-A., VII, 346; VI, 840–842). Vgl. auch C.-A., VIII, 1055.

[21] *Sämtliche Werke*, hg. von J. Fränkel, Erlenbach-Zürich (später Bern) 1926–1949, XXII, 174.

[22] Vgl. Erich Trunz in der Hamburger Ausgabe, III, 2. Aufl., 1952, S. 468.

[23] Immermanns Versuch, Goethes Faust auszustechen, habe nicht gelingen können, «denn im 'Faust' des jungen Goethe sei mit der unsterblichen Gestalt Gretchens das wirkliche, echte, tiefe Leben gegenwärtig, und ohne die Gretchentragödie hätte Goethes Dichtung niemals die breite und weite Wirkung haben können» (C. F. W. Behl, *Zwiesprache mit Gerhart Hauptmann*, München 1949, S. 223 f.).

Und endlich zieht Euch ein Ringen in Bann
Zwischen Ormuzd und Ahriman,
Zwischen Finsternissen und Licht [24] –
Damit sei es genug – mehr sage ich nicht!

Das heißt: Hauptmann faßt das Faust-Problem nicht so sehr als Problem der Erkenntnis oder der menschlichen Erfüllung, sondern richtet sich in erster Linie auf die dem Faust-Schicksal zugrunde liegende Antinomie transsubjektiver Gewalten, ja man darf wohl sagen: auf das, was Hebbel «Dialektik in der Idee» genannt hätte [25]. Seit Goethes «Prolog im Himmel» ist gerade dieses Motiv in den Faust-Bearbeitungen in verschiedenen Formen immer wieder ausgebildet worden [26], und daß Hauptmann es auf seine Weise aufgreift, ist nicht verwunderlich: der Mensch als Objekt der Mächte, die sich in den Antinomien des Lebens auswirken – das ist ein immer wiederkehrendes Motiv in seinen Dichtungen und in seiner theoretischen Selbstvergewisserung. *Hamlet* deutete er zum Beispiel in diesem Sinne. Er sprach in solchem Zusammenhang gern vom Urdrama. Und in der Faust-Deutung in der Goethe-Rede von 1932 kommt er dann auch *expressis verbis* darauf zurück: «Der 'Faust' ist ein solches objektiviertes, Gestalt gewordenes Urdrama», heißt es da [27]. Das Gegeneinander von Ormuzd und Ahriman, von dem er im Geleitwort zu seinen Faust-Versen spricht, ist aber nur eine der vielen mythologischen Chiffren, mit denen Hauptmann dieses kosmische Drama zu bezeichnen pflegte. Keineswegs bedeutet der Hinweis auf Ormuzd und Ahriman daher, daß Hauptmann das Faust-Schicksal in die Vorstellungswelt der zoroastrischen Mythologie transponierte und mit Klinger um einen «Faust der Morgenländer» wetteiferte. Charakteristisch für seine Neigung zur mythischen Pluralität und Mythensynthese ist ja auch, daß er den Kampf von Ahriman und Ormuzd gleich anschließend als das Widerspiel von «Finsternissen und Licht» erklärt, womit trotz aller Unbestimmtheit der Formulierung doch eher auf *christliche* Dualitätsvorstellungen angespielt wird: Denn daß Hauptmann den seltenen Plural «Finsternisse» in dem gleichnamigen Requiem aus der Bibel, aus der Alliolischen Übersetzung (Psalm 105), übernommen hat, wo er das dem Göttlichen Entgegengesetzte bezeichnet, das hat man ja zweifelsfrei ermittelt [28]. Entsprechend findet sich denn auch schon in den «Shakespeare-Visionen» von 1918 die Doppelformel «Ormuzd und Ahriman, Gott und Teufel» zur Umschrei-

---

[24] Des Reims wegen handelt es sich natürlich um eine Parallelität mit vertauschten Gliedern (Chiasmus).

[25] Vgl. die Studie «Hebbels 'Dialektik in der Idee'».

[26] Ancker S. 141–143.

[27] XVII, 219 (C.-A., VI, 845).

[28] Anni Meetz, «Gerhart Hauptmanns Requiem *Die Finsternisse*», *GRM*, XL (1959), 32.

bung des Urdramas[29]. Und sobald die eigentlich dramatischen Verse in Hauptmanns *Faust* anheben, kehren wir denn auch zu der landläufigeren mythischen Bildung zurück: *Gott* und *Teufel* liegen im Streit miteinander, oder
genauer: Mephisto fordert Gott zu einer Kraftprobe heraus; dieser erscheint
jedoch, anders als bei Goethe, nicht *in persona*, sondern für ihn spricht einer
jener Cherubim, von denen es im *Neuen Christophorus* heißt, sie schauten und
erkennten « bis zu einem gewissen Grade » Gott und gäben seine Weisheit « an
die gläubigen Menschen » weiter[30]. Und zwar treten sich Engel und Teufel in
einer Situation gegenüber, die dem «Vorspiel im Himmel» entspricht.

« Die Erde ist meiner Höllen Raub, mein Reich, mein Gebiet, mein Besitz!»
behauptet Mephisto mit deutlichem Anklang an die mythologische Situation
im *Großen Traum* gleich eingangs. Und die apokalyptischen Reiter, Krieg,
Hunger und Pest, die das Land verheeren, scheinen ihm recht zu geben (S.17).
Doch der Engel Gottes hält dem teuflischen Frohlocken entgegen:

> Es wohnt doch mancher auf der Erden,
> Mit dem du nicht wirst fertig werden!
> Zum Beispiel Faust, der Lehrer und Weise,
> Den ich als Hort des Himmels preise:
> Kein Satan bringt ihn aus dem Gleise! (S. 17)

Der Engel zeigt Faust als einen greisen Mann, «der im Hörsaal einer mittelalterlichen Universität die wunderbaren Gesetze Himmels und der Erde
lehrt» (S. 11). Der Teufel präsentiert ihn dagegen als einen ganz anderen,
jedoch nicht weniger traditionell, indem er ihn sagen läßt:

> Den Stein, den Stein der Weisen,
> Ihn such' ich Tag und Nacht!
> Er soll mir alles weisen:
> Ruhm – Wissen – Gold und Macht! (S. 18)

Diese Stelle will jedoch nicht nach dem ersten Augenschein verstanden sein.
Denn wenn man Faust tatsächlich als den machthungrigen Magier auffaßte,
brächte man, wie gleich ersichtlich wird, die Sinnstruktur von vornherein in
Verwirrung. Vielmehr ist es so, daß der Teufel das Bild Fausts bewußt verzeichnet – gleich darauf muß der Herr der Hölle denn auch seine Ranküne
offen zugestehen:

> Ich hasse dieses Volk von Menschlein unter mir:
> Gott liebt sie, aber seine Allmacht ist
> Der Drüse meiner Bosheit nicht gewachsen! (S. 19)

---

[29] XVII, 327 (C.-A., VI, 932). Bemerkungen zum Urdrama bei F. A. Voigt und W. A.
Reichart, *Hauptmann und Shakespeare*, 2. Aufl., Goslar 1947, S. 116 ff.

[30] Gerhart Hauptmann, *Ausgewählte Werke*, hg. von Joseph Gregor, Gütersloh 1954, V,
399.

Bis hierher sieht es aus, als sei die nun folgende Handlung (die als kompakte Abbreviatur des «Urdramas» zu verstehen ist) ganz auf die Problematik der «Dialektik in der Idee» und damit auf die der Theodizee hin angelegt. Ganz besonders richtet auch das letzte Wort des Cherubs die Aufmerksamkeit in diese Richtung, zumal es an Kryptik nichts zu wünschen übrigläßt:

> Deiner Welt ist Faust verfallen,
> Erzverführer! Nicht deinen Krallen!
> Daß ihn diese nicht erwürgen,
> Dafür hat er Gott zum Bürgen! (S. 19)

Was sich aus diesen Zeilen allenfalls entnehmen läßt, ist dies: der Zwiespalt im Götterraum ist so geartet, daß weder das lichte noch das dunkle Prinzip je unangefochten die Oberhand erhalten könnte. Gottvater ist nicht die unwiderrufliche höhere Gewalt, die letztlich doch uneingeschränkt bestimmte, sondern steht immer in Spannung zu einem widergöttlichen Prinzip von vergleichbarer Machtvollkommenheit, einem Prinzip, dem der Mensch «verfallen» ist – trotz Gott. Das entspricht also schon nicht mehr genau dem Verhältnis von Ormuzd und Ahriman, das eingangs erwähnt wurde. Auch von Goethes poetischer Kosmologie entfernt Hauptmann sich da. Eine Parallele bietet sich aber im *Großen Traum*. Denn Hauptmann kombiniert dort zwei gnostisch-manichäische Mythenüberlieferungen in der Weise, daß der *lösbare*, relative Konflikt zwischen Satanael und Christus, den beiden gleich mächtigen Söhnen Gottes (der Konflikt, der also im Grunde noch auf eine monistische Theologie verweist), nur vor dem Hintergrund eines höheren, bleibenden und *absoluten* Dualismus gesehen wird, nämlich dem des Gottes und des in seinen Attributen ganz im Unbestimmten bleibenden Widergottes. Beide: der lösbare und der unlösbare metaphysische Konflikt, wirken sich aber im Menschenleben aus[31]. Doch zurück zum *Faust:* Die Frage, auf die das Faust-Drama Hauptmanns nach dem skizzierten Eingang also zuzusteuern scheint, ist: ob und wie sich der Widerstreit der Weltprinzipien dennoch lösen lasse und wie der Mensch davon betroffen wird. Doch kaum kommt die Handlung in Gang, da verschiebt sich diese Voraussetzung in etwas störender Weise: so zwar, daß ein kennzeichnend Hauptmannscher Gedankenkomplex von einem anderen, verwandten abgelöst wird; und erst gegen Schluß finden sich beide dann wieder zusammen und bilden in ihrem Miteinander eine konsequente dramatische Sinnstruktur aus.

Faust begegnet uns nämlich als eine jener heilandmäßigen Erlösergestalten, die das Hauptmannsche Werk von Anfang an bevölkern. Er ist nicht in erster Linie der Grübler und Sucher, sondern der uneigennützige Menschenretter,

---

[31] Vgl. die Studie «Die gnostische Mythologie im Spätwerk Gerhart Hauptmanns».

der Arzt. Den Verheerungen, die die Pest anrichtet, möchte er mit seinen
Mitteln Einhalt gebieten:

> Unermüdlich will ich ringen
> Mit den mörderischen Geistern
> Und am Ende sie bemeistern:
> Hilfe, Hilfe muß ich bringen. (S. 20)

Daß Faust als Arzt auftritt, und namentlich als Bekämpfer der Pest, gehört
bekanntlich zur Tradition. Was Hauptmanns Faust jedoch von den Faust-
Gestalten seiner Vorgänger unterscheidet, ist die Motivation dieses Tuns: im
Faust-Buch von 1587 heißt es klipp und klar: «Zum Glimpff ward er ein
Artzt»[32] – zum Glimpff, das heißt: um den falschen Anschein der Wohl-
anständigkeit zu erwecken, der sein frevelhaftes Treiben bemänteln soll. Marlowes *Doctor Faustus* praktiziert Medizin, um sich von der Menge vergöttern
zu lassen. Auch Goethe erweckt starke Zweifel an der Lauterkeit Fausts in
der Bekämpfung des Schwarzen Todes. Und Arnim stellt gerade den Arzt Faust
als korrupten Geschäftemacher dar (*Die Kronenwächter*, 1817). Und so weiter.

Bei Hauptmann dagegen wird, wie gesagt, die Vorstellung des Heilands
oder, besser: des Heilbringers erweckt. An der Lauterkeit der Motivation des
Arztes besteht kein Zweifel. Mehr noch: die Kennzeichnung des Arztes Faust
legt weiterhin den Gedanken an eine andere Leitfigur der Hauptmannschen
Welt nahe: an Prometheus. Die offensichtliche Ähnlichkeit der beiden Gestalten, Faust und Prometheus, ist von manchen neueren Faust-Bearbeitern,
namentlich Hermann Hango, überdeutlich herausgestellt worden[33]. Das ist
hier zwar nicht der Fall. Nichtsdestoweniger ist aber in Anbetracht der großen
Bedeutung, die Prometheus als Sinnfigur für Hauptmann besitzt[34], der Verweis auf diese Beziehung kaum abwegig. Und ganz unmißverständlich stellt
sich die Entsprechung zu dem mythischen Göttersohn her, wenn Hauptmanns
Faust gleich darauf seine selbstlose Mitleidsethik auch noch *gegen Gott* durch-
setzen will – als dieser ihm nämlich allem Anschein nach jede Hilfe verweigert.

Denn das ist der Sinn, den Hauptmann dem Teufelspakt gibt: Erst als sich
die Illusion zerschlagen hat, daß Gott «die Güte» und «die Gnade» ist und
somit der Garant von Fausts Philanthropie (S. 21), erst dann ruft Faust den
gefallenen Engel zu Hilfe – im vollen Bewußtsein, sich damit den Kräften
des Widergöttlichen anheimzugeben, die seinen Zielen an sich nicht geneigt
sein können. Er schließt den Pakt also im Zustand der völligen Verzweiflung
an Gott. Das ist ein Motiv, das nach E.M. Butlers *The Fortunes of Faust* erst

---

[32] Ausgabe von R. Petsch, Halle 1911, S. 13 (Kap. I).

[33] Ancker S. 149 f.

[34] Dazu F.B. Wahr, «Gerhart Hauptmann and the Prometheus Symbol», *Monatshefte*
(Wisconsin), 1938, 345 ff.

von Goethe in die Faust-Literatur eingeführt worden ist: als Akt der Verzweiflung werde der Bund mit der Hölle zum erstenmal bei Goethe dargestellt[35]. So also auch bei Hauptmann. Aber während es sich bei Goethe um die Verzweiflung an der Möglichkeit menschlicher Erfüllung handelt, ist es bei Hauptmann die Verzweiflung am Gelingen einer Mission von menschheitlichen Ausmaßen. Was Hauptmanns Faust sich zu leisten unterfängt, ist nichts Geringeres, als den Teufel sowohl wie Gott zur Anerkennung und Förderung seines universalen altruistischen Strebens zu zwingen: durch den Pakt macht er sich das Widergöttliche dienstbar zum Zweck der Erlösung der göttlichen Schöpfungswelt – anscheinend eine einzigartige Interpretation des Paktes. So schließt Hauptmanns Faust den Vertrag mit den Worten:

> O diese Hände! dieses Jammers Schrei! – –
> Ein Tag nur, Gott, die Armen zu erhören,
> Den Himmelsvater zu belehren,
> Was Vatergüte, Vaterliebe sei! (S. 23)

Die Parallele zu Prometheus liegt auf der Hand. Deutlich erinnert dieses Motiv aber auch an Satanael im *Großen Traum*, der in Hauptmanns Deutung ja Prometheus und auch Lucifer wesensverwandt ist und also sinngerecht durchaus auch mit dem titanenhaften Faust verglichen werden darf. Satanael widersetzt sich Gott aus den gleichen philanthropischen Antrieben wie Faust: seinem Gerechtigkeitssinn scheint Gottvaters Welt nicht gut und weise genug eingerichtet, da das Böse nicht ausgeschlossen ist. So schleudert er die Schlange, die das Urböse verkörpert, aus dem Garten Eden in die Hölle zurück. Gott aber straft ihn für solche Eigenmächtigkeit, so daß Satanael seine hohen Absichten, die ihm nicht anders als göttlich gelten können, nun auch *gegen Gott* auszuführen hat – ganz ähnlich wie Faust also.

Fausts menschenfreundliche Mission schlägt in Hauptmanns Versen fehl wegen der widergöttlichen Mittel, deren er sich dazu bedienen muß: Das Volk wittert in dem Pestarzt einen Agenten der Hölle und wendet sich gegen ihn. Das ist für Hauptmann nur wieder eine Variation des Scheiterns des heilandmäßigen Menschen in der Welt und an der Welt, und das ist es ja eigentlich, was ihn interessiert, wenn er seine Erlösergestalten schafft, seien sie nun mehr prometheisch oder mehr christushaft. Sie scheitern alle, weil sie – schuldig oder unschuldig – in den Bann entgegengesetzter Mächte geraten, die sie aus der Bahn werfen, wenn nicht gar vernichten. Selin im *Promethidenlos* endet sein Leben in bodenloser Desillusionierung. Der «Apostel» in der frühen Erzählung verfällt der pathologischen Hybris. Glockengießer Heinrich ist wie manche andere Künstlergestalten seiner Mission nicht gewachsen. Emanuel Quint läßt sich durch seine Gemeinde zur Verfälschung seiner eigentlichen

[35] S. 205.

Aufgabe verleiten und stirbt einen zweideutigen Tod. Montezuma fällt einer tragischen Täuschung zum Opfer. Prospero verwirrt sich in die Paradoxien des Lebens, die ihn fast in die Rolle des Sohnesmörders zwingen. Sogar von einem wiedergeborenen Christus hat Hauptmann gemeint: er würde wohl wieder gekreuzigt werden [36].

Mit diesem Faust stehen wir aber noch ganz am Anfang der Versreihen. Was jetzt geschieht, erweckt den Eindruck eines krassen Bruchs: Als Faust, verzweifelt über den Mißerfolg seiner hohen Mission, den Tod sucht, versteht Mephisto es, ihn durch einen Verjüngungstrank die Reize des sinnlichen Lebens empfinden zu lassen, und von da an ist das Bild des heilandmäßigen Faust wie ausgewischt. Das *neue* Gesicht, das Faust zeigt, ist freilich ein vertrauteres: er ist auch jetzt nicht der nach Erkenntnis und Erfüllung Strebende, sondern der Genießende, als der er besonders in nach-goetheschen Bearbeitungen des Stoffes öfters dargestellt worden ist [37]. Und um dieses Leben weiterführen zu können, erneuert er dann auch den Pakt, der anfangs nur auf Probe geschlossen war. Man sieht: der ursprüngliche dramatische Impetus geht damit verloren, ein neuer kommt aber nicht ins Spiel. Denn das Merkwürdige ist, daß bei diesem zweiten Pakt überhaupt keine *Bedingungen* vereinbart werden – die dann dem Folgenden einen auf das Ende hin spannenden Gehalt geben könnten. Ein solches thematisches Spannungsmoment war bei Goethe mit der Klausel: «Werd' ich zum Augenblicke sagen ...» noch gewährleistet; und auch bei Hauptmann war das im ersten Pakt noch der Fall, sofern Mephisto dort Faust in seiner göttlich-antigöttlichen Ethik behilflich sein sollte. Beim zweiten Pakt ist das dagegen nicht so; und daß er ausdrücklich als Erneuerung des ursprünglichen bezeichnet wird, hilft hier keineswegs weiter – vielmehr entbehrt das gänzlich der Logik, da sein Inhalt, von Faust aus gesehen, doch geradezu ins Gegenteil gewandelt ist.

Diese Schwierigkeiten sind nicht in Abrede zu stellen. Will man jedoch nicht schlankweg von einem Bruch sprechen, so bietet sich eine, wenn auch nicht sehr tragfähig ausgearbeitete Verstehensmöglichkeit, die zugleich auf das Eingangsmotiv der Theodizee zurückweist. Wir können so sagen: Fausts Tragik, die Tragik des scheiternden Erlösers, setzt sich mit dem zweiten Pakt einfach in radikaler Form fort. Das heißt: Ist die Verstrickung in das Widergöttliche einmal eingetreten – ganz gleich zu welchem Zweck, und sei er auch noch so «göttlich» wie in Fausts Erlösermission –, so gibt es keinen menschenmöglichen Ausweg mehr, und die Schuld wird unausweichlich. Prospero konnte sich zwar im Moment der drohenden Verschuldung durch eigene An-

---

[36] *Zwiesprache mit Gerhart Hauptmann*, S. 211.

[37] Ancker S. 136 f. Natürlich auch schon in der vor-goetheschen Tradition; dort jedoch mehr im Zusammenhang der religiösen Polemik.

strengung und Zielbestimmtheit freimachen, doch wiederum nur auf tragische
Weise, durch das Selbstopfer. Er entzog sich der Schuld. Faust dagegen ist bereits so sehr an die Gegenmächte verfallen, daß es kein Zurück mehr gibt.
Mephisto weicht ihm nicht von der Seite. Zwar wandelt Faust Reue an, als er
auf der Weltfahrt, auf der er die Kunst des Genießens lernen will, Gretchen
zum erstenmal erblickt. Aber Mephisto weiß ihn gerade mit der Reinheit
Gretchens in Schuld und Elend zu locken. Die Gretchenepisode als von Mephisto arrangierte Geschehensfolge ist daher als exemplarischer Fall des Ausgeliefertseins an die Macht des Widergöttlichen folgerichtig in den Mittelpunkt der Filmhandlung gerückt. Deren genauerer Verlauf ist für unseren
Gesichtspunkt jedoch uninteressant. Hauptmann bringt einfach die traditionelle Motivverkettung in Reime: Faust verführt Gretchen und wird mit-
schuldig an der Ermordung ihres Bruders.

Erst ganz am Schluß der Motivreihe erfolgt eine neue gehaltliche Be-
schwerung. Und zwar so, daß das Theodizeemotiv nun endgültig und nachdrücklich als übergreifender thematischer Zusammenhang wiederaufgenom-
men wird.

Erschüttert vom Schicksal seiner Geliebten, die auf dem Scheiterhaufen
hingerichtet werden soll, und erbittert über Mephistos Weigerung, sie zu retten, ruft Faust in seiner Verzweiflung Gott an. Damit ist der Pakt – das ist
ein herkömmliches Teufelsbündnermotiv – jedoch gebrochen, und Faust ist
«ganz in Satanas' Gewalt» (S. 38). Oder so meint Mephisto jedenfalls. In
Wirklichkeit aber ist diese Stelle von eigenartiger Paradoxie: sofern Faust
nämlich gerade in dem Augenblick der Verdammnis anheimfallen soll, als er
sich von Mephisto abwendet. Mephistophelische Logik, wird man vielleicht
denken. Aber es bietet sich merkwürdigerweise an dieser Stelle nicht der geringste Anhalt dafür, daß die Abkehr von Mephisto zugleich eine Wendung
zu Gott bedeutet. Faust ruft Gott zwar an, aber seine Worte wollen genau
beachtet sein:

> Darf die Hölle sie [Gretchen] verderben –
> Gott! So will ich mit ihr sterben! (S. 38)

Das ist nicht die gläubige Rückkehr des reuigen Sünders zu Gott, vielmehr
wird die mephistophelische Logik auch Gott selbst unterschoben: Gott erscheint als das Prinzip nicht des Sinns, sondern des diabolischen Widersinns.
Und so wäre Faust tatsächlich verloren, nicht nur nach mephistophelischer
Logik, sondern auch nach göttlicher. Diese Vorstellung: Gott als Prinzip des
Widersinns statt des (menschlich einsehbaren) Sinns, hat in der europäischen
Literatur eine lange Geschichte, die bis ins 18. Jahrhundert zurückreicht; besonders ist sie aber im 19. und 20. Jahrhundert immer häufiger zur mythi-
schen Chiffre einer poetischen Weltauffassung geworden, die die Erfahrung

der grundsätzlichen Nichtigkeit zum immer wieder neuen Ausgangspunkt hat. Auch bei Hauptmann findet sich gelegentlich das nihilistische Kunstmythologem vom Gott, der seinen diabolischen Spaß hat an der Sinnlosigkeit des Daseins seiner Menschen, aber entscheidend ist doch, daß damit bei Hauptmann meistens nur ein subjektives Extrem bezeichnet ist, das alsbald in sein Gegenteil umschlägt, wie zum Beispiel im *Armen Heinrich*[38]. Ähnlich ist es auch in seinem *Faust*, wie sich gleich zeigen wird.

Doch zuvor empfiehlt es sich, vorbereitend den Blick noch einmal auf Fausts Abkehr von Gottes Gegenspieler, Mephisto, zurückzulenken. Erfolgt sie nicht im Namen Gottes, so doch im Namen der Menschlichkeit. Denn was Faust im Genußtaumel der Weltfahrt abhanden gekommen war: die Nähe zum Menschlichen, die Sympathie, dies stellt sich ihm gerade in der Abwendung von Mephisto im Erbarmen für Gretchen wieder ein: «Darf die Hölle sie verderben – Gott! So will ich mit ihr sterben!» und wenn Faust diese Humanität nun nicht nur gegen den Teufel durchzusetzen bestrebt ist, sondern auch gegen Gott als das Prinzip des möglichen Widersinns, dann steht für einen Augenblick wieder der Faust vor uns, der uns gleich eingangs begegnet war: der Faust, der den ursprünglichen Pakt schloß, um seine philanthropische Mission ins Werk zu setzen. Diese Rückkehr Fausts zu seiner Menschlichkeit, die ihn zwar wie Satanael zum Rebellen gegen den unverstandenen Gott machen kann, aber nichtsdestoweniger den «Hort des Himmels» bleiben läßt, als den der Cherub ihn im Vorspiel bezeichnet hatte – diese Rückkehr ist offensichtlich von entscheidender Bedeutung für den Ausgang des Faust-Schicksals.

Aber damit läßt es Hauptmann noch nicht genug sein. Zur neugewonnenen Menschlichkeit fügt er das Motiv der Sühne hinzu: «schuldgepeinigt» stürzt Faust sich zu Gretchen in die Flammen, um Sühne zu tun, um, wie er hofft, «im Flammentod gereinigt» zu werden. Mit diesem Motiv der Sühnung der Schuld an Gretchen steht Hauptmann keineswegs allein da. Seit der Mitte des vorigen Jahrhunderts bis in die dreißiger Jahre, so hat man festgestellt, geben sich die Bearbeiter des Faust-Stoffes, die einen optimistischen Schluß anstreben, alle erdenkliche Mühe, die Erlösung Fausts durch eine sittliche Läuterung zu rechtfertigen. Manche gehen darin so weit, daß sie den sühnenden Faust – nicht den paktierenden also! – geradezu zur Christusgestalt umwandeln, und vor allem ist dabei das sühnende Selbstopfer für andere gern verwendet worden[39]. Diesen geistesgeschichtlichen Zusammenhang kann Hauptmanns Bearbeitung des Stoffes nicht verleugnen. Dem entspricht es auch, daß Fausts Hoffnung auf Erlösung nicht enttäuscht wird: «In Gottes Schoß ist Faust

---

[38] Vgl. Guthke, «Gerhart Hauptmann und der Nihilismus», *German Quarterly*, XXXVI (1963), 434–444.

[39] Ancker S. 45, 55, 97, 139, 147, 164.

gebettet», hält der Engel Mephisto entgegen, als dieser auf seinem Recht auf Fausts Seele besteht, «Er hat gesühnt, er ist gerettet» (S. 39)[40].

Man hat ein ungutes Gefühl bei diesen Schlußworten. Der Eindruck einer gewissen moralistischen Mathematik als Kunst der Gleichung, des *quid pro quo* macht sich geltend, ein Eindruck, der dazu angetan ist, so manches gedanklich Tiefe und im echten Sinne Problematische zu verdunkeln, das Hauptmann in den voraufgehenden Versen an seiner Faust-Gestalt hatte aufleuchten lassen. Das läßt sich nicht abstreiten. Nichtsdestoweniger sind aber jene Nuancen der Vertiefung unverändert da, und wenn man vom Schluß noch einmal auf das Ganze zurückblickt, so verliert auch die Schuld-Sühne-Beziehung ihren akkuraten Gleichungscharakter: Denn sowohl die Schuld wie die Sühne sind hier komplexe und vieldeutige Sachverhalte, die sich keineswegs genau entsprechen. Die Schuld, die Schuld an Gott, gegen den Faust rebelliert, und die an Gretchen, die daraus letztlich resultiert, ist nicht Fausts Schuld allein, sie verweist vielmehr in kennzeichnend Hauptmannscher Weise ins Transzendente hinaus auf jenen problematischen Gott, der Faust den Mächten des Bösen allererst überlassen hatte. Und die Sühne Fausts ist keine ausdrückliche Rückkehr zu Gott: das Motiv der Transzendenz wurde dabei ja gerade völlig ausgegrenzt, dennoch ist sie ein religiös relevanter Akt. Und so könnte man fortfahren. Doch vielleicht täte man besser, nicht derart rational am Ausgang des Faust-Schicksals herumzurätseln, denn dann begegnete man einem Hauptmannschen Werk von vornherein in unangemessener Weise. Wir wissen: Hauptmann achtete das Mysterium höher, als manchem seiner Interpreten angenehm ist. Im Alter ist ihm «Mysterium» geradezu zum Lieblingswort geworden. Und es ist kaum ein Zufall, daß er gerade dieses Wort, «Mysterium», einmal auf den *Faust* anwendet, auf Goethes *Faust* zwar, aber auf einen *Faust*, den er doch wesentlich in seinem Sinne deutet. «Das Gedicht selbst», sagte er 1932 in der Goethe-Rede, «ist ein Mysterium»[41].

Faust aber ist, *soviel* ist offensichtlich, durch dieses Mysterium zur *Erlösung* bestimmt. Für Hauptmann war das wohl die einzig mögliche Antwort auf die jahrhundertealte Frage. Und 1926 lag diese Antwort wohl noch nahe. Zwanzig Jahre später lag sie fern. Zwanzig Jahre später (1947) erschienen die tragischen Faust-Romane von Thomas Mann und Malcolm Lowry, in denen die Verfallenheit an das Dämonische endgültig ist und ohne Hoffnung bleibt[42].

[40] Mephisto selbst wird in den letzten Worten als ein großer Unerlöster bezeichnet, der – wie Abbadona fast – auf das Wort harrte, das ihn von «Höllenbosheit und von Höllenleid» befreien werde.

[41] XVII, 214 (C.-A., VI, 841).

[42] Das heißt jedenfalls für den modernen Teufelsbündner.

IV
WIRKUNGSGESCHICHTE

THEMEN DER
DEUTSCHEN SHAKESPEARE-DEUTUNG
VON DER AUFKLÄRUNG
BIS ZUR ROMANTIK

I

Daß man an der Geschichte der deutschen Shakespeare-Kritik[1] des 18. und 19. Jahrhunderts die Entwicklung der Dichtungsauffassung dieser Zeit ablesen kann, gehört heute bereits zum Schulwissen. Im allgemeinen ist diese Ansicht gewiß richtig. Vergessen wird darüber jedoch nur allzuleicht, daß die Shakespeare-Deutung in diesem Zeitraum ihr charakteristisches Gepräge gerade dadurch gewinnt, daß zu verschiedenen Zeitpunkten immer wieder die gleichen hermeneutischen Motive angeschlagen werden. Von einer Entwicklung, von einem Ablauf kann mithin nur im Sinne einer historisch fluktuierenden Schwerpunktsverlagerung innerhalb des Gefüges solcher konstanten interpretatorischen Gedankenmomente die Rede sein. Entsprechend hat uns ja auch die neuere Geschichte der Poetik den Blick dafür geschärft, daß es mit der epochenbegrifflich exakten Fixierung und Einordnung einer gegebenen dichtungskritischen Stellungnahme, besonders in dem mit den Kennwörtern Aufklärung, Sturm und Drang, Klassik und Romantik bezeichneten Abschnitt der deutschen Literaturgeschichte, seine Schwierigkeiten hat: es zeigt sich nämlich, daß vielmehr jeweils «Vorgriffe», «Rückfälle» und solche Zusammenhänge in Rechnung zu stellen sind, die die Grenzlinien der ehemals so beliebten Epochenschemata überschneiden[2]. So bestehen denn etwa zwischen der «aufklärerischen» und der «klassischen» Dichtungsdeutung tiefere Übereinstimmungen, als man auf den ersten Blick annehmen möchte. Ähnliches gilt für die geniezeitliche und die romantische. Die immer wieder angewandte

---

[1] Vgl. Marie Joachimi-Dege, *Deutsche Shakespeare-Probleme im 18. Jahrhundert und im Zeitalter der Romantik*, Leipzig 1907; Frdr. Gundolf, *Shakespeare und der deutsche Geist*, Berlin 1911; L.M. Price, *English Literature in Germany*, Berkeley/Los Angeles 1953, S. 217–296 (Bibliographie S. 444 ff.), in der Übersetzung, *Die Aufnahme englischer Literatur in Deutschland*, Bern 1961, S. 223–304 (Bibliographie S. 417 ff.).

[2] Besonders Bruno Markwardt, *Geschichte der deutschen Poetik*, Berlin II (1956), III (1958). Weniger aufschlußreich ist in dieser Hinsicht Armand Nivelle, *Les théories esthétiques en Allemagne de Baumgarten à Kant*, Bibliothèque de la Faculté de Philosophie et Lettres de l'Université de Liège, CXXXIV (1955). Bei Markwardt vergleiche man besonders die Übersichten über «Vorformen» und «Rückgriffe» im Sachregister: II, 663; III, 693 f.

Faustregel zur Kennzeichnung der Hauptthemen der Kritik und Poetik: Wirkung (Aufklärung), Schöpfer (Sturm und Drang), Werk (Klassik), Form (Romantik) und auch Gundolfs geistreiche historische Einteilung der deutschen
Shakespeare-Rezeption in drei Etappen der Interessenrichtung (Stoff, Form,
Gehalt) führen eben in dieser Hinsicht leicht irre, weil sie dazu angetan sind,
Verbindungslinien zu verschleiern. Kein Wunder, daß es in der Forschung
unter solchen Denkvoraussetzungen bereits geradezu zum Gedankensport geworden ist, aufzuspüren, wie sich bei diesem oder jenem Shakespeare-Kritiker
«schon» romantische oder «noch» rationalistische Elemente finden – ohne zu
prüfen, inwieweit man es vielmehr von Fall zu Fall mit historisch variablen
Artikulationen eines in seiner Gesamtstruktur wesentlich unveränderten Gefüges zu tun hat. Demgegenüber empfiehlt es sich wohl, das Augenmerk auch
einmal auf die erwähnten Richtungskonstanten des interpretierenden Verhaltens zu lenken, mit andern Worten: auf die hermeneutischen Motive, die innerhalb des ganzen in Rede stehenden Zeitraums (von der Aufklärung bis zur
Romantik) wiederholt und relativ unverändert auftauchen, und besonders auf
Motive, die in der Zeit des geistigen Umbruchs der sechziger Jahre zum erstenmal erscheinen und dann später wieder aufgegriffen werden.

Nun kann das im Rahmen eines Aufsatzes nicht durch Ausbreitung großer
Materialfülle geschehen. Ratsamer ist es daher, einen prominenten Shake-
speare-Deuter des späteren 18. Jahrhunderts auszuwählen und von seinen
exemplarischen Äußerungen aus durch Hinweise auf Parallelerscheinungen
zu verfolgen, wie sich manche kennzeichnende Gedankenmotive in der sonstigen deutschen Shakespeare-Kritik des 18. und frühen 19. Jahrhunderts als
überdauernd erweisen.

Als Ausgangspunkt zu einem solchen Unternehmen eignet sich ganz besonders gut die Shakespeare-Auffassung Heinrich Wilhelm von Gerstenbergs.
Ob er, wie man behauptet hat[3], gleich «*the* German interpretation of Shakespeare par excellence» begründet hat, sei allerdings dahingestellt. Es genügt
vorerst, daran zu erinnern, daß man die historische Mittelstellung Gerstenbergs, und besonders des Kritikers Gerstenberg, zwischen Aufklärung, Sturm
und Drang und klassisch-romantischer Zeit bereits mehrfach erkannt hat[4].

[3] A.M.Wagner, «H.W. v. Gerstenberg and German Literature in the Eighteenth
Century», *MLR*, XXXII (1957), 74.

[4] Wagner, *MLR*, XXXII, 74; Klaus Gerth, *Studien zu Gerstenbergs Poetik*, *Palaestra*,
CCXXXI, Göttingen 1960, deutet Gerstenberg im allgemeinen als Vertreter der geniezeitlichen Poetik, kommt aber um Zugeständnisse nicht herum (siehe besonders S. 50,
62, 117, 136, 221). Markwardt II, 349–357.

II

In seinen frühen Äußerungen über Shakespeare, das heißt in den Rezensionen in der *Bibliothek der schönen Wissenschaften und freyen Künste*[5] und in der Vorrede zu der Übersetzung von Beaumonts und Fletchers *The Maid's Tragedy* (*Die Braut*)[6] sowie in den Anmerkungen zu den dieser Ausgabe beigegebenen kritischen Abhandlungen, rückt Gerstenberg besonders dessen charaktergestalterisches Geschick in den Vordergrund. Ja, er spielt es als Gegengewicht aus gegen die bei Shakespeare mangelnde Beobachtung der «Regeln». Dabei ist jedoch mit diesem Talent für das Menschenbildnerische nicht die Beherrschung von bestimmten Kunstgriffen gemeint, also nichts, was «technisch» wäre, wie die «Regeln» der klassizistischen Dramaturgie es sind, sondern vor allen Dingen der Blick für die feinsten seelischen Eigentümlichkeiten in einem Charakterbild und die Fähigkeit, sie zu gestalten. So heißt es in der *Braut*-Vorrede: «Er kannte das menschliche Leben, die Abwechselungen desselbigen, die mannigfaltigen Scenen von Weisheit und Thorheit, Glück und Elend, Freude und Kummer, Größe und Kleinfügigkeit» (S. 9). Und: «Shakespears Talente sitzen tiefer» (als in der barocken «Pracht der Malerey» und im «aufbrausenden Feuer»), nämlich in «seiner Beobachtung der feinsten unmerklichsten Nüancen in dem menschlichen Herzen» (S. 198). «Ein Dichter, der die Phänomena der Denkungsart seiner Charaktere auch in den kleinsten und feinsten Zügen richtig angiebt, hat das Sentiment geschildert; ein bewundernswürdiges Talent, das vorzüglich Shakespearn eigen ist» (S. 196). Schon 1759 hieß es in der *Bibliothek* verallgemeinernd: die englische Dramatik spreche das deutsche Publikum mehr an, «weil die Engländer die Charaktere genauer kennen, und daher unsre Empfindungen weit stärker erregen können als die Franzosen» (V, 312), und noch in den *Briefen über Merkwürdigkeiten der Litteratur* (1766) finden sich, im Anschluß an Henry Home, ähnliche Bemerkungen in bezug auf Shakespeare[7].

[5] 1759–1765. Da die Rezensionen nicht signiert sind, steht die Verfasserschaft der allgemein für Gerstenberg in Anspruch genommenen Rezensionen nicht immer absolut fest. Vgl. darüber Gerth S. 14 f. und 222 f.

[6] *Die Braut. Eine Tragödie von Beaumont und Fletcher. Nebst kritischen und biographischen Abhandlungen über die vier größten Dichter des älteren britischen Theaters und einem Schreiben an Weiße*, Kopenhagen und Leipzig 1765. Die Abhandlungen stammen von Th. Seward, J. Symson, Dr. Langbain, P. Whalley, L. Theobald.

[7] *Briefe über Merkwürdigkeiten der Litteratur*, hg. von Alexander von Weilen, *DLD des 18. und 19. Jahrhunderts*, XXIX/XXX, Stuttgart 1888–1890, S. 121, 115. Seitenverweise beziehen sich im folgenden auf diese Ausgabe, wenn nicht ausdrücklich eine andere Quellenschrift genannt wird.

Man wird versucht sein, diese Richtung des Interesses auf das charakterlich
Besondere mit der geniezeitlichen Betonung des «Charakteristischen» (im
Gegensatz zum Typischen) in Zusammenhang zu bringen und Gerstenberg
von hier aus als sturm-und-drang-mäßigen Shakespearekritiker abzustem-
peln. Daran ist gewiß manches nicht falsch. Aber bedenklich muß doch schon
der Umstand stimmen, daß die «Genies» in ihrer Shakespeare-Kritik sich
zwar auch auf die Charaktere richten, aber doch oft (namentlich Lenz und
Goethe) weniger auf das detailliert Individuelle, das psychologisch Besondere,
als auf eine *große Linie* des Individuellen im Sinne des Unkonventionellen
und Anti-Typischen, das dann paradoxerweise dem «Typischen» prinzipiell
doch wieder sehr nahe kommt, nämlich als ein anderer Typus, der dann auch
prompt in der eigenen, von Shakespeare angeregten oder «verdorbenen»
Dramatik erscheint. Immerhin hat die Betonung der Parallele ein begrenztes
Recht. Man muß sich nur hüten, aus dieser Richtungstendenz der Shakespeare-Rezeption ein Epochenkriterium zu machen. Denn in viel klangreine-
rer Weise wurde das Gerstenbergsche interpretatorische Motiv bereits in dem
von Frau Gottsched 1739–1743 übersetzten *Spectator* und besonders bei Johann Elias Schlegel angeschlagen, der 1741 anhand des Shakespeareschen
Julius Caesar dem herkömmlichen Handlungsdrama den Typus des Charakter-
dramas entgegensetzte, als dessen Stärke die Genauigkeit in der Fixierung
der Besonderheit des «Gemüts» namhaft machte und zu dem Ergebnis kam:
«Bey dem Shakespear aber scheinet überall eine noch tiefere Kenntnis der
Menschen hervorzuleuchten als bey dem Gryph.»[8] Ähnlich Nicolai 1755 in
den *Briefen über den itzigen Zustand der schönen Wissenschaften in Deutschland*
und Mendelssohn 1758 in *Über das Erhabene und Naive in den schönen Wissenschaften. Nach* Gerstenberg findet sich diese Beobachtung zum Beispiel im
Agathon (XII, Kap. 1), in Herders Shakespeare-Aufsatz, sogar in Schillers
(zweiter) medizinischer Dissertation, auch in Schinks *Dramaturgischen Fragmenten*[9] und dann beim klassischen Goethe (*Hamlet*-Deutung in *Wilhelm
Meisters Lehrjahre*, 1796) sowie bei den Romantikern, besonders den Schlegels[10]. Selbstverständlich liegt dieses Shakespeare-Verständnis auch Schröders
«Hamburger Stil» der Shakespeare-Inszenierung zugrunde. Bei allen herrscht
also die Vorstellung, daß sich der Erkenntnisgewinn des Shakespeare-Inter-

---

[8] *Ästhetische und dramaturgische Schriften*, hg. von J. v. Antoniewicz, *DLD des 18. und
19. Jahrhunderts*, XXVI, Stuttgart 1887, S. 92. Auf die Verbindungslinie Schlegel–Gerstenberg weist Gerth S. 197 (Anm.) hin, vor ihm bereits Roy Pascal, *Shakespeare in
Germany, 1740–1815*, Cambridge University Press 1937, S. 4 und 8.
[9] I (1781), 165; II (1781), 309, 334; IV (1782), 983.
[10] Vgl. auch die von ihnen erbende Madame de Staël in *De la littérature considérée
dans ses rapports avec les institutions sociales*, in: *Œuvres*, Paris 1820, IV, 288. Weiteres
bei W. F. Schirmer, *Alte und neue Wege der Shakespeare-Kritik*, Bonn 1953, S. 8, 12.

preten weniger auf menschengestalterische Kunstgriffe beziehe als auf Einsichtnahme in die Tiefen der Natur des Menschen, doch so wiederum, daß das je Individuelle als etwas Allgemeinverbindliches, potentiell Übertragbares verstanden wird und sich erst so als gültige Aussage über den Menschen ausweist. Daß diese Richtung des Shakespeare-Interesses sich noch in der Forschung der Gegenwart nachdrücklich geltend macht, bedarf wohl keines besonderen Nachweises.

III

Die Betrachtung der Charaktere sieht sich bei Gerstenberg schnell über sich hinausgeführt zu einem anderen Gesichtspunkt, der ebenfalls eine Geschichte hat in der deutschen Shakespeare-Deutung des 18. Jahrhunderts. Die Charaktere, sagt er 1762 in der *Bibliothek*, «sollten das Bild des menschlichen Lebens seyn» (VII, 325). Und von Shakespeare heißt es in der Vorrede zur *Braut:* «Er wußte, daß die Schaubühne nach ihrer vornehmsten Beziehung ein Bild des menschlichen Lebens seyn sollte, und dieses Bild ward also im eigentlichsten Verstande sein Drama» (S. 9). Mit dem Ausdruck «Bild», auch «Gemählde»[11], ist offenbar auf das Wesen des Shakespeareschen Dramas hingewiesen, auf das, was es letztlich ist, und daß dies Wesen weit mehr ist als die bloße Echtheit und Wahrheit in der Menschendarstellung, das geht sehr schön daraus hervor, daß Gerstenberg an der bereits zitierten Stelle über Shakespeares «Beobachtung der ... Nüancen in dem menschlichen Herzen» gleich fortfährt: «wie in der Natur überhaupt.»[12] Wie ist aber diese Wesensbestimmung des Shakespeareschen Dramas als Bild der Natur zu verstehen? Die Antwort darauf ist weniger in den knappen Bemerkungen in der *Braut*-Ausgabe zu finden als in den *Merkwürdigkeiten der Litteratur*, die man allgemein den «positiven Höhepunkt» von Gerstenbergs Bemühung um die Ästhetik genannt hat[13] und deren Shakespeare-Briefe sogar als «possibly the greatest tribute to Shakespeare in German literature of the 18th century» bezeichnet worden sind[14]. An dem uns hier interessierenden Gedankenmoment wird indes deutlich, daß es nicht genügt, diese Gerstenbergsche Shakespeare-Deutung als ein Schwanken zwischen Rationalismus und Sturm und Drang hin-

[11] *Die Braut*, S. 10, 199.

[12] *Die Braut*, S. 198. In dieser Weise ist Gerths Formulierung: «Das 'Bild des menschlichen Lebens' gewinnt in den Charakteren Gestalt» (S. 195) einzuschränken, wie übrigens wohl auch aus Gerths Formulierung S. 203 zu folgern ist.

[13] A. M. Wagner, *Heinrich Wilhelm von Gerstenberg und der Sturm und Drang*, Heidelberg 1920–1924, II, 102. Ähnlich Gerth S. 18.

[14] J. W. Eaton, «Gerstenberg and Lessing – A Comparison», *Germanic Review*, XIII (1938), 43. Vgl. A. M. Wagner: «Gerstenberg ist der erste große Apologet Shakespeares» (II, 114).

zustellen[15] oder auch als konsequente Erfüllung geniezeitlicher Interpreta-
tionsweisen[16]. Vielmehr weist (wenn wir uns für einen Augenblick die an Epochen orientierte Einordnungsschematik zu eigen machen dürfen) der Begriff
« Bild des Lebens » bereits voraus auf die Shakespeare-Deutung der deutschen
Klassik. Oder sagen wir besser: Gerstenberg hebt einen Aspekt heraus, den
man auch sonst im 18. Jahrhundert gesehen hat. Allerdings hat Gerstenberg
ohne Zweifel Anspruch auf Priorität.

Der revolutionären Natur seiner Entdeckung ist er sich durchaus bewußt.
Er glaubt, Shakespeare sei « selten, vielleicht niemals, aus dem rechten Ge-
sichtspunkte beurtheilt worden », weil man seine Dramen von dem aus der
Antike überlieferten wirkungsästhetischen Grundsatz her verstand, daß die
« Haupt-Absicht » jeder Tragödie in der Erregung der Leidenschaften bestehe.
Sähe man in solcher Perspektive (die Gerstenberg selbst allerdings noch in der
Braut-Vorrede für verbindlich hielt und auch in der Folgezeit nie *ganz* aufgegeben hat[17]), so seien Shakespeares Dramen überhaupt keine Tragödien, aber
auch keine Komödien. Denn der Engländer habe dieser Absicht zu wirken eine
« höhere Absicht » übergeordnet: die der Vergegenwärtigung des Menschen und
der Welt, des « Bildes des idealischen und animalischen Lebens » (S. 112). Entgegen allen dichtungstheoretischen Klassifikationsversuchen sind ihm Shakespeares Werke also « lebendige Bilder der sittlichen Natur », « Abbildungen der
sittlichen Natur »[18]. « Sittlich » ist in diesem Zusammenhang natürlich nicht
als « moralisch » zu verstehen, sondern gemäß dem Sprachgebrauch der Zeit
allgemeiner als « geistig, innerlich », und das nicht nur in bezug auf den menschlichen Bereich[19]. Die wirkungsästhetische Begründung der Theorie des Dra-

---

[15] So v. Weilen, B. Markwardt (II, 350) und besonders Wagner, dessen thesenhafter
Versuch, Gerstenberg als «Typus der Übergangszeit» hinzustellen, unter diesem
Systemzwang der Gefahr der Einseitigkeit nicht immer entgangen ist. Gleiches gilt
für Gundolf S. 192. Siehe auch Karl Schneider, «Gerstenberg als Verkünder Shake-
speares», *Shakespeare-Jahrbuch*, LVIII (1922), 39–45; Max Koch, *H. P. Sturz nebst einer
Abhandlung über die Schleswigschen Literaturbriefe*, München 1879; Pierre Grappin,
«Gerstenberg, critique d'Homère et de Shakespeare», *Etudes Germaniques*, VI (1951),
81–92.

[16] So Gerth.

[17] Darüber Gerth, *Studien*, S. 41 und, verallgemeinert für den Sturm und Drang, in
seiner Markwardt-Besprechung in *Euphorion*, LIV (1960), 333.

[18] S. 113, 125. Die Meinung, daß Gerstenberg hier die in der Folgezeit sehr verbreitete Auffassung Shakespeares als des theaterfernen Dichters vertrete (Gundolf
S. 193 f.; Joachimi-Dege S. 106; mit Einschränkung auch Wagner, II, 116), wird durch
Stellen widerlegt, die ihn ausdrücklich als bühnenpraktischen Dramatiker des elisabethanischen Zeitalters darstellen (S. 110, 159).

[19] Markwardt versteht « sittlich » in dieser Formulierung merkwürdigerweise als « moralisch » (II, 351), was Klaus Gerth mit Recht ablehnt (*Euphorion*, LIV, 1960, 336, vgl.

mas im allgemeinen und das von der Wirkung auf den ästhetischen Sinn aus-
gehende Geschmacksurteil *gegen* Shakespeare im besonderen wird also hier –
noch vor dem Erscheinen der *Hamburgischen Dramaturgie* – überwunden zugunsten der Betrachtung der Dichtung in ihrem Sein. Um dieses Sein recht zu
verstehen, gilt es jedoch zu erfassen, daß Gerstenberg mit seiner Kennzeichnung des Shakespeareschen Dramas als «Bild der sittlichen Natur» keineswegs
(wie sich schon von der Bedeutung von «sittlich» her andeutete) einem empirischen Naturalismus das Wort redet, einer Auffassung also, zu der gerade der
Sturm und Drang sich mit seiner Shakespeare-Deutung und -Nachahmung
bekannte[20]. Demgegenüber hat Gerstenberg bei der «Natur» (die ihm an
sich recht viel Verschiedenes bedeuten kann[21]) an polemischen Stellen wie
diesen immer eine *künstlerische* Wirklichkeit und Wahrheit im Sinn, eine
Natur also, die der vordergründigen, sinnlich gegenwärtigen nicht entspricht.
Das Auge des Genies (als das er Shakespeare ja, wie noch zu zeigen, auffaßt)
«dringt» durch die «Oberfläche» «weit hindurch» (S. 223). In diesem Sinne
betont er im Vergleich des *Othello* mit Youngs *Revenge*, der Zweck Shakespeares sei «nicht sowohl Erregung des Schreckens und Mitleidens in dem
Herzen der Zuschauer, als vielmehr die Natur der Eifersucht selbst» (S. 124).
Verallgemeinert heißt es auch von den «bewunderungswürdigen Alten»,
deren Kunst Gerstenberg prinzipiell gutheißt: sie hätten unter der Nachahmung der Natur etwas anderes verstanden als die «Neueren», nämlich: «Ihr
Zweck war niemals, die Nachahmung in dem Grade illusorisch zu machen, daß
sie mit der Natur selbst hätte können verwechselt werden»; denn sie haben
«niemals die Absicht gehabt, die Natur, wie sie wirklich ist, sondern eine
zweite dichtrische Natur zu treffen»[22]. In der *Braut*-Vorrede hatte er dasselbe
schon von Shakespeare behauptet (S. 7 f.), und in dieser Weise setzt Gerstenberg auch sonst gern die Realnatur von der künstlerischen ab, die ihm von

Studien, S. 202–204). Doch ob seine Deutung («seelisch», «menschlich») die allein-
richtige ist, bleibt fraglich. Ein unter der Oberfläche des Offensichtlichen liegender
Seinsbereich ist gewiß gemeint, aber daß er sich nicht so ausschließlich auf menschliches Sein bezieht, geht aus Gerstenbergs Zusammenhang hervor, besonders auch aus
der Formulierung: «Der Mensch! die Welt! Alles!» (S. 112). Vgl. auch die Belege für
«sittlich» im Grimmschen Wörterbuch, namentlich den als «26. 290» identifizierten,
und bei Adelung.

[20] Zum Sturm-und-Drang-Naturalismus vgl. Wagner, II, 59–62. Ferner: A. Wald,
The Aesthetic Theories of the German Storm and Stress Movement, Diss., Chicago 1924;
A. Köster, *Die deutsche Literatur der Aufklärungszeit*, Heidelberg 1925, S. 253; Gundolf
S. 252–279.

[21] Darüber Gerth, *Studien*, S. 44 ff. und 202 ff.

[22] *H. W. v. Gerstenbergs Rezensionen in der Hamburgischen Neuen Zeitung*, hg. von
O. Fischer (*DLD*, CXXVIII, 1904) S. 280. Im folgenden als «Fischer» zitiert. Vgl.
Gerth S. 39 und 41. Die Rezensionen erschienen 1767–1771.

vornherein ranghöher ist[23]. Aber, so müssen wir fragen, entspricht diese
«zweite» Natur bei Gerstenberg denn nun nicht wiederum dem Naturbegriff
der rationalistischen Dichtungslehre? Denn auch dort handelte es sich ja beim
Gegenstand der Nachahmung nicht um vordergründige, vorfindliche Wirklichkeit, sondern um eine *altera natura* als Inbegriff der darüberhinausliegen-
den rationalen, allgemeinen und darum schönen Verhältnisse. Nun ist zwar bekannt, daß Gerstenberg sich gegen diese Nachahmungstheorie der Ästhetiker
des 18. Jahrhunderts und – im Hinblick auf Shakespeare – namentlich gegen
den Begriff der «schönen» Natur[24] immer wieder mit Entschiedenheit gewandt
hat und seine dichtungsgeschichtliche Pionierleistung gerade in der Überwindung dieses rationalistischen Kardinaldogmas zu sehen geneigt war; aber das
schließt ja die Möglichkeit des Selbstmißverständnisses nicht aus. Zu bedenken
ist ferner, daß der Forschung der Nachweis gelungen ist, daß Gerstenberg
dieses Prinzip der Naturnachahmung ersetzt durch das der Naturnachbil-
dung[25], wie er denn schon in einer Anmerkung in der *Braut*-Ausgabe meinte:
«Man braucht nicht zu fragen, von wem das Gemälde ist; es muß entweder
unmittelbar aus der Hand der Natur oder von Shakespearn kommen» (S. 199).
Aber ausschlaggebend bleibt doch vor allem der Unterschied in der Art und
Weise, wie die Rationalisten einerseits und Gerstenberg andererseits zur Erfassung eben jenes Eigentlichen in der Natur, ihrer tieferen Schicht gewissermaßen, gelangen: der Aufklärungsdichter und -poetiker wendet seinen aprio-
rischen rationalistischen Geschmacksbegriff einfach wie einen Prägestock auf
die vorfindliche Natur an, formt nach seinem Idealbilde, grenzt das Unpas-
sende als störende Zufälligkeit aus[26]; für Gerstenberg dagegen, so wurde aus
den Zitaten (besonders aus dem über den die Oberfläche durchdringenden
Blick des Genies) klar, deckt der Dichter im Durchdringen des Vordergründigen gültigeres, gesetzhafteres Sein auf, man ist versucht zu sagen: die Ur-
phänomene im Goetheschen Sinne.

In der Tat erinnert Gerstenbergs Auffassung vom dichterischen Verfahren
und vom Shakespeareschen insbesondere unverkennbar an die Goethes, und
auch das Verständnis dessen, was der Dichter, was Shakespeare derart erfaßt
und darstellt, ist im Grundsätzlichen das gleiche. Goethes Dichtungsanschau-
ung zu erörtern, ist nun hier kaum der Ort, zumal sie bereits gut erforscht
ist[27]. So dürfen wir uns wohl mit dem Hinweis begnügen, daß für ihn, wie

---

[23] Vgl. Wagner, II, 53, 56, 59–62; *Merkwürdigkeiten*, S. 222, 223, 231.

[24] *Merkwürdigkeiten*, S. 136.

[25] Markwardt, II, 355f. Doch auf S. 356 werden bereits Rückfälle konstatiert.

[26] Vgl. Guthke, *Jahrbuch für Ästhetik und allgemeine Kunstwissenschaft*, VI (1961),
114–138; R. A. Foakes in: *Romanticism*, hg. von R. F. Gleckner und G. E. Enscoe, Engle-
wood Cliffs 1962, S. 241.

[27] Matthijs Jolles, *Goethes Kunstanschauung*, Bern 1957, besonders S. 165ff., Wolf-

für die Klassik überhaupt, der Dichter die unter der Oberfläche der « Realität » verborgenen wesentlichen Weltbezüge in ihrer Gesetzhaftigkeit aufzudecken versteht; und zwar vermag er das kraft seines « symbolischen Blicks », durch den sich auch besonders Shakespeare « zum Weltgeist gesellt »; denn er – man denkt an Gerstenbergs ganz ähnliche Formulierung – « durchdringt die Welt wie jener; beiden ist nichts verborgen »[28]. Was er derart aufdeckt, ist, wie es schon wörtlich bei Gerstenberg geheißen hatte, eine « zweite Natur »[29], die Welt der gültigen Seinsverhältnisse, des Allgemeinen und Wahren, kurz: des Geistig-Urbildhaften, das jedoch nach Goethes eigenen Worten in der « Einleitung in die Propyläen », die die neuere Forschung wieder ernst nimmt[30], nicht ineinszusetzen ist mit den morphologischen Grundverhältnissen, denen der Naturwissenschaftler auf die Spur kommt.

Shakespeare ist für Goethe das Paradebeispiel eines solchen « wahren » Dichters. Es überrascht denn auch gar nicht, daß eben die Wendung von der wirkungsästhetischen Auffassung zur « ontologischen », die Gerstenberg vornahm, sich ganz analog im *Wilhelm Meister* vollzieht. In bezug auf Wilhelms *Hamlet*-Deutung heißt es in der *Theatralischen Sendung*: «Wenn von Kunst die Rede war, dachte er nur ans Werk und an dessen Vollkommenheit, nicht an die Würkung, die es auf die Menschen tut, deren jeder nur eignen Schmerz und eigne Freude ... in den Bildern der Kunst mit- und nachempfindet »[31]. Voraussetzung ist dabei, daß das Kunstwerk eine Darstellung der eigentlichen Wahrheit der Natur und Weltwirklichkeit bildet und als solche menschliche Verbindlichkeit besitzt (S. 223). So ist der Plan des *Hamlet* « nicht ersonnen », sondern « er ist so » (S. 221). Später hat der klassische Goethe seine Ansichten, befreit von den Sturm-und-Drang-Elementen, die in der *Theatralischen Sendung* noch nachwirken, im ersten Teil von « Shakespeare und kein Ende » zusammengefaßt. Dort meint er, die Werke des Elisabethaners seien nicht für die Augen des Leibes, vielmehr: « wir erfahren die Wahrheit des Lebens und wissen nicht wie.» Shakespeare verachte das « materielle Kostüm », kenne aber « recht gut das innere Menschenkostüm », in dem sich alle Menschen gleichen. Mit einem Wort: die Begegnung mit Shakespeares Werk war für

gang Kayser, «Goethes Auffassung von der Bedeutung der Kunst», *Die Vortragsreise*, Bern 1958, S. 123–148; ders. *Die Wahrheit der Dichter*, Hamburg 1959, S. 22 ff.

[28] « Shakespeare und kein Ende », Weimarer Ausgabe, 1. Abt., XLI : 1, 55. Zum « symbolischen Blick » vgl. Kayser, «Goethes Auffassung von der Kunst», in: *Vortragsreise*, S. 127.

[29] *Diderots Versuch über die Malerei*, Weimarer Ausgabe, 1. Abt., XLV, 261. Vgl. 1. Abt., XLI : 1, 53 f.

[30] Markwardt, III, 75, Jolles S. 166.

[31] *Wilhelm Meisters theatralische Sendung*, hg. von Günther Weydt, Bonn 1949, S. 216. Doch vgl. S. 182.

Goethe «Begegnung mit dem Seienden in seiner lebendigen Ordnung und umfassenden Ganzheit»[32].

Bei Goethe ist Gerstenbergs, für seine Zeit revolutionärer Ansatz zur vollen Entfaltung gekommen und zugleich bedeutungsmäßig vertieft worden. Denn in Gerstenbergs rasch hingeworfenen Äußerungen bleiben alle theoretischen Vorüberlegungen nur angedeutet, wenn sie auch durch Interpretation erschlossen werden können. – Auch für Schillers Shakespeare-Auffassung, so sehr sie von der Goethes abweicht, kommt die Dramatik Shakespeares in erster Linie als in sich ruhendes Sein, als symbolische Darstellung des letztlich Wirklichen und Wahren in Betracht. Dabei neigt Schiller allerdings dazu, alle Phänomene der Shakespeareschen Welt auf eine übergeordnete Idealwelt der ethischen Werte zu beziehen. Immerhin ist sowohl bei Goethe wie bei Schiller die theoretische Ausgangsbasis offensichtlich eben diejenige, die Gerstenberg im Ansatz vorgebildet hat.

IV

Auch die Shakespeare-Kritik der Romantik fußt noch auf dieser «ontologischen» Voraussetzung, doch rückt dort ein anderes Moment in den Vordergrund, das, entgegen weitverbreiteter Ansicht, nicht erst in der Romantik betont wird, sondern ebenfalls bereits um die Mitte des 18. Jahrhunderts vorgeprägt ist, nämlich wieder bei Gerstenberg, und noch in der gegenwärtigen Shakespeare-Interpretation eine Rolle spielt[33]. Wir meinen die Würdigung des Shakespeareschen Dramas als eines gegliederten Kunstganzen, in dem jeder Teil eine sinnvolle ästhetische Funktion erfüllt. Das ist bei Gerstenberg allerdings eine späte Einsicht. Sie gelingt erst in den *Merkwürdigkeiten*. Vorher, in der Vorrede zur *Braut* und in einer frühen Rezension in der *Bibliothek*, hält er noch durchaus an klassizistischen Wertungsmaßstäben fest, wenn er betont, Shakespeare sei zwar ein überragendes Genie, aber doch leider nicht «correct», so daß man das «große Erhabene» in seinen Werken eben nur «durch Trümmern und Ruinen hindurch» «fühlen, schätzen, bewundern» könne[34]. Das heißt: die Einheit der Handlung ist zerstört durch die Einfüh-

---

[32] Horst Oppel, *Das Shakespeare-Bild Goethes*, Mainz 1949, S. 62.

[33] Joachimi-Dege erwähnt S. 104, daß Gerstenbergs Illusionstheorie, die *implicite* auch für seine Shakespeare-Auffassung gilt, beim jungen Tieck wieder auftaucht. Wagner stimmt dem zu (II, 100). Den einzigen, völlig vagen Hinweis auf die Shakespeare-Deutung der Romantik finde ich bei Oskar Walzel, der 1892 in einem Aufsatz beiläufig bemerkt, Gerstenbergs Verdienst sei es, daß er «zum erstenmal in Deutschland eine von den besten Ideen der englischen Kritik getragene Charakterisierung der Dramen Shakespeares zu liefern verstand, um erst in A. W. Schlegel oder vielleicht besser in Caroline einen würdigen Nachfolger zu finden» (zitiert nach Joachimi-Dege S. 105).

[34] *Braut*-Vorrede, S. 5; die gleich folgenden Zitate ebd., S. 8, 10, 11.

rung von «episodischer oder gar contrastirender Handlung», und das ist für den frühen Gerstenberg wie für Lessing und andere gegenüber der mangelnden Beachtung der beiden anderen Einheiten, die leicht zu verschmerzen sei, ein schwerer Fehler. Shakespeare möge, so heißt es im gleichen Zusammenhang, seinen Bruch der Handlungseinheit zwar mit seinen anderen «Planen» rechtfertigen, aber gerade dies vermöge «nicht immer» zu überzeugen: «Er arbeitete dem abgezielten Eindrucke zuweilen selbst entgegen, er brach die schönsten Situationen oft zur Unzeit ab, und wenn er das Hertz des Zuschauers mit einem starken Zuge interessirt hatte, so schwächte er denselben ganz unvermerkt, durch eine kalte oder widersinnische Abwandelung, die ins Ganze nicht hineingedacht war.» Schon hier also erscheint die Ganzheit als Kriterium. Alles muß, heißt es bereits an dieser Stelle, «in einen Plan geordnet» werden, «und Niemand darf sich von dieser Verbindlichkeit freysprechen». Aber der Plan ist hier noch allzusehr von der Nähe zu den «Regeln» her konzipiert, und wegen seiner Unregelmäßigkeit wird Shakespeare getadelt, besonders wegen der Einmengung des Komischen in die Tragödie[35] und wegen mancher barocker Stilzüge, soweit Gerstenberg sich nicht mit der Entschuldigung zufriedengibt, derartiges entspreche eben den dichterischen Gepflogenheiten des elisabethanischen Zeitalters[36]. In den *Briefen über Merkwürdigkeiten* ist diese Haltung jedoch bereits überwunden: jedes Detail eines Shakespeareschen Dramas ist vom künstlerischen Ganzen her als sinnvoll zu rechtfertigen; «nicht eine einzige unnütze Scene» gibt es bei Shakespeare[37].

Allerdings hat man sich den Zugang zu dieser Erkenntnis bisher durch die Meinung verbaut, in dem für diese Frage bedeutsamen 17. Brief, in dem Gerstenberg die *Merry Wives* und die *Comedy of Errors* auf ihre Komposition hin untersucht, mache er sich die Deutungsmethoden und Wertungskriterien des Rationalismus zu eigen: es handele sich also um den Nachweis, daß die Werke Shakespeares der Norm der drei Einheiten entsprächen[38]. Dagegen stimmt schon bedenklich, daß Gerstenberg bereits sechs Jahre vorher den Wert der «Regelmäßigkeit» bagatellisiert hatte[39]. Bei genauerem Zusehen fällt denn auch auf, daß er im 17. Brief die Einheit von Ort und Zeit mit einer kurzen Bemerkung erledigt, erstere sogar im gleichen Brief als Regel relativiert (S. 140); ferner ist bemerkenswert, daß er den Hauptteil gar nicht erst

[35] *Bibliothek*, V (1759), 316.
[36] *Braut*, S. 207, 213.
[37] Fischer S. 102.
[38] Zum Beispiel v. Weilen S. LIII; Joachimi-Dege S. 106, Gerth S. 69, Wagner, II, 123–124. Der Versuch des Letztgenannten, wahrscheinlich zu machen, daß dieser Brief älteren Datums sei, scheint mir mißlungen; die «Beweisführung» selbst enthält schon die Gesichtspunkte, die sie widerlegen müssen (S. 124).
[39] *Bibliothek*, VI (1760), 60f. Vgl. Gerth S. 72–83.

als Untersuchung der noch nicht behandelten Einheit der Handlung bezeichnet. Selbst wenn man diesen Abschnitt so verstünde, zeigt sich, daß Gerstenberg hier schon sehr weit über den Nachweis der «Einheit» hinausgeht. Denn
diese «Einheit» bestand ja für die Kunstkritik des 18. Jahrhunderts nur in
dem Erfordernis, daß eine einzige Handlung, ununterbrochen von Parallel-
handlungen, das Drama konstituiere und alle eventuellen Teilhandlungen mit
dem Hauptfaden verknüpft seien[40]. Der eigentliche Sachverhalt ist vielmehr
der, daß in der Formanalyse von *The Merry Wives of Windsor* und *A Comedy
of Errors* im 17. Brief gerade das ausgebildet ist, was als Kennzeichen der
romantischen Kritik gilt. Diese befragt Shakespeares Dramen weniger auf ihre
Ausdruckskraft hin, begreift sie auch weniger von der Wirkung her[41], interpretiert sie vielmehr vornehmlich als gegliederte Kunstgefüge, als bewußt
«gemachte» planvolle Gebilde von innerer Baugesetzlichkeit[42]. Ebenso ist
Shakespeare für Gerstenberg im 17. Brief der ausschließlich nach künstlerischen Gesichtspunkten verfahrende denkende Gestalter. Und daß man das
nicht mehr vom rationalistischen Geschmacksbegriff her verstehen kann, der
ja an sich ebenfalls auf das Kompositorische Wert legt, geht auch sehr schön
daraus hervor, daß Gerstenberg gerade das verteidigt, was der klassizistischen
Kritik ein Dorn im Auge war, wie etwa die Einmengung des Komischen in
die Tragödie.

Wirft man zunächst einen Blick auf die anderen Shakespeare-Briefe, die im
Gegensatz zum 17. niemals des Rückfalls in die Interpretationsweise des Rationalismus verdächtigt worden sind, so findet man auch dort eben diese Künst-
lerauffassung vollkommen ausgeprägt. Der 17. Brief steht also nicht vereinzelt da. So lobt Gerstenberg im 15. Shakespeares gestalterische «Weisheit»

---

[40] *Lessings Briefwechsel mit Mendelssohn und Nicolai über das Trauerspiel*, hg. von Robert Petsch, Leipzig, 1910, S. 14; d'Aubignac, *La Pratique du théâtre*, Amsterdam 1715,
S. 72–78.

[41] *F. Schlegels prosaische Jugendschriften*, hg. von Jakob Minor, 2. Aufl., Wien 1906,
II, 11 (fortan: *Js*).

[42] Was hier als Wesen der romantischen Shakespeare-Kritik bezeichnet wird, hat
bekanntlich bei Herder und Lessing Entsprechungen (ebenso wie Goethes Auffassung).
Auf diese brauchen wir hier nicht einzugehen. Denn einmal liegen sie zeitlich nach
Gerstenberg; ferner sind die romantisch anmutenden Deutungen, die allerdings wenig
detailliert sind, höheren Gesichtspunkten untergeordnet: bei Lessing dem der Wirkung,
bei Herder dem der schöpferischen Naturkraft und des lebendigen Weltganzen. Romantische Sichtweisen sind somit akzidentell. Bezeichnend ist, daß Herder denn auch
die typisch romantische Shakespeare-Kritik lediglich als zukünftige Aufgabe hinstellt
(*Werke*, hg. von Suphan, V, 229). Auch spielt bei ihm das rationale Element im Schaffen Shakespeares nicht die hervorragende Rolle wie bei den Romantikern. Herder sieht
weniger die Komposition (die Gerstenberg und die Romantiker betonen) als «die einzelne Hauptempfindung, die ... jedes Stück beherrscht und wie eine Weltseele durch-

und «Geschicklichkeit» und die Komposition; von der Leidenschaft bemerkt er, kein Dichter habe sie «tiefer überdacht» (S. 120). Handlungsaufbau und Charakterentwicklung versteht er schon hier als bewußt gesuchte Kunstleistung, nicht als naturhafte Schöpfung, wenn er sagt: «Diese allmählige Gradation des Affekts, die eben so sehr vom Anscheine der Kunst entfernt ist, als die Fallstricke des Zanga [in Youngs *Revenge*] es nicht sind, ist das Meisterstück, der Triumph der Kunst» (S. 121). Auch der 16. Brief betont verschiedentlich das planvolle Verfahren des Dichters (S. 131, 135), seine Sorgfalt und «feine Nuance» (S. 134, 135). Vollends der 18. Brief ist dem Nachweis des bewußten Künstlertums bei Shakespeare gewidmet. Wenn es dort heißt: «Lassen Sie uns aber dieses Gigantische, diese Regellosigkeit, diese bis zum Ekel verschrieene Wildheit ein wenig näher betrachten» (S. 161), und wenn dann nach der Beschreibung des ästhetisch planvollen Kunstcharakters der Shakespeareschen Dramen die rhetorische Frage folgt: «Was ist hier gigantisch? was wild? was unförmlich? Ich sehe hin und her, und erblicke nichts als – die Kleinfügigkeit seiner Kunstrichter» (S. 163), so ist das eine unverhohlene Widerlegung der rationalistischen Kritik und ihrer Regelnorm. In diesem Lichte ist nun auch der 17. Brief zu verstehen.

Gerstenberg will dort anhand der Untersuchung der «Composition» ein Wort für den «Geschmack» (S. 139) Shakespeares einlegen und ihn gegen den Vorwurf der Planlosigkeit in Schutz nehmen. Er möchte dabei zunächst zeigen, «daß dieses Schakespearsche Drama gewisse Grundsätze mit dem Griechischen gemein haben könne, die aus der Natur eines Ganzen herzuleiten sind» (S. 139). Dieser Satz braucht durchaus nicht die «Regeln» zu meinen, sondern nur eine allgemeine Vorbildlichkeit, die Gerstenberg dem griechischen

strömt» (Suphan, V, 224). So kann er auch von Shakespeares «großem wilden Bau der Fabel» sprechen (Suphan, IV, 284). Das steht zu der romantischen Auffassung in krassem Widerspruch. Alexander Gillies' Aufsatz, «Herder's Essay on Shakespeare: 'Das Herz der Untersuchung'», *MLR*, XXXII (1937), 262–280, betrifft – trotz des Titels – diesen Punkt nicht. Von Herders Interesse für Shakespeares Komposition im Sinne der «inneren Form» spricht Hertha Isaacsen (*Der junge Herder und Shakespeare*, *Germanistische Studien*, Heft 93, Berlin 1930) in starker Polemik gegen frühere Auffassungen (besonders S. 30), doch gelingt es ihr nicht, irgendwelche Belege beizubringen, die über allervageste Formulierungen hinausgehen und die Interpretation im Sinne der «inneren Form» gerechtfertigt erscheinen lassen. Herders Absehen von Gestaltungsfragen betont auch Gillies S. 276; ähnlich (mit Polemik gegen Isaacsen) Wilhelm Dobbek, «Herder und Shakespeare», *Shakespeare-Jahrbuch*, XCI (1955), 34. Vgl. auch Paul Böckmann, «Der dramatische Perspektivismus in der Shakespearedeutung des 18. Jahrhunderts», in: *Vom Geist der Dichtung* (Petsch-Festschrift), Hamburg 1949, besonders S. 95 und 105, und Bernhard Suphan, «Herder an Gerstenberg über Shakespeare», *Vierteljahresschrift für Litteraturgeschichte*, II (1889), 446–465. Markwardt, II, 392: Herder wäre «kaum in der Lage gewesen», über das «Herz der Untersuchung» zu sprechen.

Drama stets ebenso bereitwillig einräumt, wie er die aus der aristotelischen
Poetik abgeleiteten normativen Regeln ablehnt. Immerhin: schon wenig spä-
ter hat er nach einem seiner typischen hakenschlagenden Exkurse diesen Plan
wieder aufgegeben. Er sagt nämlich plötzlich, er wolle jetzt «prüfen, was
Schakespears Theorie für Einfluß auf seine Ausübung gehabt habe» (S. 142).
Unter dieser Theorie versteht er aber einen Teil von Hamlets Rede an die
Schauspieler «Aber es war ... ein vortreffliches Stück, *wohl angelegt in den
Scenen, und mit eben so viel Überlegung als Geist abgefaßt*»[43]. In dieser Hinsicht, fährt er fort, habe er in keinem Schauspiel «mehr Anlage» (S. 142) gefunden als in *The Merry Wives* und *A Comedy of Errors*, und er nimmt sich
vor, «das Kunstwerk des Dichters Stück für Stück auseinander zu legen».
Daß er hier schon gar nicht mehr an den Nachweis der Regeln des antiken
Dramas denkt, mag auch deutlich werden aus dem Verzicht auf den so nahe
liegenden Hinweis auf klassische Analoga wie Plautus' *Menächmen* wie schließlich aus der von klassischen Modellen ganz absehenden Bemerkung, daß das
erstgenannte Lustspiel eine vollkommene Komödie im Molièreschen, das zweite
eine im italienischen Geschmack des Riccoboni sein könnte[44]. Zwar klingt es
wie eine Widerlegung der hier vorgetragenen Auffassung, wenn Gerstenberg
in der Umarbeitung dieser Stelle für die *Vermischten Schriften* (1815/16) von
den *Lustigen Weibern* bemerkt, sie seien «eine wahre Komödie nach der Theorie des Aristoteles» (III, 350). Aber wenn er sogleich erklärt: «Wohl zu verstehen doch nur in Beziehung auf das γελοῖον der Sittenverbesserung», so
wird gerade die Meinung bestätigt, daß er bei der Interpretation der *Lustigen
Weiber* nicht die drei Einheiten im Sinn hat[45]. Er wendet vielmehr die Methode der von Szene zu Szene dem dramatischen Verlauf nachtastenden Form-
erhellung an, die dreißig Jahre später mit A. W. Schlegels *Romeo*-Aufsatz
(1797) Berühmtheit erlangte[46]. Gerstenberg richtet dabei sein Augenmerk auf
den gegliederten Ganzheitscharakter des Dramas und hebt die folgenden dra-

---

[43] *Vermischte Schriften*, Altona 1815/16, III, 348. Kursivdruck nicht im Original. Die
anderen Teile der Rede Hamlets kann Gerstenberg nicht meinen, da sie sich auf Schauspielkunst beziehen; der englische Text: *Merkwürdigkeiten*, S. 141 f.

[44] In den *Vermischten Schriften* wird an dieser Stelle (III, 350) nur bemerkt, daß
A Comedy of Errors «zu der reichhaltigen Klasse der Plautinischen Menächmen gehört,
deren Name Legion ist». Gerstenberg vermeidet es also ausdrücklich, dem Stück des
Plautus selbst eine normative Vorbildstellung als Kriterium für das Werk Shakespeares
einzuräumen.

[45] Bekanntlich lehnte Gerstenberg die «Einheiten» im allgemeinen als Norm für
nach-antike Werke ab. Vgl. *Vermischte Schriften*, III, 255 f.; Wagner, II, 125–131.

[46] Damit wird auch Pascals Feststellung über den *Romeo*-Aufsatz ergänzt: «Clearly
Schlegel is using here criteria of form which find no parallel in German dramaturgy
of the 18th century» (S. 27). Vgl. die Ausführungen weiter unten.

maturgischen Grundbegriffe hervor: die Herausarbeitung des komischen Effekts der Situationen, deren geschmackvolle Anordnung, die Kontinuität, mit der eine Szene die andere «präpariert», die künstlerische Gruppierung der Personen, die «Entwicklung des Ganzen», die handlungsmäßigen Verknüpfungen, Kontrast und Parallelität in der Personenkonstellation und Handlungsführung sowie die dramatische und stimmungsmäßige Einpassung der «Zwischen-Scenen» in den «Ton des Ganzen» (S. 142–153).

Der Sinn dieser Gestaltungsanalyse ist, den «Ungrund des allgemeinen Vorurtheils» aufzudecken, «daß es Schakespearn an Kunst fehle» (S. 156). Und daß hier nicht an die Regelmäßigkeit im klassizistischen Sinne gedacht ist, wird ferner durch den letzten Shakespeare-Brief bewiesen, der sich direkt an die Ergebnisse des vorigen anschließt. Gerstenberg grenzt in diesem, dem 18. Brief Shakespeare gegen den «Epitomator einer Geschichte» ab und fragt: «Hat Schakespear wirklich keinen weitern Endzweck, als blos ein großes Stück nach dem andern aus der Geschichte herauszuheben, und den Klumpen, so wie er da ist, den Zuschauern vorzuwerfen? ... Ich finde es nicht. Ich sehe durchaus ein gewisses Ganze, das Anfang, Mittel und Ende, Verhältniß, Absichten, contrastirte Charakter, und contrastirte Groupen hat» (S. 161). Die Kunstwirklichkeit ist also gegenüber der vorgegebenen historischen Realität eigenständig. Gerstenberg widerlegt hier selbst seine späteren Kritiker (zum Beispiel Joachimi, Gundolf, Wagner), die in seinem Begriff der Bilder des «sittlichen» Lebens nur die wirre Fülle des Sinnlichen zu erkennen glauben und daher seine Shakespeare-Auffassung der der jungen Genies zuordnen. In den erläuternden Bemerkungen wendet er dann die aus dem 17. Brief bekannten Grundbegriffe der Interpretation auf die historischen Stücke an; er nennt: Kontrast, Abstufung der Charaktere, Konzentration auf einen Hauptzweck, Zusammensetzung, Abstechung, «Gegenbild in den beyden Haupt-Groupen». Das hat mit den «Regeln» nichts zu tun. Das Ganze dient dem Beweis, daß Shakespeare ein denkender Künstler sei: «Sie werden beständig eine malerische Einheit der Absicht und Composition beobachten, zu der alle Theile ein richtiges Verhältniß haben, und die eine Anordnung zu erkennen geben, welche ... dem Künstler eben so viel Ehre machen, als die vortrefliche Zeichnung der Natur dem Genie» (S. 163).

Damit ist das eigentliche Thema der Shakespeare-Briefe aufgedeckt. Es läßt sich nun Schritt für Schritt zeigen, daß alle Elemente von Gerstenbergs Interpretation in der romantischen Shakespeare-Deutung ähnlich zur Geltung kommen.

Vor der Romantik galt Shakespeare vorherrschend als Naturkraft. F. Schlegel notiert dagegen schon 1797: «Die einfachsten und nächsten Fragen, wie: Soll man Shakspeare's Werke als Kunst oder als Natur beurtheilen? ... können nicht beantwortet werden ohne die tiefste Spekulazion ...»[47] Die Romantiker beantworten diese Frage einhellig zugunsten der Kunst. Ebenso wie Gerstenberg nachweisen wollte, daß Shakespeares Werke nicht formlos seien, sucht dann A. W. Schlegel in seinen Wiener Vorlesungen (1809–1811) mit der Vorstellung aufzuräumen, daß das Werk des Engländers «von einem besoffenen Wilden herzurühren scheine», wie Voltaire gesagt hatte. «Mir ist er ein tiefsinniger Künstler, nicht ein blindes wild laufendes Genie.»[48] «Triumph der Kunst» findet er in *Romeo und Julia* (VII, 84) wie Gerstenberg in *Othello*. Wenn die Shakespeare-Bewunderung für die dramatische Dichtung der Zeit nicht fruchtbar geworden sei, so läge das daran, daß man Shakespeare «zu sehr als ein einziges ... Genie angestaunt hat, das der Natur Alles und der Kunst Nichts verdanke ... Hätte man ihn dagegen mehr aus dem künstlerischen Gesichtspunkte angesehen, so würde man gestrebt haben, die Grundsätze, wonach er seine Kunst ausübte, zu verstehn» (VI, 372 f.). Wie bei Gerstenberg meint «Grundsätze» selbstverständlich nicht die «Regeln». Energisch abgelehnt wird das vom Rationalismus geübte Verfahren, nur schöne Einzelheiten aus den Dramen herauszulesen, Shakespeare «stückweise» zu loben[49]. Seine Dichtung wird vielmehr als Kunstganzes gewertet, zu dem alle Teile sinnvoll zusammenwirken (VI, 186).

Auf Grund dieser Voraussetzung stellen dann auch die Romantiker, um die Künstlerschaft des Dichters evident zu machen, eingehende Formuntersuchungen an, die sich – statt auf die Einheiten der klassizistischen Poetik – auf das Werk als eine «weit tiefer liegende, innigere, geheimnißvollere Einheit» richten, wie A. W. Schlegel mit Anklang an Gerstenbergs Ausdruck «große und mannigfaltige Einheit»[50] sagt. Größter Wert wird dabei darauf gelegt, daß «die Theyle, die das Ganze ausmachen, eine wechselseitige Verbindung unter sich, und jeder von ihnen ein Verhältnis zum Ganzen habe»[51]. Und genau wie die Schlegels die rationalistischen Korrektheitsfanatiker mit den eigenen Waffen schlagen, indem sie Shakespeares «Korrektheit» in einem vertieften und «edleren» Wortsinn bewußt machen[52], so ließ auch Gerstenberg das Regelschema hinter sich, als er in der Ganzheitlichkeit von Shakespeares Werken eine höhere, viel subtilere «Einheit» als die überlieferte for-

[47] *Js*, II, 201, Nr. 121.
[48] *Sämmtliche Werke*, hg. von Eduard Böcking, Leipzig 1846, VI, 168, 182. Alle weiteren nur mit Band- und Seitenzahl nachgewiesenen Zitate sind dieser Ausgabe entnommen.
[49] A. W. Schlegel, VI, 184; F. Schlegel, *Js*, I, 106; *Merkwürdigkeiten*, S. 111; Wagner, II, 9–11.
[50] A. W. Schlegel, VI, 21; *Merkwürdigkeiten*, S. 153.
[51] Gerstenberg in: *Bibliothek der Schönen Wissenschaften*, IX, 196.
[52] F. Schlegel, *Js*, II, 245; A. W. Schlegel, VI, 210, und X, 55.

malistische nachwies. «Wo Einheit ... ist», heißt es bei Gerstenberg, «da ist innere Regel; und wo die fehlt, da fehlt gemeiniglich mehr, als irgend eine andere Regel ersetzen kann.»[53] In der Erhellung dieser «absichtlichen Organisation» des «Ganzen» kommen dann bei den Romantikern auch ganz die gleichen Interpretationskategorien zur Geltung wie bei Gerstenberg. In der hermeneutischen Praxis geschieht das vornehmlich in A. W. Schlegels Vorlesungen (VI, 173–302), während der genialere Friedrich die entscheidenden Grundbegriffe schon in den Fragmenten aphoristisch verallgemeinert hatte:[54]

In dem edleren ursprünglichen Sinne des Wortes Korrekt, da es absichtliche Durchbildung und Nebenausbildung des Innersten und Kleinsten im Werke nach dem Geist des Ganzen, praktische Reflexion des Künstlers, bedeutet, ist wohl kein moderner Dichter korrekter als Shakespeare. So ist er auch systematisch wie kein andrer: bald durch jene Antithesen, die Individuen, Massen, ja Welten in mahlerischen Gruppen kontrastiren lassen; bald durch musikalische Symmetrie desselben großen Maßstabes, durch gigantische Wiederholungen und Refrains...

Aus der dichterischen Welt hebt Schlegel hier ihre Ordnungsprinzipien heraus, und zwar eben die, die Gerstenberg in seinen Deutungen gefunden hatte. Und wie Gerstenberg diesen Sachverhalt unter anderem im Vergleich der Historien und Tragödien mit den benutzten geschichtlichen Stoffen illustrierte und eine künstlerische Durchgeistigung des Rohmaterials feststellte, so betonen auch die Romantiker: mit «tiefstem Verstande» habe der Dramatiker aus dem teilweise unförmigen geschichtlich überlieferten Material Form, Plan und Kunstgesetzlichkeit «organisirt» und es «mit Einfachheit und Klarheit» (Gerstenberg: «Simplicität») zu einem harmonischen Ganzen geordnet[55].

Aus diesem Verständnis des Shakespeareschen Dramas im Sinne eines wohlgefügten Kunstgebildes ergibt sich für Gerstenberg ebenso wie für die Schlegels die Notwendigkeit, jeden Teil von seiner Leistung für das Ganze her ästhetisch zu rechtfertigen. Denn «nichts ist fremd, überflüssig, oder zufällig in diesem Meisterstück künstlerischer Weisheit»[56]. Das gilt besonders für die Szenen, die der Rationalismus als stilwidrige Zugeständnisse an das Publikum verworfen hatte und gern ausgemerzt hätte. Gegen dieses Mißverständnis aus theoretischer Voreingenommenheit wendet sich Gerstenberg, wenn er betont: «Man muß Schakespearn folgen können, um ihn zu beurtheilen» (S. 163).

[53] Fischer S. 380.

[54] *Js*, II, 245; vgl. II, 271f.; 361f.; auch A. W. Schlegel, VI, 210.

[55] F. Schlegel, *Js*, II, 351; Georg Waitz, *Caroline*, Leipzig 1871, I, 197–202; A. W. Schlegel, VI, 272ff. (mit Einschränkungen, die sich aus seinen Ansichten über organische Form erklären; doch vergleiche unten die Ausführungen zu diesen Ansichten).

[56] F. Schlegel, *Js*, I, 106. Vgl. *Merkwürdigkeiten*: «Nichts ist in diesem kühnen Gemälde überflüßig» (S. 162).

So widerpricht er denjenigen «Kunstrichtern», die die Komik des Narren in
Lear als für eine tragische Dichtung unpassend ablehnen, und macht fein-
sinnig ihre Funktion im Bedeutungsgefüge des Dramas klar: «Ich für meine
Person bewundere den Dichter, der uns den schwachen Verstand dieses Königs
durch den Umgang mit einem der elendesten Menschen so meisterhaft abzu-
bilden weiß, und es befremdet mich nicht mehr, daß die Engländer diese
Scenen, anstatt eines dummen Gelächters, mit mitleidigem Schauer über den
Verfall und die Zerstöhrung des menschlichen Geistes betrachten» (S. 163).
Ähnlich wertet später A.W. Schlegel die Rolle des Narren in dieser Tragödie
(VI, 260), wie er sich überhaupt bemüht, die Mischung von Tragik und Komik
bei Shakespeare als ästhetisch sinnvolle künstlerische Leistung zu verteidigen[57]. Er rechtfertigt die Totengräber in *Hamlet*, da sie «ihre Bedeutung haben» (VI, 205f., 248); ebenso wehrte Gerstenberg ein Mißverständnis Voltaires ab: «Ich finde hier nichts Komisches. Der Umstand, daß diese Leute
unter lauter Todtenköpfen und Schedeln singen können, erhöht in mir das
Tragische des Anblicks» (S.163). Wenn er 1759 in der *Philotas*-Rezension in
der *Bibliothek der Schönen Wissenschaften* (V, 311f.) gerade unter Berufung
auf Voltaire eben diese Szene noch bemängelte, so zeigt demgegenüber die
Auffassung in den *Briefen*, wie er 1766 in der Shakespeare-Kritik über den
Rationalismus hinausgekommen ist. Die Deutung hier ist weder im Ganzen
noch in Teilen ein «Rückfall» in rationalistische Vorstellungsweisen. Auch
Gerstenbergs ästhetische Rechtfertigung der Hexen in *Macbeth* wegen ihrer
sinnvollen Funktion im Ganzen des Dramas (S.163) ist Geist vom Geist der
Schlegelschen Kritik (VI, 253ff.).

Nächst der vermeintlichen Uneinheitlichkeit des Shakespeareschen Dramas
wie der Vermischung von Komik und Tragik waren besonders die häufigen
Wortspiele ein Stein des Anstoßes für die Rationalisten gewesen. Sie verurteil-
ten das «punning» rigoros als vulgären Scherztypus. Die Romantik geht in
ihrer am «Ganzen» orientierten Sicht aber so weit, auch hier noch künstlerische Wirkungsabsicht zu behaupten oder mindestens die Verwendung von
Wortspielen aus der Sitte der Zeit, als historisches Lokalkolorit zu erklären[58].
Gerstenbergs Einstellung zu dieser Frage unterscheidet sich von der romantischen nur durch größere Gründlichkeit beim Aufzeigen der beiden Haupt-
gesichtspunkte: künstlerische Zweckmäßigkeit und historische Erklärung
(S.126–130). Wie die Romantiker weist er die Auffassung des Wortspiels als
Geschmacksfehler mit dem Gedanken zurück, daß das Genie des englischen
Dichters «kein höheres Lob kannte, als die Natur eines jeden Gegenstandes
nach den kleinsten Unterscheidungszeichen zu treffen» (S. 126), und daß folg-

---

[57] VI, 198–203.

[58] A.W. Schlegel, VI, 170f., 195; VII, 94–96.

lich die Wortspiele zur Charakterisierung der Personen stimmten. Aus dieser Tendenz, in den Shakespeareschen Dramen die höchstmögliche dichterische Vollkommenheit zu sehen, sofern dort nämlich «innere Nothwendigkeit eines jeden [Teils] in Bezug auf das Ganze» herrsche[59], müssen auch beide, Gerstenberg und die Romantiker, den klassizistischen Versuchen widersprechen, diesen Werken durch Auslassungen und Änderungen eine vermeintlich angemessenere Form zu geben[60].

V

Was wir hier als die kennzeichnenden Momente der klassischen und der romantischen Shakespeare-Kritik auseinandergehalten haben, findet sich natürlich sowohl in der Klassik wie in der Romantik auf Schritt und Tritt in Verbindung miteinander, nur daß eben der Hauptakzent jeweils auf nur ein Moment fällt: auf das «Ontologische» in der Klassik, das «Artistische» in der Romantik, was uns wiederum zu der getroffenen Scheidung berechtigte. Zum Schluß mag es sich daher empfehlen, statt weitere interpretatorische Einzelheiten aufzuzählen, mit denen Gerstenberg, die Klassiker und die Romantiker der Auffassung entgegentreten wollen, «Shakespeare sei ein rohes Genie gewesen und habe blindlings unzusammenhängende Dichtungen auf gut Glück hingeschüttet»[61], auf zwei dichtungstheoretische Voraussetzungen einzugehen, die den dargestellten Ergebnissen Gerstenbergs, der Klassiker und der Romantiker gleicherweise zugrunde liegen: auf den Begriff der Form und den des Genies. Für beide ist ihnen allen Shakespeare das Beispiel par excellence.

Der ästhetische Einheitsbegriff, der sowohl Gerstenberg wie auch der romantischen und klassischen Wertung der Werke Shakespeares als ideale Norm vorschwebt, unterscheidet sich radikal von dem der klassizistischen Kritik. Diesem zufolge ist eine Szene nur dann berechtigt, wenn sie die *Handlung* weiterführt. Demgegenüber sprechen A. W. Schlegel und Gerstenberg jedoch gern von «musikalischer» und «malerischer» Komposition, die etwas anderes bedeutet. Beide verwahren sich ausdrücklich dagegen, daß das Einheitskriterium des Klassizismus auf Shakespeares Dramatik angewandt werde; es ist ihnen zu mechanisch-technisch und zu pragmatisch-verlaufsmäßig bestimmt; bei Shakespeare sei eben nicht immer jeder Teil in eine lückenlose Kette von Ursachen und Wirkungen eingepaßt[62]. Wenn aber dennoch an den gleichen

[59] A. W. Schlegel, VI, 186.

[60] *Merkwürdigkeiten*, S. 111; A. W. Schlegel, VI, 253, 263; VII, 33 ff., 92; L. Tieck, *Kritische Schriften*, Leipzig 1848–1852, II, 234 ff.

[61] A. W. Schlegel, VI, 166 f.

[62] *Merkwürdigkeiten*, S. 149. Siehe auch Fischer S. 102–105; A. W. Schlegel, VII, 89. Beide, Gerstenberg und Schlegel, verwenden das Bild der Kette polemisch-abfällig.

Stellen das sinnvolle Zusammenwirken aller Teile behauptet wird, so ist an die Stelle der überlieferten Konzeption der Handlungseinheit eine verfeinerte Formvorstellung, ein subtilerer Einheitsbegriff getreten. Dieser ist mehr auf den künstlerischen Gefügecharakter, auf Ton und Atmosphäre als auf bloße mechanische dramatische Fortläufigkeit bezogen. Dafür sprechen schon die im vorigen Abschnitt gegebenen Interpretationsbeispiele. Die Romantiker nennen diesen Kompositionstypus in Anlehnung an Goethes Fortbildung des Begriffs der inneren Form die organische Form. Sie wird zwar von dem denkenden Künstler geschaffen; aber dieser schließt sich in der Gestaltung an die dem Material, dem Vorwurf, immanente Bildungsintentionalität an, die er wie einen Keim entfaltet. Form ist «bedeutsames Äußeres» eines inneren Wesens[63]. Im Sinne dieser Organik erweisen dann vor allem die Romantiker die Einheit eines Shakespeareschen Kunstwerks als eine mehr als bühnenpraktische, nämlich als eine «weit tiefer liegende, innigere, geheimnißvollere Einheit». Nun ist zwar gleich hinzuzufügen, daß in der interpretatorischen *Praxis* der Romantiker der Gesichtspunkt der Organik eher als stillschweigende Voraussetzung denn als ausdrückliches hermeneutisches Kriterium auftritt. Gelegentlich wird er sogar zugunsten der Betonung eigenmächtiger Formabsichtlichkeit und der Konzeption des ordnenden Künstlers aufgegeben[64], was bei dem klassischen Goethe natürlich nicht der Fall ist. Aber wie dem auch sei: bei Gerstenberg läßt sich diese organische Kunstauffassung ebenfalls, wenigstens in rudimentärer Form, finden; und obwohl er sich im Zusammenhang der Shakespeare-Kritik nicht ausdrücklich dazu äußert, liegt sie seiner Auslegung zugrunde. Mit Recht hat man diesen organischen Formbegriff für Gerstenbergs Ästhetik in Anspruch genommen[65], ohne allerdings auf die dichtungsgeschichtliche Bedeutung aufmerksam zu machen, um die es hier geht.

(In neuerer Zeit ist jedoch diese Gerstenbergsche Betonung der «Form» im Hinblick auf Shaftesburys «inward form» und auch deswegen Gerstenbergs Poetik als typisch geniezeitlich verstanden worden[66]. Dazu ist zu sagen: im Sturm und Drang bleibt es allgemein bei vagen Bestimmungen dieser «inneren Form»; die eigentliche Wirkung Shaftesburys fällt erst in die darauffolgende Zeit. Die Stürmer und Dränger führen denn ja auch keine entsprechenden Gestaltanalysen durch, und ihre eigenen Dramen haben sie kaum nach dem Prinzip der inneren Form angelegt, was schon Herder in seinem berühmt gewordenen Ausspruch anläßlich des *Götz* erkannte: «Shakespeare

---

[63] A. W. Schlegel, VI, 157 f. Siehe auch Joachimi-Dege S. 182 ff.

[64] Zum Beispiel A. W. Schlegel, VI, 208, 222, 228, 230, 234, 240, 242, 248 f., 250, 252.

[65] Wagner, II, 112, 143.

[66] Gerth, zum Beispiel S. 81.

hat euch ganz verdorben.» Bemerkenswert ist ja auch, daß der junge Goethe in dem immer wieder als Kardinalstelle für die Bedeutung der inneren Form für die Sturm-und-Drang-Ästhetik herangezogenen Anhang zu H. L. Wagners Mercier-Übersetzung hervorhebt, jeder Form, «auch der gefühltesten», hafte «etwas Unwahres» an[67], und der spätere Goethe hat dementsprechend ausdrücklich gegen seine frühere Formlosigkeit Stellung genommen[68]. Namentlich in bezug auf die Shakespeare-Deutung und -Nachahmung trifft aber für den Sturm und Drang die Betonung der inneren Form nicht zu; das Wort vom «schönen Raritätenkasten» paßt weit besser. So bezeichnete zum Beispiel schon K. G. Lessing das, was in den siebziger Jahren in Deutschland als «Shakespearisieren» gelte, mit den Worten: «Ein solcher Dichter hat keine andere Regel, als sich in Feuer und Enthusiasmus zu setzen und sein Stück zu lassen, wie es in der ersten Begeisterung ausgefallen ... Es herrscht daher in solchen Stücken ein disparater Ton», was alles ein Mißverständnis Shakespeares sei, da Shakespeare seinerseits «den Regeln der Kunst» gefolgt sei[69]. Doch nicht nur die dichterische Praxis, auch die Poetik des Sturm und Drang ist weithin am «formlosen» Shakespeare orientiert. Daß man die Bedeutung der inneren Form für die Sturm-und-Drang-Poetik übertrieben hat, ist denn auch bereits öfters bemängelt worden[70]. Die Shakespeare-Würdigung der Stürmer und Dränger ist jedenfalls im allgemeinen weniger mit der Kategorie der inneren Form zu fassen als die Gerstenbergs und die der klassisch-romantischen Zeit.)

Die organische oder innere Form ist das Gesetz, nach dem das *Genie* schafft. Shaftesbury (auf den der Ausdruck «inward form» ja zurückgeht), Gerstenberg[71] und die Klassiker und Romantiker teilen diese Ansicht. Damit kommen

---

[67] Weimarer Ausgabe, 1. Abt., XXXVII, 314.

[68] Markwardt, III, 88. Vgl. auch Kayser, *Die Wahrheit der Dichter*, S. 25 f.

[69] *DLD*, XIII (1883), S. 91 (Vorrede zu seiner Bearbeitung von H. L. Wagners *Kindermörderin*, 1777). Vgl. Markwardt, III, 5, allgemein über das Sturm-und-Drang-Drama als entfesseltes Leben.

[70] Markwardt, II, 412, F. J. Schneider, *Geniezeit*, Stuttgart 1952, S. 199; F. Sengle, «Die Grundlagen der deutschen Klassik», *Etudes Germaniques*, IX (1954), 161 («das artistische Streben des jungen Goethe überbetont»). Eine radikale Einschränkung seiner eigenen Auffassung nimmt denn ja Gerth selbst in den Schlußsätzen seines Buches vor: «Wenn man unter 'Sturm und Drang' nur Ausdruck, Subjektivität und Revolution gegen die Form versteht, dann ist Gerstenberg sowohl ein Begründer wie ein Überwinder des 'Sturm und Drangs'.» Gerth spricht in diesem Zusammenhang von Antizipation der Klassik (S. 221). – Interessant ist schließlich, daß die Standardarbeit über *Innere Form*, die von Reinhold Schwinger (Diss. Leipzig 1934), von den Stürmern und Drängern allenfalls sehr *en passant* spricht, dagegen hauptsächlich von Shaftesbury und den deutschen Klassikern und Romantikern.

[71] Gerth S. 80, 126.

wir zur zweiten Voraussetzung der durch die obigen Beispiele belegten Auffassung Shakespeares als eines Formkünstlers; denn Shakespeare gilt bei den genannten Kritikern gleicherweise als die exemplarische Verkörperung des Genies. Für die Theorie der Aufklärung war Genie identisch gewesen mit ästhetischem Beurteilungsvermögen, Geschmack (im gekennzeichneten Sinne), mit «Witz» und Erfindungsgabe. Für die Sturm-und-Drang-Dramatiker war es dann Kennwort für die freischöpferische, leidenschaftliche, inspirierte Dichterindividualität: mit ästhetisch absichtsvollem Werkschaffen, Plan und Maß hatte «Genie» bei den «Genies» nichts zu tun. Das ist der Inhalt, den erst Klassik und Romantik dem Genie-Begriff der Stürmer und Dränger hinzufügen[72]. Wie stellt sich also Gerstenberg zu dieser Frage?

Gerstenbergs Stellungnahme zum Genieproblem hat man oft als ein unentschiedenes *Schwanken zwischen* den Auffassungen des Rationalismus und des Sturm und Drang hingestellt[73]. Für die meisten seiner Äußerungen trifft das zu. Daneben ist aber nicht zu übersehen, daß er bereits eine echte *Synthese* der Positionen erreicht und diese damit beide überwindet. Als wesentliche Eigenschaft des Genies bezeichnet er die inspirierte *vivida vis animi* des schöpferischen Individuums, die «Imagination». Aber vor dieser Kraft her «geht eine andere Kraft, die Kraft der Beobachtung, welche mit einer dritten aus-

---

[72] Friedrich Schulze, «Vom romantischen Geniebegriff», *Studien zur Literaturgeschichte: Festschrift für Albert Köster*, Leipzig 1912, S. 228 ff. Für die frühere Zeit: Pierre Grappin, *La Théorie du Génie dans le Préclassicisme allemand*, Paris 1952 (doch dazu Sengle, *Etudes Germaniques*, IX, 159–162), und Julius Ernst, *Der Geniebegriff der Stürmer und Dränger und der Frühromantiker*, Diss. Zürich 1916, S. 21: manche Stürmer und Dränger, darunter Gerstenberg, hätten zwar in der Theorie, nicht aber in der Praxis Sinn für die innere Form als Gesetz des Genies bewiesen. Dazu ist (außer dem bereits Gesagten) zu betonen, daß hier Gerstenberg mit weitem Abstand der erste ist. Herder versteht sich erst 1775 in «Von den Ursachen des gesunkenen Geschmacks, da er geblühet» zu einer entsprechenden Genieauffassung. Darüber Kurt May, *Lessings und Herders kunsttheoretische Gedanken in ihrem Zusammenhang*, Germanische Studien, Heft 25, Berlin 1923, S. 45. Einen Vorklang der Klassik sieht darin mit Recht Kurt Bauerhorst, *Der Geniebegriff* ..., Diss. Breslau 1930, S. 44. Doch vom *jungen* Goethe sagt Bauerhorst mit Recht S. 74: «Es fehlt ihm noch völlig das Bewußtsein einer dem Genie immanenten Gesetzlichkeit, das später bei Goethe die entscheidende Rolle spielt.»

[73] Beispielhaft: Wagner, II, 79 ff. Auf S. 84, 87, 89, 91, 95 lehnt er eine Vorwegnahme klassisch-romantischer Auffassung ab, aber auf S. 88 behauptet er wenigstens halbwegs das Gegenteil, wobei er allerdings Vorwegnahme in einem anderen Sinn als wir in dieser Arbeit faßt, wie aus S. 90 erhellt. Ähnlich Wagner auch Markwardt, II, 350 f. (kritisiert unter Hinweis auf immanente Inkonsequenz [Markwardt II, 389/90] von Klaus Gerth, *Euphorion*, LIV, 1960, 334). Das Schwanken ist eher für Lessing charakteristisch, sofern nämlich seine oft als unvereinbar empfundenen Äußerungen in der *Hamburgischen Dramaturgie* in gleicher Weise Freiheit und Bindung des Genies betonen; wenn Lessing (immerhin später als Gerstenberg) einer Synthese in der Art der Gersten-

übenden verbunden seyn muß, die ich durch Klugheit des Genies ausdrücken möchte, weil sie sich nicht sowol auf das Beobachtete in dem Vorwurfe, als auf das Werk des Künstlers ... bezieht» [74]. Dies ist nun aber kein bloßer Aphorismus, der als solcher zu bagatellisieren wäre. Im Gegenteil: die Vorstellung einer Synthese von imaginativ-gefühlsmäßigen und bewußt schaffenden Zügen in der Wesensstruktur des Genies kehrt mehrmals im gleichen «Brief», wie auch sonst, wieder [75]. Gerstenberg bezeichnet dann die bewußte Komponente mit Ausdrücken wie «tiefdenkend», «philosophisch», «Erfindung», «Witz», «Beurtheilungskraft», «Geschmack», «Anordnung», «Ordnung» und «Plan», mit einem Wort: Kunstverstand. Werke des Genies schließen absichtliche Formqualitäten folglich nicht aus, sondern ein. Wenn auch, wie Gerstenberg selbst zugibt [76], seine Theorie über das Genie nicht bis zu letzter Klarheit gediehen ist, so bleibt doch die Tatsache belangvoll, daß er als Kritiker Shakespeares eine Begriffsbestimmung des Genies kennt, die einmal zu seiner das Künstlerische wie das Freischöpferische betonenden Interpretation stimmt, andererseits mit der klassisch-romantischen zusammenfällt. Denn Romantik und Klassik kehren gerade in ihrer Shakespeare-Deutung den bewußtformschaffenden Aspekt des Genies heraus. Sie verlieren dabei jedoch das Emotionale, ja Inspirierte ebensowenig aus den Augen wie Gerstenberg. Aber der Akzent liegt dort nicht [77]. «Die Thätigkeit des Genies», heißt es bei A. W. Schlegel, «ist zwar ihm eine natürliche und in gewissem Sinne bewußtlose ...; es ist aber keineswegs eine solche, woran die denkende Kraft nicht einen großen Antheil hätte»; Shakespeares Dramen sind also «eine der besonnensten Hervorbringungen des menschlichen Geistes» (VI, 183).

bergschen auf der Spur war, dann verharren bei ihm jedenfalls die Elemente in unausgeglichener Spannung zueinander. Die anderen «Auflockerer» der rationalistischen Ästhetik, besonders auch die Schweizer und Mendelssohn, machen nur ganz schwache Vorstöße in Richtung auf das von Gerstenberg für das Genie in Anspruch Genommene, nehmen dem Genie mit einer Hand, was ihm die andere an Autonomie gibt. Die Rationalisten und Auflockerer behandelt Herman Wolf, *Versuch einer Geschichte des Geniebegriffs in der deutschen Ästhetik des 18. Jahrhunderts*, 1. Band: *Von Gottsched bis auf Lessing*, *Beiträge zur Philosophie*, Heft 9, Heidelberg 1923. Viel zu scharfe Abgrenzung vom Sturm und Drang dagegen bei Kurt Bauerhorst, *Der Geniebegriff ...*, Diss. Breslau 1930, besonders S. 37. Gerth legt Gerstenberg auf die geniezeitliche Genieauffassung fest (*Studien*, S. 125 ff.), aber dort wird schon mehr Formbewußtsein im Geniebegriff der Stürmer und Dränger gesehen, als gemeinhin üblich ist.

[74] *Merkwürdigkeiten*, S. 224.

[75] Vgl. *Merkwürdigkeiten*, S. 14, 175 f., 218, 225, 227, 228; *Bibliothek der Schönen Wissenschaften*, V, 318 f., 321; Fischer S. 343. Vgl. Gerth S. 125 ff.

[76] *Merkwürdigkeiten*, S. 232.

[77] A. W. Schlegel, VI, 182–184; vgl. Joachimi-Dege S. 131 ff. Dort weitere Quellenzitate. Über die Übereinstimmungen zwischen Klassik und Romantik ebd. S. 182 ff.

Blicken wir von hier auf den Gang der Untersuchung zurück[78], so dürfte an dem für diese Studie ausgewählten Beispiel klar werden, wie entscheidende Gedankenmomente der deutschen Shakespeare-Deutung des 18. und des frühen 19. Jahrhunderts nicht für eine Schule, Richtung oder Epoche allein kennzeichnend sind, sondern an den verschiedensten Stellen und Zeitpunkten der Geistesgeschichte immer wieder auftauchen. Und stellt man dieses Ergebnis in den größern Rahmen des Standes der Forschung zur Wirkungsgeschichte Shakespeares in Deutschland, so erscheint es als lohnende Aufgabe, in dieser Weise noch weitere Längsschnitte durch die Geschichte der kritischen Rezeption Shakespeares zu legen. Themen und Motive wären da etwa: die Auffassung der Mischung des Komischen und Tragischen, das Häßliche, das Atmosphärische (Herder, Otto Ludwig), die Menschengestaltung, Aufbauformen, hervorstechende Charaktere und ähnliches. Unter einem solchen Gesichtspunkt wären die prinzipiell ja nicht unberechtigten, an einer «Entwicklung» der deutschen Shakespeare-Kritik orientierten Darstellungen, deren Grundgedanke sich von jeher großer Beliebtheit erfreut, in vielleicht sehr aufschlußreicher Weise zu ergänzen. Eben dazu möchte diese Studie anregen. Zugleich mag sie geklärt haben, in welchem Sinne man davon sprechen kann, daß die Schleswigschen Shakespeare-Briefe das bedeutsamste Zeugnis für Shakespeare sind, das die deutsche Kritik des 18. Jahrhunderts hervorzubringen wußte[79].

[78] Die Sturm-und-Drang-Züge der Shakespeare-Kritik Gerstenbergs sind bei Koch, Joachimi-Dege, Gundolf, Wagner, Grappin und anderen herausgearbeitet. Sie brauchten daher in dieser Studie nicht eigens erwähnt zu werden.

[79] Wagner, II, 113.

J.H.FÜSSLI UND
DIE ANFÄNGE DES ROUSSEAUISMUS
IN DEUTSCHLAND

Eine Geschichte der Rezeption Rousseaus in Deutschland ist, obwohl schon 1926 angekündigt[1], bis heute noch nicht geschrieben. Das ist wohl kein Zufall. Denn ohne Zweifel stellen sich einem derartigen Unternehmen vielfältige Schwierigkeiten in den Weg, die in den bereits in großer Zahl vorliegenden Einzelstudien bei weitem nicht immer zu Bewußtsein gekommen und angemessen behandelt worden sind. Das hat dann zu eklatanten Widersprüchen in der Erfassung und Einschätzung von Rousseaus rechtsrheinischem Einfluß nicht nur im allgemeinen, sondern auch in bezug auf Detailprobleme geführt, zum Beispiel in der Frage der Bedeutung des *citoyen de Genève* für Goethe und namentlich der *Nouvelle Héloïse* für den *Werther*[2]. Was man in solchen Erörterungen oft nicht klar genug auseinanderhält, ist Rousseau und die Zeitstimmung des Irrationalismus, deren Exponent Rousseau wurde; nicht jeder Anti-Intellektualismus, nicht jeder Irrationalismus, nicht jede Kulturkritik braucht von Rousseau angeregt zu sein. Behält man das zu wenig im Auge, so stellt sich plötzlich die neuere deutsche Geistesgeschichte vom letzten Drittel des 18.Jahrhunderts bis weit ins 19.Jahrhundert hinein als Rousseauismus dar, und Goethe und Schiller erscheinen dann als Fortsetzer des Genfers lediglich wegen ihres «combat énergique contre les hypocrisies de la civilisation purement intellectualiste» und der «lutte pour un ennoblissement intérieur de la vie intellectuelle et sociale»[3]. Ein viel zu vages und allgemeines Kriterium wird da zu einer unhaltbaren Einflußkonstruktion überfordert; die traditionelle Behauptung, Rousseau habe auf den jungen Schiller eingewirkt, hat übrigens Wolfgang Liepe schon 1926 mit guten Gründen zurückgewiesen. Die gleiche Vorsicht ist bei dem Schlagwort «Natur» geboten; denn dieses

[1] W. Liepe, «Der junge Schiller und Rousseau», *ZfdPh*, LI (1926), 299–328. Liepes Materialsammlung fiel dem Krieg zum Opfer.

[2] Erich Schmidt, *Richardson, Rousseau und Goethe*, Jena 1875. Einschränkung seiner Ergebnisse bei Herbert Smith, «Goethe and Rousseau», *PEGS*, N.S.III, 1926, 31–55. Eine Beeinflussung des *Werther* durch Rousseaus *préromanticisme* wie auch durch seinen *classicisme* stellt M. Bémol fest («Gœthe et Rousseau», *Etudes Germaniques*, IX, 1954, 257–277).

[3] J. Benrubi, «Gœthe et Schiller – Continuateurs de Rousseau», *Revue de Métaphysique*, XX (1912), 441–460, Zitat 460; ders., «Rousseau et le mouvement philosophique et pédagogique en Allemagne», *Annales Société Jean-Jacques Rousseau*, 1912, 99–130.

wiederum ausschließlich mit Rousseau in Verbindung zu bringen, scheint aus
dem Grunde verfehlt, daß die vermeintlich Rousseausche Naturdarstellung
und -auffassung des 18. Jahrhunderts gelegentlich noch eher in die Nähe der
anakreontischen Spielwelt der arkadischen Natur gehört oder auch in den Bezirk der Robinsonaden und ähnliche naturhafte Phantasieräumlichkeiten zu-
rückverweist. Ferner bedarf bei den zahlreichen Einzelwirkungen Rousseaus
auf die deutsche Literatur der Goethezeit der Begriff des Einflusses noch eingehender Klärung: das heißt, zu klären wäre die Frage, ob es sich jeweils um
eine wirklich radikal neue Sicht handelt, die durch Rousseau-Lektüre zur
Wirksamkeit gelangt, oder um die Erweckung und Bekräftigung bereits an-
gelegter eigenständiger Entwicklungstendenzen. Aber nicht einmal so einfach
liegen die Dinge in den meisten Fällen, daß man entweder die erste oder die
zweite Einflußart behaupten könnte. Und schließlich hängt eine angemessene
Deutung eines wie immer beschaffenen Einflusses ab von der jeweils zum Zeitpunkt der Untersuchung herrschenden und von dem Forscher zugrundegeleg-
ten Deutung dieses Anregers Rousseau selbst. Erst von dieser aus kann die –
meistens abweichende – zeitgebundene Rousseau-Auffassung recht verstanden
und gewertet werden; denn offensichtlich gewinnt der Einfluß Rousseaus auf
die deutsche Literatur des 18. Jahrhunderts ein anderes Gesicht, je nachdem,
wie weit man den Genfer von der Aufklärung oder vom Irrationalismus ab-
rückt, und bis heute ist diese Frage nicht restlos geklärt. Und auch wenn sich
ein Problem wie etwa das der Widersprüche im Werk Rousseaus (und besonders das der Vereinbarkeit oder Unvereinbarkeit des radikalen Individualismus
des zweiten *Discours* mit dem rigorosen Sozialismus des *Contrat Social*) lösen
läßt, und zwar lösen läßt im Sinne einer versteckten Einheit des gedanklichen
Grundgehalts, wie Rousseau sie ja in seiner Schrift *Rousseau, Juge de Jean-
Jacques* für sich in Anspruch genommen hat – selbst dann ist zu berücksich-
tigen, daß jene von der heutigen Forschung erkannte Ausgewogenheit den
Zeitgenossen leicht verborgen bleiben konnte wegen der dynamischen Wirk-
kraft der revolutionären Partien des Rousseauschen Werks[4].

Wie immer es aber mit der Klärung solcher für die wissenschaftliche Verläßlichkeit jeder Arbeit über den deutschen Rousseauismus notwendigen metho-
dischen Vorfragen beschaffen sein mag: die große positive Bedeutung der
Schriften Jean-Jacques' für die Sturm-und-Drang-Bewegung ist bekannt. Nur
ist kaum genauer bestimmt worden, worin diese Bedeutung bestand, was für
ein Rousseau-Bild sich da herausbildete und vor allem was – auch schon rein
bibliographisch – das Ausmaß der Rezeption Rousseaus gewesen ist. Leichter
hat man es da mit der Reaktion der deutschen Aufklärung auf Rousseau, weil

---

[4] Zur Rousseau-Forschung vgl. Albert Schinz, *Etat présent des travaux sur J.-J. Rousseau*, New York: *MLA*, 1941.

der Franzose dort mit besonnener Kritik statt mit begeisterten Lobpreisungen aufgenommen wurde. So machte der junge Lessing bereits 1751 gegen den ersten *Discours* geltend, daß zwischen Pflege der Künste und Wissenschaften und sozial-kulturellen Verfallserscheinungen nicht notwendigerweise ein kausales Abhängigkeitsverhältnis statthaben müsse und daß, wenn dieser Fall auch einmal historisch eingetreten sei, ein Mißbrauch der menschlichen Geistesgaben vorliege, der über die Werte der Kultur an sich noch nichts besage[5]. Ähnlich und spezieller lehnte dann J. G. Sulzer 1760 in seinen «Philosophischen Betrachtungen über die Nützlichkeit der dramatischen Dichtkunst» ganz im Sinne der populärphilosophischen Geistigkeit des 18. Jahrhunderts Rousseaus Bedenken gegen das Theater (im *Lettre à M. d'Alembert*) mit dem Hinweis auf die moralisch heilsamen Wirkungsmöglichkeiten der Bühne ab[6]. Überhaupt zweifelt die Aufklärung ja nicht leicht am Wert kultureller Errungenschaften, und so ist auch die Antwort auf den zweiten *Discours*, in dem Rousseau seine hypothetische Konstruktion eines menschlichen Urzustands vorträgt, vorwiegend negativ. Hatte Lessing die Schrift am 10. Juli 1755 in der *Berlinischen Privilegierten Zeitung* noch ziemlich neutral und mehr referierend besprochen, so betonte Moses Mendelssohn 1756 im «Sendschreiben an den Herrn Magister Lessing», obwohl er gewisse Vorzüge des Naturzustandes und entsprechende Nachteile des zivilisierten Daseins durchaus anzuerkennen bereit war, Rousseaus Bild von diesem ursprünglichen Stadium menschlicher Entwicklung sei «menschenfeindliche Sophisterei», die die Werte des gesellschaftlich geordneten Lebens allzusehr übersehen wolle; denn «der Wilde hat kein Gefühl von der menschlichen Würde, von der wahren Sittlichkeit und von der allgemeinen Liebe zur Ordnung und Vollkommenheit». Im Namen des höheren Menschentums wird also Rousseaus Verherrlichung des *état primitif* als eine bloß tierische, ungeistige Vorform menschlicher Existenz abgelehnt[7]. Ähnlich suchte Iselin[8] die von Rousseau aufgewiesenen Mängel der staatlich organisierten Daseinsweise gerade durch die Perfektionierung des Gemeinschaftslebens zu überwinden, nicht aber durch Rousseaus berühmte Rückkehr zur Natur im Sinne einer Rückwendung zur Primitivität, wie man sie damals verstand. Gegen diese wandte sich auch Wieland in den *Beiträgen zur Geheimen Geschichte der Menschheit* (1770), nur daß er darüber hinaus – übrigens ähnlich Mendelssohn – die Hypothese eines ursprünglichen Zustands

[5] *Sämtliche Schriften*, hg. von K. Lachmann und F. Muncker, Stuttgart 1886–1924, V, 65.

[6] Sulzer, *Vermischte Philosophische Schriften*, I (Leipzig 1773), 146–165.

[7] *Gesammelte Schriften*, hg. von G. B. Mendelssohn, Leipzig 1843–1845, I, 373–398. Zitat 384.

[8] Dazu H. M. Wolff, *Die Weltanschauung der deutschen Aufklärung*, Bern 1949, S. 225 f. (2. Aufl., 1963, S. 205 f.).

asozialer Menschheit mit dem Gedanken ad absurdum führte, daß der von Anfang an im Menschen wirksame «Trieb der Geselligkeit» die von Rousseau angenommene primitive Lebensweise des absoluten Individualismus unmöglich mache. Aber auch gegen die Verherrlichung des Mittelzustands zwischen dem *état primitif* und den organisatorischen Großformen staatsbürgerlichen Lebens bringt er den Einwand vor, nur in den größten politischen Gemeinschaftsgebilden könne der Mensch seine Fähigkeiten aufs beste entfalten und zu den höchsten kulturellen Leistungen gelangen[9].

Große Anerkennung hat dagegen Kant (seit 1760) für den *citoyen de Genève*. Bekannt ist sein Wort, daß Rousseau ihn von der Überschätzung der intellektuellen Leistung abgebracht und damit seinem Denken auch in weiterer Hinsicht seinen neuen Ansatz gegeben habe. Kant führte dann den jungen Studenten Herder in die Rousseau-Lektüre ein, die diesem dann fast lebenslang eine Quelle der Anregung und fruchtbaren Auseinandersetzung blieb. Zeitweise hat er sogar für ihn geschwärmt[10]. Ein Prophet ist Rousseau für die ganze Sturm-und-Drang-Generation. Zwar konnte Hamann, so sehr er mit Rousseaus Vorliebe für das Ursprungsnahe sympathisierte, aus dessen säkularisierter Geistigkeit kaum positive Anregungen schöpfen. Dennoch schien ihm ein Werk wie die *Nouvelle Héloïse* höchst bewundernswert[11]. Desgleichen war für Lenz Rousseau «einer ihrer [der Franzosen] größten Philosophen»[12], und Klinger gab in der *Geschichte eines Teutschen der neusten Zeit* den Rat: «Der Jüngling, der keinen Führer hat, wähle diesen. Er wird ihn sicher durch das Labyrinth des Lebens leiten, ihn mit Stärke ausrüsten, den Kampf mit dem Schicksal und den Menschen zu bestehen. Diese Bücher ... enthalten eine neue Offenbarung der Natur, die ihrem Liebling ihre heiligsten Geheimnisse zu einer Zeit entschleierte, da die Menschen sie bis auf die Ahndung verloren zu haben schienen.»[13] Heinse nannte sich mit gewisser Berechtigung einen «armen thüringer Jean-Jacques»[14], während Justus Möser, obwohl er 1765 in seinem *Schreiben an den Herrn Vicar in Savoyen, abzugeben bei Herrn*

[9] *Sämtliche Werke,* Leipzig: Göschen, 1794–1802, XIV, 141 ff. Tim Klein, *Wieland und Rousseau,* Diss. München 1903. Die *Nouvelle Héloïse* dagegen schätzte Wieland sehr.

[10] Zu Herders Verhältnis zu Rousseau vgl. H.M. Wolff, «Der junge Herder und die Entwicklungsidee Rousseaus», *PMLA,* LVII (1942), 753–819.

[11] Vgl. Rudolf Unger, *Hamann und die Aufklärung,* Jena 1911, S. 340 ff.

[12] *Gesammelte Schriften,* hg. von F. Blei, 1909, IV, 239.

[13] *Werke,* Königsberg 1809 ff., VIII, 97 f. Zu Klingers Verhältnis zu Rousseau siehe die in der Methode unsichere und in den Ergebnissen nicht schlüssige Arbeit von F. A. Wyneken, *Rousseaus Einfluß auf Klinger,* Berkeley und Los Angeles 1912. Bedeutender H.M. Wolff, «Der Rousseaugehalt in Klingers Drama *Das Leidende Weib*», *JEGP,* XXXIX (1940), 355–375.

[14] *Sämmtliche Werke,* hg. von C. Schüddekopf, Leipzig 1902–1926, IX, 81 f. Dazu Max Kommerell, *Jean Pauls Verhältnis zu Rousseau,* Marburg 1925, S. 46 ff.

Johann Jacob Rousseau gegen die Zweckmäßigkeit der von diesem vorgetragenen natürlichen Religion Bedenken vorgebracht hatte, Rousseau für den «einzigen unter den Franzosen» hielt, «qui spectatorem oblectat»[15].

Freilich: bei den meisten Stürmern und Drängern ging das Verständnis Rousseaus nicht sehr tief, und ihre Verherrlichung des Franzosen beruhte zum Teil auf einem schöpferischen Mißverständnis, insofern sie aus seinen Schriften zumeist eben nur die Bejahung eines kulturlosen Natürlichkeitskultes und radikale Zivilisationsfeindschaft herauslasen.

Hier soll in diesem Zusammenhang auf eine Schrift hingewiesen werden, die in den Untersuchungen zur Rousseau-Auffassung des deutschen Sturm und Drang bisher übersehen worden ist. Es handelt sich um die *Remarks on the Writings and Conduct of J. J. Rousseau*, die 1767 anonym erschienen (London: Johnson) und den Schweizer Johann Heinrich Füßli zum Verfasser haben, was bald nach dem Erscheinen des Werks bekannt wurde. Aber nicht darum verdient dieses Buch ans Licht gezerrt zu werden, weil es seither vernachlässigt worden ist, sondern aus vier Gründen sachlicher Art: 1. Die *Remarks* stellen die erste selbständige Schrift über Rousseau von einem deutschsprachigen Verfasser dar. 2. Sie bringen die erste Gesamtdarstellung der Lehren des Genfers. 3. Sie bekunden ein tieferdringendes und ausgewogeneres Verständnis Rousseaus als die anderen zeitgenössischen Stellungnahmen zu diesem *enfant terrible* der Philosophiegeschichte, ja: ein Verständnis, das dem heutigen nahekommt. Schließlich ist ein näheres Eingehen auf die Schrift verlockend, weil sich die Wissenschaft in den letzten Jahren erneut und nachdrücklich der großen Bedeutung ihres Verfassers bewußt geworden ist; und wir wissen, daß Rousseau es war, der den jungen Füßli am stärksten interessiert und beeinflußt hat[16].

Um damit zu beginnen: die von verschiedenen Seiten aufgenommenen Bemühungen um eine höhere Einschätzung des Dichters und Malers Füßli (1741 bis 1825) sind zum Teil getragen von dem Wissen von der außerordentlich hohen Achtung, die ihm von seinen Zeitgenossen, Cowper, William Blake, Hazlitt, Leigh Hunt, Bodmer, Lavater, Herder, Zimmermann und zeitweise auch von Goethe, entgegengebracht wurde. Sein Gemälde «Die Nachtmahr» («The Nightmare») war eine Sensation für das 18. Jahrhundert[17]. Der junge

---

[15] *Sämtliche Werke*, hg. von B. R. Abeken, Berlin 1842/43, X, 191.

[16] Eudo C. Mason, *The Mind of Henry Fuseli, Selections from his Writings*, London 1951, S. 158. Eine zeitgenössische Stimme über Füßli als Rousseauisten bei William Godwin, *Memoirs of Mary Wollstonecraft*, hg. von Clark Durant, London 1927, S. 59. Eine Füßli-Bibliographie zu geben, ist hier nicht der Ort. Vgl. die bibliographischen Hinweise in Anm. 1 meines Aufsatzes «Füßli und Shakespeare», *Neuphilologische Mitteilungen*, LVIII (1957), 206–215.

[17] Siehe Ernst Beutler, «Johann Heinrich Füßli», *Goethe*, IV (1939), 19.

Zürcher gehörte dem Kreise Bodmers und Breitingers an und mußte 1763, nachdem er zusammen mit Lavater eine behördliche Korruption aufgedeckt hatte, seine Heimat verlassen. Auf Veranlassung Bodmers und Sulzers ging er dann im folgenden Jahr in Begleitung des englischen Gesandten in Berlin, Sir Andrew Mitchell, nach London, wo er zwischen englischen und deutschen Literaturbestrebungen vermitteln sollte. Dieses Vorhaben scheiterte aber an Füßlis Interessenverlagerung, die ihn dann nicht als Literaten, sondern als Professor der Malerei und Keeper of the Royal Academy zu hohen Ehren gelangen ließ. Durch seine geniale Originalität wurde er berühmt und berüchtigt. Obwohl er sich, von Reisen abgesehen, bis zu seinem Lebensende in England aufhielt, blieb er, vor allem durch Lavater, mit dem deutschen literarischen Leben in engem Kontakt und wurde so eine den Zeitgenossen in Deutschland einigermaßen vertraute Gestalt.

«Füßli in Rom ist eine der größten Imaginationen», so stellte Lavater 1773 Herder seinen Freund vor, den er für das originalste Genie seiner Zeit hielt. «Er ist in allem Extrem – immer Original; Shakespeares Maler – nichts als Engländer und Zürcher, Poet und Maler ... Windsturm und Ungewitter – Reynolds weissagt ihn zum größten Maler seiner Zeit. Er verachtet alles ... Sein Witz ist gränzenlos. Er handelt wenig ohne Bleistift und Pinsel – aber wenn er handelt, so muß er hundert Schritte Raum haben, sonst würd' er alles zertreten. Alle Griechischen, Lateinischen, Italiänischen und Englischen Poeten hat er verschlungen. Sein Blick ist Blitz, sein Wort ein Wetter – sein Scherz Tod und seine Rache Hölle. In der Nähe ist er nicht zu ertragen. Er kann nicht *einen* gemeinen Odem schöpfen.»[18] Lavater schickte Füßlis Briefe an Goethe weiter, der sich brennend für den jungen Schweizer Schriftsteller und Künstler interessierte, und durch ihn gelangten sie schließlich in die Hände Herders, Hamanns, Mercks und weiterer Kreise – überall begeistert aufgenommen. «Genie wie ein reißender Bach» nennt Herder ihn einmal[19].

Besonders wurde man aber in Deutschland auf das Rousseau-Buch aufmerksam, und zwar gerade an der richtigen Stelle. Hamann besprach die *Remarks on the Writings and Conduct of J.J. Rousseau* gleich nach Erscheinen, im Juli 1767, in nicht weniger als drei Nummern der *Königsbergischen Gelehrten und Politischen Zeitungen* ausführlich und zustimmend und druckte fast die ganze Vorrede und einen Teil aus dem ersten Kapitel in eigener Übersetzung ab[20]. Für den Verfasser des Werks hielt er, wie eine Zeitlang auch das englische Lesepublikum, Laurence Sterne. Sofort machte er Herder (Brief vom 29. Juli 1767) von seinem Fund Mitteilung, der dafür am 5. September

[18] *Aus Herders Nachlaß*, hg. von H. Düntzer und F. G. v. Herder, Frankfurt 1857, II, 68.
[19] *Herders Briefe an Joh. Georg Hamann*, hg. von O. Hoffmann, Berlin 1889, S. 85.
[20] Wiedergedruckt bei Unger S. 872–878.

« verbindlichst » dankte und bemerkte, « wenn *Warton* über Pop. Gen. u. Schr. der Übers. würdig gewesen: so dies eher » [21]. Vier Jahre später, in Straßburg, scheint Herder Füßlis Schrift ein zweites Mal gelesen zu haben (wenn er sie 1767 schon gelesen hatte), und zwar mit großem Interesse, denn er zitiert in einem offenbar nur fragmentarisch erhaltenen Brief an Merck (« Straßburg 1771 ») nicht weniger als drei Seiten lang aus den *Remarks*, ohne allerdings (in der erhaltenen Partie des Briefes) Verfasser und Titel zu nennen [22]. Seine rückhaltlose Zustimmung drückt sich aus in Wendungen wie: « So urteilt doch noch wenigstens ein Mann ». Hans Wolff hat in seiner eindringlichen Studie über Herders wechselndes Verhältnis zu Rousseau festgestellt, daß eben um diese Zeit (1771), also gerade zur Zeit der Lektüre jenes englischen Buches über Rousseau, Herder nach jahrelanger kritischer Distanz plötzlich erneut eine positive Einstellung zu Jean-Jacques gewinnt und besonders dessen philosophische Leistung anerkennt. « A man in the theory », zitiert Herder aus Füßlis Buch, und Wolff bemerkt: « Mit diesen Worten wird ja gerade Rousseau als Philosoph besonders anerkannt, eine erstaunliche Tatsache, wenn man bedenkt, daß Herder noch vor kurzem gerade von dem Philosophen nicht weit genug abrücken konnte. » [23] Es ist eine verlockende und nicht ohne weiteres von der Hand zu weisende Vermutung, daß es eben das Füßlische Büchlein war, das einen entscheidenden Antrieb zu dieser positiven Rückwendung zu Rousseau gab; das um so mehr, als diese neue Nähe zu dem Genfer ja nicht mehr von jugendlich unkritischer Begeisterung bestimmt war, sondern ein tieferes Eindringen in dessen eigentliches Thema bekundet, wie es Füßli in den *Remarks* bereits erreicht hatte. Und später noch, im Oktober 1773, als Herder durch Lavater von Füßli hört, ist sein erster Gedanke: « Und ebenso bitte ich mir doch angelegentlichst Nachrichten von dem Füßli aus, der eine Zeit in England war. Auch hätten Sie kleine Sächelchen von ihm (der *Essay on Rousseau* soll, glaub' ich, auch von ihm sein), so finden Sie wohl eine Gelegenheit einmal, und es soll mich sehr freuen. » [24]

Nicht nur seine Bedeutung in der Geschichte der Rezeption Rousseaus, sondern auch das Interesse, das man ihm in Deutschland entgegenbrachte, rechtfertigt es, auf Füßlis lange unbekannt gebliebenes Buch [25] näher einzugehen.

---

[21] *Herders Briefe an Hamann*, S. 38. Gemeint ist Wartons *Essay on the Genius and Writings of Pope.*

[22] *Herders Lebensbild*, III, Teil 1, Erlangen 1846, S. 321–323. Vgl. Guthke, « A Note on Herder and Rousseau », *MLQ*, XIX (1958), 303–306.

[23] S. 779 ff. Zitat S. 782.

[24] Aus *Herders Nachlaß*, II, 63 f.

[25] Nach der ersten Veröffentlichung dieser Studie brachte E. C. Mason einen Neudruck heraus (Zürich 1962). Ein von mir herausgegebener Teildruck erschien 1960 in der Reihe der *Augustan Reprint Society*, Los Angeles.

Füßlis Interesse für Rousseau geht bereits in seine Zürcher Jugendjahre zurück[26], besonders hat es Jean-Jacques' Zivilisationsfeindschaft dem Schweizer Stürmer und Dränger angetan. Zu dem Buch von 1767 führte jedoch ein bestimmter Anlaß: der recht unphilosophisch-persönliche Streit zwischen Rousseau und Hume, der im Jahre 1766 die literarische Öffentlichkeit in England und auf dem Kontinent leidenschaftlich bewegte. Die Tagespresse griff in die Auseinandersetzung ein, Pamphlete ephemeren Charakters erschienen in London und Paris, namentlich Ralph Heathcotes *Letter to the Hon. Mr. Walpole concerning the Dispute between Mr. Hume and Mr. Rousseau* (London 1767), Marianne de la Tour de Franquevilles *Lettre à l'auteur de la justification* ... (Paris 1766) und Burnaby Greens *Defense of Mr. Rousseau against the Aspersions of Mr. Hume, Mr. Voltaire and their Associates* (London 1766), schließlich Humes eigener *Concise Account of the Dispute between Mr. Hume and Mr. Rousseau* (London 1766, französisch im gleichen Jahr als *Exposé succinct de la contestation qui s'est élevée entre M. Hume et M. Rousseau*). Während aber alle diese Schriften sich nicht über die Lappalien eines persönlichen Mißverständnisses erheben, ist Füßlis im April 1767 sehr hastig gedruckte Schrift die einzige, die mit den Bemerkungen über Rousseaus Charakter und Verhalten eine verständnisvolle, kenntnisreiche und noch heute lesenswerte Analyse der Lehre des Genfers verbindet, die diese kritisch und kompetent verteidigt, und das zu einem Zeitpunkt, als – wie Rousseau jedenfalls meinte – die Sympathie für den Genfer Philosophen in England fast auf Null gesunken war; schrieb Rousseau doch im Frühjahr 1767 an den General Conway: «Ma diffamation est telle en Angleterre que rien ne l'y peut relever de mon vivant.»[27]

Exzentrisch wie immer, wie auch in der Abfassung der Schrift selbst, hatte Füßli keine Hemmungen, selber eine Rezension zu verfassen, in der er besonders herausstellte: das Verdienst des Verfassers bestehe nicht so sehr in der Darstellung der Lehre Rousseaus, sondern «he has opinions of his own, so singular, so novel, and, like a true critic, so independent of his author»[28]. Die übrige englische Tagespresse lehnte das Buch größtenteils ab, und zwar auch wegen des schwerverständlichen, bizarren Sturm-und-Drang-Stils; darüber hinaus mag es der durchgehend polemische Ton des Buches gewesen sein – Füßli ist mit den zeitgenössischen Rousseau-Auffassungen intim, beinah fachwissenschaftlich vertraut –, der zu scharfer Kritik herausforderte. Vor

---

[26] Dazu Mason im Vorwort zu seinem Neudruck, S. 39 f.

[27] Nach Jacques Voisine, *J.-J. Rousseau en Angleterre à l'époque romantique*, Paris 1956, S. 11.

[28] *Critical Review*, Mai 1767. Abdruck bei Mason, *The Mind of Henry Fuseli*, S. 134 bis 136. Mason schreibt diese Besprechung mit gutem Grund Füßli selbst zu.

dem Forum der heutigen Kritik allerdings macht Füßli eine weit bessere Figur. Gleich in dem (von Hamann übertragenen) Vorwort setzt Füßli mit seiner Polemik ein. Er bedient sich der Fiktion, er sei lediglich der Herausgeber des Büchleins, ein Bekannter sei der Verfasser; und als Editor nimmt er die Gelegenheit des Vorworts wahr, dem Leser seine Unzufriedenheit mit dem Buch zu versichern. Denn der Autor handle von der Wahrheit, und die sollte besser nicht ans Licht der Öffentlichkeit gelangen, da sie, wie die Geschichte der religiösen und politischen Gewaltakte lehre, nur Unheil anrichte. Er spricht von den «fürchterlichen Konsequenzen indiskreter Wahrheit», wie sie in Rousseaus Schriften vorliege, und vor allem hat er dabei die Verwirrungen im Auge, die die Verwirklichung von Rousseaus «verderblicher» Doktrin in den traditionell konstituierten Formen des kirchlichen und staatlichen Gemeinschaftslebens heraufbeschwören würde. Das ist natürlich Anpreisung durch Ironie, jene vitale Ironie, die durch das ganze Buch hindurch den Ton beherrscht. Nur ist sie in den übrigen Partien stärker sachlich gebunden, und zwar ist die Schrift so angelegt, daß in den ersten sieben Kapiteln die bis 1767 erschienenen Hauptschriften des Genfers mit originellem Einfallsreichtum und gelehrsamem Anmerkungsapparat kritisch durchgesprochen werden, während die drei letzten Kapitel (aus denen Herder vor allem zitiert) der Apologie von Rousseaus Charakter gewidmet sind. Die Werkdeutungen jedoch verbinden Analyse mit Kritik, wie denn schon gleich am Beginn des ersten Kapitels festgestellt wird, nicht nur Dankbarkeit, sondern auch Entrüstung («indignation») hätten zu dem vorliegenden Buch Anlaß gegeben.

Die Bemerkungen zum ersten *Discours* («Si le rétablissement des sciences et des arts a contribué à épurer les mœurs») im ersten Kapitel nehmen energisch gegen die landläufige Auffassung Stellung, Rousseau habe Wissenschaft und Kunst in Bausch und Bogen verwerfen und aus der gegenwärtigen Gesellschaftsverfassung ausmerzen wollen. Vielmehr habe es dem Philosophen in Wahrheit ferngelegen, Unwissenheit als Voraussetzung der Tugend zu proklamieren. Das sei gerade eine von Rousseaus Feinden wie Stanislaus von Polen und Voltaire unterschobene Fehldeutung der Lehre. Zwar habe Rousseau dargetan, wie die Pflege der Künste und Wissenschaften historisch zu Verfallserscheinungen geführt habe; dazu habe es aber nur kommen können, weil die Beschäftigung mit Künsten und Wissenschaften sich aus niederen Trieben herleitete, was nicht notwendig der Fall sei. Was aber den derzeitigen Gesellschaftszustand betreffe, so habe er im Gegenteil die Wissenschaft und ihre Wahrheit gerade zum Höchsten gerechnet, ja, zum Attribut Gottes gemacht und die Künste als die von der «Natur» gewollten Freuden der Menschheit bezeichnet. Mehr noch: Rousseaus eigentliche Meinung sei die, daß gerade die Pflege der Künste und Wissenschaften die öffentliche Moral aufrechterhalten könnte, das heißt, sie könnte jene Sittenreinheit im modernen *état civil* bewahren, die dem Menschen auf seiner kulturlosen Primitivstufe ursprünglich wesenhaft zukam. Füßli erfaßt also durchaus den nicht eben auf der Hand liegenden, von der heutigen Forschung erkannten fundamentalen Ansatz des Rousseauschen Denkens, der in dem Bemühen besteht, noch im Stande staatlich organisierten, zivilisierten Daseins die naturhafte Ursprünglichkeit nach Maßgabe der praktischen Möglichkeit zu erhalten. In eigenwilliger Weiterführung Rousseauscher Denkweise entwickelt Füßli denn auch seine eigene recht autoritär-aristokratische Theorie des Beieinanderbestehens von Primitivität und Urbanität. Sie geht dahin, die Wissenschaften und Künste auf die nützlichen zu beschränken und sie dann dem Genie vorzubehalten, da sie den kleineren Geistern und der Masse mehr Unheil als Segen brächten. Sieht man von der Juvenilität dieses praktischen Vorschlags ab, so spricht doch aus der zugrunde liegenden Auffassung Rousseaus wieder eine Stimme, die ihrer Zeit voraus ist. Denn dem 18. Jahrhundert galt Rousseau gemeinhin als Verächter der Kultur und Anwalt der radikalen Rückkehr zu naturhafter Primitivität und wurde als solcher entweder verehrt oder verketzert.

Ebenso in die Zukunft weist im zweiten Kapitel die Auslegung des zweiten *Discours* («Quelle est l'origine de l'inégalité parmi les hommes, et si elle est autorisée par la loi naturelle?»). Seine innere Verbindung mit dem ersten *Discours* erkennt Füßli richtig darin, daß er sich um eine philosophische Analyse der Voraussetzungen des ersten bemühe. Auch hier zieht der Schweizer Landsmann über die geläufige Auffassung her, Rousseau habe empfohlen, zur «Natur» zurückzukehren in dem Sinne, daß der *état primitif* des auf allen vieren tappenden, Eicheln fressenden und in seinem tierischen Liebesleben aufgehenden Wesens rekapituliert werden solle. Der Wortlaut der Meinungsäußerungen des Genfers entbehre jeder Grundlage für diesen populären Vorwurf. Man erkennt: wieder die Einsicht in die eigentliche, unter Widersprüchen und Übertreibungen verborgene Absicht Rousseaus: ein Optimum von Natur im gegenwärtigen Sozialzustand zu bewahren. Wie weit Füßli seinen Zeitgenossen in dieser Interpretation voraus war, profiliert sich etwa vor dem Hintergrund von fast gleichzeitigen und späteren repräsentativen deutschen Kommentaren zu Rousseaus Primitivismus. Mendelssohn zum Beispiel meinte 1756 Rousseau so verstehen zu müssen, «daß wir besser thäten, wenn wir uns nicht ferner von dem Vieh entfernten», und protestierte: «Ehe mein Leben wie das Leben eines Wilden, ohne Menschenliebe und Freundschaft dahinschleichen sollte, lieber lasse mich das Verhängniß ...»[29] Noch krasser las Wieland 1770 aus dem zweiten *Discours* den Rat an den Menschen heraus, «in die Wälder zu den Orang-Utangs und den übrigen Affen, ihren Brüdern,

[29] *Gesammelte Schriften*, I, 391, 381.

zurückzukehren, aus welchen sie eine unselige Kette von Zufällen zu ihrem Unglücke herausgezogen habe», oder: «zu unserer ursprünglichen Gesellschaft, den Vierfüßigen, in den Wald zurückzukehren.»[30] Und noch 1778 verkündete J.G. Jacobi als die Lehre des Franzosen: «Kommt in die Wälder und werdet Menschen.»[31] Füßli dagegen ist noch zu Rousseaus Lebzeiten – mit Kant wohl als einziger – zu jenem kaschierten einheitlichen Sinnkern der Rousseauschen Lehre vorgestoßen, den Gustave Lanson mit folgender Frage formuliert hat: «Comment, sans retourner à l'état de nature, sans renoncer aux avantages de l'état de société, l'homme civil pourra-t-il recouvrer les biens de l'homme naturel, innocence et bonheur?»[32] Schon aus der neunten Anmerkung zum zweiten *Discours* war diese Deutung zu entnehmen: «Quoi donc! faut-il détruire les sociétés, anéantir le tien et le mien, et retourner vivre dans les forêts avec des ours? conséquence à la manière des mes adversaires, que j'aime autant prévenir que de leur laisser la honte de la tirer»[33]. Im vierten Buch des *Emile* ist ebenfalls klipp und klar – wenn auch von den Kritikern des 18. Jahrhunderts mit Vorliebe übersehen – ausgesprochen, wie Rousseau seine Rückkehr zur Natur verstanden wissen will: «Voulant former l'homme de la nature, il ne s'agit pas pour cela d'en faire un sauvage et le réléguer au fond des bois; mais qu'enfermé dans le tourbillon social, il suffit qu'il ne s'y laisse entraîner ni par les passions ni par les opinions des hommes; qu'il voie par ses yeux, qu'il sente par son cœur: qu'aucune autorité ne le gouverne hors celle de sa propre raison.»[34] Das zeitgenössische Echo hielt sich jedoch, wie die oben angeführten Beispiele verdeutlichen, nicht an solche Kernstellen, sondern nahm die an der Oberfläche liegende Zivilisationsfeindschaft und den scheinbaren Radikalprimitivismus als das letzte Wort Rousseaus, ließ sich also von dem allgemeinen Tenor, nicht von den eigentlich sinngebenden Nuancen bestimmen. Füßli dagegen bot seinen Lesern eine zureichende Interpretation, und so ist es kein Wunder, daß sie von den größeren Geistern der Zeit, Hamann und Herder insbesondere, begierig aufgegriffen wurde.

Am klarsten kommt die erwähnte Bemühung Rousseaus um eine Synthese von Naturhaftigkeit und staatlich-gesellschaftlicher Daseinsweise noch im *Emile* zur Geltung. Das hat Füßli wieder klar erfaßt (Kapitel 3), ebenso wie er die bloße Scheinbarkeit des Extrems in den Rousseauschen Frühschriften aufgedeckt hatte. Beredt macht Füßli seinen Lesern klar, daß es sich bei dem *Emile* nicht um eine Spielerei der Phantasie, um die Konstruktion eines

---

[30] *Sämtliche Werke*, XIV, 147, 153.
[31] *Der Teutsche Merkur*, September 1778, 3. Quartal, S. 206.
[32] «L'Unité de la pensée de J.-J. Rousseau», *Annales Société J.-J. Rousseau*, 1912, S.16.
[33] *Œuvres Complètes*, Paris (Hachette), 1909, I, 138.
[34] Ebd., II, 226.

wunschbildlichen Einzelfalls handelt, sondern um den Weg zu einer Neubegründung der Bildung und Gesittung im derzeitigen Gesellschaftszustand, der also auch hier keineswegs aufgegeben, sondern nur aus den Kräften der Ursprünglichkeit belebt werden soll. Was die Durchführbarkeit dieser Hoffnung angeht, so macht Füßli sich mit dem Genfer leidenschaftlich zum Anwalt der *bonté naturelle*, die er gegen die christliche Erbsündelehre verteidigt. Besonders setzt er sich auch gegen die Angriffe auf Rousseaus ungezügelten Stil zur Wehr; denn eben der leidenschaftsbestimmte Ton des Buches erscheint dem Stürmer und Dränger als Anzeichen dafür, daß « there is more than head, art, memory – there is truth, sentiment, soul! Such is the language of Genius ». Gerade von hier aus spürt man wieder die Sorgfalt von Füßlis Urteil: obwohl offensichtlich die Sympathien des Stürmers und Drängers bei den Sturm-und-Drang-Elementen des Rousseauschen Gedankenguts liegen, unterscheidet sich Füßli doch gerade darin von den übrigen «Originalgenies», daß er Rousseau nicht in Bausch und Bogen als Stürmer und Dränger auffaßt mit dem vereinfachten Evangelium vom Zurück zur Natur im primitiven Sinne, sondern ihn – bei aller Leidenschaftlichkeit der Darstellung – viel besonnener als den Mann der Synthese zu beurteilen versteht, als der uns Rousseau heute erscheint.

Als einsichtsvoller Literaturkritiker erweist sich Füßli in seiner Besprechung der *Nouvelle Héloïse* (Kapitel 4), wo er gegen die verständnislose Kritik der Aufklärung zu Felde zieht, ganz wie es Hamann in den *Chimärischen Einfällen* getan hatte, als er Rousseaus Roman aus künstlerischen Gründen gegen Mendelssohns Angriffe rechtfertigte. Den häufigen Vorwurf[35], die Schilderung der überschwenglichen Liebe von Julie und St-Preux könnte nachteiligen Einfluß auf die Moral jener Leser haben, die dem eigentlichen Thema, nämlich der Selbstbeherrschung dieser Liebe, nicht allzuviel Aufmerksamkeit zu schenken bereit seien, entkräftet Füßli, ähnlich wie Rousseau im zweiten Vorwort zu dem Roman, mit der Überlegung, daß derartige Wirkung nur bei bereits zuvor bestehender sittlicher Verdorbenheit eintreten könne und folglich jeder Versuch zur Hebung der öffentlichen Moral bei der Reform der häuslichen Sitten ansetzen müsse. Wolmar rettet er vor dem Vorwurf absurder Leichtsinnigkeit, indem er gerade menschliche Größe darin sieht, daß dieser den früheren Liebhaber seiner Gattin in sein Haus einlädt. Einen viel subtileren Einwand gegen Rousseaus Menschengestaltung bringt Füßli jedoch selbst mit dem Gedanken, daß Wolmar, der gänzlich Leidenschaftslose, doch kaum den Grad der in St-Preux und Julie noch glimmenden Leidenschaft hätte abschätzen können. Er sieht darin eine künstlerische Schwäche des Romans. –

---

[35] Beispiele bei Voisine S. 18f. Vgl. Henri Roddier, *J.-J. Rousseau en Angleterre au XVIIIᵉ siècle*, Paris 1950, Kapitel über die *Nouvelle Héloïse*.

Herder zitierte aus Füßlis Abschnitt über die Frage: Warum stirbt Julie in der *Nouvelle Héloïse?* Der aufgeklärte Geist hatte an dieser tragischen Wendung des Romans Anstoß genommen. Füßli dagegen rechtfertigt Rousseaus Verfahren höchst feinsinnig aus Gründen künstlerischer Ökonomie und Perfektion und erreicht damit eine Position, auf der er sich löst von den populären Anschauungen des Vernunftzeitalters über die poetische Gerechtigkeit und mit dem vertieften Sinn für Tragik, der ihn auch zu Shakespeare hinzog, rein künstlerisch werten kann. Darin war er seiner Zeit um Jahre voraus. Und um so achtenswerter ist diese Leistung, als sie ja nicht vom Geist blinder Rousseau-Verherrlichung getragen ist, sondern von kritischer Besonnenheit.

Für die restlichen Kapitel genügen kurze Hinweise, da diese Teile des Buches weniger bedeutende Punkte betreffen. Im 5. Kapitel über den Brief an d'Alembert, in dem Rousseau die Errichtung eines Theaters in Genf vorschlug, aber zugleich Bedenken gegen die Schauspielhäuser im allgemeinen vorbrachte, wendet Füßli sich wieder mit ganzem Herzen gegen die Aufklärung: das Theater übe keine moralisch positiven Wirkungen aus, vielmehr sei es ein Herd der sittlichen Verderbnis. Mit ebensoviel Verve hatte Sulzer 1760 in den schon erwähnten «Philosophischen Betrachtungen über die Nützlichkeit der dramatischen Dichtkunst» gerade das Gegenteil behauptet. – Die politischen Schriften Rousseaus werden nur kurz erwähnt (Kapitel 6), weil, wie es sarkastisch heißt, die gegenwärtigen staatlichen Verhältnisse bereits zu korrupt seien, als daß Rousseaus allzu einfache Verbesserungsvorschläge verwirklicht werden könnten. Der nachdrücklichen Feststellung, Frankreich habe keine nennenswerte eigenständige musikalische Leistung hervorgebracht (angelegentlich der *Lettre sur la musique française*), folgt am Schluß des 7. Kapitels ein zusammenfassendes Porträt des Literaten Rousseau, das sich zu zitieren lohnt:

He had a clearness and precision of ideas which furnished him with expressions of almost intuitive justness; he had not read so much as meditated; his talent was to reduce a book to one idea, to encompass the sphere of possibilities, and to compare them with existence. Master of nature's boldest strokes, and all its simplicity, he was luxuriant, yet modest, and true to virtue, though courted by the passions. His delicacy of mind was such, that he would immediately discover the most remote or disguised resemblance, or deviation of moral principles, Familiar with man in his different states, he knew his springs of activity, his rights, his strength, his foibles. He had besides, one peculiar advantage over the rest of those who call themselves wise, that, free of systems, partisans, and sects, he steered right onward, seized the good and the true with that strength and elegance of fancy, that effusion of sentiments which first forced him to write. Take all together, and you have an elegant and nervous writer, the purest moralist, the most penetrating politician – and a good man.

In den Schlußkapiteln berührt Füßli dann den Streit Rousseaus mit Hume. Die Haltung des Genfers sucht er dabei mit ebensoviel Sympathie wie Bemühung um Gerechtigkeit gegen den Vorwurf der mangelnden Integrität in Schutz zu nehmen und seine anfechtbare Handlungsweise psychologisch zu rechtfertigen, ohne sich jedoch nun zum entschiedenen Parteigänger Rousseaus zu machen. In solcher Überlegtheit des Urteils kommt Füßli weit über jene rückhaltlose leidenschaftliche Märtyrer-Eulogie hinaus, die zum Beispiel H. P. Sturz und auch Jacobi noch mehr als zehn Jahre später dem von Land zu Land verjagten Jean-Jacques widmeten[36]. Klarsichtig erkennt Füßli übrigens auch hinter der Auseinandersetzung zwischen Rousseau und Hume den grundsätzlichen Konflikt von Irrationalismus und Aufklärung.

Aber wichtiger als Füßlis Einschätzung der Persönlichkeit Rousseaus ist in unserem Zusammenhang seine Deutung der Hauptpunkte der Lehre des Philosophen, und dort, so ließ sich zeigen, kam er in einzigartiger Weise erheblich über die zeitgenössische Rousseau-Auffassung hinaus, ja näherte sich bereits heutigen Anschauungen von dessen Bedeutung. Mit Recht hat Roddier – allerdings ohne nähere Begründung und Nachweise – festgestellt: «Fuseli semble avoir épousé toutes les nuances de sa pensée, ses retours subtils, et retrouvé sa logique interne sous les multiples contradictions de surface.»[37] Gerade diese Leistung Füßlis macht sein Rousseau-Buch für den Historiker so interessant, und sie wird es gewesen sein, die bei den führenden Köpfen der jungen literarischen Bewegung in Deutschland jenen begeisterten Widerhall hervorrief. Darum schien es angezeigt, auf diese bisher überhörte Stimme im deutschen Rousseauismus aufmerksam zu machen.

---

[36] Sturz, «Denkwürdigkeiten von Johann Jakob Rousseau», *Schriften*, I, Leipzig 1779. Jacobi, *Der Teutsche Merkur*, September 1778, S. 201–218.

[37] Roddier S. 305.

ALFRED KERR
UND GERHART HAUPTMANN

I

Der wahre Kritiker, hat Kerr wiederholt bemerkt, müsse zu Extremen neigen. Er solle wie der biblische König David die Schleuder und die Harfe handhaben und sonst nichts[1]. Ob Kerr sich selbst immer an diese Empfehlung gehalten hat, ist freilich die Frage, besonders auch im Falle seiner Hauptmann-Kritiken. Doch auch wenn es gelegentlich den Anschein hat, als wirke er mit Schleuder und Harfe zugleich, dann kann nie ein Zweifel darüber bestehen, welches Instrument er mit der linken Hand gebraucht, ob er also für oder wider den Gegenstand seiner mehr gefürchteten als geschätzten Aufmerksamkeit eingestellt ist. Kaum aber hätte er 1917, als er sich in der Vorrede zu seinen *Gesammelten Schriften* wieder einmal programmatisch zur Denkform des radikalen Entweder-Oder, entweder Schleuder oder Harfe, bekannte, voraussehen können, daß er als Hauptmann-Kritiker seine beiden «symbolischen Werkzeuge» eines Tages plötzlich und endgültig austauschen würde. Genau das ist aber, wie man weiß, geschehen, als Gerhart Hauptmann es 1933 vermied, öffentlich gegen das Hitler-Regime aufzutreten. Hauptmanns Haltung gegenüber dem Nationalsozialismus ist, nach den darüber vorliegenden Veröffentlichungen zu urteilen, vielleicht ein Problem, das selbst heute noch nicht *sine ira et studio* behandelt werden kann[2]. Was die einen als Festhalten am Recht auf Heimaterde deuten, berührt die anderen als Versagen und Verrat; und wenn die einen auf die unpolitische Natur des Dichters weisen, liegt es für die andern nahe, auf die politische Agitation Hauptmanns nach dem Ersten

[1] Alfred Kerr, *Gesammelte Schriften. Erste Reihe: Die Welt im Drama*, Berlin 1917, I, 8 (1904). 1917 wiederholt: ebd. I, vii. Über Kerr vergleiche man besonders C. F. W. Behl, «Alfred Kerr», *Deutsche Rundschau*, LXXV (1949), 909–912; Max Rychner, «Alfred Kerr», *Neue Schweizer Rundschau*, XVI (1948/49), 411–423; Robert Faesi, «Alfred Kerr», *Neue Rundschau* (1949), 144–155; Robert Musil, *Tagebücher, Aphorismen, Essays und Reden*, Hamburg 1955, S. 755 ff.; M. T. Körner, «Zwei Formen des Wertens. Die Theaterkritiken Fontanes und Kerrs», Diss. Masch. Bonn 1952 (mir nicht zugänglich).

[2] Vgl. noch Walter Muschg, *Die Zerstörung der deutschen Literatur*, 3. Aufl., Bern 1958, S. 141 ff. Siehe auch Karl S. Guthke, *Gerhart Hauptmann: Weltbild im Werk*, Göttingen 1961, S. 7 und 182 (Literatur). Weitere Literatur zu Hauptmanns Stellung zum Nationalsozialismus: H. W. Eppelsheimer, *Bibliographie der deutschen Literaturwissenschaft 1945–1953*, Frankfurt 1957, S. 341. In diesem Zusammenhang wird gern auf einen Aufsatz Gerhart Hauptmanns «Ich sage Ja!» verwiesen, der am 11. November 1933 im *Berliner Tageblatt* erschien. C. F. W. Behl hat darauf aufmerksam gemacht, daß der Titel nicht von Hauptmann stammt (*Deutsche Rundschau*, LXXXIV, 1958, S. 894).

Weltkrieg aufmerksam zu machen. Und so weiter. Zutiefst verständlich – für beide Seiten – allerdings bleibt in dieser Kontroverse der Fluch, den Kerr noch im Jahre 1933 unter dem Titel «Gerhart Hauptmanns Schande» aus dem Exil gegen den bislang hochverehrten Freund geschleudert hat[3], gegen «den großen Altruisten», der schwieg, der «dem Raubgesindel schmeichelte», sich mit «den klobigen Gefängniswärtern Deutschlands anfreundete», ein Fluch von erschütternder alttestamentlicher Sprachgewalt und tiefmenschlicher Betroffenheit. Er endet mit den lapidaren Sätzen: «Hier starb jemand vor seinem Tode; verachtet selbst von denen, die von allen verachtet sind. Das ist der Schluß. Sein Andenken soll verscharrt sein unter Disteln; sein Bild begraben in Staub.» Das kühne Wort, das Kerr viele Jahre zuvor ausgesprochen hatte: sein kritisches Werk (für das er bekanntlich den Rang der künstlerischen Leistung beanspruchte) sei «nicht mit dem Schweiß einer Wissenschaftlichkeit» geschrieben, «sondern mit dem Blut eines Herzens»[4] – auf diese Verfluchung trifft es zu, mehr als auf das meiste andere, was wir aus seiner Feder besitzen, aber auch auf vieles, was er sonst über Gerhart Hauptmann geschrieben hat. Denn für seine Hauptmann-Kritiken hat der Ausspruch, der in der Vorrede zur Gesamtausgabe seiner Besprechungen steht, von Anfang an mehr gegolten als für alle anderen: «Der Kritiker spricht von einem Stück ... und meint den ganzen Autor. Er spricht von einem Autor ... und meint sein halbes eignes Leben.»[5]

Daher der Wutausbruch von 1933, das «Dokument eines gebrochenen Herzens»[6], wie man gesagt hat. Noch bemerkenswerter wird diese Wendung vielleicht, wenn man sich an das Geburtstagsgedicht erinnert, das Kerr – seinerseits einige Jahre vorher von Musil ohne Doppelsinn als «der berühmteste deutsche Kritiker» der Zeit gefeiert[7] und von zahlreichen in- und ausländischen Persönlichkeiten des öffentlichen Lebens, Gerhart Hauptmann eingeschlossen, in einer Gedenkschrift gewürdigt[8] – dem siebzigjährigen Haupt-

---

[3] Wiedergedruckt in Alfred Kerr, *Die Diktatur des Hausknechts*, Brüssel 1934, S. 22–28.

[4] *Die Welt im Drama*, I, xvi.

[5] Ebd., I, x.

[6] Willy Haas, *Die literarische Welt: Erinnerungen*, München 1960, S. 304.

[7] Robert Musil, *Tagebücher, Aphorismen, Essays und Reden*, Hamburg 1955, S. 761 (1928).

[8] *Für Alfred Kerr. Ein Buch der Freundschaft*, hg. von J. Chapiro, Berlin 1928. Biographie und Charakterisierung von Chapiro, Bekenntnisse zu Kerr von Hermann Bahr, Richard Beer-Hoffmann, Tristan Bernard, Oscar Bie, Edouard Daladier, Albert Einstein, Theodor Fontane, F. Gémier, Gerhart Hauptmann, Max Hermann-Neisse, Kurt Hiller, Monty Jacobs, Rudolf Kayser, Eduard Korrodi, Henri Lichtenberger, Paul Loebe, Max Meyerfeld, Max Rychner, Arthur Schnitzler, Bernard Shaw, Hermann Struck, Ernst Toller, Siegfried Trebitsch, Theodor Wolff. Ein Aufsatz über den «Kritiker Kerr» von Bernhard Diebold.

mann nur wenige Wochen zuvor gewidmet hatte. Denn da war Kerr ausdrücklich auf die Einstellung des Dichters zu den Zeitereignissen zu sprechen
gekommen. «Der Zustand dieser Zeit ist schlimm», hieß es im Auftakt, und
zwar auch, wenn man in Rechnung stelle, daß die Deutschen als Politiker
schon immer «Wirrnis und Wolken im dunkelnden Deez» getragen hätten.
Aber dann folgten, an Gerhart Hauptmann gerichtet, die Worte:

> Darum hieltest du dich ganz fern
> In den Läuften, die schwül und verschwommen,
> Von dem Kuddelmuddel fern;
> Kämpfende haben's dir übelgenommen,
> Du aber hast nach dem eignen Prinzip
> Kämpfe geführt mit dem eignen Mittel,
> Bist ja der Mann, der die «Weber» schrieb,
> Stehst am Beginn von dem ganzen Kapitel [9].

Ja, Kerr verstand sich sogar dazu, Hauptmanns Zurückhaltung gegenüber den
politischen Fragen so zu deuten, daß er «in Friedrich Wilhelm Nietzsches
Augen (Es ist ein Ruhm) unzeitgemäß» bleibe. Um so unerwarteter die Reaktion von 1933.

Gerhart Hauptmann selbst hat sie gelassen hingenommen. «Bemerkenswert ruhig und leidenschaftslos», heißt es am 10. August 1934 in C. F. W. Behls
Tagebuch, «äußerte er sich über den heftigen Angriff Alfred Kerrs in der
ausländischen Presse, und mit menschlicher Anteilnahme sprach er über dessen Person und die Erinnerungen, die ihn mit Kerr verbinden.» [10] Hauptmanns Noblesse steht auf seiten Kerrs eine Größe anderer Art entgegen. Als
Kerr 1948 in Hamburg, nach fünfzehn Jahren zum erstenmal wieder in
Deutschland, im Sterben lag und Gerhart Hauptmanns Sohn Ivo sich erbot,
ihm zum Zeichen der Versöhnung und des Vergessens einen Besuch abzustat-
ten, da hatte Kerr nur ein höhnisches Auflachen zur Antwort. «Es war etwas
Unmenschliches darin», schreibt der Augenzeuge Willy Haas, «aber auch
etwas Imposantes im Anblick der Ewigkeit.» [11] Denn von dem selbstbewußten
Wort «Unser aller Reich ist von dieser Welt» – in der *Armen-Heinrich*-
Kritik von 1903 – war Kerr längst abgekommen.

Wer so verachten kann, muß tief verehrt haben. Und in der Tat ist Kerr
von Anfang an – seit den Tagen der «Freien Bühne» und des Kampfes um

[9] *Die Neue Rundschau*, XLIII:2 (1932), 578. Die vorhergehenden Zitate: S. 577 und
578, das folgende Zitat: S. 580.

[10] C. F. W. Behl, *Zwiesprache mit Gerhart Hauptmann*, München 1949, S. 34.

[11] Willy Haas S. 304. Das Zitat im folgenden Satz: *Die Welt im Drama*, I, 107. Wor-
auf sich Friedrich Luft stützt, wenn er im Nachwort seiner Ausgabe von *Die Welt im
Licht*, Köln und Berlin 1961, bemerkt, Kerr habe später milder über den Fall Hauptmann geurteilt, ist mir nicht bekannt.

Ibsen und das « naturalistische » Theater in Deutschland – einer der bedeutendsten Schrittmacher Gerhart Hauptmanns gewesen. Er hat sein Talent gleich 1889[12] erkannt und geschätzt – Hauptmanns dramatischen Erstling nannte er « den Sonnenaufgang unserer neuen Kunst »[13] – und den Glauben an Hauptmanns dichterische Größe nie aufgegeben, auch wenn es die unbestechliche Aufrichtigkeit seines kritischen Verhaltens ihm oft schwer machte, an schwächeren Werken, besonders an den späteren, die Hand des Meisters zu würdigen. Sein Wort in dem Fluch von 1933, « Ich war der Wächter seines Werts in Deutschland », besteht zu Recht. Hauptmann hat ihm dafür zeitlebens Dank gewußt. « Unter den ersten klugen und ermutigenden Worten, die im Beginn meiner Laufbahn an mein Ohr schlugen, waren auch Worte von ihm », schreibt er 1927 in der Kerr-Festschrift. « So lange kenne ich seine Stimme, und kennt er die meine. Der weite Weg, den ich bis heute zu gehen hatte, war ziemlich beschwerlich. Dort aber, wo Steinschlag oder ähnliches mir gefährlich zu werden drohte, fühlte ich jedesmal seinen hilfreichen Arm. »[14] Zwar habe es Krisen der Freundschaft gegeben, aber « sie haben meiner Achtung für Kerr niemals Abbruch getan ». Und entsprechend galt – bis 1933 – das gleiche für Kerr[15]. Wenn man bedenkt, wie scharf Kerr doch gelegentlich über Hauptmann geurteilt hat, so ist das gewiß ein Zeugnis, das für beide spricht. Ebenso das « einfache Bekenntnis » zu Kerr, das Hauptmann – ebenfalls in der Kerr-Festschrift – abgelegt hat:

Alfred Kerr ist aus dem lebendigsten literarischen Leben seit dem Ende der achtziger Jahre vorigen Jahrhunderts nicht hinwegzudenken. Das deutsche Theater besonders ist ihm viel schuldig geworden. Die bedeutendsten Dramatiker erfuhren seine Förderung, ebenso die bedeutendsten Schauspieler und jede

---

[12] Er hat *Vor Sonnenaufgang* zwar, soweit ich sehe, nicht gleich im Erstaufführungsjahr besprochen; man vergleiche aber, was er 1909 in der Besprechung einer Neuinszenierung über seinen Eindruck von der 1889er sagt (*Die Welt im Drama*, V, 35). Vgl. auch *Neue Rundschau*, XXXIII (1922), 1166: « Bei Deinem Aufkommen haben wir es geahnt, 1889, – heut wissen es alle. » – Über die frühe Hauptmann-Kritik vgl. F.W.J. Heuser, « Stages in Gerhart Hauptmann Criticism », *Germanic Review*, XII (1937), 106–112 (deutsch in Heusers *Gerhart Hauptmann*, Tübingen 1961, S. 177 ff.), und Eva Krause, « Gerhart Hauptmanns frühe Dramen im Spiegel der Kritik », Diss. Masch. Erlangen 1952 (mir nicht zugänglich).

[13] *Neue Deutsche Rundschau*, VII (1896), 707. Dieser Satz fehlt in dem Neudruck in *Die Welt im Drama*, I, 66.

[14] *Für Alfred Kerr*, S. 107. Vgl. auch den Brief an Kerr vom 3. Dezember 1926 (*Gerhart Hauptmann, Leben und Werk*, Gedächtnisausstellung zum 100. Geburtstag, *Sonderausstellungen des Schiller-Nationalmuseums*, Katalog Nr. 10, S. 231).

[15] Vgl. Kerr in *Für Alfred Kerr*, S. 178: « Die Verbundenheit mit ihm [Gerhart Hauptmann] blieb eine der großen Freuden meines Lebens » (1927). Siehe auch ebd. S. 170.

Bühne, deren Streben von ihm als echt erkannt wurde. Sein Stil, sein bezwingender und gefährlicher Humor haben ihn zu einer bekannten, fest umrissenen Gestalt gemacht. Er ist ein Fechter-Genie, das seine blanke und scharfe Klinge während des Kampfes, nicht ohne Selbstgenuß, in allen Farben der Iris spielen läßt. Kerrs Essays sind, abgesehen von ihren Gegenständen, kleine Kunstwerke. Seine Reisebücher offenbaren eine große impressionistische Gestaltungskraft. Eine reiche Persönlichkeit sieht und bildet zugleich schöpferisch. Wir haben also in ihm eine Erscheinung ersten Ranges auf dem Gebiete der Literatur, deren wir uns freuen dürfen, um so mehr, da sie in voller Frische unter uns weilt.

II

Bis in die frühen dreißiger Jahre hat Kerr fast alle Hauptmannschen Dramen in der Tagespresse, namentlich im «roten» *Tag* und im *Berliner Tageblatt*, besprochen[16], manche gleich nach der Erstaufführung, andere, so *Vor Sonnen-*

---

[16] In der anschließenden Aufstellung werden folgende Abkürzungen verwendet: *WID* = *Die Welt im Drama* (1917); *WID* 1954 = *Die Welt im Drama*, hg. von Gerhard F. Hering, Köln und Berlin 1954 (enthält eine Auswahl aus den fünf Bänden von 1917, dazu spätere Kritiken). Die Daten bezeichnen das Erscheinungsjahr der Rezension. Die Zahlen geben die Seite an, auf der der Aufsatz beginnt. Die Arbeiten in Band V von *WID* behandeln vorwiegend die darstellerische und bühnenkünstlerische Leistung. – (...) bedeutet Kürzung des Zitats durch den Verfasser; Punkte ohne Klammer stehen in Kerrs Text.

Vor Sonnenaufgang: 1909, *WID*, V, 35.
Das Friedensfest: 1907, *WID*, V, 179.
Einsame Menschen: 1910, *WID*, V, 28.
Die Weber: 1921, *WID* 1954, S. 43.
College Crampton: WID, I, 74 (o. J., doch spätestens 1904, vermutlich 1903: siehe Walter Requardt, *Gerhart-Hauptmann-Bibliographie*, Berlin 1931, II, 179).
Florian Geyer: 1896, *WID*, I, 70. 1904, *WID*, II, 255, 258. 1907, *WID*, V, 32.
Die Versunkene Glocke: 1897, *Neue Deutsche Rundschau*, VIII, 101–104.
Fuhrmann Henschel: 1898, *WID*, I, 74.
Schluck und Jau: 1900, *WID*, I, 82.
Michael Kramer: 1901, *WID*, I, 88. *WID*, V, 23. 1932, *WID* 1954, S. 42.
Der Rote Hahn: 1902, *WID*, I, 92.
Der Arme Heinrich: 1903, *WID*, I, 101.
Rose Bernd: 1903, *WID*, I, 113.
Elga [1898 entstanden]: 1905, *WID*, II, 232.
Und Pippa tanzt!: 1906, *WID*, II, 221, 223, 227. 1919, *WID* 1954, S. 50.
Die Jungfern vom Bischofsberg: 1907, *WID*, II, 234.
Kaiser Karls Geisel: 1908, *WID*, II, 207, 217.
Griselda: 1909, *WID*, II, 238, 245.
Die Ratten: 1911, *WID*, II, 246, 252.
Gabriel Schillings Flucht: 1912, *WID*, II, 198.
Festspiel in Deutschen Reimen: 1913, *WID*, V, 188.

aufgang etwa, erst viele Jahre später anläßlich einer Neuinszenierung, manche sogar mehrmals, Episches dagegen nur sehr vereinzelt[17]. Auch zu eigentlichen Gesamtwürdigungen setzt er selten an[18]; was ihn reizt, ist das Einzelwerk. Aber in der Regel gelingt es ihm, auch dies im größeren Zusammenhang der Hauptmannschen Lebensleistung zu sehen: der vergangenen und der erhofften, so daß sich seine Kritik nur selten im Punktuellen verliert. Das zum Bleiben Bestimmte, Wesentliche davon hat er selbst noch ausgewählt und zusammengestellt, und fast nur darauf können wir uns – schon aus praktischen Gründen – stützen, wenn wir von Kerr als Hauptmann-Kritiker zu sprechen versuchen, ganz davon abgesehen, daß ein solches Verfahren auch nur fair ist: Mit musealer Wiederbelebung des ausdrücklich für den Augenblick Bestimmten, in Zeitungen Verstreuten, das man sich anhand der Spezialbibliographien von Ludwig und Requardt leicht zusammenstellen kann, ist der Sache nicht gedient. In Kerrs erster Kritikensammlung (1904) steht zu lesen: «Das Ziel ist also Wesentlichkeit, nicht Vollständigkeit. Es werden etwa von Hauptmanns Werken nicht die oft besprochenen *Weber* oder *Hannele* oder der *Biberpelz* in Abschnitten für sich behandelt. Sondern der Kern des Mannes soll in den Abschnitten durchkommen, in denen ich von ihm spreche.»[19]

Was uns bei der Durchsicht dieses Komplexes der vom Verfasser selbst als «wesentlich» bezeichneten Hauptmann-Kritiken heute vielleicht den größten Eindruck macht, ist – bei aller Verehrung für das Hauptmannsche Schaffen – der Mut zur unbequemen Ehrlichkeit, die Weigerung, ein Blatt vor den Mund zu nehmen, wenn ein negatives Urteil am Platz ist.

Aber nicht nur das: anstatt wie manche Hauptmann-Freunde bei dem holden Ungefähr oder der selbstherrlichen Unverbindlichkeit zu bleiben, hat Kerr seine Urteile in der Regel sorgfältig begründet, sorgfältiger, als seine

---

Der Bogen des Odysseus: 1912, *WID*, II, 260. 1914, *WID*, II, 261.
Der Weiße Heiland: 1920, *WID* 1954, S. 51.
Vor Sonnenuntergang: 1932, *WID* 1954, S. 54.

[17] Man sehe etwa die «Eulenspiegel-Glosse», *Neue Rundschau*, XXXIX:1 (1928), 81–86 («herrliche Fülle», «urkraftvoll»). Über *Die Hochzeit auf Buchenhorst* 1931 im *Berliner Tageblatt*: «Der Leser des Buches fühlt sich fortgerissen und nachdenklich erfrischt, weil der herrliche Mann, der es schrieb, vom Wandel der Dinge nicht erschreckt noch vergällt, ein inneres Festigungsglück selbst, über die Wildheit der Zeiten strahlt» (nach Requardt, III, 401).

[18] Außer dem erwähnten Geburtstagspoem in der *Neuen Rundschau* 1932 vgl. etwa die Breslauer Geburtstagsrede von 1922 ebd., XXXIII, 1166 ff., sowie die Aufsätze in *Die Welt im Drama*, I, 69 (o.J. [1897]); II, 268, 269 (1912); V, 192 (1914).

[19] *Die Welt im Drama*, I, 10. Vgl. Hering in seiner Ausgabe S. 606 «Er war gegen jedes 'Vollständigkeitsgeschwätz'.» – Im folgenden beziehen sich Band- und Seitenverweise auf *Die Welt im Drama* (1917). Bloße Seitenangaben beziehen sich dagegen auf Herings Neuausgabe.

bizarr manierierte Prosa und seine überhebliche Attitüde, die den Kritiker wichtiger nimmt als den Kritisierten (I, xviif.), vielleicht immer durchblicken lassen. Die Werke bis zum *Fuhrmann Henschel* gelten ihm im wesentlichen als unantastbar und endgültig, wie er wiederholt versichert[20]. Fast allen folgenden aber wirft er unermüdlich Unfertigkeit vor: es seien «Zwischenspiele», Entwürfe, erste, zweite Fassungen voller Längen und Spreu, «skizzige Halbdramen» (II, 206), nicht aber vollendete Werke, obwohl auch hin und wieder die Klaue des Löwen zu erkennen sei: nämlich das Werk, das Hauptmann habe schreiben wollen, hätte schreiben können, wenn er es eben hätte reifen lassen, statt es im Vertrauen auf Zugkraft seines Namens oder gar um des Geldes willen voreilig auf den Markt zu werfen[21]. Anderes aber wird schlankweg als nicht einmal unfertig, als gar nicht erst angefangen verrissen: In der Aufführung der *Jungfern vom Bischofsberg* ist sein Herz mit Gusto bei den Zischenden; denn «es kann die Sendung der Kritik nicht sein, Leerheiten zu verteidigen. Traurigkeiten lustig zu finden. Peinlichkeiten zu rühmen. Nichtigkeiten zu stützen. Leichtfertigkeit zu beschönigen» (II, 234). Und in *Kaiser Karls Geisel* – «ein herrliches Werk: nur ungeschrieben» (II, 208) – überrascht es ihn fast, daß ein paar herrliche Stellen «mit unterliefen» (II, 221).

Hauptmann selbst wäre solchen Einwänden wahrscheinlich mit seiner Arbeitsmaxime «Fertigmachen ist selten künstlerisch» begegnet. Diese vermag aber hier – und wenn man sie zu Tode hetzt – nicht zu überzeugen. Denn der einzig legitime Sinn dieses Ausspruchs ist doch wohl in der Bedeutung zu suchen, die Hauptmann der Verlebendigung des Wortes durch das Akustisch-Mimische zuschreibt: der Dramendichter darf dieser Funktion einiges überlassen – aber eben nur unter der stillschweigenden Voraussetzung, daß in der Textgestaltung die einzigartige, mit der Kunst der Andeutung arbeitende menschengestalterische Kraft am Werk ist, die man Gerhart Hauptmann seit eh und je nachgerühmt hat. Was aber Kerr vor allem bemängelt – und das zieht sich seit der Jahrhundertwende wie ein Leitmotiv durch seine Hauptmann-Kritiken –, ist gerade das Nachlassen jener Bildekraft. Den Tiefpunkt erreichte Hauptmann in dieser Hinsicht in *Kaiser Karls Geisel;* von Gersuind meint Kerr: «Das Mädel ist nicht fertig, bloß ihre Eigenschaften liegen herum» (II, 219).

Bevor wir uns auf weitere Einzelheiten einlassen, empfiehlt es sich jedoch, auf den Geist zu weisen, in dem Kerr solche Ausstellungen vornimmt: er

---

[20] Auszunehmen ist davon vielleicht trotzdem *Die Versunkene Glocke,* die Kerr zwar 1897 in der *Neuen Deutschen Rundschau* lobend besprochen hat, auf die er aber in der *Welt im Drama* nicht mehr zu sprechen kommt, außer an einer Stelle, die eine gewisse Skepsis anzumelden scheint (I, 116).

[21] Das Geld-Motiv ist besonders kraß in der Verfluchung von 1933 betont.

schlägt die scharfen Töne nur an, um Hauptmann auf seinen eigenen Wert zurückzuweisen, um die Ansätze zum Vollkommeneren aufzudecken, und schon diese bloßen Ansätze sind ihm Gold wert. So gilt ihm *Michael Kramer* zwar als unfertig, aber mit der einzigen Ausnahme des *Florian Geyer* hat er kein Werk so geschätzt wie gerade dies; denn «nach Allem bleibt es dennoch ein nicht vergänglicher Besitz im abgeschiedenen Raum des Unanrührbarsten, das wir haben» (I, 92). *Gabriel Schillings Flucht* ist ähnlich «ein schlechtes Werk ... aber von ihm» (II, 204). *Und Pippa tanzt* «spricht ja so stark, daß die Ungleichheiten der Ausführung beinah versinken» (II, 229). Selbst anläßlich der in Grund und Boden verdonnerten *Jungfern vom Bischofsberg* sagt er: «Die Zischenden waren bessere Hauptmannianer als Hauptmann, da er das aufführen ließ. Die Zischer fühlten Zorn über eines Dichters Gleichgültigkeit gegen seinen Wert», und zum Schluß: «Geh ins Einsame, werde hart, und komm zurück. Du bist ja doch unser Größter» (II, 235f.). Und wenn Kerr in späteren Jahren auf seine abfälligen Hauptmann-Kritiken zurückblickt, so verschließt er sich der Einsicht nicht, daß der Dichter dennoch «Unvergleichliches» geschaffen habe (II, 235), und fordert gegenüber den noch schärferen Kritikern sogar, das Schwergewicht auf das Positive zu legen, was er selbst jedoch nur sehr vereinzelt getan hatte: «Man hat nicht zu sagen: dies und das ist unvollendet. Sondern: Es klingt! und ruft! und ergreift – es spricht hier etwas ganz Seltnes, menschlich Hohes, etwas, das an den Herzpunkt aller Dinge rührt» (II, 230). So in einer *Pippa*-Rezension von 1906. Und 1908 das Resümee: «Ich konnte nicht immer in der letzten Zeit mit Hauptmann gehen. Ich mußte manchmal die Stimme wider ihn richten. Ich weiß darum doch, daß dieser Mensch von allen jetzigen Deutschen wesensverschieden ist; ich weiß, daß er unser Einziger ist» (V, 25). Schließlich 1917 im Vorwort zu einem Hauptmann-Kapitel in den *Gesammelten Schriften:* «Meine Liebe zu Hauptmann lebt wie am ersten Tag. Doch einen Zeitraum des Lockerns und Nachlassens pagodisch zu beschönigen, ist ihre Sendung nicht. – Mit aller Lockerung bleibt Hauptmann unter den Deutschen (vielmehr: unter den Lebenden) der Stärkste, der Menschen wandeln läßt; rund; um-und-um. In jedem Augenblick fühlt man Odemskräfte, die halb ruhen, aber da sind» (II, 198).

Glücklicherweise ist es Kerr erspart geblieben, diesen Tenor zur Monotonie verharmlosen zu müssen. Er ist öfters gern bereit gewesen, den Aufschwung zu neuer Größe zu diagnostizieren, zaghaft schon in *Und Pippa tanzt*, wenig später wieder in *Griselda*, die er – etwas voreilig, wie ihm rasch klar wird – als den möglichen «Auftakt zur Rückkehr» zu werten versuchte (II, 245). Zuversichtlicher klingt sein Ton aber erst ein Jahrzehnt später, als *Der Weiße Heiland* uraufgeführt wird. Kerr eröffnet seine Kritik mit dem Satz: «In die-

sem Werk fand Hauptmann zu seiner großen Linie zurück» (S. 51) – obwohl
er auch dieses Stück als Ganzes noch keineswegs als «fertig gemacht» bezeichnen kann. *Dorothea Angermann* läßt er gelten[22], und für *Vor Sonnenuntergang* (1932) hat er schließlich nur noch lobende Worte, ja Worte von
einer Ergriffenheit, wie er sie sonst nur über *Michael Kramer* ausgesprochen
hat. «Sein Wiederaufstieg im Alter war mir ein Glück», heißt es ein Jahr
darauf in der Verfluchung Hauptmanns. Um so tragischer das Zerwürfnis.

III

Aber was versteht Kerr unter Hauptmanns «großer Linie»? Da sie, nach
der Entwicklung von Kerrs Hauptmann-Kritik zu urteilen, am klarsten im
frühen Werk, also bis zum *Fuhrmann Henschel*, ausgeprägt sein muß, ist es
angezeigt, den Blick zuerst auf die Bemerkungen über die frühen Dramen
zu richten.

Dabei fällt sofort eins auf: wenn Kerr die Stücke des jungen Hauptmann
mit Vorliebe gegen die späteren ausspielt[23] (und im Eifer des Gefechtes sogar
den Zug zum Kitsch in der *Elga* übersieht), so spielt er nicht, wie das spätere
Kritiker immer wieder getan haben, den «Naturalisten» gegen den «Romantiker» oder «Mystiker» aus. Ganz abgesehen davon, daß er ja Hauptmanns
gesamte dramatische Produktion bis 1898 gutheißt, also auch die Historien-,
Traum- und Märchendramatik, und ausgerechnet vom *Hirtenlied* betont,
«etwas Holderes habe der Dichter nie geschrieben»[24], hat er sich vielmehr
des öfteren gegen die Anwendung der Bezeichnung «Naturalismus» auf das
Werk Hauptmanns zur Wehr gesetzt. Zwar nennt er 1896 in einem (charak-
teristischerweise 1917 nicht wiederabgedruckten) Aufsatz[25] Hauptmann ohne
Umschweife einen Vertreter des Naturalismus im Sinne des Schulbegriffs, aber
schon in den frühsten Kritiken macht sich eine Animosität dagegen geltend,
die der Ausrichtung der modernen Hauptmann-Forschung weitgehend ent-

---

[22] Über *Dorothea Angermann* im *Berliner Tageblatt*, 19. Oktober 1927: «Wer in diesem
lässig, oft staunenswert lässig und breit zusammengeschriebenen Trauerspiel das Genie
nicht wittert, der wird mich kaum verstehn in allem, was nun darüber zu sagen ist»
(nach Requardt III, 386). Vgl. auch die Rezension vom 23. November 1926 (*Sonderausstellungen des Schiller-Nationalmuseums*, Katalog Nr. 10, S. 250).

[23] Vgl. etwa *Neue Rundschau*, 1932:2, S. 579: «Ziemt da dem späten Werk der
zopfige Zank, / Wenn schon das frühe für ein Dasein reicht? / Das letzte Wort heißt:
Dank – und nichts als Dank.» Schon 1912: «Was er früh wirkte, langt schon für ein
ganzes Hiersein; es soll nicht umschattet werden» (II, 274).

[24] *Der Tag*, 17. Dezember 1903, nach Viktor Ludwig, *Gerhart Hauptmann: Werke von
ihm und über ihn*, 2. Aufl., Neustadt 1932, S. 236.

[25] *Neue Deutsche Rundschau*, VII (1896), 87.

spricht[26]. Nun kann man jedoch diesen Gedankengang nicht dahin vereinfachen, daß man sagt, Hauptmann sei Kerr zufolge «kein Naturalist, weil er Ethiker ist»[27]. Vielmehr meint Kerr in späteren Jahren zusammenfassend, Naturalismus sei kein «besonderes Dichtungsgebiet», sondern «etwas aller dramatischen Dichtung Gemeinsames (...) die Grundlage aller dichterischen Gestaltung»[28]. Gemeint ist hier mit dem «Naturalistischen» die unmittelbare menschengestalterische Überzeugungskraft des Theaterdichters – nur in diesem Sinne sei Hauptmann also Naturalist, womit der Ausdruck freilich schon unverbindlich geworden ist. Entsprechend entdeckt Kerr denn auch im *Fuhrmann Henschel* ganz unverstimmt «naturalistische Mittel» der Menschendarstellung (I, 78). Damit sei Hauptmann aber nur scheinbar zum Erfüller des naturalistischen Dramas geworden: «Man war so freundlich, die Sorgfalt und Genauigkeit dieser Lebensbeobachtung festzustellen. Meine Lieben, das ist nicht Sorgfalt: das ist Genie. Das ist nicht Genauigkeit: das ist Intuition. Das ist nicht wohlgetroffen und einwandsfrei: das ist unvergleichlich und staunenswert, und kommt alle hundert Jahr einmal vor; – meine Lieben» (I, 78f.). Das Drama vom Fuhrmann Henschel ist mehr als bloßer Lebensausschnitt, es ist «Lebenssache» (I, 82). Denn «der Satz vom Kopieren des Lebens ist bekanntlich Unsinn» (I, 80), da das «Abschreiben» von vornherein in Bahnen des auswählenden Verhaltens gelenkt werde, dieses aber ein eigenständiges poetisches Weltbild schaffe. Durch den vermeintlichen *coin de la nature* im *Fuhrmann Henschel* strahle mithin eine «Weltanschauung». Diese sei aber keineswegs die des Naturalismus, sondern eher der der klassischen Humanität verwandt[29]. So 1898. Fünf Jahre später kommt Kerr auf etwas anderem Wege zum gleichen Ergebnis: Hauptmanns «Stil» läge weniger im «Naturalismus» als – die Unentbehrlichkeit des «naturalistischen» Verhaltens in der Menschengestaltung vorausgesetzt – in der «Führung von Ereignislinien; in dem Unerwarteten in *Michael Kramer;* in der Ballung in den *Webern;* in der besonderen Melodie der *Einsamen Menschen;* im Rhythmus des *Geyer*-Stücks; in dem Lied und dem Schrei, zwischen denen *Rose Bernd* liegt. Das ist sein Stil. Nicht der beiläufige Naturalismus (...) Dann aber muß ein Punkt in seiner Weltanschauung etwas in uns heute Lebenden treffen, das ihm entgegen-

[26] I, 192: mehr als «nur ein Naturalist». Im dritten Kapitel meines Hauptmann-Buches habe ich die Abgrenzung Hauptmanns vom Naturalismus konsequent durchzuführen gesucht. Die frühere Literatur zum Thema findet sich ebenda im Anmerkungenteil.

[27] Chapiro in: *Für Alfred Kerr*, S. 36 (obwohl Kerr in *Die Welt im Drama*, I, 185, betont, der Naturalist sei *kein* Ethiker!).

[28] I, 117f. vgl. V, 39; S. 55.

[29] Schon 1889 will sein Eindruck von Hauptmann der eines «menschlichen Menschen» gewesen sein (V, 36).

zittert (...) Es ist Hauptmanns Altruismus, aus dem sich *Rose Bernd* ganz auf-
erbaut. Darin steckt jene nicht zu definierende Menschlichkeit, die ihn um-
leuchtet und sakrosankt macht» (I, 118).

Diese zunächst noch unbestimmte Vorstellung von altruistischer «Menschlichkeit» ruft leicht das Klischee «Dichter des Mitleids» auf den Plan, das
Hauptmann selbst abgelehnt hat[30]. Es mag bei Kerr hin und wieder anklingen[31]. Gültig ist es für ihn nicht. Statt dessen füllt sich bei ihm der Begriff der
Menschlichkeit durch den der «Sehnsucht» auf. Hauptmann als Dichter der
Sehnsucht, mit dieser noch kürzlich wieder aufgegriffenen[32] «Wesensformel»
ist Kerrs Hauptmann-Verständnis im Kern erfaßt. Wie sie sich mit dem Prinzip der «naturalistischen» Menschengestaltung verbindet, die für Kerr ein
sine qua non bleibt, zeigt recht deutlich eine Äußerung über die *Weber* aus
dem Jahre 1896, die seitdem nicht wiedergedruckt ist: «Auch hier ein Weltbekenntnis, aber kein differenziertes: ein allgemein altruistisches. Der herrliche Ruf, mit dem die altindischen Dramen schlossen: 'Mögen alle lebenden
Wesen von Schmerzen frei bleiben!' ertönt hier; die grobe, aber tiefwesent-
liche Tatsache, daß jeder Mensch eine Sehnsucht hat, wird fühlen gemacht.
Wenn ein Weltbekenntnis, der Versuch einer Seele, sich mit der Welt aus-
einanderzusetzen, einen psychologischen Beitrag darstellt, ist hier die Kenntnis der menschlichen Seele durch eine kaum dagewesene Fülle von scharfen
Einzelcharakteristiken bereichert.»[33] In einem in den *Gesammelten Schriften*
nur im Auszug enthaltenen und nicht datierten, von G.F. Hering als «un-
datierbarer Nachlaß» bezeichneten, in Wirklichkeit aber schon 1897 in der
Neuen Deutschen Rundschau erschienenen Aufsatz hat Kerr eben diese Sehnsucht, die in den *Webern* «a jeder Mensch hat», zum «tiefsten Grundzug im
Wesen Gerhart Hauptmanns» (I, 69) verallgemeinert. Er feiert sie dort übrigens auch als «Grundton» von Hauptmanns «Künstlerfaust» (*Die Versunkene Glocke*): «Die letzte Grundlage ist sicher jene Sehnsucht nach dem Vollendeten, die auch ohne Mißverständnisse und Verkennungen ein Großer am
schmerzlichsten spürt (...) Eine unaussprechlich zarte Zauberstimmung, aus
Erinnerung und Melancholie gewoben. Sehnsucht, – Sehnsucht!»

Während die bisher herangezogenen Äußerungen Kerrs über Gerhart
Hauptmanns humane «Weltanschauung» noch allgemeine Zustimmung finden mögen, so regen sich doch Bedenken, wenn er gelegentlich versucht, die

---

[30] Dazu Karl S. Guthke in Guthke und Hans M. Wolff, *Das Leid im Werke Gerhart
Hauptmanns*, Bern 1958, Kapitel I.

[31] I, 22; *Neue Rundschau*, XXXIII (1922), 1167.

[32] Gerhard F. Hering, *Gerhart Hauptmann*, Buchreihe des Düsseldorfer Schauspiel-
hauses, II, Düsseldorf 1956.

[33] *Neue Deutsche Rundschau*, 1896, S. 87.

Humanität Hauptmanns als völlig transzendenzlos hinzustellen. Das ist Geist-aufwand im falschen Objekt[34]. Auffällig war ja schon, daß er die exemplari-sche Verwirklichung der altruistischen Menschlichkeit ausgerechnet in *Rose Bernd* fand (I, 118), in dem wohl einzigen Drama des Dichters, in dem der Versuch, aus der Tiefe der tragischen Betroffenheit die Transzendenz zu ge-winnen, mißlingt. Wie aber stellt sich Kerr zu Werken wie *Michael Kramer*, *Der Arme Heinrich*, *Und Pippa tanzt*, in denen sich das Humane ganz offen-sichtlich erst aus dem Bezug zum Transhumanen vollendet und sinnvoll er-füllt? Er bemüht sich, das Transzendente, das «Absolute» (von dem Haupt-mann einmal bemerkt, es habe im Drama «keinen Ausdruck»[35], das aber sehr wohl durch die Kunst der Andeutung aktualisiert werden kann) wegzuinter-pretieren, so gut es geht.

Michael Kramer, «dieses bleibende Geniewerk» (S. 42), hat Kerr neben dem *Florian Geyer* am höchsten von allen Hauptmannschen Dramen geschätzt (II, 269). «Man fühlt sich vor etwas, das einen umrüttelt im Allertiefsten» (V, 26). Aber er bemüht sich, das – wie er meint – transzendenzlose Weltbild des *Geyer*-Dramas auch in die Künstlertragödie hineinzusehen. Die große re-ligiöse Geste Kramers ins Offene und Rätselvolle hinaus im Schlußoratorium des Dramas – «Wo treiben wir hin, was wird es wohl sein am Ende?» – baga-tellisiert er: «Nicht die Worte greifen mir ans Herz, die Kramer zum Schlusse redet: sondern die Verhältnisse. Der Ideengang dieser Worte ist gar nicht bahnbrechend. – Aber der Verwachsene am Sarg des verwachsenen Sohnes, zum erstenmal den Wert eines Ausgestoßenen fühlend, zum erstenmal die Größe eines Menschen: das wird niederreißend und emporreißend über Ideen hinaus» (I, 89 f.). Und wenn das noch nicht von der Fragwürdigkeit von Kerrs Umdeutungsmanövern überzeugt, dann gleich anschließend die Folgerung, Michael Kramer stehe geistig nicht höher als Florian Geyer, der «in Sterbens-dämmerung nachdenklich zu einem Mädchen sagt: Dein Haar ist mir lieber als das Haar der allerseligsten Jungfrau». Diese Bemerkung Geyers ist aber für Kerr längst eine Art Losungswort für die rein diesseitige Weltorientierung geworden (vgl. I, 107). So liegt allenfalls «etwas Religiöses in dieser Dich-tung», doch bleibt sie für Kerr vorwiegend ein «Drama von der Ungerechtig-keit des Fleisches» und somit «ein andres hohes Seitenstück zu Henrik Ibsens *Gespenstern*» (I, 90 f.).

Noch krasser ist die Abwehr der Transzendenz in der Beurteilung des *Ar-men Heinrich* ausgesprochen. Kerr versichert zwar einleitend, «das ganze Werk ist von so tiefer Innigkeit, zugleich von so wunderholdem Liebreiz ...,

---

[34] Dazu Guthke in *Das Leid im Werke Gerhart Hauptmanns*, Kapitel V. Auch Guthke, *Gerhart Hauptmann: Weltbild im Werk*, Göttingen 1961, Kapitel I.

[35] Ausgabe letzter Hand, XVII, 433, Centenar-Ausgabe, VI, 1042.

daß man desto herzlicher und verwegener sagen darf, was dawider zu sagen ist» (I, 105). Aber er ist doch offensichtlich mehr mit dem Herzen dabei, wenn er bemängelt, als wenn er lobt. Daß Hauptmann hier eine mittelalterliche Legende bearbeitet hat, mißfällt Kerr von vornherein, da es zu den Axiomen seiner Kritik gehört, daß alte Stoffe «für heutige Menschen» grundsätzlich wenig zu bieten haben und Neufassungen solchen Materials dazu angetan sind, den Bearbeiter durch die Richtungsbestimmtheit des Stoffes von seinem eigenen Wege abzulenken[36]. Entsprechend schneidet ein Stück wie *Der Bogen des Odysseus* schon aus diesem Grund schlecht ab. Gilt somit für Kerr ganz allgemein der Satz: Hauptmann sei «am größten, wo er nichts mit der Sage zu tun hat» (I, 112), so kommt im Falle des *Armen Heinrich* noch als erschwerend hinzu, daß es sich um einen religiösen Stoff handelt. Gern gesteht Kerr zu: den religiösen Menschen darstellen zu können, gehöre eben zu Hauptmanns dichterischer Gestaltungskraft: «Die Größe eines Gestalters ruht ja darin, daß er Gebiete außerhalb seines Ichs beschwören kann. Hauptmann hat den alten Hilse gezeichnet: aber Hauptmann ist nicht Hilse» (I, 105). Was er aber nichtsdestoweniger befürchtet, ist, daß die religiöse Sinngebung wie für die Vorlage so auch für die Bearbeitung bestimmend werden könnte. So weiß er es einerseits zu schätzen, daß Hauptmann «die Heiligen mit Naturalistenaugen sieht. Er begründet die Ekstase physiologisch» (I, 105). Aber ihn stört noch eine gewisse Uneindeutigkeit in diesem Ansatz zur Ent-Religiosierung. Es sieht so aus, meint er, als rette Ottegebe Heinrich «aus Religion», als breche Heinrich aus Gläubigkeit vor dem Altar zusammen:

Ist es nicht ein fortwährendes Streifen der Grenze? «Ich habe», schrieb Nietzsche, «ich habe die Besorgnis, daß Wagners Wirkungen zuletzt in den Strom einmünden, der jenseits der Berge entspringt ...» Ich hatte für einen Augenblick dieselbe Besorgnis. Nun, Hauptmann vermenschlicht, verirdischt, und wir danken ihm dafür. Es mag auch nur eine Wortwendung sein, wenn er von Englein und Wegen Gottes spricht, als wenn er spräche: die Sonne geht unter. Und wie gesagt: Sachgestaltung.

Doch schließlich kommt es darauf an, Menschen unserer Tage zu gestalten; heutiger Gesinnung. Zu zeigen, wie innerlich große Taten möglich sind ohne die Täuschungen nazarenischer Verzücktheit, ohne die Formeln eines überstandnen Wahnsinns. Unser aller Reich ist von dieser Welt. «Trink, du Schleck! Dein Haar ist mir lieber als das Haar der allerseligsten Jungfrau» – wer sprach so? Florian Geyer. Hauptmann gab damals einen Vorbild-Menschen, mild und stark, und war ein Führer. Jetzt ist er weit mehr ein Künstler als ein Führer (I, 106 f.).

Daß also das Übernatürliche, nämlich das Wunder der Heilung des Ritters, in diesem Drama eine ausschlaggebende Rolle spielt, macht Kerr zu schaffen:

[36] I, viii, xii; II, 261 ff.

er möchte es *erklärt* haben, sieht aber keine «natürliche» Möglichkeit zur Erklärung, «Hautkrankheiten schwinden nicht durch Gemütsvorgänge». Hier habe Hauptmann sich leider zu sehr von der religiösen Thematik der Vorlage leiten lassen. Folglich «fällt der Gipfel des Werks aus dem Werk». Er bleibt für Kerr ein riesiger Stein des Anstoßes. Die Umfunktionierung des Religiösen ins Psychologische gelänge nicht. Kerr setzt aber stillschweigend voraus, daß eben das Hauptmanns Absicht gewesen ist. Das ist jedoch zumindest fraglich.

Etwas zwiespältiger ist in dieser Hinsicht die *Pippa*-Deutung Kerrs, die er in nicht weniger als vier Kritiken entwickelt, von denen allerdings drei kurz hintereinander im Jahr der Uraufführung entstanden sind. Kerr kann nicht umhin, in diesem Stück, das sich für ihn – wie auch für Hauptmann – um die Seinsweise des Schönen auf der Erde dreht, hin und wieder Stimmen zu vernehmen, «die ihren Ursprung wie außerhalb der Kugel haben, auf die wir gesetzt sind» (II, 228), und den «Tanz um die Schönheit» zu bestimmen als «die Anbetung Dessen, was wir erschaffen in unsrem Innern. Der gefestigte Schauer vor Dem, was dunkle Burschen außerhalb dieser Erde mit uns vorhaben» (II, 222). Aber dabei muß man *erstens* im Auge behalten, daß Kerr dieses Spiel ganz als Märchen auffaßt und nur als Märchen und «Gleichnis» zu werten bereit ist, dem er sogar die Verschwommenheit und Unentwirrbarkeit der Symbolik als Plus anrechnet; denn «die Exaktheit im Märchen: das ist Fulda» (II, 223), und Fulda ist Kitsch. Demgemäß kann er denn auch noch gleich nach der Premiere sagen, in diesem Werk «liege eine religiöse Macht», aber gleich hinzufügen: «Wenn mit dem hochtrabenden Wort bezeichnet wird: das eindringliche Begucken unserer Daseinsbedingungen» (II, 222). Und 1919 kann es folgerichtig heißen: «Es ist ein Religionsdrama für Menschen ohne Religion – in denen der lebenswache, nicht zu beugende Sinn haust für den unvergänglichen, doch leider vergänglichen Glanz des hohen Hierseins. Ein Schmerzgefühl noch im Anblick der Schönheit. Ein Glücksgefühl noch im Abschied. Der tiefste Dank für alles, für alles, für alles, für alles, was gewesen ist.» Und weiter: «Gedenke zu leben!» (S. 50). *Zweitens* ist die unbestimmte Anspielung auf ein nihilistisches Mythologem («was dunkle Burschen außerhalb dieser Erde mit uns vorhaben») kaum ernst zu nehmen, obwohl es – in der Rezension von *Kaiser Karls Geisel* – etwas verändert in recht anspruchsvoller Formulierung wiederkehrt (II, 215f.).[37]

Mit derartiger Eskamotierung des Übersinnlichen legt sich Kerr also sein eigenes Hauptmann-Bild zurecht, das seiner persönlichen Fremdheit gegenüber dem Religiösen und Jenseitigen (I, 108) angemessen ist, vielen Werken Hauptmanns aber kaum entspricht. Denn man wird Hauptmann schwerlich

---

[37] Auch Max Rychner nimmt dieses Kunstmythologem nicht ernst (*Neue Schweizer Rundschau*, XVI, 1948/49, 418).

gerecht, wenn man für seinen seit den neunziger Jahren immer deutlicher
zutage tretenden Zug zum Religiösen und Mythischen keinen Blick hat. Kerrs
energisches Eintreten für Hauptmann gewinnt von hier aus eine Nuance des
Verkennens, die geradezu ironisch wirkt. Letztlich liegt diesem Mißverständnis Kerrs kühles, ja polemisches Verhältnis zum Tragischen, ganz besonders
zum Tragischen bei Gerhart Hauptmann, zugrunde. Denn es ist ja ohne weiteres einsichtig, daß sich ein Kritiker, der die Kritik in den «Kampf um eine
kühne, vernünftigere Menschenordnung» (I, xv) einspannen möchte, der
allem Chaotischen mit leiser Skepsis begegnet (I, xii f.), sich nur sehr schwer
in die Welt eines Dramatikers finden kann, der «auf die letzte Frage: Siegt
irdische Lust über irdisches Weh?» eben nur «lächelnd» «den philosophischen Bescheid» gibt: «Nu jaja; nu neenee.»[38] Darüber hinaus ist diese «letzte
Frage», so wie Kerr sie formuliert, in charakteristischer Weise falsch gestellt,
da das Transzendente von vornherein ausgegrenzt wird. Logischer ist es da
schon, daß Kerr einmal, anläßlich einer *Florian-Geyer*-Rezension, sein eigenes
«Weltgefühl» («Ich finde das Leben strahlend und himmlisch») dem tragischen Gerhart Hauptmanns kraß gegenüberstellt und die eigene – dennoch
bestehende – Ansprechbarkeit für das Tragische, wie Hauptmann es bietet,
nur mit dem Gedanken zu erklären weiß: daß «die Erkenntnis der unzuläng-
lichen Seite des Daseins und seiner Trauer ... das letzte Siegergefühl zehnfach
steigert: nix kann mir g'schehgn!! Ja, weil die Erkenntnis der Tragik eine
Quelle kühneren Seins wird» (II, 256 f.). Daraus spricht kaum ein angemessenes Verständnis des Tragischen.

Für Kerr ist das untragische Lebensgefühl ein Wesenszug des «Menschen
unserer Tage» (I, 106). Den aber gelte es in der Dichtung darzustellen. Und
Hauptmann als Gestalter dieses modernen Menschen, seine Dramen als «Ver-
gegenwärtigungen unsrer Lage» (II, 226) zu deuten, ist er von früh an bemüht gewesen. Daher oft eine gewisse Fremdheit der religiösen und auch der
nihilistischen Dimension des Tragischen gegenüber und das abenteuerliche
Bestreben, ihr eine ihm gemäßere Seite abzugewinnen. So versteht Kerr es
zum Beispiel, am Schluß des *Friedensfestes* ein «Ist gerettet!» zu hören, und
im ganzen Stück «ein durchklingendes Vertrauen auf die (...) Macht der Liebe»
zu entdecken (V, 180 f.). Dabei ist ohne Frage der Wunsch der Vater des Ge-
dankens; Hauptmann läßt dieses Problem offen. Selbst Florian Geyer ist mit
seinem tragischen Verhängnis für Kerr ein «Wegweiser» (I, 192). Ähnlich
noch 1920 in der Besprechung des *Weißen Heilands:* «ein großes tragisches
Sinnbild für die Macht des Brutalen in der Welt ... Mag es nicht nur als plato-
nisches Sinnbild nachdenklich stimmen, sondern als Warnung Taten zeiti-
gen (...) Ja, fast eine euripideische Tragik – welche die Menschen zum Mensch-

[38] *Neue Rundschau*, 1932:2, S. 581.

lichwerden leitet. Und hoffentlich zum Widerstand» (S. 53). Aber Ausnahmen deuten sich an. 1932 vergleicht er *Vor Sonnenuntergang* mit dem *Friedensfest* – und findet das Spätwerk mit «seinem schmerzlich zweifelnden Grundton» «tragischer; heulender; abgründiger ... Und schöner» (S. 56 f.). Ja, schon in der *Henschel*-Besprechung von 1898 versuchte Kerr, der Tragik des rettungslosen Ausgeliefertseins gerecht zu werden, wobei er es freilich auch nicht vermeiden konnte, größtes Gewicht auf das Darüberhinausliegende zu legen: auf das humane Weltempfinden des Verfassers (I, 81 f.).

IV

Haben wir das, was Kerr Hauptmanns «große Linie» nannte, soweit verfolgt, so legt sich die Frage nahe, wie dieses rein immanent gefaßte «moderne» Bild des Menschen und der Welt *des näheren* bestimmt ist: wie das «Dasein» beschaffen ist, von dem «Ahnungen» zu geben, Hauptmanns eigentliche «Größe» ausmache (I, 89). Während vorhin schon vom «Naturalismus» der Darstellung die Rede war, so fragt es sich jetzt, welche Welten und welche Menschen es denn sind, die für Kerr durch «naturalistische» Darstellung überzeugend und «wahr» wirken.

Der Dichter soll Kerr zufolge das «heute» Wahre anstreben. Aber das bedeutet trotz Kerrs Feindschaft gegen Bearbeitungen alter Stoffe nicht, daß er die Wirklichkeit der unmittelbaren Gegenwart detailliert wiederzugeben hat, Zeitstücke oder gar Heimatliteratur[39] schreiben soll. Das «heute» Wahre kann schon vor Jahrtausenden künstlerisch festgehalten sein. So sagt Kerr 1912 über die Gestalten im Naumburger Dom:

Das ist gestern gemacht ... und wird morgen gemacht werden. Diese Kreaturen mit Polstern und Rinnen im Gesicht, diese Blinkzüge, dies Lächeln ums Auge, die verstohlenen Seitenfurchen, diese wundersam erhaschte, wahre Wahrheit, dies Ebenbild heut Atmender, festgehalten von Zerstobenen und Verschollenen vor Jahrtausendfrist: dies alles ist wie eine Fälschung – doch altersecht. Ich erinnere mich hier, wie einen das Holzbild jenes Scheiks el Beled, in Ägyptenland, aus Frühmenschenzeit, hinwandelnd mit dem Stab, ... wie das einen Kerl auf die Knie zwingt, der plötzlich in einem Raum zwischen Nil und Mokattam davorsteht. Von Vettern sind beide gemacht – und Hauptmann gehört zu der Sippe (II, 206).

Kerrs Widerwille gegen das Aufgreifen alter Stoffe und das «Liebkosen» «vergangener Dichtungsideale» (I, xii) ist demnach nur so zu verstehen, daß in den zeitgenössischen Bearbeitungen alter Stoffe das Aufspüren einer noch

---

[39] *Neue Rundschau*, 1922, S. 1166 (Ablehnung des Verdachts, Hauptmann sei Heimatdichter).

«heute» gültigen Wahrheit eben nicht die Regel ist. Eine Ausnahme bildet natürlich das *Geyer*-Drama, das im Gewand des Zeitgeschichtlichen das «Allgemeine» und «Ewige» aufleuchten läßt[40]. Im allgemeinen aber sind alte Stoffe und ihre Bearbeitungen eher allzu «einfach» wie etwa die Legende vom *Armen Heinrich*. Einfachheit will Kerr jedoch grundsätzlich nicht gelten lassen. Sie ist eine Weise der Lebensbegegnung, die der Gegenwart nicht angemessen ist. Denn Einfachheit tendiert zur Einfalt. «Es versteht sich von selber, daß die Zukunft nicht nur des Dramas: unserer inneren Entwicklung überhaupt, niemals auf 'herzlicher Einfachheit' ruhen kann (...) Man mache sich nichts vor: wir sind hier, um diese Erschütterungen [des modernen Menschen] festzuhalten, anzupacken, zu beziffern, so zu überwinden. Nicht ihnen fromm und groß und treu und schlicht zu erliegen» (I, xiii). Er fordert entsprechend die differenzierte, die reiche Einheit und Schlichtheit im Menschenbild des Dramatikers seiner Zeit. «Auf die Schlichtheit kommt es wenig an: bloß noch auf die allerreichste Schlichtheit. Darauf, daß nicht nur Einzelheiten da sind: sondern ein Kerl, der sie hat. Ecco» (I, xiv). Gerade diese Einheit der Person geht Kerr zufolge im Naturalismus verloren (S. 18), nicht aber bei Hauptmann.

Aus dem Zitat wird deutlich: nicht nur der Mensch als psychologisch differenzierte Einheit wird gefordert: auch der kämpferische Typus, der «anpackt» und «überwindet». Lassen wir die Frage beiseite, ob und wie sich das vereinbaren läßt. Klar ist jedenfalls, daß Hauptmann diesem Programm nur selten entspricht. Bekannt ist *erstens* die unkämpferische Haltung seiner Helden, die, wie Hauptmann es einmal ausgedrückt hat, «eher Objekte als Subjekte der Mächte» sind[41]. Kein Wunder daher, daß Kerr in dieser Hinsicht, wenn irgend möglich, sich das Drama in seinem Sinn zurechtlegt: daß er *Die Weber* 1921 fast expressionistisch als «Ruf zum Aufbruch» deutet (S. 43) und Hauptmann die entschieden distanzierende Verurteilung des Nicht-Kämpfers, des «Halben» Johannes Vockerat, andichtet (V, 29 f.). Kein Wunder auch, daß er einmal die ganze «frühe» Tendenz Hauptmanns mit dem Anklageruf «Frevel über Frevel!» bezeichnet (V, 37). Diese Sicht ist natürlich auch im Zusammenhang von Kerrs beschriebenem Verhältnis zum Tragischen zu verstehen. *Zweitens* neigen manche von Hauptmanns späteren Helden gerade zu der von Kerr befehdeten Einfachheit, zu den urtümlichen Bezügen wie sein Odysseus, von dem er gesagt hat: «Wer keine bewußte Beziehung zur Natur kennt, nichts von den elementaren Beziehungen weder zur

---

[40] I, 73: «Eine Zeit getreu beschworen zu haben; an dieser bestimmten Zeit das Allgemeine, das Menschenverbindende, das Ewige sichtbar gemacht zu haben: das ist die Größe Hauptmanns in diesem Geyer-Stück.»

[41] Nach C. F. W. Behl, *Zwiesprache mit Gerhart Hauptmann*, München 1949, S. 124.

Scholle noch zur Woge an sich hat, wer die großen physischen und typischen Erlebnisse des irdischen Abenteuers nicht kennt, ... der kann unmöglich einen Pulsschlag für das Werk mitbringen.»[42] Für Kerr aber markiert dieses Stück, das er als «Der Degen des Emil» verulkt, dieses Stück mit seinen «antiken Einfaltsmenschen» und dem «einfältigen Umriß in den Beziehungen» dieser Gestalten untereinander, einen Tiefpunkt in Hauptmanns Entwicklung. «Rückständig» nennt er es geradezu: Es ist lediglich ein «allgemeiner Fall (in Bausch und Bogen), mit ein paar Fibel-Empfindungen, Fibel-Erkenntnissen». Was fehlt, ist das «Doppelbodige» in den menschlichen Beziehungen, das «Zerlegende» in der Menschengestaltung (das Kerr auch in der Besprechung von *Kaiser Karls Geisel* als Kennmarke des «modern» gestalteten Menschen zu schätzen weiß [II, 210]). Es fehlen die «Sonderzüge», wie Kerr gern sagt. «Es mangelt ja alles, was uns von Wert ist. Was erblickt man? Hier den treuen Knecht, da den geliebten Herrn. Kaum Schwankung, Stufung, Abschattung, Zwischenlicht im Verhältnis der beiden.» Von Homer könne man derartige Nuancierungstechnik nicht erwarten. «Doch aller Kuriosität eines Kienspans ungeachtet schalten wir doch nun bei 220 Volt – zum Donnerwetter» (II, 264).

Die charakterliche Nuancierung und Differenzierung ist also für Kerr die höchste Wertnorm für jede der Gegenwart angemessene Menschengestaltung. Und trotz des *Bogens des Odysseus* gilt ihm im allgemeinen gerade Hauptmann als Meister eben dieser charakterbildnerischen Feinarbeit. Der Musterfall, wenn es überhaupt einen gibt, ist der *Florian Geyer*, wo sich «Hauptmanns Genie, massenweise, dabei gegliedert zu charakterisieren, im seltensten Glanz» zeige und auch die Titelfigur selbst als «ein ganzer, gegliederter Mensch» dargestellt sei (I, 72). Darauf kommt es Kerr an. Entsprechend besteht der besondere Reiz des – den meisten Kritikern kaum geglückt erscheinenden – *Griselda*-Dramas für ihn in der schwierigen und geradezu widersprüchlichen Psychologie der Hauptfiguren, die er sich zu ertüfteln bemüht: «Psychologie ... Quallen der dämmrigsten See sind greifbarer. (Und meine Kunst ist: sie doch zu greifen. Und dann darzutun, wie wenig man gegriffen hat)» (II, 243). Ja, mit manchem Werk Hauptmanns, das Kerr als Ganzes mißlungen scheint, versöhnt er sich um der diffizil-subtilen Menschenauffassung willen. «Es gibt keinen», heißt es 1911 über *Die Ratten*, die doch im Gesamturteil nur «flau und groß» genannt werden, «der mit solcher Großartigkeit im Drama Seelisches in Menschensiedelungen zeichnen könnte. Weder bei uns noch bei den Russen (die so viel von Hauptmann gelernt); noch sonst irgendwo» (II, 253). Kerr geht noch einen Schritt weiter: Selbst das Vermitteln «neuer Lebensbetrachtung» ist letztlich nur eine Frage der men-

[42] Ausgabe letzter Hand, XVII, 315, Centenar-Ausgabe, VI, 922.

schengestalterischen Kraft: der «seherischen Gestaltung». «Das andre kann ein Stadtrat: dieses nur ein Künstler» (I, 89). Und dieser Künstler ist Gerhart Hauptmann. Denn er kann «von allen Lebenden in Deutschland die Menschen am besten zeichnen» (I, 115)[43].

Freilich hat Kerr auch ein scharfes Auge für die geringste Abweichung ins psychologische Klischee. Der Fall braucht nicht so kraß zu liegen wie im *Bogen des Odysseus*. In *Vor Sonnenaufgang* stört ihn, nachdem er – 1909 – Distanz gewonnen hat, die Zeichnung der Familie Krause: «Schwarz auf Schwarz gehäuft», doch selbst dann noch kann er unterscheiden: «Aber ich weiß auch: daß so einfache, so kindhafte, so urtümliche Menschenworte wie das eines Apostels, eines Siedemeisterssohnes, der sich rings umschaut, die Welt zum erstenmal betrachtet und spricht: 'Frevel über Frevel!' – daß dergleichen von einem Genius stammt» (V, 36). *Gabriel Schillings Flucht* mutet ihn allzu paradigmatisch an, zu wenig differenziert, «zu sehr ein Beispiel», besonders in der Gegenüberstellung der typisierten Frauengestalten (II, 203 f.). Aber auch da wieder weiß er Randerscheinungen zu loben, die dem Gesamtbild widersprechen: «Was lebt an diesem Drama, sind jene Zwischenstimmungen, abseits von der Katastrophe: jenes Sichwandeln und Sichbehaupten von Menschen in ihren schillernden Beziehungen; die wechselbeleuchteten Unterströme» (II, 204). Darum also «ein schlechtes Werk ... aber von ihm».

Eine Ausnahme bildet in dieser Hinsicht Kerrs Würdigung der Gestalt des Fuhrmanns Henschel. Henschel ist offenbar wenig differenziert, dennoch verteidigt Kerr ihn, denn «Hauptmann hat ihn gewählt (...) weil sich an so einfachen Naturen der Gang der Welt unmittelbarer spiegelt. Er wollte hier eine urbildliche, gradlinige Tragik. Er sagte sich (obschon zusammengesetzte und verfeinerte Geschöpfe für uns in andrer Hinsicht wertvoller sind): – je elementhafter die Gestalt, desto menschlich-allgemeiner ihr Glück und Elend» (I, 75). Grundsätzlich jedoch strebt Kerr eine Menschengestaltung an, die in der genauen Fixierung des Besonderen zugleich das allgemein Verbindliche durchscheinen läßt, wie er es anhand des Geyer-Dramas einmal ausgeführt hat (I, 73). Daher hält er Hauptmann auch zum «eindringlichen Denken» an: denn er weiß: «eindringliches Denken ist Schaffen» (II, 214), ohne eindringliches Denken aber nehmen sich die *dramatis personae* wie wandelnde Schemen aus.

V

Kerr hat oft scharf über Hauptmann geurteilt. Sein Sarkasmus geht leicht bis an die Grenze des Erträglichen. Sein Urteil gibt sich gern apodiktisch und legt

---

[43] Allerdings fügt Kerr an dieser Stelle hinzu: noch bedeutender sei aber Hauptmanns Humanität.

sich selbstsicher ein Hauptmann-Bild zurecht, das heute nicht mehr in allen Punkten als gültig angesehen werden kann, obwohl er selbst geäußert hat: was seine Kritik ermittle, werde in Zukunft Ergebnis der Wissenschaft sein (I, 8).

Kerr in dieser Unfehlbarkeitspose zu sehen, ist seit langem üblich. Richtig ist das nur bedingt. Denn ein anderes Leitmotiv, das sich durch die Kritiken Kerrs zieht, ist das Zugeständnis: es ist möglich, daß ich mich irre – wenn auch manchmal in einer köstlich arroganten Formulierung wie: «Menschen irren; Kritiker auch.» [44] Und gerade im Zusammenhang der Hauptmann-Kritik Kerrs hat es etwas Erfrischendes, wenn man in einer Hauptmann-Glosse nach all den unverblümten und gebieterischen Äußerungen, die dem Dichter manchmal geradezu seine «Eigenart» zudiktieren, auch auf eine wie diese stößt: «Wann wird die Eigenart eines Schriftstellers erkannt? Zu der Zeit, wo, nach Solon, erkannt wird, ob einer glücklich war. Nicht vor dem Tod» (II, 234).

[44] Zitiert nach Hering, im Nachwort zu seiner Ausgabe, S. 600.

V
MOTIV UND THEMA

DAS MOTIV DES WANDERERS
BEI GOTTFRIED KELLER
UND IN DER ROMANTIK

« Der Mensch als Wanderer » – das ist eine geläufige Bildformel der Weltlite-ratur. Von besonderem literaturwissenschaftlichen Interesse wird sie jedoch erst, wo sie in gewisser Massierung auftritt und zum Wesenskennzeichen einer Periode, einer Schule oder eines Dichters wird. Das ist in der deutschen Lite-ratur vornehmlich zweimal der Fall: bei den Romantikern und bei Keller. Natürlich gab es schon vorher, im 18.Jahrhundert, besonders im Umkreis der Empfindsamkeit, verhältnismäßig häufig die Gattung des Reiseromans; aber gerade vor dem Hintergrund des Spielraums, in dem sich dieses Genre bis zum Beginn der Romantik entfaltet, profiliert sich die Eigenart der Wan-dererdichtung der Romantik und Kellers. Denn bei den Jacobi, Hermes, Knigge, Schummel, La Roche, Thümmel usw. ging es doch weniger um die Erfassung der besonderen Persönlichkeitshaltung des Reisenden und Wan-dernden als einer exemplarischen menschlichen Lebensform als vielmehr um die Ausbreitung einer Fülle von interessanten, «kuriösen» Räumlichkeiten und Lebensbereichen, wobei sich freilich auch ein allgemeines psychologisches Interesse und didaktische Absichten anbringen ließen. Insofern wichen diese Reiseromane also von den Robinsonaden und pikarischen Erzählungstypen der Zeit nicht wesentlich ab. Erst im Reiseroman der Romantik ändert sich das. Jetzt ist es die Daseinsweise des Menschen als eines Wandernden, die zur Sinn-mitte des Romans wird. So ist es noch bei Keller; und es ist verlockend, der Frage nachzugehen, wieweit sich diese Auffassung des Wanderermotivs bei Keller und in der Romantik entspricht oder widerspricht und was sich daraus für die Sicht des Menschen gewinnen läßt.

Das ist um so wünschenswerter, als die wissenschaftlichen Meinungen über die Zusammenhänge zwischen Keller und der Romantik noch keineswegs zur Klarheit gediehen sind. So wird immer wieder von einem bloßen Neben-einander von realistischen und romantischen «Elementen» in Kellers Werken gesprochen[1], ohne derartige, eigentlich nichtssagende Urteile und die Fülle

---

[1] P.R. Meintel, *Gottfried Keller und die Romantik*, Diss. Bern 1909; A. Weimann-Bischoff, *Gottfried Keller und die Romantik*, Diss. München 1917; E. Neis, «Romantik und Realismus in Gottfried Kellers Prosawerken», *Germanische Studien*, H. 85, Berlin 1930. Die Arbeit von Neis läuft, etwas trivial, auf die Konstatierung eines poetischen Realismus hinaus. Meintels Studie ist wegen der Zusammenstellung von Kellers Äuße-

der beigebrachten Einzelbeobachtungen zu einem geschlossenen Bild zu klären. Offenbar gilt es, vor diese disparaten und vieldeutigen «Elemente» zurückzugehen und im Tieferen eine gemeinsame Wurzel zu fassen, von der aus
sich ein genaueres Verständnis ergäbe. Und dafür ist ein Vergleich des Motivs
des wandernden Menschen hervorragend geeignet, da dieses bei beiden, bei
Keller und in der Romantik, ein «Kennmotiv» ist, dessen häufiges Vorkommen es zur Signatur oder zu einer der wichtigeren Signaturen ihrer Werke
macht. Als solches aber vermag es Hinweise auf den jeweiligen geistigen
Raum zu geben, dem es entstammt, Hinweise, die einer Forschungsrichtung
leicht entgehen, die sich nur auf konkrete weltanschauliche Äußerungen zu
stützen bereit ist[2]. Gerade in diesem Punkt aber gehen die Deutungen wieder
konträr auseinander: manche nehmen die Gemeinsamkeit des Wanderermotivs als Zeichen von «Wesensverwandtschaft»[3], andere wollen gerade in
Kellers Wanderergestalten einen Unterschied zur Romantik erkennen, nämlich «Realismus» und die Verlagerung des Motivs in die Sphäre des Spießbürgerlichen[4]. Auch wenn solche Auffassungen sorgfältiger begründet und
definitorisch auch nur halbwegs brauchbar gefaßt wären, blieben derartige
Pauschalbezeichnungen wie Realismus und Spießbürgerlichkeit allzu nichtssagend. Das eigentliche Problem liegt tiefer. Die methodisch gesichertere
Aufgabe ist vielmehr, unabhängig von solchen terminologischen Festlegungen
die Sinngebung eines zentralen Motivs am Text zu erfragen und daraus Schlüsse
auf seinen geistigen Boden zu ziehen. Verfährt man so, dann darf man hoffen,
neuen Aufschlüssen über das Problem «Keller und die Romantik» auf die
Spur zu kommen.

Fast alle Romane der Romantik sind Reiseromane[5], in der Lyrik kehrt das
Wanderermotiv immer wieder[6], und überhaupt ist die «Pilgerschaft des Le-

rungen über einzelne Romantiker wichtig. Die Untersuchung von Weimann-Bischoff
berücksichtigt zu viele disparate Gesichtspunkte und gelangt vor lauter zusammenhangloser Vielfalt zu keinem einheitlichen Ergebnis.

 [2] Herman Meyer hat in seiner Studie *De Levensavond als litterair Motief*, Amsterdam
1947, auf eine mögliche Leistung der Motivforschung aufmerksam gemacht: die Ermittlung bestimmter kennzeichnender Motive, auf Grund deren sich Erkenntnisse über
den geistigen Raum eines Dichters oder einer literarischen Richtung gewinnen lassen,
die nicht in direkte Formulierung eingegangen sind. Vgl. auch E. Frenzel, *Stoff-, Motiv-
und Symbolforschung*, Stuttgart 1963, S. 57–63, und die Studie «C. F. Meyers Kunstsymbolik», besonders S. 188 und 200–204.

 [3] O. Luterbacher, «Die Landschaft in Gottfried Kellers Prosawerken», *Sprache und
Dichtung*, Heft 8, Tübingen 1911, S. 64f.; ähnlich über andere Motive E. Ermatinger:
Gottfried Kellers Leben, 4. Aufl., Stuttgart und Berlin 1920, I, 349.

 [4] Weimann-Bischoff S. 74; Neis S. 62.

 [5] P. Scheidweiler, *Der Roman der deutschen Romantik*, Leipzig 1916.

 [6] M. Sommerfeld, *Romantische Lyrik, nach Motiven ausgewählt*, Berlin 1932, S. 38–46.

bens»[7] eine ebenso geläufige wie vom Gedankengehalt her zentrale Vorstellung, geradezu ein Leitbild. Im Wanderer erkennt sich der romantische Mensch, er ist ihm Symbol seines Selbstverständnisses. Der Wanderer ist nicht gebunden in heimatlichen und zwischenmenschlich-organisatorischen Lebensbezügen; ziellos streift er in die unbestimmte Weite, vom Fernweh getrieben. Der Trieb überkommt ihn, und er kann sich ihm nicht entziehen. «Ich weiß nicht, wie es kam, aber mich packte da auf einmal wieder meine ehemalige Reiselust: alle die alte Wehmut und Freude und große Erwartung», heißt es in *Aus dem Leben eines Taugenichts* (Kap. 2) und in *Sternbalds Wanderungen:* «Tausend Stimmen rufen mir herzstärkend aus der Ferne zu, die ziehenden Vögel, die über meinem Haupte wegfliegen, scheinen mir Boten aus der Ferne, alle Wolken erinnern mich an meine Reise, jeder Gedanke, jeder Pulsschlag treibt mich vorwärts.»[8] Immer wieder ist es die Natur mit den vielfachen geheimnisvollen Mächten des Draußen, die den Menschen mit zauberisch beschwörenden Stimmen in ihren Bann lockt, ihn aus dem umschränkten Eingeordnetsein in die Gemeinschaftsformen aufstört, aufruft zur Wanderschaft. Und der Romantiker «mag sich nicht bewahren ..., mag nicht fragen, wo die Fahrt zu Ende geht», wie es in Eichendorffs Gedicht «Frische Fahrt» heißt. So überläßt sich der romantische Wanderer dem Fluß des Lebens, vertrauend, ohne Ziel und Plan. Es ist, «als habe nun der geheimnisvolle unsichtbare Strom den Weg nach ihnen gelenkt und sie in seine Fluthen aufgenommen»[9]. Der Wanderer gestaltet sein Dasein nicht selbsttätig, sondern läßt sich treiben von unbekannten Kräften. «Warum muß denn alles einen Schluß haben? ... Denkt Ihr Euch bei jedem Spaziergange gleich das Zurückgehen?» Das Vagabundieren trägt schon seinen Sinn und seine Erfüllung in sich selber:

Das Reisen ... ist ein herrlicher Zustand, diese Freiheit der Natur, diese Regsamkeit aller Kreaturen, der reine weite Himmel und der Menschengeist, der alles dies zusammen fassen und in Einen Gedanken zusammen stellen kann: – O glücklich ist der, der bald die enge Heimath verläßt, um wie der Vogel seinen Fittig zu prüfen ... Welche Welten entwickeln sich im Gemüthe, wenn die freie Natur umher mit kühner Sprache in uns hinein redet, wenn jeder ihrer Töne unser Herz trifft und alle Empfindungen zugleich anrührt.

Als Sternbald unverhofft eine sichere Zukunft in geordneten bürgerlichen Verhältnissen geboten wird, vermag er dem Drang zum Weiterwandern nicht

---

[7] Ebd. S. 138–156. Vgl. auch Th. Gish, «Wanderlust and Wanderleid: The Motif of the Wandering Hero in German Romanticism», *Studies in Romanticism*, III (1964), 225–239.

[8] Tieck, *Schriften*, Berlin 1828–1854, XVI, 48 f.

[9] *Sternbald*, Tieck, *Schriften*, XVI, 228. Die Zitate in diesem und im nächsten Absatz ebd. S. 236, 21, 184, 74, 281.

zu widerstehen: «Doch fürchtete er sich wieder, so seinen Lebenslauf zu bestimmen und sich selber Gränzen zu sezen; die Sehnsucht rief ihn wieder in
die Ferne hinein, seltsame Töne lockten ihn und versprachen ihm ein goldenes
Glück.» Der Romantiker sucht als Wanderer in der Natur den «Bruder seiner
Seele», Wandern ist ihm Erfüllung seines Daseins, und wer es aufgebe, so
heißt es im *Sternbald*, der lebe nicht mehr, «da das Leben nur darin besteht,
immer wieder zu hoffen, immer zu suchen!». Also Wandern und Leben sind
gleichbedeutend. «Sind wir etwas weiter, als wandernde, verirrte Pilgrim-
me?» Wandern entspricht dem Rhythmus des Lebens, der Ströme, des Win-
des, der Gestirne, und der Mensch schwingt sich ein in diesen Rhythmus, in
das «Lebenslied der Welt» (*Hyperion*).

Im wandernden Menschen wirkt die romantische Sehnsucht, jener Trieb
des Herzens in das Unendliche, den man mit Recht «das Allumfassende, das
Allbegründende, das Allbeherrschende der romantischen Seele» genannt hat[10].
Diese Sehnsucht erhoben die Theoretiker der Romantik als eine Ahnung der
«höheren Wahrheit» zum Gegenstand aller Kunst und Poesie, ja zum Ur-
grund und Prinzip alles Seins. Die «nie erlöschende Flamme» der Sehnsucht
erleuchtet dem romantischen Menschen «den Weg zu einem höhern Dasein»[11]; er kommt nicht von ihr los; er weiß, daß sie sein Schicksal ist, sein
Fluch oder sein Segen, genau wie ihm das Wandern Fluch und Segen sein
kann. «Es giebt eine ewige Jugend», heißt es bei Tieck, «eine Sehnsucht, die
ewig währt, weil sie ewig nicht erfüllt wird ..., nur nicht erfüllt, damit sie
nicht sterbe, denn sie sehnt sich im innersten Herzen nach sich selbst.»[12]

Diese Sehnsucht, die den Wanderer in der romantischen Dichtung immer
wieder zu neuen Ufern treibt, ist im Grunde der Drang in das Unendliche im
Sinne des Absoluten, der Trieb, die Grenzen des diesseitigen Daseins zu überschreiten. Es ist das Ahnen,

daß jenseit dieses Lebens ein andres kunstreicheres liege, und sein inwendiger
Genius schlägt oft vor Sehnsucht mit den Flügeln, um sich frei zu machen und
hinaufzuschwärmen in das Land, das hinter den goldnen Abendwolken liegt...
Ein Zirkel von Wohllaut hält uns mit magischen Kräften eingeschlossen, und
ein neues verklärtes Daseyn schimmert wie räthselhaftes Mondlicht in unser
wirkliches Leben hinein[13].

[10] K. Friedemann, «Die romantische Sehnsucht», *ZDU*, XXX (1916), 361.

[11] Die Worte in Anführungszeichen sind Zitate aus F. Schlegel, *Sämmtliche Werke*,
Wien 1846, XV, 151, 104. Genaueres vgl. bei Friedemann S. 357–361. Vgl. A. W.
Schlegel, *Sämmtliche Werke*, hg. von E. Böcking, Leipzig 1846/47, V, 16 (Wiener Vor-
lesungen), F. Schlegel, *Sämmtliche Werke*, XIII, 142.

[12] *Schriften*, IV, 32 (Einführung zum *Phantasus*, 1811). Vgl. E. V. Brewer, «*Die
Ewige Jugend* and Early German Romanticism», *JEGP*, XXXV (1936), 352–362.

[13] *Sternbald*, Tieck, *Schriften*, XVI, 20 und 227.

Die Sehnsucht des romantischen Wanderers in das Unendliche erweist sich somit als der Drang nach dem Erlebnis des Überweltlichen in der Welt[14]. Deswegen ist die Lebensform des Wandernden dem romantischen Menschen in seiner dichterischen Selbstvergewisserung so gemäß. Letztlich sind somit die romantischen Pilgrime doch wieder gebunden, jedoch nicht in menschlichen Organisationsformen, in denen die Normen der Arbeit, der Leistung und des Zwecks gelten, sondern im «Unendlichen», in ihrer magischen Heimat, deren sie im Wandern innewerden. «Wo gehn wir denn hin?» heißt es im *Ofter-dingen*, «Immer nach Hause!» Wie sehr das Wanderertum in diesem Wortverstand ein Sinnzentrum der Romantik bezeichnet, wird sehr schön klar nicht nur aus A. W. Schlegels Wiener Vorlesungen, sondern auch aus Uhlands vielzitiertem Aufsatz «Über das Romantische», wo eben diese Sehnsucht nach der Entgrenzung in das umgreifende Unendliche als Wesen der Romantik beschrieben wird[15].

Auch in Kellers Werken erscheint die Wanderergestalt oft als Sinnfigur des Weltverständnisses und der Lebensführung. Es fragt sich aber, ob ihr Symbolwert nicht entscheidend umgedeutet worden ist; bloße Motivübereinstimmung besagt ja an sich noch gar nichts. Da ist nun zunächst eine Stelle in der ersten Fassung des *Grünen Heinrich* auffällig: Heinrich (= Keller) berichtet von der romantischen Malerei seiner Jugendjahre:

Ich erfand eigene Landschaften, worin ich alle poetischen Motive reichlich zusammenhäufte, und ging von diesen auf solche über, in denen ein einzelnes vorherrschte, zu welchem ich immer den gleichen Wanderer in Beziehung brachte, unter dem ich, halb unbewußt, mein eigenes Wesen ausdrückte ... Diese Figur, in einem grünen romantisch geschnittenen Kleide, eine Reisetasche auf dem Rücken, starrte in Abendröten und Regenbogen, ging auf Kirchhöfen oder im Walde, oder wandelte auch wohl in glückseligen Gärten voll Blumen und bunter Vögel[16].

Daß diese Bilder also romantischer Motivik in wesentlichen Zügen verpflichtet sind, ist im gegenwärtigen Zusammenhang weniger wichtig als der Umstand, daß der frühe Keller, ganz wie die Romantiker, sich hier im Sinnbild des Wanderers erkennt. Noch interessanter ist aber, daß auch Keller gerade die Sehnsucht nach der unendlichen Ferne, die wir als die treibende seelische Kraft hinter dem romantischen Wanderermotiv aufdeckten, als das We-

---

[14] H. Rehder, *Die Philosophie der unendlichen Landschaft*, Diss. Heidelberg 1930.

[15] *Werke*, hg. von L. Fränkel, Leipzig und Wien, o. J. (Bibliographisches Institut), II, 347–351.

[16] *Sämtliche Werke*, hg. von Jonas Fränkel, Erlenbach-Zürich, 1926–1949, XVI, 268 f. (Quellenverweise im Text beziehen sich auf diese Ausgabe.) Zu romantischen Motiven in Kellers Malerei vgl. auch Weimann-Bischoff S. 3–7.

sen des Romantischen zu verstehen geneigt ist. So schreibt er 1849 in dem
Heidelberger Aufsatz über « Die Romantik und die Gegenwart »:

Ich spekulierte just über die Art von Sehnsucht, welche das Anschaun eines
schönen Landstriches in uns erweckt; denn schon oft glaubte ich beobachtet zu
haben, daß die schöne Landschaft, gerade weil sie so schön ist, noch irgend eine
Befriedigung unerfüllt läßt und irgend einer unbekannten Ergänzung mangelt.
Besonders die blaue Ferne tut dies aller Orten sowie fern glänzendes Wasser...
(XXII, 311 f.).

Als Bezeichnung für dieses Empfinden fällt ihm « das Romantische » ein;
es sei « die Romantik im oben angedeuteten besseren Sinne der einzige und
beste Ausdruck für das, was man bisher beim Anblick dieser mäßigen Berge
und Flüsse ... fühlte ». Zwar, meint Keller, sei diese Empfindungsweise nun-
mehr eine Sache der Vergangenheit; aber ausschlaggebend ist doch, daß ihm
das so verstandene Romantische noch anerkennenswert erscheint, ja: er betont 1850 ausdrücklich, das Romantische sei eine dauernde dichterische Möglichkeit (XXII, 338). Und auch wenn Keller sich gerade um diese Zeit von der
romantischen Schule lossagt, wenn er im *Apotheker von Chamounix* Heinrich
Heine als Exponenten der Romantik, so wie er sie sah, verhöhnt, so ist es doch
von entscheidender Bedeutung, im Auge zu behalten, daß sich seine Kritik
nur gegen «Witz, Unwitz und Willkürtum der letzten Romantik », gegen die
wunderlichen « Narrheiten » des subjektivistischen Lebensgefühls und namentlich gegen die «Geisteswillkür» Heines richtet[17]. Entsprechend verteidigt er ja auch gegen Ruges Angriff «das wahrhaft Künstlerische und Produk-
tive» an den Romantikern, «das sie denn doch in reichem Maße besitzen,
wenigstens die Bessern von ihnen» (XXII, 27).

Somit scheinen die Voraussetzungen dafür da zu sein, daß Keller, etwa in
der Behandlung des Motivs des Wanderers, also eines typisch romantischen
Motivs, in die Fußstapfen der deutschen Romantik getreten sein könnte. Man
hat das ja behauptet. Besaß er doch diejenigen Werke der Romantik, auf die
es in diesem Zusammenhang hauptsächlich ankommt[18]. Auch findet sich in
Kellers Lyrik gar nicht selten der Wanderer in der kennzeichnend romantischen Auffassung: die lockenden Stimmen der umgebenden Welt, die jene
unbestimmte Sehnsucht ins Unendliche entfachen; dieses Sehnen als Lebens-
schicksal; das ziellose Treiben; das religiöse Innewerden des göttlichen All-
zusammenhangs[19].

[17] Zitate: Brief an Ludmilla Assing vom Februar 1857 und an Hettner vom 16. April
1851 (J. Baechtold, *Gottfried Kellers Leben*, II, 4. Aufl., Stuttgart und Berlin 1903, S. 372
und 180) und *Der Apotheker von Chamounix*, Vorspruch.
[18] Meintel S. 23 ff.; Weimann-Bischoff S. 15 f.
[19] Vgl. «Frühling des Armen», «Ein Geschiedener», «Den Zweifellosen», «Fah-

Aber obwohl sogar einmal, in «Ein Tagewerk», die direkte Beziehung zu einem romantischen Wanderer (allerdings einem sehr besonderen) hergestellt wird, durch den Vergleich mit «Schlemihl, der träumend Raum und Zeit verlor», so sind doch diese Wandererdichtungen Ausnahmen; in den zahlreicheren und für Keller kennzeichnenden Ausgestaltungen des Wanderermotivs läßt sich zwar auch noch der Ansatz zu dem von der Romantik Tradierten beobachten, aber zugleich ist das nicht *mehr* als ein Ausgangspunkt, von dem aus die geistige Durchdringung des Motivs dann in ganz anderen Bahnen verläuft. Freilich werden wir das Unterscheidende nicht in dem größeren Wirklichkeitsgefühl Kellers fassen, wie man es versucht hat und dann allerdings in den Selbstwiderspruch geriet, eben diesen Wirklichkeitssinn auch der Romantik zugestehen zu müssen, womit sich die Argumentation selbst aus den Angeln hob und auf die immergrüne Feststellung hinauslief, das Verhältnis Kellers zur Romantik sei leichter zu fühlen als zu definieren [20]. Auch wenn wir Keller größere «Wirklichkeitsnähe» zugestehen (wobei noch immer willkürlich zu bleiben droht, was man mit dieser «Wirklichkeit» meint), auch dann sind damit nicht diejenigen geistigen Entscheidungen bezeichnet, die hinter der spezifischen Verwendungsweise des zentralen Wanderermotivs stehen und sich in ihr aussprechen. Um diese zu begreifen, müssen wir die betreffenden Dichtungen selbst, unvoreingenommen von derartigen terminologischen Verallgemeinerungen, ins Auge fassen. Und da ergibt sich zweierlei: einmal, daß bei Keller das Wandern zwar noch eine Lebensform ist, aber eine, auf deren *Verlaufsbild* es entscheidend ankommt; in der Romantik ist der Wanderer sein Leben lang Wanderer, er wird immer wandern; auf Ziel, Abschluß und Verlauf seines Wanderertums kommt es nicht an [21]. Bei Keller erscheint das ungebundene Wandererdasein dagegen als Vorstufe zu einer neuen Bindung in menschlichen Werten und Gemeinschaftsformen. Mit dieser Veränderung hängt eine zweite zusammen: daß nämlich in das Stadium des Wanderns selbst nicht mehr die Gehalte eingehen, die für die romantischen Gestaltungen dieses Motivs bedeutend waren. Somit profiliert sich Kellers dichterische Auffassung der Symbolfigur des Wanderers sowohl in der Verlaufsform als auch in den darin beschlossenen Erlebnisgehalten geradezu als Gegenbild der

render Schüler», «Wanderlied», «Ein Tagewerk». Die «Wanderbilder» stellen dagegen impressionistische Stimmungsskizzen dar.

[20] Weimann-Bischoff S. 69; F. Baldensperger, *G. Keller*, Paris 1899, S. 404.

[21] Vgl. Scheidweiler S. 12, 37, 50. Daß das Wandern im romantischen Roman – wenn er überhaupt vollendet ist – gelegentlich auch ein Ende findet, spricht nicht dagegen: ein solches Ende ist nur provisorisch, ein Abbrechen der Handlungsführung; das Ganze ist nicht, wie im *Wilhelm Meister* und bei Keller, auf das Ende hin angelegt. Was zählt, ist überhaupt nicht der Handlungsabschluß, sondern die Haltung der Hauptfigur, was im *Taugenichts* besonders deutlich wird.

romantischen. Das wird gleich im einzelnen näher darzustellen sein; zuvor mag ein Stilvergleich den allgemeinen Unterschied in der Erlebensweise des wandernden Menschen exemplarisch verdeutlichen. Wie erlebt der romantische Wanderer die Natur, die Landschaft, und wie der Kellersche? In *Sternbalds Wanderungen* lautet eine charakteristische Stelle:

> Da lag die Herrlichkeit der Ströme, der Berge, der Wälder vor ihm ausgebreitet, er glaubte vor dem plözlichen Anblick der weiten, unendlichen, mannigfaltigen Natur zu vergehen, denn es war, als wenn sie mit herzdurchdringender Stimme zu ihm hinauf sprach, als wenn sie mit feurigen Augen vom Himmel und aus dem glänzenden Strom heraus nach ihm blickte, und mit ihren Riesengliedern nach ihm hindeutete. Franz streckte die Arme aus, als wenn er etwas Unsichtbares an sein ungeduldiges Herz drücken wollte, als möchte er nun erfassen und festhalten, wonach ihn die Sehnsucht so lange gedrängt. Die Wolken zogen unten am Horizont durch den blauen Himmel, die Wiederscheine und die Schatten streckten sich auf den Wiesen aus und wechselten mit ihren Farben, fremde Wundertöne gingen den Berg hinab, und Franz fühlte sich wie ein Gebannter festgehalten, den die zaubernde Gewalt stehen heißt, und der sich dem unsichtbaren Kreise, trotz allen Bestrebens, nicht entreißen kann.
>
> O unmächtige Kunst! rief er aus ...: wie lallend und kindisch sind Deine Töne gegen den vollen harmonischen Orgelgesang, der aus den innersten Tiefen, aus Berg und Tal und Wald und Stromesglanz in schwellenden, steigenden Akkorden herauf quillt! Ich höre, ich vernehme, wie der ewige Weltgeist mit meisterndem Finger die furchtbare Harfe mit allen ihren Klängen greift, wie die mannigfaltigsten Gebilde sich seinem Spiel erzeugen ... Die unsterbliche Melodie jauchzt, jubelt und stürmt über mich hinweg, zu Boden geworfen, schwindelt mein Blick und starren meine Sinne [22].

Aus der unmittelbaren Ergriffenheit wird hier gesprochen. Die stammelnd steigernde Häufung der Adjektive und Verben, die parataktischen Fügungen und parallel anschließenden Konstruktionen, die Wiederholungen, die Ausrufe, der erregte Rhythmus des Sprechens – alle diese Kennzeichen des rhapsodischen Stils weisen zusammenwirkend zurück auf einen Menschen, der überwältigt ist vom magischen Anruf der göttlichen Natur, ihr Geheimnis hingerissen erahnt. Nicht mehr tritt er der Welt in Distanz gegenüber, das Gegenüber fehlt überhaupt, der Ergriffene gibt jeden Eigenstandpunkt auf und gibt sich hin an das geheimnisvolle Fluidum des Seins.

Ganz anders ist dieses Erleben bei Keller. Bevor der grüne Heinrich die Heimat verläßt, genießt er noch einmal einen Blick auf das Land seiner Jugend; und damit beginnt er seine Wanderung:

> Ich stand unter den Vorbäumen des Waldes; hinter demselben lag der Osten mit dem erschimmernden Morgenrot; zugleich aber erglühten die obersten Spit-

---

[22] Tieck, *Schriften*, XVI, 273 f.

zen, Kämme und Wände des Hochgebirges im Süden, die dem Osten zugekehrt waren, in ungewohnten Formen, da ich sie zufällig nie so gesehen. Abstürze und Klüfte, allmählig auch ganze hochliegende Gefilde und Ortschaften kamen zum Vorschein, von denen ich keine Vorstellung gehabt; und als endlich auch die alten Kirchen der mir zu Füßen liegenden Stadt durch irgend einen Bergeinschnitt östlich beglänzt wurden, dazu ein wolkenloser Äther sich über das Land ergoß und rings um mich her der Gesang der Vögel ertönte, da erschien mir diese Heimat so neu und fremdartig, als ob ich sie, statt sie zu verlassen, erst jetzt kennen zu lernen hätte. Es war einer jener Fälle, wo ein Altgewohntes, Naheliegendes erst in dem Augenblicke, in welchem wir uns von ihm wenden, einen ungekannten Reiz und Wert enthüllt und die schmerzliche Erfahrung unserer Flüchtigkeit und Beschränktheit wachruft. Hier reichte der bloße Umstand, die Sache einmal im wörtlichsten Sinne von der anderen Seite beleuchtet zu sehen, hin, mir den Abschied zu erschweren und ein Gefühl der Reue und Unsicherheit zu erwecken, ja mich den fruchtlosesten aller Vorsätze fassen zu lassen, ein fleißiger Frühaufsteher und Zeitbenutzer zu werden (V, 136f.).

Wieder handelt es sich um eine Gebirgslandschaft. Doch während wir bei Tieck die Natur als anschauliche Räumlichkeit gar nicht zu Gesicht bekamen, da es nur um die sich in ihr aussprechenden Weltkräfte ging, beschreibt Keller nicht nur ausführlich, sondern lokalisiert auch genau: unter den Vorbäumen, Hochgebirge, Süden, Osten; und gesprochen wird immer aus dem überlegenen und überlegten Gegenüber eines ruhigen Betrachters, der die Erscheinungen jeweils zeitlich, örtlich und logisch einordnet. Das drückt sich etwa aus in den bewußt verknüpfenden Bauformen der Sätze. Vor allem: war bei Tieck die Natur, die Landschaft, der Bezugspunkt, auf den sich alles Sprechen hinordnete, so wird in dieser Stelle aus dem *Grünen Heinrich* gerade umgekehrt die Außenwelt auf den Betrachter als den Fluchtpunkt der Darstellung bezogen; der ganze Reiz liegt darin, daß *er* die Landschaft vorher nie so gesehen hat und daß *ihm* die Heimat plötzlich so fremdartig erscheint. Der überschauende Betrachter vermag deshalb auch diese Empfindung sogleich als einen «Fall» unter eine Kategorie unterzuordnen, und das Resultat ist, daß die reizvolle Umwelt nicht stimmungsmäßig in ihrem Erlebnischarakter ausgeschöpft wird, sondern daß sie anregt zu einem Vorsatz, zu einem Akt persönlicher Selbstbeherrschung und Selbstgestaltung – alles das gesehen und erlebt in der Distanz zur Natur. Der Mensch geht hier nicht hingebend-selbstvergessend in der Natur auf; er steht ihr vielmehr mit seiner persönlichen Absichtshaltung gegenüber.

Diese «unromantische» Haltung bestimmt das Welterleben der Kellerschen Wanderer. Schon aus dem Schlußsatz der Textprobe läßt sich ersehen, daß für Kellers Menschen das Wandern nicht mehr den welterschließenden Erlebnischarakter besitzen kann wie für die Romantiker. Zwar wissen wir, daß

Keller seine erste schriftstellerische Arbeit noch ganz im Bannkreis des romantischen Künstler-, Wanderer- und Reiseromans in Angriff nahm: der Ur-*Grüne-Heinrich* sollte eine Erzählung in der Art von *Aus dem Leben eines Taugenichts* werden[23]. Doch am Ende gewann dieser Roman, wie schon aus der Stilprobe zu vermuten, eine davon recht abweichende Sinnstruktur. Den Weg zu ihrem Verständnis ebnen uns frühere motivverwandte Werke.

Überdeutlich hat Keller seine Umdeutung des Wanderermotivs der Romantik in der Erzählung *Pankraz, der Schmoller* ausgesprochen. Gewiß, der Schlußhinweis, «die Moral von der Geschichte sei einfach, daß er in der Fremde durch ein Weib und ein wildes Tier von der Unart des Schmollens entwöhnt worden sei» (VII, 81), trifft nicht den eigentlichen Sinn der Erfahrungen, die in der Novelle geschildert werden. Dreißig Jahre lang zieht Pankraz in der Welt herum; Hamburg, Amerika, Indien, Nordafrika sind seine Stationen. Wie dem romantischen Wanderer steht ihm die Welt offen, lockt ihn der Reiz des Grenzenlosen. Ganz im Sinne der Romantik und ihrer Behandlung des Wanderermotivs ist noch die Bemerkung, daß Pankraz – schon vor seinem Auszug ins Weite – «alle Abend, Sommers wie Winters, auf den Berg lief, um dem Sonnenuntergang beizuwohnen» (10). Aber schon das Motiv zum Aufbruch in die Ferne klingt geradezu wie eine Parodie auf den romantischen Wanderer: weil er nicht genug zu essen bekommt und Mutter und Schwester durch sein Schmollen recht ärgern will, verschwindet Pankraz eines Tages. Doch das eigentliche Motiv steckt tiefer. Er bekennt später selbst, es sei die Abneigung gegen den Seldwylaer Lebensstil des untätigen Sich-gehen-Lassens gewesen, die ihn in die Welt hinaustrieb. Die Muße bekommt also, etwa im Gegensatz zu Eichendorffs Müßiggängernovelle, von vornherein einen eindeutig negativen Akzent. Auch für Kellers Pankraz hat das Wandern nun zwar noch einen bildenden Erlebnisgehalt, aber dieser ist paradoxerweise nicht mehr, wie in der Romantik, die Erfahrung der Entgrenzung, die sich beim Wanderermotiv ungezwungen nahelegt, sondern die der Beschränkung und Ordnung, nicht mehr das Ausgehen in die Bindungslosigkeit (im menschlichen Sinne), vielmehr das Eingehen in neue Bindung. Der romantische Gehalt des Wanderlebens wird direkt ins Gegenteil verkehrt. Charakteristisch deutet Keller zum Beispiel das Sternensymbol um: Pankraz «gefallen» Sterne wegen ihrer «großen Ordnung und Pünktlichkeit» (28). So kommt er ausgerechnet auf der jahrelangen Wanderung dazu, sich in eine außer ihm liegende «Ordnung» einzufügen (30); gerade das «wohlgeordnete Dasein» (32) und die Gewinnung einer «festen Lebensart» (34) ist es, was ihm am Soldatenhandwerk zusagt. Aber keineswegs ist diese Lebensweise, sogar im Falle

---

[23] Dazu Ermatinger in der Einleitung zu seiner Studienausgabe der ersten Fassung, Stuttgart und Berlin, 1914, S. V ff., besonders S. XIV–XVI.

des Pankraz, spießbürgerliche Enge, mit der man Kellers Wanderer glaubte kennzeichnen zu können, wendet sich doch Pankraz selbst mehrmals gegen die «Philisterhaftigkeit» seiner Mitmenschen (41, 67). An die Stelle des romantischen Erlebens der Unendlichkeit ist vielmehr die Erfahrung der Werte der Begrenzung, der Selbstbewahrung in der Ordnung getreten. Und die abenteuerliche Liebe, die bei den Romantikern ein Teil jener Sehnsucht in die Wunderwelt der Ferne war, erscheint dem kauzigen Pankraz als eine zerstörende Macht, der es im Interesse der Bindung an die bleibenden Ordnungen zu entfliehen gilt: so ist für den Soldaten Pankraz die Liebe zu der Gouverneurstochter in Indien zweimal der Grund zum Weiterwandern in die weite Welt und – in die stärkere Sicherung der Ordnung. Zu dieser radikalen Veränderung des Erlebnisgehaltes des Wanderns stimmt es denn auch, daß die Wanderernovelle bei Keller geradezu auf das Ende hin angelegt ist, daß sie wenigstens den Verlaufscharakter mehr betont und den daraus sprechenden Sinn. Der romantische Wanderer wird immer in der Welt herumstreifen – tatsächlich oder sinnbildhaft –, Kellers Wanderer kehren in die Heimat zurück. Heimat, das heißt hier der Ort der Beharrung, der Bindung an die menschlichen Grundverhältnisse, in denen Pflichterfüllung, Verantwortungssinn und Tüchtigkeit im Dienste des Ganzen den geistigen Horizont bestimmen. So ist es auch mit Pankraz:

Er verließ mit ihnen das Städtchen Seldwyla [den mythischen Ort der verantwortungslosen Untätigkeit und zugleich der spießbürgerlichen Lebenshaltung] und zog in die Hauptstadt des Kantons, wo er Gelegenheit fand, mit seinen Erfahrungen und Kenntnissen ein dem Lande nützlicher Mann zu sein und zu bleiben (80).

Das ist die gleiche Wendung zur Leistung und zu den objektiven Gegebenheiten des menschlichen Gemeinschaftslebens, die Keller in dem Gedicht «Spielmannslied» mit dem Hinweis auf das biblische Gleichnis vom Sämann als wünschenswert angedeutet hat: im Lichte jener «alten Fabel» wird dem zitherspielenden Vagabunden plötzlich klar, daß er kein gutes Ackerfeld ist, auf das Samen fallen könnte, sondern zweck- und wertlos sein Dasein hinbringt, ohne fruchtbare Leistung.

Der ausgesprochene Grund, aus dem der Schneidergeselle Wenzel Strapinski in *Kleider machen Leute* seiner Seßhaftigkeit ein Ende macht, ist genau so wunderlich und unromantisch wie der des Pankraz: er läuft aus der Lehre, weil er «wegen einer kleinen Geschäftsschwankung glaubte, es sei zu Ende» mit seinem Meister (VIII, 45). Dennoch liegt ihm, gleich den meisten Kellerschen Wanderern, das freie Schweifen im Blut wie den Gestalten der Romantiker. So berichtet er, nach seiner Militärzeit sei er «einsam in die Welt gereist» (59), und nachdem er und die schöne Bürgermeisterstochter Nettchen sich in liebendem Einverständnis gefunden haben, kennt Wenzel keinen höheren Wunsch, als «in unbekannte Weiten zu ziehen und geheimnisvoll romantisch [!] dort zu leben in stillem Glücke» (62). Erweist er sich durch diesen Grundtrieb vielleicht als Bruder Sternbalds und der romantischen«Taugenichtse», so hat das Reiseleben für ihn doch einen ganz anderen Erlebnisgehalt. Nicht nur zieht Wenzel wegen des lockenden *Ziels*, des stillen Glücks, in die Weite; er reist auch nicht mehr mit der fraglosen Selbstverständlichkeit und der auf den Augenblick gehenden Daseinsfreude des vagabundierenden Lebenskünstlers der Romantik; im Gegenteil: er fühlt sich überfallen von der Umwelt und gerät in eine «unglückliche Verirrung» (48). Das sorglose Umherstreifen schlägt für ihn in Not und Leid um; geplagt von Gewissensbissen, sehnt er sich hinaus aus dem fremden Seldwyla, wo er die falsche Rolle des Grafen spielen muß; aber typisch ist, daß dieses Sehnen nun nicht mehr das romantische Fernweh nach der göttlichen Unendlichkeit ist, vielmehr: «Arbeit, Entbehrung ... harrten dort, aber auch ein gutes Gewissen und ein ruhiger Wandel; und dieses fühlend, wollte er denn auch entschlossen ins Feld abschwenken» (32). Wie Pankraz sucht er also den «anständigen Lebensweg» (35), und ein bürgerlich «würdiges Dasein» (57) erscheint als der eigentliche Gehalt des Wanderns. Das ist unromantisch gedacht. Und entsprechend kommt es denn hier auch wieder auf das Ziel der Wanderung an: die «romantische» Lebensführung wird aufgegeben, am Ende des Weges stehen Ehe, Beruf und Gemeinschaft. Wir spüren, wie Keller die «haltlose» Lebensform des Bohémien suspekt erscheint. Allerdings sucht er sie nicht durch den Prozeß der Verspießbürgerlichung zu überwinden, sondern durch die Anerkennung der Werte der objektiven Ordnungsformen des menschlichen Zusammenseins. Das ist für Keller die einzige dem Menschen angemessene Daseinsweise.

Zu ihr gelangt sogar John Kabys in *Der Schmied seines Glücks*. Auch er ist ein unsteter Geselle, auch er will hoch hinaus und liebt das Abenteuer, sogar die falsche Rolle als Sohn des schrulligen Herrn Litumlei, der durch diese problematische Vaterschaft Begründer eines großen Geschlechts werden will. Daß sich dieser John Kabys auf seiner Reise durch Europa am wohlsten fühlt, versteht sich von selbst. Um sich über Erziehungsgrundsätze zu orientieren, besucht er eine Metropole nach der anderen, ein Touristendasein, wie es im Buche steht. Aber sein ganzes Glück besteht auf dieser Reise nur in der kauzigen Allüre, auf alle Arten Geld zu sparen, die weniger Glücklichen zu foppen und sich über sie erhaben zu fühlen. Das klingt schon nach Parodie des romantischen Wanderers. Und natürlich muß auch diese Abenteurerkarriere eines Leichtlebigen enden mit der Einkehr in die solide Existenz in der menschlichen Erwerbs- und Lebensordnung: als Nagelschmied lernt er «das Glück einfacher und unverdrossener Arbeit» kennen, das ihn «von seinen schlimmen Leidenschaften reinigte» (VIII, 112).

Echte Sehnsucht treibt dagegen die Nonne Beatrix (in einer der *Sieben Legenden*, «Die Jungfrau als Nonne»), ziellos in die Ferne zu wandern. Sie schaute, so wird berichtet, «vielmal feuchten Blickes in das Weben der blauen Gefilde; sie sah Waffen funkeln, hörte das Horn der Jäger aus den Wäldern und den hellen Ruf der Männer, und ihre Brust war voll Sehnsucht nach der Welt» (X, 236). Das könnte in einem romantischen Roman stehen. So zieht das junge Mädchen in das Abenteuer der weiten Welt hinaus; aber der stimmungsmäßige Genuß des freien Schweifens wird nun kaum geschildert, vielmehr geht Beatrix schon gleich eine neue Bindung ein: die Liebesbindung an einen Ritter. Als ihr Los erwählt sie sich bewußt eheliche Treue in der geordneten Begrenzung eines fraulichen Daseins; und wenn sie nach Jahren wieder, nach dem «genossenen Leben», dem Kloster zustrebt, so ist das nur Ausdruck der noch entschiedeneren Einfügung in die überpersönliche Ordnung, die der schweifende Wanderer negierte. Das Motiv der Entsagung klingt hier schon an, das sich später im *Grünen Heinrich* geltend macht.

Die Novelle *Hadlaub* behandelt die Geschichte eines der letzten Minnesänger, eines der Fahrenden, deren Zeit schon vorüber ist. Die Struktur dieser Erzählung beruht geradezu auf dem Gegensatz dieses Nachzüglers und jener echten Minnesänger, die noch ein freiziehendes Abenteurerleben führten. Demgegenüber wandert der junge Dichter Hadlaub mit einem gewissen Zweckstreben in die Welt hinaus: er will die im Volk noch verbliebenen zersungenen Minnelieder sammeln, «recht akademisch und epigonenhaft» (IX, 99). Aber auch ihn erfüllen noch die echte Sehnsucht nach der Ferne, das Heimweh und die Liebe der Romantiker, auch er dichtet auf seiner Wanderung; eine «verwegene Lebenslust» ergreift ihn, und er wird nicht müde, «sich unter dem Volke herumzutreiben» (101 f.). Dennoch bringt ihm die Wanderexistenz nicht die Genugtuung, die Lebenserfüllung, die sie dem Romantiker bedeutete. Sie trägt für ihn ihren Sinn nicht mehr in sich selbst, und, wie immer bei Keller, hat sie nur die Funktion eines Übergangszustandes, an dessen Ende die Ehe und die mitmenschliche Tüchtigkeit in der fest gegründeten Gemeinschaftsordnung stehen: in «einem guten steinernen Haus ... im Schirme der Stadt» (125) wird er als Familienvater leben und seine Tage beschließen.

Bevor wir uns der Letztfassung des *Grünen Heinrich*, der wichtigsten Gestaltung des Wanderermotivs bei Keller, zuwenden, sei noch ganz kurz auf die beiden letzten epischen Großformen des Kellerschen Schaffens hingewiesen, denn auch sie haben im Kern Wanderergestalten. Der gelehrte Dr. Reinhart im *Sinngedicht* ist ein eigentümlicher Wanderer. Gewiß, es heißt von

ihm, « es gelüstete ihn plötzlich, auf das durchsichtige Meer des Lebens hin-
auszufahren, das Schifflein im reizenden Versuche der Freiheit da- und dort-
hin zu steuern, wo liebliche Dinge lockten» (XI, 5). Doch bevor er dieses Vorhaben ausführt, wird seine Fernsehnsucht umgewandelt in den Drang, ein
Experiment auszuführen, nämlich die Richtigkeit des Epigramms «Wie willst
du weiße Lilien zu roten Rosen machen? / Küß eine weiße Galatee: sie wird
errötend lachen» in natura zu prüfen. So ist denn von den Erlebnissen auf
seiner Reise im Stil von naturwissenschaftlichen Versuchsanordnungen und
-ausführungen die Rede, womit das eigentliche Wanderermotiv komisch per-
vertiert wird, und wie das Experiment, so ist auch die Reise letztlich auf das
Resultat hin unternommen. Auf andere Weise mißlich ist es mit den Wanderern in *Martin Salander*. Sowohl Vater wie Sohn ziehen dort in die Weite,
nach Brasilien, der erste sogar zweimal. Aber nicht nur, daß dieses Ausreisen
aus konkretem, geplantem Erwerbstriebe erfolgt und somit schon nur im Hinblick auf die Rückkehr in die Heimat unternommen wird, nicht nur, daß es
also nüchtern-lebenspraktischen Charakter hat: Keller interessiert sich nur
noch für die letzte Phase der Wandererexistenz; jedesmal treten die Wandernden nur als die Rückkehrenden in den Gesichtskreis des Lesers. Am Beginn
des Romans kehrt Martin Salander aus der Fremde heim. Später muß er aus
genau der gleichen wirtschaftlichen Notwendigkeit sich noch einmal auf die
weite Reise begeben, aber die drei Jahre Brasilien werden in weniger als einer
Seite übersprungen (Beginn des 6. Kapitels), und ebenso ist es mit der Ame-
rikareise des Sohnes. Was Keller eigentlich schildert, ist der Prozeß der Einordnung der Rückgekehrten in die menschlichen Urbezüge Familie, Staat und
Heimat. Gleich zu Beginn weist Martin Salander die Vermutung von sich, er
sei Auswanderer (XII, 21), und der Heimgekehrte sagt:

Die neue Welt jenseits des Meeres ist wohl schön und lustig für Menschen
ausgelebter und ausgehoffter Länder. Alles wird von vorn angefangen, die Leute
sind sich gleichgültig, nur das Abenteuer des Werdens hält sie zusammen; denn
sie haben keine gemeinsame Vergangenheit und keine Gräber der Vorfahren.
Solange ich das Ganze unserer Volksentwicklung auf dem alten Boden haben
kann, wo meine Sprache seit fünfzehnhundert Jahren erschallt, will ich dazu
gehören, wenn ich es irgend machen kann! (73 f.)

So kommt er zurück, begierig an dem Aufbau der Schweizer Republik mitzuwirken, nichts suchend «als die Gelegenheit zu helfen und zu nützen» (82).
Der Mensch ordnet sich dem Bestehenden und Erwiesenen zu, den objektiven
Beständen menschlicher Kultur und Gesittung. Bei des jungen Salander Rückkehr fällt das bezeichnende Wort: «So laß uns ... zu dieser Stunde geloben,
daß wir das Land und Volk nie verlassen werden, es mag beschließen, was es
will» (393). Diese Einfügung in die natürlichen menschlichen Ordnungen

bedeutet auch hier kein biedermeierliches Idyll selbstgerechter Spießbürgerlichkeit. Die Ferne, die Heimatlosigkeit in jedem Sinne wäre für Keller der
Fluch des Menschen. Die «Geborgenheit» in überpersönlichen Ordnungs-
beziehungen ist die seinen Gestalten gemäße Seinsweise. Zahlreiche Gedichte
sprechen denn auch von der Gefahr der Entwurzelung aus den urtümlich-
natürlichen Bezügen[24].

Der *Grüne Heinrich* stellt Kellers eindringlichste Behandlung des Wanderermotivs dar. Als ausgesprochen schulromantischer Reiseroman begonnen, dann
in zwei Fassungen teilweise entromantisiert, läßt er noch sehr gut erkennen,
wieweit Keller ein romantisches Motiv romantisch auswertet und wie er es dann
zu einer neuen Sinndeutung umformt. Es ist ein Künstlerroman, aber wie im
romantischen Künstler-Reise-Roman[25] kommt es nach Kellers eigenem Diktum
(XVIII, 132) auf das Künstlertum nicht entscheidend an, sondern nur auf die
allgemeinmenschlichen Möglichkeiten, die sich an einem Künstler exemplarischer entfalten ließen. Heinrichs Lebensweg ist dem seines Vaters ähnlich,
der zwar kein Künstler war, aber den auch wie seinen Sohn «sein Trieb, einen
immer kühneren Schwung nehmend, in die Ferne» führte und der «als ein
geschickter Steinmetz entlegene Reiche durchschweifte» (III, 5), allerdings
nur, um später in städtische Seßhaftigkeit zurückzulenken.

Schon früh beginnt Heinrich Lee das Wandern. In der Schilderung seiner
Fußwanderung in das Dorf zu seinem Oheim klingt stellenweise Eichendorff-
Ton auf (zum Beispiel III, 199–201); man nennt ihn einen Landstreicher und
Taugenichts. In der Natur findet er Gott (III, 245), aber schon hier ist das an
den Moment hingegebene romantische Genießen getrübt durch die Zweifel
an seiner beruflichen Leistungsfähigkeit und dem «Inhalt des Lebens», der
eben hierin besteht (III, 229), also nicht mehr in dem freischweifenden Leben
selbst. Das Erleben des wandernden Menschen zeigt also auch hier die charakteristische Umwandlung. Auch die größere, die Studienreise, steht bereits
früh in Heinrichs Leben fest (V, 19). Doch nicht mit Sternbalds Begeisterung
für die Reise, das Wanderleben und jene romantische Erweiterung des gesamten Lebensgefühls geht Heinrich Lee auf die Reise, sondern «diese alltägliche Angelegenheit war meinesteils so beschaffen, daß ich für eine beschränkte Zeit ohne Nahrungssorgen noch dem Lernen obliegen konnte, mit
der Aussicht jedoch auf einen bestimmten Tag, an welchem ich auf mir selber
zu stehen hatte» (V, 97). Da hat man die beiden Gesichtspunkte: die ver-
engte und utilitarisierte Erlebnisbedeutung des Wanderns und die Aussicht auf
das Ende. So führt Heinrich, der Epigone der Romantik, denn auch nicht das

[24] Zum Beispiel «Bergfrühling», «Im Schnee», «Spielmannslied», das zweite Gedicht
des Zyklus «Vier Jugendfreunde».
[25] Scheidweiler S. 111.

reflexionslose Leben stimmungshaft genießender Hingabe an die Natur, sondern «spintisiert» ständig über Arbeit, Beruf, Erwerbsehre, mit sichtlicher
Vorliebe für die gesicherten Formen menschlicher Existenz[26]. Dazu stimmt
auch, daß Heinrich in der Fremde eine Autobiographie schreibt: ein Akt der
Selbstvergewisserung, die dem romantischen Wanderer, getrieben von seiner
Sehnsucht nach dem Weltgeheimnis, völlig abgeht. Heinrich plagt das Gewissen, die unsolide Lebensform beängstigt ihn. Und wenn er dann doch wie-
der wandert, so ist es Heimkehr. Und was für ein Wandern! Es geht alles nach
Plan und «vorgesteckter Ordnung». Sein höchstes Bestreben ist, sich auf der
Reise über den Dingen zu halten, «bis zuletzt Meister meiner selbst» zu sein
(VI, 146), das heißt, sich nicht vom Leben und von der Natur mit ihren magi-
schen Stimmen gefangennehmen zu lassen, wie es der Romantiker tat, son-
dern «Freiheit der Person» und «vernünftige Selbstbestimmung» zu wahren
(VI, 151 f., 247). Wir erinnern uns jetzt auch an die gegensätzliche Sprache des
Stils in den Textproben: Einschwingen in das «Lebenslied der Welt» einer-
seits, bewußte Distanz zur Natur andererseits. Am Ende erlebt der Wanderer
Heinrich die Landschaft nur noch als den Ort politisch-kultureller Sozial-
zustände[27], und dies, weil in ihm, bereits vor dem Abschluß seiner letzten
Wanderung, die typische Wandlung vorgegangen ist, die seiner Wanderer-
Existenz ein Ende macht. Bedeutsam ist, daß er, gerade als seine Kunst sich
endlich bewährt, den Entschluß zur Entsagung faßt. Das zeigt, daß seine Entscheidung «in einer tieferen Schicht als derjenigen des leidlichen Fortkom-
mens liegt» (VI, 183). Wie so viele Kellersche Menschen übt er Entsagung,
Beschränkung auf das Mögliche. Was ihm plötzlich, nach jenem Verzicht auf
seine großen Aussichten auf der abenteuerlichen Lebensbahn eines Künstlers,
am Herzen liegt, ist der Menschen «lebendiges Wesen und Zusammensein»;
er widmet sich dem öffentlichen Dienst (VI, 281), bereit, sich einzuordnen in
das gewordene Ganze und mitzuwirken an seiner Vervollkommnung. Aber

---

[26] Zum Beispiel VI, 40–42, 51, 101f.

[27] «Und doch lag überall das Land im himmelblauen Duft, aus welchem der Silber-
schein der Gebirgszüge und der Seen und Ströme funkelte, und die Sonne spielte auf
dem jungen betauten Grün ... Mit der Gedankenlosigkeit der Jugend ... hielt ich die
Schönheit des Landes für ein historisch-politisches Verdienst ..., und rüstig schritt ich
durch katholische und reformierte Gebietsteile ..., und wie ich mir so das ganze große
Sieb voll Verfassungen, Konfessionen, Parteien, Souveränetäten und Bürgerschaften
dachte, durch welches die endlich sichere und klare Rechtsmehrheit gesiebt werden
mußte, die zugleich die Mehrheit der Kraft, des Gemütes und des Geistes war, der fort-
zuleben fähig ist, da wandelte mich die begeisterte Lust an, mich als einzelner Mann
und widerspiegelnder Teil des Ganzen zum Kampfe zu gesellen und mitten in demselben
mich mit regen Kräften fertig zu schmieden zum tüchtigen und lebendigen Einzel-
mann, der mit ratet und tatet und rüstig drauf aus ist, das edle Wild der Mehrheit er-
jagen zu helfen ...» (VI, 284f.).

vollends erreicht er diese Einstellung erst, als auch der intimere menschliche
Bezug hergestellt ist: die «Ehe» mit Judith, wenn man es so nennen will;
denn dieser feierliche Bund der Jugendgefährten ist gerade darum, weil er
äußerlich nicht bindend sein will, eine um so innigere Bindung der Herzen.
«Wir wollen jener Krone entsagen und dafür des Glücks um so sicherer bleiben, das uns jetzt, in diesem Augenblicke beseligt» (VI, 323). So endet das
Wandererdasein in den gegründeten menschlichen Beziehungen, auf denen
Kultur und Gesittung beruhen. Deutlich sagt dies auch die Sinnbildsprache
des Schlusses: «Gottes Tisch» lautet die Überschrift des letzten Kapitels, und
sie meint den Ort, wo der Bund zwischen Heinrich und Judith geschlossen
wird: einen steinernen bemoosten Tisch im Freien. Er ist – wir erwarten es
schon – Symbol der Urformen der menschlichen Gemeinschaftsordnungen:
«Vor der christlichen Zeit sollte hier eine Kultusstätte, später eine Dingstätte
gewesen sein und von letzterer Bestimmung der Tisch herrühren» (VI, 322).
Der Dichter selbst hat übrigens schon 1850 in einem Brief an Eduard Vieweg
deutlich gemacht, daß er die Sinnstruktur des Romans so verstände, daß sein
Held, der, für alles Gute und Schöne «schwärmend, in die Welt hinauszieht»,
«sich in festes geregeltes Handeln, in praktische Tätigkeit und Selbstbeherrschung finden soll», mit einem Wort: eine feste Haltung gewönne (XIX, 337).

Zurückschauend erkennen wir, was Kellers Wanderer miteinander gemeinsam haben: ihnen bedeutet das Wandern nicht mehr jenes Unendlichkeitserleben der Romantiker und, so reduziert, wird es eine Art Vorstufe der Begrenzung und Entsagung, des Eingangs in die Ordnungen und Bezüge mitmenschlichen Daseins. Keller sieht den Menschen im Gegensatz zu den romantischen Gestalten des Wanderermotivs nicht im Grenzenlosen, sondern
zweck- und sinnvoll eingefügt in die menschliche Ordnung als Grundlage jeder
Kultur.

Man mag bei Kellers Wanderern an eine entfernte Ähnlichkeit zur Sinnstruktur von *Wilhelm Meisters Lehrjahre* denken. Für unseren Zusammenhang ist aber die Tatsache wichtiger, daß ja auch die Romantik, und zwar die
spätere Romantik, in ihrer Gestaltung des Wanderermotivs die Kellersche
Sinnstruktur und das Menschenbild, das sich darin ausspricht, gelegentlich
durchaus kennt. Man denke nur an Eichendorffs *Ahnung und Gegenwart* und
Dichter und ihre Gesellen[28]. Hier ist Kellers Sinndeutung des Vagabundentums schon bis zu einem gewissen Grade vorgebildet. Die Gegenüberstellung
von zwei Reiseromanen wie *Aus dem Leben eines Taugenichts* und *Ahnung
und Gegenwart* zeigt, wie umfassend das literarische Phänomen ist, das wir als
Romantik bezeichnen, und wie fragwürdig es ist, Kellers Verhältnis dazu mit

[28] Dazu Näheres bei Scheidweiler S. 114ff.; vgl. die oben genannte Arbeit von
Th. Gish.

Schlagworten wie «Überwindung durch Realismus» zu kennzeichnen. Aus der Untersuchung eines für beide zentralen Motivs ergibt sich vielmehr, daß Keller eine «typisch» romantische Auffassung des Wanderermotivs charakteristisch umformt, aber gerade damit paradoxerweise doch wieder in engste Beziehung zur Dichtung der deutschen Romantik tritt. Und sicher wäre es reizvoll, dieses Doppelverhältnis auch an anderen gemeinsamen Motiven herauszuarbeiten.

C. F. MEYERS KUNSTSYMBOLIK

I

Es hat sich eingebürgert, die innere Entwicklung des Dichters Conrad Ferdinand Meyer als ein lebenslanges Bemühen um eine Synthese von Entgegengesetztem darzustellen: Natur und Geist, Sinnlichkeit und Idee, Wirklichkeit und Gedanke, Konkretion und Abstraktion. Dieser Zug prägt sich in den Novellen bekanntlich darin aus, daß sie weithin, wenn auch nicht so durchgehend, wie mancher es gern sähe, von der Polarität von ethisch-geistigem und sinnlich-konkretem Menschentyp beherrscht sind. *Der Heilige* ist dafür das nächstliegende Beispiel. Aber über solche mehr strukturelle und damit gehaltliche Ausformung der Erzählungen hinaus wirkt sich dieser Sachverhalt auch auf den Stil aus. Der entscheidende Anstoß in dieser Hinsicht kam von der Lektüre von Vischers *Kritischen Gängen* (1844), von jener programmatischen Forderung: die in der Geistesgeschichte der letzten Jahrzehnte vorherrschende Geistigkeit in einer Synthese mit einem neuen Sinn für das Sinnliche, Wirkliche, Konkrete zu überwinden; als Stilregel empfahl Vischer die Verwendung des Sinnlichen, des Naturhaften in der Dichtung, und zwar nicht um seiner selbst willen, sondern als zeichenhafte Verkörperung eines geistigen Gehalts. Damit war Meyer der Weg zum Symbolstil, zu der Vereinigung von sinnlichem Bild und geistigem Gehalt, gewiesen. Denn seit der klassischen Ästhetik gilt ja das Ineinander von unerschöpflicher «Idee» und sinnlicher Erscheinung in einem in sich bündigen Stück dichterischer Sprache als das Charakteristikum des Symbols[1]. Aber Jahre vergingen, bis der immer noch dilettierende Dichter 1858 auf der Italienreise in den Bildwerken und Skulpturen Michelangelos die vollendete Erfüllung seiner Erwartung vom symbolischen Stil erlebte; und weitere zwölf Jahre verflossen, bis ihm, unter dem Eindruck des französischen Formgefühls, endlich, 1870, in einer Wendung, die er mit der des Rheins bei Basel verglich[2], in der eigenen künstlerischen Gestaltung die Synthese gelang. Von da an ist dann die Symbolik, die Versinnlichung

---

[1] Zur neueren Symbolforschung vgl. besonders die klärenden Arbeiten von W. Emrich, «Das Problem der Symbolinterpretation im Hinblick auf Goethes *Wilhelm Meister*», *DVJS*, XXVI (1952), 331–352; ders., «Symbolinterpretation und Mythenforschung», *Euphorion*, XLVII (1953), 38–67, beide wiedergedruckt in: *Protest und Verheißung*, Frankfurt 1960; auch Walter Benjamin, *Ursprünge des deutschen Trauerspiels*, Berlin 1928, S. 155 ff., H. Pongs, *Voruntersuchungen zum Symbol*, Marburg 1939, und E. Frenzel, *Stoff-, Motiv- und Symbolforschung*, Stuttgart 1963.

[2] *Briefe Conrad Ferdinand Meyers*, hg. von Adolf Frey, Leipzig 1902, II, 518. Im folgenden als Br. zitiert. Zum französischen Formgefühl vgl. E. Merian-Genast, «C. F. Meyer und das französische Formgefühl», *Trivium*, I (1942/43), Heft 2, 1–23.

eines Inneren durch anschauliche Zeichen, die Kennmarke des Meyerschen Stils.

Vorherrschend ist die Natursymbolik. Besonders im Werk des späten Meyer erscheint Naturszenerie niemals mehr in selbstgenügsamer Eigenständigkeit, sondern stets als symbolisch-zeichenhafte Vergegenwärtigung von Inhalten, von menschlichen Empfindungen und Stimmungen. Während aber diese Art des symbolischen Gestaltens keine Originalität besitzt, vielmehr in der Symbolik der deutschen Klassik vorgebildet ist, macht sich in Meyers Werk noch ein anderer Symboltyp geltend, der damals noch ungewöhnlich ist: die Kunstsymbolik, die zeichenhaft bedeutende Verwendung von Kunstgebilden aller Art, in der Weise also, daß Kunstgegenstände in das Kunstwerk selbst als wesentliche Sinnelemente eingehen und dieses in seinem Kunstcharakter potenzieren. Wie ein Erkennungszeichen geradezu zieht sich dieser Symboltyp durch das ganze Werk C. F. Meyers. Seine Bedeutung ist in zwei Richtungen zu suchen: einmal in dem Licht, das die Kunstsymbolik, sofern man sie als typisches *Stilmittel* betrachtet, auf Meyers dichterische Technik wirft; zweitens aber in dem Rückschluß, den die auffallend häufige Verwendung eines Artefakts als *Motiv* auf die geistige Welt des Dichters gestattet, dem diese Darstellungsweise die gemäße Ausdrucksform ist. Denn schon lange, besonders aber seit den Forschungen Herman Meyers, weiß die Literaturwissenschaft, daß die leitbildartige Wiederkehr eines Motivs im Schrifttum einer Epoche oder eines Dichters als unwillkürliche, geheime Äußerungen einer Geistigkeit in hervorragender Weise geeignet ist, gehaltliche Momente aufzudecken, die einer lediglich auf positiv nachweisbare weltanschauliche Aussagen gerichteten Forschungsweise leicht entgehen[3].

Offensichtlich ist ja das Motiv symbolisch verwendeter Kunstdinge über den jeweiligen konkreten epischen oder lyrischen Zusammenhang hinaus sinnhaltig. In welcher Weise dies der Fall ist, wird am besten im Vergleich mit den Sinnbezügen deutlich, die in der Verwendung von *Natursymbolen* beschlossen sind. In der Novelle *Angela Borgia* wird der verbrecherische Kardinal Ippolito, der der jungen unschuldigen Angela nachstellt, an einer Stelle mit einem symbolischen Fingerzeig eingeführt; es heißt dort: «Ein schreiender Raubvogel erhob sich aus dem Walde und kreiste über den Wiesen. Zugleich rauschte es im Gebüsch, und ein hagerer, in Purpur gekleideter Mann trat auf Angela zu» (Kap. 2). Der am Himmel schwebende Raubvogel symbolisiert die verborgenen, eigentlichen Absichten des Menschen. Zwischen dem Menschen und dem symbolischen Naturphänomen besteht eine geheime

---

[3] Siehe Frenzel S. 57–63; besonders lehrreiche Beispiele: H. Meyer, *De Levensavond als litterair Motief*, Amsterdam 1947, und N. Perquin, *Wilhelm Raabes Motive als Ausdruck seiner Weltanschauung*, Amsterdam 1928.

Beziehung; ihr Wesen ist identisch. In solcher Ineinssetzung von Natur und Mensch erfaßt man die einem derartigen Symbolstil zugrunde liegende geistige Einstellung. So hatte schon Vischer, von dem Meyers Ausbildung der symbolischen Gestaltungsweise angeregt wurde, gefordert: «Der Dichter wird der Natur ein Auge geben, daß sie geistig blicke, und einen Mund, daß sie rede; er wird den Menschen mit Sonne und Erde, Fluß und Wald wieder in den ursprünglichen Rapport setzen und an die Brust der Mutter zurückführen.»[4] So also auch Meyer, nur daß man bei ihm nicht Vischers stilistische Direktheit und Überschwenglichkeit erwarten darf. In dem Gedicht «Noch Einmal» hat er übrigens das Symbol des Raubvogels, das wir zur Illustration herausgriffen, wiederum so verwendet, daß der Mensch und das Naturobjekt (als die gestalthafte symbolische Verkörperung der tiefsten Strebungen dieses Menschen) ineinsgesetzt werden.

In einen verwandten Sinnzusammenhang führt die Frage nach der Bedeutung der *Kunstsymbolik* für die geistige Welt eines Dichters. Und da eben dieser Symboltypus für Meyer charakteristisch ist, darf man sich von der Beantwortung der Frage wichtige Aufschlüsse über seine geistige Welt versprechen. Was hier gemeint ist, läßt sich am besten an der Entwicklungsgeschichte des Gedichtes «Auf Goldgrund»[5] veranschaulichen. Die ersten Fassungen waren lyrische Stimmungsbilder: im goldenen Licht der untergehenden Sonne bringen die Schnitter die Ernte ein. Eine spätere und dann die endgültige Fassung heben die Selbstgenügsamkeit des Naturbildes auf und schalten ihr einen Kunsteindruck vor; hier die endgültige:

> Ins Museum bin zu später
> Stunde heut ich noch gegangen,
> wo die Heilgen, wo die Beter
> auf den goldnen Gründen prangen.
>
> Dann durchs Feld bin ich geschritten
> heißer Abendglut entgegen,
> sah, die heut das Korn geschnitten,
> Garben auf die Wagen legen.
>
> Um die Lasten in den Armen,
> um den Schnitter und die Garbe

[4] *Kritische Gänge*, II, 253. Vgl. auch Walther Linden, *C. F. Meyer*, München 1922, S. 210 zu «Noch Einmal»: «Er *ist* der Adler. Es ist ein Überfließen in die Natur. Jeder Rationalismus versagt hier, das ist *Mystik*.»

[5] Vgl. *Sämtliche Werke*, hg. von Hans Zeller und Alfred Zäch, Bern 1958ff., II, 352–356. Quellenangaben im Text beziehen sich auf diese Ausgabe. Bei *Angela Borgia*, die in dieser Ausgabe noch fehlt, wird nur das Kapitel angegeben, dem das Zitat entstammt.

floß der Abendglut, der warmen,
wunderbare Goldesfarbe.

Auch des Tages letzte Bürde,
auch der Fleiß der Feierstunde
war umflammt von heilger Würde,
stand auf schimmernd goldnem Grunde.

Zwischen den Menschen des Kunstgebildes und denen auf dem Felde besteht eine Gemeinsamkeit: beide stehen auf Goldgrund. Die Bedeutung dieser Gemeinsamkeit leitet sich aber von dem in der ersten Strophe dargestellten Kunstwerk her, sofern nämlich dort die goldene Farbe Attribut der «Heiligen» ist, einer Lebensform also, die durch die Nähe zum Göttlichen verklärt ist. So deutet der goldene Abendschein in der zweiten Hälfte des Gedichtes zeichenhaft auf eine Heiligung des arbeitenden Menschen. Ausschlaggebend für die Sinnstruktur des Gedichts ist dabei das Fortschreiten vom Kunstbild zum Lebensbild, vom Kunstmotiv zum Menschen, und nicht umgekehrt; das heißt aber: das Leben wird an der Kunst orientiert und gewinnt erst Bedeutung im Hinblick auf die Kunst, in der es wesentlich präformiert ist. In dem Artefakt findet das Leben, und damit der Mensch, Vorbild und Urbild; nur aus dem Bezug zur Kunst erfüllt sich das Bild des Lebens und des Menschen mit Sinn. Die Kunst ist dem Leben vor- und übergeordnet; aber dieses richtet sich nach ihr aus, so daß sich eine Gemeinsamkeit herstellt, ähnlich der Identifizierung des Menschen mit der Natur in Meyers Natursymbolik.

Von hier aus wird einsichtig, weshalb für Meyer in seinem Schaffen die Treue gegen Natur und Geschichte überhaupt kein Gesichtspunkt war, andrerseits, wieso ihm die Betrachtung der Natur öfters die Urbilder in der Kunst in Erinnerung rief[6]. Verwandtes begegnet in der Lyrik. Dafür nur zwei Beispiele. Im Gedicht «Venedig» heißt es:

Venedig, einen Winter lebt' ich dort –
Paläste, Brücken, der Lagune Duft!
Doch hier im harten Licht der Gegenwart
Verdämmert mählig mir die Märchenwelt.
Vielleicht vergaß ich einen Tizian.
Ein Frevel! Jenen doch vergaß ich nicht,
Wo über einem Sturm von Armen sich
Die Jungfrau feurig in die Himmel hebt,
So wenig als den andern Tizian –
Doch kein gemalter war's – die Wirklichkeit:
Am Quai, dem nächtgen, der Slavonen war's,
Im Dunkel stand ich. Fenster schimmerten.

[6] Br. II, 65, 69, 71.

Zwei dürftge Frauen kamen hergerannt.
Hart an die Scheibe preßt' das junge Weib
Die bleiche Stirn. Was drinnen sie erblickt,
Das sie erstarren machte, weiß ich nicht.
(Vielleicht den Herzgeliebten, welcher sie
An eines andern Weibes Brust verriet.)
Ich aber sah den feinsten Mädchenkopf
Vom Tod entfärbt! Ein Antlitz voller Tod!
Die Mutter führte weg die Schwankende ...
Die beiden Tiziane blieben mir
Stets gegenwärtig; löschen sie, so lischt
Die Göttin vor dem armen Menschenkind.

Noch deutlicher ist das Gedicht « Die Jungfrau » durch den Verweis vom Leben, von der Wirklichkeit, auf das künstlerische Urbild bestimmt:

Wo sah ich, Mädchen, deine Züge,
Die drohnden Augen lieblich wild,
Noch rein von Eitelkeit und Lüge?
Auf Buonarrotis großem Bild: ...

Das Bild wird beschrieben, und das Gedicht endet mit den Worten:

So harrst du vor des Lebens Schranke,
Noch ungefesselt vom Geschick,
Ein unentweihter Gottgedanke,
Und öffnest staunend deinen Blick.

Erst von dem urbildlichen Kunstwerk wird der Mensch hier, wie von einem
Ordnungsprinzip aus, in seinem eigentlichen Wesen durchschaut. Man erkennt, daß die Kunstsymbolik bei Meyer mehr ist als ein bloßes Darstellungs-
mittel; man spürt, daß sie vielmehr zurückweist auf eine eigentümliche Auffassung des Menschen, die nun zu der Weltanschauung des Dichters in Beziehung gesetzt werden müßte und so wohl ein interessantes Licht auf C. F.
Meyer werfen würde. Es sollen daher im folgenden zunächst noch weitere
symbolische Verwendungen des Motivs des Artefakts im Werk Meyers auf
ihre genauere Bedeutung im Sinnzusammenhang der jeweiligen Dichtung
untersucht werden. Zweitens wäre der neue Aspekt in den Kontext von Meyers
Gesamteinstellung zum Leben einzuordnen und drittens zu fragen, in welchen literatur- und geistesgeschichtlichen Zusammenhang der Dichter auf
Grund solcher Anschauungen gehört. Für alle drei Fragenkreise: die poetische Technik, die Sicht des Menschen und die dichtungsgeschichtliche Orts-
bestimmung Meyers, darf man da aufschlußreiche neue Gesichtspunkte erwarten.

II

In dem Romanfragment *Der Dynast*, das den «Zürichkrieg» im 15. Jahrhundert, die Auseinandersetzung der Eidgenossen um das Erbe des toggenburgischen Besitzes, darstellen sollte, gibt es eine eigentümliche Szene. Zwei Adelige, die im Hof der «Schattenburg» die Ankunft des Kaisers erwarten, schauen sich in ihrer Langeweile zufällig ein Mauerbild über dem Torbogen an:

> Was das Bild einst dargestellt hatte, war schwer zu errathen. Wohl ein jüngstes Gericht! ... Es waren zwei stämmige Männer, welche die Rücken sich zukehrend, mit wütender Miene und geballten Fäusten vergeblich trachteten, sich kämpfend gegeneinander zu wenden und sich anzupacken; denn sie waren hinten an den Haaren unauflöslich zusammengeknüpft. Diese verstrickten Haarlocken aber hatten ... verschiedene Farbe, der eine der Gefesselten trug eine rote, der andere eine schwarze Mähne. Eine Weile betrachteten die beiden Staatsleute aufmerksam die gemalte Grausamkeit ... Dann blickten sie einander betreten an, denn sie hatten wahrgenommen, daß die zwei Verstrickten auf dem wohl hundertjährigen Bilde durch einen wunderlichen Zufall eine nicht zu verkennende Ähnlichkeit nicht nur der Haarfarbe, sondern auch der Züge und der Statur mit ihnen selbst hatten. Seltsam, jetzt nahmen auch ihre Gesichter einen Ausdruck gegenseitigen Hasses an[7].

Die beiden Männer sind Stüssi und Reding, die sich später in dem vernichtenden Bruderkrieg an der Spitze der feindlichen Heere gegenüberstehen werden. Noch ist kein Gedanke an den Kampf, aber in dem Bild des Künstlers, das an die Infernoszenen der *Divina Commedia* erinnern mag[8], erblicken sie sich schon wie in einem Spiegel, erkennen sie sich in ihrem vorgezeichneten Wesen und ordnen sich sichtlich, gleichsam im Gehorsam gegen das Kunstwerk, dieser Vorwegnahme zu. Hinfort wird sich dann ihr Leben nur noch im Hinblick auf dieses künstlerische Urbild vollziehen; und wenn man sich erinnert, daß Meyer den ganzen Roman ursprünglich *Verstrickte Haare* nennen wollte[9], so begreift man die hervorragende Bedeutung dieses Motivs im Gesamtplan des Werkes. Es ist eben nicht nur ein beliebiges Motiv, sondern es enthält wie in einer Nußschale den Kern der Dichtung. Und in diesem Sinne kommt es immer wieder bei Meyer vor.

Ein gutes Beispiel für die noch sehr explizite Art der Zuordnung von Kunstwerk und Mensch findet sich in *Huttens Letzte Tage* (1871), wo dem Tod-

[7] *C.F. Meyers unvollendete Prosadichtungen*, hg. von Adolf Frey, Leipzig 1916, I, 76 f.

[8] Alle Hinweise auf Anregungen zu den erwähnten Kunstwerken nach Emil Sulger-Gebing, «C.F. Meyers Werke in ihren Beziehungen zur bildenden Kunst», *Euphorion*, XXIII (1920/21), 422–495.

[9] *Unvollendete Prosadichtungen*, I, 57.

kranken Dürers Stich «Ritter, Tod und Teufel» gegeben wird, und zwar mit den Worten: «Der Ritter, Herr, seid Ihr.» Hutten erkennt sich ohne weiteres in dem Bild:

Dem garstgen Paar, davor den Memmen graut,
hab immerdar ich fest ins Aug geschaut.

Mit diesen beiden Knappen reit
ich auf des Lebens Straßen allezeit,

bis ich den einen zwing mit tapferm Sinn
und von dem andern selbst bezwungen bin. (IV [Ausg. l. H.])

In viel ernsterer Weise jedoch, als Hutten zu diesem Zeitpunkt bewußt ist, treten die beiden in dem Bild dargestellten Mächte später an ihn heran, als Paracelsus ihm die Gewißheit gibt, daß er ein Todgeweihter ist, und als er, wie auf dem Dürerschen Stich, mit Glaubensgewißheit den Teufel abweist, der ihn in der Verzweiflung über sein verscherztes Leben versucht (LIX). Hutten lebt also das Leben des Dürerschen Ritters zwischen Tod und Teufel nach, der seine künstlerische Präfiguration darstellt und seinen Kampf mit den bestimmenden Mächten symbolisch andeutet. Dazu stimmt es dann auch, daß der Sterbende sich als Figur in zwei Bilder, in Michelangelos «Jüngstes Gericht» (LX) und in Holbeins «Totentanz» (LXV), hineinsieht, das heißt aber: sich in eine Ordnung einfügt, die die Kunst geschaffen hat. Der Mensch lebt auf das Kunstwerk zu, versteht sich von ihm her, wird an ihm gemessen.

Eng verwandt durch die direkte Herstellung der Beziehung zwischen Kunstwerk und Mensch ist eine Stelle in *Angela Borgia*. Dort wird von einer frei erfundenen Statue eines Cupido berichtet, der mit zerrissenen Flügeln und verschütteten Pfeilen in Fesseln geschlagen ist. «Dieses Bild sagte in der wunderbar freien Sprache des Jahrhunderts, daß für die verheiratete Lukrezia die Zeit der Leidenschaft vorüber sei» (Kap. 3). Wieder ist es das Artefakt, das die Gestalt klärt und deutet, und nicht umgekehrt.

In vergleichbarer Weise wird ein Motiv aus der antiken Mythologie schon in eins der frühsten Werke Meyers eingeführt, in die vom Autor selbst nicht veröffentlichte, erst 1938 in der Zeitschrift *Corona* erschienene Novelle *Clara*. Zwei Schwestern, die Komtessen Franziska und Clara, lieben den Grafen Bettino, einen entfernten Verwandten, der in ihrer Nähe lebt. Clara glaubt, es sei ihr gelungen, die Zuneigung des Grafen zu gewinnen. Doch die Entscheidung Bettinos wird hinausgezögert. Als er sie endlich trifft, ist der Leser nicht weniger überrascht als Clara; das Kunstwerk eines «verschollenen Malers» hat sie jedoch längst vorweggenommen:

Der Graf faßte Mut und begann: «Auf das Geheiß unsers erhabenen Herrn wage ich, meine Scheu zu überwinden, und – », er hielt inne, sein Blick irrte von der bejammernswerten Franziska auf die herrliche Clara. Diese, den empor-

gerichteten edlen Kopf in die Hand gelegt, betrachtete gedankenlos eine ver-
dunkelte Freske der Decke, die sie wohl noch nie eines Augenmerks gewürdigt.
Ein verschollener Maler hatte vor langer Zeit das bekannte Urteil des Paris abgebildet und, boshaft genug, nicht wie sonst Venus, die sich hier mit Juno schon
abgewendet, sondern die reine Minerva vor den unbescheidenen Hirten gestellt.
Diese Posse entrüstete Clara, als hätte sie dieselbe auf sich gedeutet und ein
Ausdruck erst des Unwillens, dann herben Spottes verzog ihren blassen Mund,
fast wie jenes Mal, als sie den über seinen Unfall auf dem Schlachtfelde so leicht
hinweggehenden Bettino verletzt hatte. – «Und», schloß Bettino, «Gräfin
Clara um die Hand ihrer Schwester zu bitten.» Clara wurde totenbleich und
ein leises Zittern erschütterte sie; aber geistesgegenwärtiger als Bettino auf dem
Kampfplatz, erwiderte sie fest: «Geliebter Schwager, Eurer Verbindung mit
Franziska steht nichts entgegen» (*Corona*, VIII, 1938, S. 409f.).

Clara erkennt also in dem «vor langer Zeit» gemalten Bild die gegenwärtige Situation wieder, aber nicht nur das: sie erfaßt auch instinktiv die Entscheidung des Paris für Minerva und gegen Venus als Entscheidung Bettinos
für Franziska und gegen sich selbst. Doch nicht allein das Vorwissen ist der
Kunst eigen; sie deutet auch. Denn wenn Paris «die *reine* Minerva» wählt,
so ist damit ein – vielleicht allzu deutlicher – Fingerzeig auf Franziska gegeben – der die sittenstrenge Clara ja eben die Reinheit und Unschuld abstreitet.

Ganz ähnlich, mit der Überdeutlichkeit des Anfängers, ist das Motiv in *Jürg
Jenatsch* durchgeführt. Als der Volksheld der Bündner, der durch Gewalt und
Verhandlung gegen die übermächtigen Feinde erfolgreich war und seinem
Land die Freiheit geschenkt hat, von den Bürgern in einem rauschenden Fest
gefeiert wird, erreicht ihn der Tod – unter dem buntgemalten Bild einer Justi-
tia (X, 268). Damit fügt sich Jenatschs Schicksal der in dem allegorischen
Kunstwerk vorgestellten Idee und erfährt vom Kunstwerk her eine Deutung.
Durch diese Verwendung des Artefakts wird ausdrücklich eine Schuld Jürg
Jenatschs anerkannt; eben das war aber vorher absichtlich in Zweifel gelassen
worden, sofern noch kurz vorher Jenatsch vom Volk lobend als «der größte
Mann, den das Land je besessen» (240) verherrlicht, von der Gegenpartei aber
als ruchloser Mörder gebrandmarkt (242f.) wurde und lang und breit, jedoch
ohne Ergebnis, über seine Schuld oder Unschuld gestritten worden war (251f.).
Die Ermordung unter dem Bild der Justitia deutet an, daß Jenatsch als der
große politische Täter nicht nur der Vaterlandsbefreier, sondern auch der Verbrecher, Mörder und Verräter ist, dem eine gerechte Sühne abverlangt wird.
Und das ist um so wichtiger, als in den letzten Worten Jenatsch nur wieder als
«Bündens größter Mann» bezeichnet wird.

Weniger deutlich ausgesprochen, aber dennoch durch Interpretation er-
schließbar ist die Zuordnung von Kunst und Mensch in den meisten anderen
Dichtungen Meyers. So ist es etwa in der frühen Verserzählung *Engelberg*

bedeutsam, daß der zu Tode erkrankte Bildschnitzer an einer Pietà arbeitet, bei der er Gesichtszüge seiner Mutter verwendet, so daß er selbst also mit der Christusfigur in Beziehung gesetzt wird. « Du hast dem Tod Gestalt gegeben », heißt es (X), und wenig später wird genau das Wirklichkeit werden, was in der Kunst schon vorweggenommen und urbildlich gestaltet ist; das Leben dieses Künstlers und sein Tod erscheinen also nicht als etwas individuell Einmaliges, sondern als Erfüllung einer in der Kunst vorausgeschauten Möglichkeit.

Hatte Meyer dieses darstellerische Mittel einmal in den Griff bekommen, so konnte er offensichtlich der Verlockung nicht widerstehen, es überall, auch wo es gesucht erscheinen mußte, in seinen Novellen zu verwenden und es zu einem der hervorstechendsten Kennzeichen seiner erzählerischen Technik zu machen. Sehr gekünstelt ist es zum Beispiel, wenn in *Gustav Adolfs Page* berichtet wird, daß Leubelfing, als der König seinen Sohn von ihm für Heeresdienste in der schwedischen Armee fordert, bleich wurde « wie über ihm die Stukkatur der Decke, welche in hervorquellenden Massen und aufdringlicher Gruppe die Opferung Isaaks durch den eigenen Vater Abraham darstellte », und wenn es weiter heißt, daß der jammernde Sohn mit einem « Daß Gott erbarm! » seinen Blick « aufwärts zu dem gerade über ihm schwebenden Messer des gipsenen Erzvaters » (XI, 168 f.) richtet. Immerhin bleibt bei aller Manieriertheit um so deutlicher zu erkennen, wie Meyer wiederum ein Kunstsymbol heranzieht, um eine Schicksalsstunde nicht als Sonderfall erscheinen zu lassen, sondern als bloße Variante einer in der Kunst bereits vorgegebenen Situation. Leubelfing Vater und Sohn erkennen sich in Abraham und Isaak und ordnen sich ihnen bewußt zu.

Unaufdringlicher ist das Motiv in den *Heiligen* eingeflochten. Nach dem Bruch zwischen Heinrich und seinem Kanzler, Thomas Becket, wird das Versprechen einer Aussöhnung an einer Stätte von symbolischer Bedeutung gegeben, nämlich unter einem kunstverzierten Pfeiler des Kreuzganges der Kathedrale. Armbruster berichtet darüber: «Wahrlich, auch mein Herz jubelte, daß die erbarmungswürdigen Leiden meines Königs zu Ende gingen. Da mußte ich, wehe, über den Häuptern der zweie ein steinerndes kleines Scheusal erblicken, das, auf dem Gurt eines Pfeilers hockend, mit seinem Krötenbeinchen höhnisch nach ihnen stieß und dazu die Zunge reckte» (XIII, 116). Die Versöhnung, die Meyer selbst in einem Brief als eine absolute Unmöglichkeit bezeichnete[10] und die auch nach den bisherigen Handlungsvoraussetzungen unvorstellbar ist, gelingt denn auch nicht, da es der Kanzler nicht über sich bringen kann, dem Mörder seiner Tochter den Friedenskuß zu geben, und den König von sich stößt. Die höhnische Skulptur im Kreuzgang, die diesen Ausgang bereits vorwegnahm, behält recht.

[10] Br. II, 306, an Hermann Lingg, 2. Mai 1880.

In *Das Leiden eines Knaben* hat Meyer zum erstenmal eine Dichtung statt der sonst bei ihm üblichen Werke der bildenden Kunst als symbolische Präfiguration einer Gestalt und ihres Schicksals eingeführt. Julian Boufflers, der geistig beschränkte Sohn des Marschalls, hat sein künstlerisches Urbild in dem Thomas Diafoirus des *Eingebildeten Kranken* von Molière, ebenso wie sein Vater in der Gestalt des Monsieur Diafoirus, der seinen Sohn verkennt. Diese Episode ist so geschickt mit dem Beginn der Lebensgeschichte verknüpft (XII, 108 ff.), daß sie ständig als der Spiegel in Erinnerung bleibt, in dem Julian Boufflers zu sehen ist. Julian wird dann auch beinahe absichtslos mit einem Zitat aus eben dieser Komödie charakterisiert (113). Julian lebt das Leben nach, das der Thomas der Dichtung vorlebte. Deswegen wirkt es inkongruent, ist aber um so bezeichnender für Meyers Absicht, daß der geistig Zurückgebliebene in seinen kindlichen Nöten noch zu einem zweiten Kunstwerk in symbolische Beziehung gesetzt wird: zu dem von Gleyre angeregten Bild des Malers Mouton, das Pentheus nach «einer ovidischen Szene» auf seiner ausweglosen Flucht vor den Mänaden zeigt, wobei dem flüchtenden Jüngling unverkennbar Züge Julians gegeben werden (135 f.). Wieder sagt das Kunstwerk mehr über den wahren Zustand des Knaben aus als alle sonstigen Andeutungen, und Fagon, der Erzähler, erkennt sofort den Zusammenhang.

Zum zweiten Male liefert in der *Richterin* eine Dichtung das künstlerische Urbild, wenn auch hier eine bildliche Darstellung parallel geht. Wulfrin und Palma, Bruder und Schwester, lieben sich, ohne sich bewußt zu werden, daß ihre Zuneigung über die normale geschwisterliche Sympathie hinausgeht. Da geschieht das Merkwürdige, daß ihnen der Zufall eine bebilderte Handschrift in die Hände spielt, die die Geschichte von Byblis' sündiger Liebe zu seiner Schwester erzählt und eine Illustration enthält, in der Bruder und Schwester seltsamerweise, wie so oft bei Meyer, Züge Wulfrins und Palmas tragen. In diesem Bild und in der dazu gegebenen Erläuterung aus dem Text erblickt Wulfrin blitzartig seine eigene Situation. Er wird sich mit Entsetzen über seine Sünde klar und weist nun – genau wie Byblis auf dem Bild – die Schwester abwehrend zurück[11]. Wieder ist sich der Mensch in einem künstlerischen Urbild vorweggegeben, nicht zeitlich, sondern wesenhaft, und er paßt sein Handeln dieser Präfiguration an.

In seinen beiden letzten Erzählungen, *Die Versuchung des Pescara* und *Angela Borgia*, hat Meyer sein Lieblingsmotiv in einer Häufung gebraucht,

---

[11] XII, 212 ff. An diesem Beispiel wird ganz offensichtlich, wie unzureichend es ist, Meyers Kunstsymbole nur als technisches Mittel der epischen Vorausdeutung zu verstehen; denn später stellt sich ja heraus, daß Wulfrin und Palma nicht Geschwister sind. Das Bild erfüllt seine Funktion darin, in der jeweiligen Situation auf ihr Urbild zu verweisen.

die vorher nicht zu beobachten ist. Man denkt da zunächst an das Gemälde Pescaras im Kabinett des mailändischen Kastells, das den Feldherrn mit seiner Gemahlin Viktoria Colonna beim Schachspiel zeigt, mit undurchdringlicher Miene, «in dem streng gesenkten Mundwinkel ein Lächeln» versteckend (XIII, 159). Gerade unter diesem Bild beraten die Vertreter der päpstlichen Liga ihren Verrat am Kaiser und die Möglichkeit, den kaiserlichen Heerführer Pescara zum Abfall von seinem Herrn zu bewegen und für ihre Sache zu gewinnen. Man glaubt, dieses Unternehmen müsse gelingen, da man Pescara als «falsch, grausam und geizig» kennt und den Plan für so ausgeklügelt hält, daß Pescara der Versuchung unbedingt unterliegen müsse. Da wirft der Mond seinen Schein auf das Gemälde an der Wand, die schachspielenden Gestalten scheinen einen Augenblick lang zu leben, so daß die Verschwörer erschreckt zusammenfahren. «Was wirst du tun?» scheint die Frauengestalt am Spieltisch zu fragen. Pescara bleibt «bleich wie der Tod, mit einem Lächeln in den Mundwinkeln» (173). So endet das erste Kapitel. Tatsächlich zeigt dieses Bild eine verborgene Wandlung, die – allen unbekannt – in Pescara vorgegangen ist und die sein Charakterbild in der ganzen Novelle bestimmt, sosehr der Feldherr auch bemüht ist, seine wahre Verfassung selbst vor seiner Gemahlin geheimzuhalten. Denn in der Tat steht Pescara, den jedermann auf der Höhe seiner Kräfte glaubt, bereits im Schatten des Todes. Genau wie auf dem Bild wahrt er durch die ganze Erzählung hindurch eine undurchdringliche Distanz von seiner Umgebung und ihren Problemen, da ihn die Nähe zum Tod bereits in einen anderen Bezug gehoben hat, von dem aus er die Dinge des welthaften Daseins nur noch als ein Spiel und mit dem feinen Lächeln des Weisen auffassen kann, das ihn immer wieder im Verkehr mit den Menschen seiner Umgebung charakterisiert und ihn zu dem rätselhaften Wesen macht, das er ist. Das Werk des Künstlers hat also die Wahrheit Pescaras schon dargestellt, lange bevor diese offenbar wird; so lebt der Feldherr die Rolle der vom Tode berührten, spielenden Gestalt des Gemäldes. Die Unerforschlichkeit seines Charakters wird außerdem noch in einer Weise durch ein Kunstwerk symbolisiert, die an das verwandte Motiv im *Heiligen* erinnert: Im Park schlummert der Heerführer auf einem Marmorsitz, «dessen Lehnen zwei Sphinxe bildeten» (218). Erst viel später heißt es von Pescara: «Dieser Pescara ist das Rätsel der Sphinx» (273). Wie bewußt Meyer in dieser Kunstsymbolik vorgeht, läßt sich daraus erkennen, daß die Sphinxe zuerst in der *Richterin* verwendet werden sollten[12], wo sie allerdings kaum so sinnvoll am Platz gewesen wären.

Eine zweite symbolische Vorwegnahme von Pescaras Tod – auf dem Schachbild war er «bleich wie der Tod» – erfolgt durch die Beziehung auf ein Bild

[12] *Unvollendete Prosadichtungen*, I, 275 f.

in dem Kloster, in das der Feldherr seine Gemahlin begleitet, bevor er in die Schlacht zieht. Hier erblickt Pescara zufällig das Altarbild, auf dem die Kreuzigung dargestellt ist; in dem Kriegsknecht, der Christus die Lanze in den Leib stößt, ist nun aber, wie der Heerführer sogleich erkennt, niemand anders abgebildet als derjenige Schweizer, der in der Schlacht bei Pavia Pescara die Seitenwunde beibrachte, an der er seither krankt, ohne daß es jemand auch nur ahnte (251). Und wie der Gekreuzigte mit der Seitenwunde, so wird der Feldherr wenig später ebenfalls nicht mehr unter den Lebenden sein. Als Pescara Viktoria wissen läßt, er müsse sie ein letztes Mal verlassen, um in den Krieg gegen Mailand zu ziehen, stellt sich wieder, diesmal in etwas gesuchterer Manier, eine bildkünstlerische Darstellung ein, die die Situation der beiden symbolisch typisiert: es ist das Gemälde dreier Frauen, die Gegenwärtigkeit, Vergessen und Sehnsucht bedeuten, und Pescara bezieht es sofort auf seine augenblickliche Lage, wenn er äußert: « Ich preise die gegenwärtige Abwesenheit, die Sehnsucht » (223).

In dem letzten epischen Werk, *Angela Borgia*, sind wieder Dichtungen als symboltragendes Motiv an entscheidenden Stellen in das Kunstwerk eingegangen. Gleich zu Anfang beginnt das, wenn die junge Angela « nicht nach dem duldenden Vorbilde ihrer weiblichen Heiligen » beschrieben wird, « sondern mehr nach dem kühnen Beispiel der geharnischten Jungfrauen, die in der damaligen Dichtung umherschweiften, jener untadeligen Prinzessinnen ..., welche zu handeln und sich zu verteidigen wußten, ohne dabei die Grazien zu beleidigen » (Kap. 1). An einer späteren Stelle heißt es von Angela, sie sei « wie aus einem Rittergedicht entsprungen » (Kap. 7). Der für Meyer kennzeichnende symbolische Verweisungszusammenhang führt hier von der dichterischen Wirklichkeit nicht in die geschichtlich-empirisch-natürliche, sondern in eine künstlerische Wirklichkeit von urbildhaftem Normcharakter. Ähnlich wirkt das Motiv, daß die Bravos des Kardinals Ippolito, wie ausdrücklich vermerkt wird, die Namen der Teufel in Dantes « Inferno » tragen: Nicht Leben und Wirklichkeit werden hier in die Kunst übergeführt, sondern umgekehrt, die künstlerische Phantasiewelt wird im Leben (das in der Dichtung erscheint) real. Dasselbe gilt von der Bedeutung des *Rasenden Roland*, aus dem Ariost dem geblendeten Giulio d'Este die Gesänge vorliest, « deren Grundstimmung ein heroischer Ernst oder Ergebung im Leiden war, Trennungen, Aufopferungen, Erniedrigungen und ähnliches passives Heldentum! Da rührte es oft den Dichter, wie tief Don Giulio den schmerzvollen Wahnsinn Rolands mitempfand » (Kap. 7). In der von dem Dichter geschaffenen Gestalt erkennt der junge Edelmann sich und lernt sein Geschick und sein Leben besser verstehen, gleichsam als Wiederholungsfall der gedichteten Existenz. Mit dieser bringt er sich dann in Übereinstimmung und lebt ihr nach.

Don Giulio schreibt sein Unglück schließlich nicht mehr dem blinden Verhängnis oder dem Haß der Menschen zu, sondern orientiert seine Lage an der Dichtung: «Wenn in des Dichters sonst so hellen Bildern mitunter die Nemesis waltete ..., dann versank Don Giulio in Nachdenken, und Ariost vernahm wohl einen erstickten Seufzer» (Kap. 7). Ebenso erblickt Lukrezia ihr Urbild in einem von Meyer frei erfundenen Gemälde der «verbrecherischen römischen Tullia», die sie, Angelas Abscheu gegenüber, entschuldigend so deutet, daß sie sich an einen Mann verlor, dessen willenloses Werkzeug sie wurde (Kap. 11). Eben das gilt aber auch von Lukrezia und ihrer sklavischen Abhängigkeit von Cesare Borgia.

Tiefer in die Gesamthandlung der *Angela Borgia* und in ihren Sinngehalt führt die Symbolik des orientalischen Märchens, das der Perser Ben Emin eines Tages der versammelten Hofgesellschaft erzählt. Es berichtet von Christus und seinen Jüngern, die an der Landstraße einen verendeten Hund finden, «dem die Jünger mit Ekel und Schmähungen auswichen. Der Heiland aber blieb bei dem Aase stehen, und das einzige, was daran rein war, hervorhebend, sprach er: 'O sehet, wie blendend weiß seine Zähne sind!'» (Kap. 6). Diese Äußerung wird von den Hörern als Ausdruck der Barmherzigkeit des Heilands gedeutet[13]. Die in der Dichtung gestaltete Situation wird gleich darauf Wirklichkeit, wenn der Kardinal herausfordernd bemerkt: «Der Nazarener fand an dem ekeln Aase noch etwas Schönes, an dem Hunde Don Giulio hätte er es nicht gefunden» und Angela in die Kunstrolle des Heilands hineinschlüpft und die «wundervollen Augen» des moralisch verkommenen Este lobt (Kap. 6). Aber nicht genug damit: die Legende von der Barmherzigkeit enthält nicht nur für diesen Augenblick, sondern von nun an auch ganz allgemein die künstlerische Präfiguration, der sich Angela zuordnet. Und damit offenbart sich erst der tiefere Sinn der Legende für die Novelle. Von nun an ist Angelas Wesen ganz von der Tugend der Barmherzigkeit her bestimmt, besonders deutlich im Schlußkapitel. Immer wieder macht sie sich an dem an Mord und Untaten reichen Hof der Este zur Sprecherin der Barmherzigkeit, und aus Mitleid mit dem von ihr mitverschuldeten Elend Don Giulios verbindet sie sich ihm zur Ehe. Doch nicht nur Angela lebt sich in die Tugend der Legendenfigur hinein; es berührt vielmehr tief die Sinnstruktur der *ganzen* Novelle, daß schließlich auch die blutbefleckten Renaissancemenschen, der

---

[13] Dabei ist es entscheidend, zu beachten, daß in *Angela Borgia* an dieser Erzählung ausdrücklich nicht der christliche Wahrheitscharakter betont wird, sondern gerade die Literarität: der Charakter des Erfundenen, Legendären, Künstlerischen und orientalisch Phantasiemäßigen. In diesem Zusammenhang ist auch das unchristliche Christusbild im *Heiligen* interessant, wo Becket zu Heinrich sagt, selbst Christus würde einem solchen König nicht den Versöhnungskuß gegeben haben (XIII, 118).

Herzog, der Kardinal und selbst Lukrezia, den Weg zur Barmherzigkeit finden (Kap. 11 und 12). In dieser weit größeren Beziehungsfülle also erweist sich das Kunstmärchen des Persers als Urbild des Geschehens dieser Erzählung. Wieder ist eine künstlerische Phantasieschöpfung in die Wirklichkeit hinübergetreten und hat dort Nachfolge gefunden[14].

III

An allen aufgezählten Beispielen, die sich leicht durch Hinweise auf die Lyrik vermehren ließen, ist – über eine von der bisherigen Forschung übersehene[15] dichterische Technik hinaus – eine einheitliche dichterische Auffassung des Menschen zu beobachten. Immer wieder wird der Mensch nicht in seiner individuellen Einmaligkeit gesehen, sondern im Hinblick auf eine bildliche oder literarische Gestaltung, in der er sich schon auf symbolische Weise vorweggegeben ist, so daß sein Leben oder seine jeweilige Situation lediglich als Wiederholung und Nachvollzug des in der Kunst bereits gültig Dargestellten zu verstehen ist. Während bei anderen Schriftstellern des 19. Jahrhunderts sich die über das Kunstwerk hinausreichenden Verweisungen auf die empirische, geschichtliche *Wirklichkeit* beziehen, wie es ja die Bezeichnung Realismus schon andeutet, so tritt bei Meyer gerade der umgekehrte Fall ein, daß die dichterische Wirklichkeit – an sich schon künstlerischen Charakters – wiederum an einer künstlerischen Realität orientiert wird. In dieser ist der Mensch mit seinen wesentlichen Zügen bereits vorgeformt. Leben und Mensch richten sich nach der Kunst aus. Diese bezeichnende Sicht des Menschen führt nun zunächst in den größeren Zusammenhang von Meyers Weltanschauung.

Die Feststellung, Meyers Lebensanschauung bestehe aus zwei Elementen, aus « dem *Christentum*, das Gott als Persönlichkeit ins Jenseits setzt, und dem *Fatalismus*, der ihn in seinem Wirken in der Welt, in seiner Immanenz erfaßt »[16], ist offenbar ebenso richtig wie unzureichend. Denn die beiden Rich-

---

[14] Der denkbare Einwand, wesentlich sei in manchen Fällen nicht so sehr das Kunstwerk als vielmehr das im Kunstwerk dargestellte religiöse, mythologische oder auch allegorische Motiv selbst, ist nicht stichhaltig: einmal sind ja diese Motive, überschaut man die Gesamtheit der hier interessierenden Gestaltungen, nur ein Fall unter anderen (die anderen Motive überwiegen); weiter ist zu überlegen, daß, wenn es Meyer nur um das religiöse beziehungsweise mythologische Motiv ginge, er dieses viel einfacher ohne ein Kunstwerk, das es gestaltete, hätte einführen können.

[15] Heinrich Stickelberger, *Die Kunstmittel in C.F. Meyers Novellen*, Burgdorf 1897; M.L. Taylor, *A Study of the Technique in Konrad Ferdinand Meyer's Novellen*, Diss. Chicago 1909.

[16] Linden, S. 196. W. Oberle («C.F. Meyer, ein Forschungsbericht», *GRM*, Neue

tungen sind so entgegengesetzt, daß sie sich nicht zu einer Ganzheit der Weltsicht vereinigen lassen und darum keine tragende Lebensbasis abzugeben ver-
mögen. Diese Ansicht wird bestätigt durch die ausführlichste der sehr seltenen
weltanschaulichen Äußerungen des Dichters. Am 4.Mai 1883 schreibt er an
Louise von François, sie werde sich wundern, «wie derselbe Mensch (sc. meine
Wenigkeit) nicht nur soviel Sehnsucht nach ewigen Dingen sondern auch
eine so große Anhänglichkeit an das Luthertum, die fest constituirte, prote-
stant. Kirche mit einer sehr strengen Kritik ... der evang. Schriftstücke und ...
mit dem überzeugtesten Monismus, den entschiedensten Mißtrauen in alle
andern als *menschlichen* Kategorien vereinigen kann»[17]. Hier von Meyer als
einem Menschen der Synthese zu reden[18] ist dem Wortlaut und den Tat-
sachen offenbar nicht gemäß, zumal Meyer ja selbst an dieser Stelle von einem
Widerspruch redet. Es will vielmehr so scheinen, als ob sich die Lücke in
der Weltanschauung erst schließt, wenn man eine weitere Lebensbasis heranzieht, nämlich den Daseinshalt, den Meyer in der Kunst, in seinem dichterischen Schaffen, fand. Mit seinem künstlerischen Tun hat er geradezu einen
Kult getrieben. Sein Freund Adolf Frey berichtet, mit welcher gegen sich
selbst unerbittlichen Ernsthaftigkeit, ja Feierlichkeit und Ehrfurcht er sich
seinem Dichten widmete. Meyer sagte: «Mir ist, ich betrete die Schwelle
eines Tempels», wenn er sich an die Arbeit begebe[19]. Kunst war ihm ein
«Wunder aus einer höheren Welt, ein täglich neu zu bestaunendes Unfaß-
bares: das Wunder der Eingebung»[20]. In der Kunst sah Meyer eine Gestaltung
nicht des Einmaligen und empirisch Wirklichen, sondern des «Ewig-Mensch-
lichen»[21], einen höheren Bereich der Wesenhaftigkeit von eigener Wahrheit[22].
Sie «hebt uns wie nichts anderes über die Trivialitäten dieses Daseins hin-
weg»[23]. In dem Gedicht «Das Münster» wird deutlich, daß das Göttliche selbst
am Schaffensprozeß und an dem Werk des Künstlers beteiligt ist. Die «Sehn-

Folge VI, 1956, 231 ff.) hat gezeigt, wie unentschieden auch heute noch das Problem
von Meyers Weltanschauung ist. Über Linden ist man im wesentlichen kaum hinausgekommen.

[17] *Louise v. François und C.F.Meyer*, hg. von Anton Bettelheim, 2.Aufl., Berlin und
Leipzig 1920, S. 92 f.

[18] So Linden S. 197.

[19] Adolf Frey, *C.F. Meyer*, 4. Aufl., Stuttgart und Berlin 1925, S. 293. Vgl. H. v.
Lerber, *C.F. Meyer, Der Mensch in der Spannung*, Basel 1949, S. 242 f.

[20] v.Lerber S. 226.

[21] An L. v. François, *Louise v. François und C.F. Meyer*, S. 12 (Ende Mai 1881).

[22] Vgl. Linden S. 157, v. Lerber S. 69, Betsy Meyer, *C.F. Meyer*, Berlin 1903, S.162 f.
Hierher gehört auch Meyers lebenslanges Suchen nach dem richtigen Motiv, in dem
der von ihm intendierte Gehalt bereits wesentlich vorgeprägt war. Belege dazu besonders in *Unvollendete Prosadichtungen* I, 5, 9, 27, 175.

[23] Zu Frey (*Meyer*, S. 293).

sucht nach dem Großen ..., Menschlich-Wahren» steht nach eigenem Zeugnis hinter Meyers dichterischen Bemühungen[24].

In der Kunst und ihrem absoluten Wahrheitsgehalt scheint der eigentlich tragende Grund von Meyers weltanschaulicher Selbstvergewisserung gefunden zu sein. Demgegenüber haben die einander widersprechenden, in philosophischen Kategorien formulierbaren Lebensanschauungen für den Künstler Meyer (der ganz in seinem Dichtertum aufging) nur einen allzu schwankenden Boden abgegeben. Allein die Kunste vermittelte die «menschlich wahre» Aussage über den Menschen in seiner Welt. Dies ist auch der tiefere Sinn von Meyers einzigartigem erzähltechnischen Versuch in der *Hochzeit des Mönchs*, den er selbst als ein Non plus ultra an Raffinesse bezeichnet hat[25]. Der Erzähler Dante betont dort ausdrücklich den vom Geschichtlichen abweichenden Kunstcharakter seiner Erzählung (XII, 12) und wagt es dann, die Gestalten seiner Geschichte aus dem Kreise seiner Zuhörer zu nehmen: Er hält den Hörern damit in seinem Kunstgebilde einen Spiegel vor, in dem diese sich in ihrem eigentlichen Wesen wiedererkennen, wie die gelegentlichen Bezugnahmen der Hörer auf das erzählte Geschehen deutlich werden lassen (19, 44, 64 u.ö.). In den anderen Novellen fungieren die symbolisch verwendeten Kunstwerke als die Urbilder, die das wahre Wesen der Menschen und ihrer jeweiligen Situation erhellen. Mit einem Wort: der Mensch ist sich in der Kunst vorweggegeben.

IV

Von hier aus eröffnet sich eine geistesgeschichtliche Perspektive. Die säkularisierte Geistigkeit des 19. Jahrhunderts fand ihren Ersatz für die geoffenbarte göttliche Wahrheit in verschiedenen Bezirken der Kultur und Natur. Die Bemühungen der Grimms um Mythos und Sage entsprangen letztlich dem säkularisierten theologischen Antrieb, das in Mythos und Sage gültig und verbindlich vorgeformte Menschliche zu erfassen und sich seiner, sich selbst erkennend, zu vergewissern[26]. Die darauf aufbauende historische Schule sah den Menschen in der Geschichte sich selbst vorweggegeben, glaubte wie auch Dilthey, daß die Historie uns sage, was der Mensch sei. Analog war das Selbstverständnis der aufkommenden positivistischen Naturwissenschaft. Auch Stifters Weltanschauung beruht großenteils auf einer derartigen Apriorität, nämlich auf der Überzeugung, daß der Mensch den «Dingen» in eigentümlicher Weise zugeordnet sei und seine Vollendung erst im Horchen auf die «Sprache der

---

[24] An L. v. François, *Louise v. François und C. F. Meyer*, S. 82 (1882).

[25] Br. II, 341, 121.

[26] Vgl. hierzu die Ausführungen von Klaus Ziegler, «Die weltanschaulichen Grundlagen der Wissenschaft Jacob Grimms», *Euphorion*, XLVI (1952), S. 241–260.

Dinge» erlange[27]. Bei Meyer, so ließ sich zeigen, ist es die Kunst, in der der Mensch vorgeprägt ist. Was der Mensch ist, erfährt er in der Kunst. Alles Geschichtliche kommt für Meyer nur insoweit in Betracht, als es Material für die «poetische Souveränität» in der Sinngebung ist[28]. Kunst hat vor der empirischen Wirklichkeit des Lebens und der Geschichte den Primat, und diese muß sich nach ihren Ordnungen ausrichten.

Damit erscheint Meyer als Vorläufer, wenn auch vielleicht zaghafter Vorläufer einer gesamteuropäischen Literaturbewegung, die erst am Ende des 19. und besonders am Anfang des gegenwärtigen Jahrhunderts zur vollen Entfaltung gelangt: als Vorläufer des Symbolismus und Ästhetizismus[29]. Natürlich hat man erkannt, daß Meyer als einer der ersten die spätere symbolistische *Technik* antizipiert[30]. Darüber hinaus ist aber noch folgendes festzustellen: Dieser stilgeschichtlichen Einordnung entspricht eine Verwandtschaft in der Auffassung des Menschlichen, wie sie sich aus der Funktionsweise der Kunstsymbolik erschließt, genauer: in der Auffassung des Verhältnisses von Kunst und Leben. Denn Ästhetizismus und Symbolismus hatten ja ihre Sinnmitte in jener These, daß es die Kunst sei, die den wesentlichsten Aufschluß über Sein und Bestimmung des Menschen vermittle, in höhere Wesensbereiche hinausgreife als jede andere Form menschlicher Erkenntnistätigkeit, daß die Kunst daher dem naturhaften Sein übergeordnet sei und es präformiert vorwegnehme. Die damals wieder auflebende Ästhetik Schopenhauers und Wagners, die französischen Symbolisten, besonders Mallarmé und Verlaine, Maeterlinck, Yeats und der Zirkel um das *Yellow Book* in England, der George-Kreis und bis zu einem gewissen Grade auch Rilke und Alexander Block treffen in dieser Überzeugung zusammen. Die Kunst gibt dem Leben Bedeutung und Sinn, indem sie es auf seine Urformen verweist, die von höherer Dignität sind; und das wirkliche Leben paßt sich an und fügt sich der Kunst als einer Schau des Wahren und im platonischen Sinne Ideal-Urbildlichen. Kunst wird Ordnungsprinzip des Lebens. Was sie diviniert, geht, wie Meyer es einmal unwill-

[27] Diesen Aspekt betont besonders Hermann Kunisch, *Stifter*, Berlin 1952.

[28] *Unvollendete Prosadichtungen*, I, 47; Linden S. 121–131; *C. F. Meyer und Julius Rodenberg. Ein Briefwechsel*, Berlin 1918, S. 269.

[29] Die Symbolismusforschung hat den wichtigsten Anstoß von C. M. Bowras Buch *The Heritage of Symbolism*, London 1943, erhalten. Bowra faßt Symbolismus nicht in erster Linie als Stilphänomen auf, sondern als «a mystical form of Aestheticism» (p. 3), das heißt, er betont den Bezug der symbolistischen Dichter zu einem übersinnlichen Wesensbereich, der in der Kunst aktualisiert wird. Er spricht direkt von platonischen Tendenzen. Für den im folgenden herausgestellten Aspekt des Symbolismus erweist sich dieses Buch als höchst instruktiv.

[30] Linden S. 207–229; Heinrich Henel, *The Poetry of C. F. Meyer*, Madison 1954, p. viii, 15 und passim.

kürlich ausdrückte, in der Wirklichkeit «in Erfüllung»[31]. «La vie est une invention des poètes», wie es in der *l'art pour l'art*-Bewegung heißt. Dies ist also der literaturgeschichtliche Zusammenhang, in den Meyer als Wegbereiter hineingehört.

In der Tat hat die Dichtungstheorie sich hier im Laufe weniger Jahrzehnte sehr weit entfernt von Goethes Auffassung, daß die Kunst das Leben zwar gern begleite, aber keineswegs zu leiten verstehe. Für die Kritik bot übrigens schon der Ästhetizismus selbst die besten Angriffsflächen, nämlich in Oscar Wildes Formulierung der Ansicht, daß das Leben und die Natur die Kunst weit öfters nachahmten als die Kunst das Leben und die Natur und daß in der Kunst «the great archetypes of which things are but unfinished copies» erschienen[32]. In der exzentrischen Weise dieses Autors lautet sie in seinem Dialog «On the Decay of Lying» (1889) dahin, der Nebel an der Themse sei lediglich eine Folgeerscheinung der impressionistischen Malerei …

---

[31] Br. I, 69 (21. September 1866, an Fr. v. Wyß).

[32] *Intentions and the Soul of Man,* Toronto: Musson, o.J., S. 32. Zum nächsten Satz: S. 41.

DIE ZWISCHENREICH-VORSTELLUNG
IN DEN WERKEN
GERHART HAUPTMANNS

« Das Größte, unaussprechlich, wie es ist, / in Zeichen und Symbolen zu berichten», so hat Hauptmann selbst seine dichterische Aufgabe bezeichnet[1].
Man kann dieses Wort auf jedes Hauptmannsche Werk als Ganzes beziehen,
sofern es durch eine bestimmte Organisation seiner Fügekräfte ein Bild der
Welt im kleinen darstellt. Man kann es aber auch mit einzelnen typischen,
im Panorama des Gesamtwerks immer wiederkehrenden, in sich geschlossenen
Motiv- und Bildkomplexen in Zusammenhang bringen, die also Komponenten
des jeweiligen dichterischen Gesamtbildes darstellen, in das sie eingehen. Diese
wiederum können tradiertes Gut sein, das sich unter der Hand des Dichters
neu belebt, oder auch mehr eigenständige, wenn auch, wie so oft, aus literarischen Anregungen entwickelte Leitvorstellungen, die das ganze Werk durch-
ziehen. In die erste Kategorie gehören im Falle Hauptmanns besonders die
mythologischen Motive wie Prometheus, Dionysos, die Inseln der Seligen, die
Licht–Abgrund-Polarität und ähnliches, in die zweite die privaten Leitbilder,
vor allem die schon früh auftauchende Bildkonstellation der den Menschen
verfolgenden Meute, die dann in der *Atridentetralogie* mit dem Erinnyen-
motiv verschmolzen wird[2]. Neben diesen beiden Möglichkeiten der bildhaften
Ausdrucksgestaltung, und beide übergreifend, steht bei Hauptmann jedoch
eine halbmythische-halbprivate Bildkonzeption, die im Alterswerk immer pro-
minenter in den Vordergrund dringt und schon wegen dieser Nachdrücklich-
keit auf unsere Aufmerksamkeit Anspruch hat. Das ist die Vorstellung des
« Zwischenreichs» als eines mythischen Ortes, zugleich aber als jenes imagi-
nären Raums, in dem das dichterische Schöpfertum sich verwirklicht und
seinen Sinn erhält.

Die Forschung hat sich diesem Privatmythologem Hauptmanns bisher nur
im Vorübergehen zugewandt und, wie bei solchem Verfahren nicht anders zu
erwarten, einen höchst komplexen Sachverhalt durch mangelnde Berücksich-
tigung aller einschlägigen Materialien vereinfacht, und zwar in jeweils sehr
verschiedener Weise vereinfacht und damit eher verunklärt als aufgehellt[3].

---

[1] Ausgabe letzter Hand, XVI, 379 (Centenar-Ausgabe, IV, 1073).

[2] Vgl. W. Kayser, «Zur Dramaturgie des naturalistischen Dramas», *Die Vortragsreise*, Bern 1958, S. 227 f.

[3] H. Schreiber spricht in seiner Dissertation *Gerhart Hauptmann und das Irrationale*

Wie passen solche sehr disparaten Deutungen zusammen? Klärung kann man nur von einem kritischen vergleichenden Durchdenken aller Äußerungen Hauptmanns beziehungsweise seiner gedichteten Gestalten zu diesem Motiv erwarten.

Zuerst taucht der Begriff in *Gabriel Schillings Flucht* (1912, geschrieben

(Aichkirchen 1946) vom Zwischenreich als dem Ort der Versöhnung von Tag und Nacht, als das es natürlich an einer Stelle des *Großen Traums*, wo von der Totenstadt die Rede ist, auch bezeichnet wird (XVI, 332; C.-A., IV, 1033). Weiter heißt es aber, dieses Reich werde von Lucifer repräsentiert, da dessen Stellung für Hauptmann bekanntlich durch die Teilhabe am Götterhimmel wie am «Abgrund» definiert ist. Und drittens findet Schreiber, das Zwischenreich sei auch der Ort der Vereinigung von Ich und «höherem Ich» (Hetairos im *Till Eulenspiegel*), ja von Mensch und «Idee» (S. 283 f.). Wie sich das alles zusammenreimen soll, wird nicht angedeutet. In der Tat handelt es sich da lediglich um ein phantasiebeschwingtes Herausgreifen eines Bruchteils von Hauptmanns Äußerungen zu diesem Thema ohne den Versuch einer ordnenden Klärung. In Robert Mühlhers im allgemeinen sehr einleuchtender Studie über «Prometheus–Lucifer: Das Bild des Menschen bei Gerhart Hauptmann» *(Dichtung der Krise,* Wien 1951, S. 266 f. und 284), wird der Mensch schlechthin ins «Zwischenreich» versetzt, und zwar weil, wie es im *Großen Traum* einmal heißt (XVI, 286; C.-A., IV, 994), die Menschen von Satanael mit den «Höllentöchtern» gezeugt sind. Der Mensch stehe also zwischen himmlischen und «chthonischen» Gewalten, wie es ja Hauptmanns Menschenbild durchaus entspricht: «Das Zwischenreich des Menschen steht vor der stets neuen Aufgabe, dem Abgrund das Feuer zu entreißen und durch den Geist zu bändigen» (S. 284). Doch wenn *das* mit der Zwischenreich-Vorstellung chiffriert sein soll, dann fragt es sich, warum der Traumwandler des Terzinenepos denn eigens in die Totenwelt geführt werden muß, um des Zwischenreichs inne zu werden, das ja damit identifiziert wird. Ferner ist zu bedenken, daß die genannte Anthropogonie nicht die einzige des *Großen Traums* ist und gewiß nicht die führende. Weiter ist daran zu erinnern, daß sich in Satanael selbst ja schon Licht und Finsternis mischen, was gerade an der gleichen Stelle hervorgehoben wird. Daß die Mittelstellung des Menschen schließlich vor allem als der Fluch seiner kognitiven Unvollkommenheit ausgemünzt wird, geht, wie im folgenden noch darzulegen ist, an dem zentralen Gedanken vorbei, daß die Möglichkeit des Menschen, in der schöpferischen Ahnung in ein höheres Reich als das seiner alltäglichen Daseinswirklichkeit hinauszugreifen, bei Hauptmann nicht nur als Begnadung verstanden wird, sondern auch als das den Menschen vor allen anderen Lebewesen eigentlich Auszeichnende. Die Ausführungen Mühlhers kehren dann 1954 in Ralph Fiedlers beiläufiger Bemerkung wieder: «Schau des Menschen, der als Frucht der Vereinigung Satanaels mit Höllentöchtern Bürger eines 'Zwischenreichs' ist, in dem die Auseinandersetzung von Himmelskraft und ... Höllendämpfen stattfindet» *(Die späten Dramen Gerhart Hauptmanns,* München 1954, S. 129). Doch findet sich in einer Fußnote im Anschluß an den *Neuen Christophorus* bereits die weiterführende Bemerkung: das Zwischenreich sei der «Bereich in der Nähe des Maja-Schleiers, wo der Schatten der Noumena zum Erlebnis wird» (ebd.). Das ist wiederum jedoch nur Paraphrase einer Stelle des genannten Altersromans. (Gerhart Hauptmann, *Ausgewählte Werke,* hg. von Joseph Gregor, Gütersloh 1954, V, 391. Im folgenden beziehen sich die durch *N. C.* gekennzeichneten Seitenverweise auf diese Ausgabe.)

1905/06) auf, genauer: sein entmythisiertes Äquivalent («Zwischenzustand»). Der Maler Mäurer, den Hauptmann als die ideale Verkörperung des Künstlertums gezeichnet hat[4], sagt dort in einer plötzlichen philosophischen Stimmung zu seiner Geliebten, Lucie, er habe

das klare Gefühl, ... daß hinter dieser sichtbaren Welt eine andre verborgen ist. Nahe mitunter, bis zum Anklopfen ...

Lucie: ... Es ist ungefähr so, als wenn jemand durch eine Tür in unbekannte Räumlichkeiten gegangen ist, und während die Tür sich öffnet und schließt, folgt man ihm mit dem Blick und der Seele ein Stück ins Unbekannte hinein.

Mäurer: Ich weiß, wie sehr dieser Zustand verlockend ist ... dieser Zwischenzustand, könnte man sagen, wo das Schemenhafte sich überall ins reale Leben mischt: wo man mit einem Fuß auf der Erde steht und mit dem anderen im Übersinnlichen. Und doch schaudert der Mensch vor dem Eindruck von Todesfällen ... ganz vernünftigerweise zurück.

Lucie: Es ist mir heiter ... (V, 45; C.-A., II, 440 f.)

Mit dieser mittleren Seelenlage, die zu erleben dem Menschen in seltenen Momenten gegeben ist, wird hier also ein psychischer Schwebezustand zwischen sinnlich-greiflicher Wirklichkeit und einem übersinnlichen Bereich umschrieben. Das Übersinnliche ist dem lebenden Menschen, so wird weiter deutlich, zwar verschlossen, aber durch «Schemen» wird es ihm dennoch geheimnisvoll kund. Gewiß fehlt hier noch die Ausführung des Motivs, daß solche seelischen Ek-stase-Erlebnisse auch Erkenntnisbereicherung bedeuten; betont wird mehr der eigentümliche psychische und ästhetische Reiz des Phänomens. Dennoch liegt hier ein Gedankensplitter vor, der später, in der Altersphilosophie des Mythischen und Dichterischen[5], in den Mittelpunkt rücken wird: Der «naive» Künstler – darauf läuft Hauptmanns Selbstvergewisserung dann hinaus – hat seine Sonderstellung darin, daß er aus solchem Erleben schafft, und sein Schaffen ist ein Bannen der sich kundgebenden «Schemen».

Was in *Gabriel Schillings Flucht* nur impressionistisch fixiert war, wird in *Atlantis* (1912) rational durchhellt und geklärt in den Worten Friedrich von Kammachers auf der Überfahrt nach der Neuen Welt:

Da draußen im Meer und über dem Meer webte das Grauen der Einsamkeiten, darin der Mensch, der alles sieht, ein Ungekannter, Ungesehener, von Gott und Welt Vergessener bleibt. Das Mörderische in diesen Zwischenreichen ist es, was der Mensch in seinem erwärmten, wimmelnden und raspelnden Ameisenhaufen, um glücklich zu sein, vergessen muß: der Mensch, dieses insek-

---

[4] Vgl. Guthke, «Die Gestalt des Künstlers in G. Hauptmanns Dramen», *Neophilologus*, XXXIX (1955), 23–40.

[5] Dargestellt im ersten Kapitel meines Buches *Gerhart Hauptmann: Weltbild im Werk*, Göttingen 1961.

tenhafte Gebilde, dessen Sinnesapparat und dessen Geist ihn gerade nur zur Erkenntnis seiner ungeheuren Verlassenheit im Weltall befähigt. (VII, 274; C.-A., V, 563)

Das « Zwischen » der Stellung des Menschen im Kosmos beruht, so ist dieser Stelle zu entnehmen, in dem Paradox, daß er in seiner Welterkenntnis beschränkt ist, aber in dieser Beschränkung gerade noch zu erfassen imstande ist, daß es ein Jenseits seines Erfahrungsbereichs gibt. Das ist eine Vorstellung, die bei Hauptmann häufig wiederkehrt, am eindrucksvollsten im *Till Eulenspiegel* (1927) und im *Weißen Heiland* (1920). Der Gedanke erinnert den philosophischen Laien natürlich an Kants Vernunftskritik, und in der Tat stellt Hauptmann denn auch in der Autobiographie diesen Zusammenhang her[6].

Für dieses Zwischenreich hat der Dichter nun (obwohl schon der bloße Ausdruck ein Bild darstellt) verschiedene mythische Verbildlichungen gefunden. Verfolgen wir diese, so hellt sich die Grundvorstellung weiter auf. Die erste ist der Montsalvatsch der mittelalterlichen Sage. Davon heißt es in den *Gral-Phantasien* (1913/14):

« Der Montsalvatsch », sagte Gornemant, « ist nicht des allmächtigen Gottes Burg, und Salvaterre ist nicht der Himmel. Wir verwalten den Gral, wir bewohnen ein Zwischenreich, gleicherweise mit Himmel und Erde verbunden. » (VII, 579; C.-A., VI, 625)

Salvaterre ist ein Zwischenreich. Es liegt gleichsam zwischen Himmel und Erde. Innerhalb seiner Grenzen ist es gelungen, zum Teil jenen Frieden zu verwirklichen, der sonst nur im Himmel zu Hause ist. (584; C.-A., VI, 629)

Aber Salvaterre ist keineswegs die Stätte der ewigen Seligkeit, wenn auch die Wogen des Erlösungsglücks aus den Himmeln hineinschlagen. Auch die Wogen der irdischen Not und des irdischen Jammers schlagen über die Grenzen hinein. (585; C.-A., VI, 629)

Wie immer, setzten sich eines Abends die Herrn zum Mahl, nachdem sie feierlich aller derer gedacht hatten, denen sie zur Zeit ihres groben irdischen Wandels wehe getan hatten und die, ohne das Zwischenreich zu berühren, ins Jenseits erlöst worden waren: so Herzeleide, so Blanscheflour. (586; C.-A., VI, 630)

Der Existenzmodus der Ritter von der Tafelrunde: auf Erden, doch dem Irdischen schon entrückt, entkörpert, aber noch vor den Toren des « Jenseits » als ihrer letzten Bestimmung, entspricht hier dem mythischen Ort « Zwischenreich »; das ist die ihm gemäße Lebensform, und seine Bedeutung wird durch diese Zuordnung genauer umrissen.

Verwandt ist die Weltberg-Vision im Till-Epos. Das Wort « Zwischenreich » fällt hier allerdings nicht, doch legt es sich nahe, daran zu denken, wenn man liest:

[6] XIV, 50 (C.-A., VII, 493 f.).

Und dann reise ich fort, immerfort durch die Wüste des Daseins,
durch die Wildnis der Welt und hinaus aus den Grenzen der Menschheit,
bis ich endlich den Ort in der Stille der Wälder gefunden,
wo man tritt in den Berg. Und ich trete hinein, und ich finde
dort am Tische bedient drei ehrwürdige Greise von Jesus:
drei Gevattern, genannt Zoroaster und Gotamo, endlich
Konfutse! Und allhier nun erwart' ich das Zeichen zum Ausgang.
Denn es hat dieser Berg zwei der Tore: Durch das man hineingeht,
ist das eine. Nie kehret zurück, wer hier einmal hindurchging.
Durch das andre entfernt man sich wieder, wohin, das weiß niemand.

(X, 469 f.; C.-A., IV, 760)

Auch der mythische Weltberg ist also ein Zwischenreich. Mit der Erwähnung
der Religionsstifter soll wohl auf die wesentliche Zusammengehörigkeit, wenn
nicht Identität der Weltreligionen hingewiesen sein. Was ihr Gemeinsames
ausmacht, kann in diesem Zusammenhang aber nur das sein, daß sie alle den
Menschen «aus der Welt gemeiner Wirklichkeit»[7] hinausheben in das Zwischenreich einer höheren, überrationalen Daseinsweise, dies jedoch wiederum
nur, um ihn schließlich auch noch darüber hinauszuweisen in das Ungenannte,
dem in den *Gral-Phantasien* die bloß negative Fixierung «Jenseits» entsprach.

Die Gralsritter und die Religionsstifter sind nach Hauptmanns Darstellung
offenbar halb menschliche, halb übermenschliche Gestalten, ins Irdische wie
ins Übersinnliche hineinreichend, eben darum im Zwischenreich. Nennen wir
sie kurzerhand mythische Figuren, so entfernen wir uns nicht aus dem Spielraum von Hauptmanns eigenem Sprachgebrauch. So ist es in diesem Zusammenhang auch nicht verwunderlich, aber nichtsdestoweniger aufschlußreich,
daß der Dichter in der phantastischen Erzählung *Die Spitzhacke* (1930), die
seine visionären Erlebnisse in seinem Vaterhaus, dem Hotel «Zur Preußischen
Krone», in der Nacht vor dessen Abbruch beschreibt, allerlei mythische Wesen im Zwischenreich ansiedelt als dessen rechtmäßige Bewohner:

Aber schließlich war es ja doch ein Bereich dämonischer Mittelwesen, in das
mich meine Marotte, die letzte Nacht im alten Gehäuse meiner Kindheit zu ver-
bringen, unrettbar verwickelt hatte, und ich fühlte, wie ich selbst, allmählich
ein Dämon unter Dämonen, mich dieser Zwischenwelt einverleibte. (XI, 555;
C.-A., VI, 348)

Noch konkreter stellt sich der Bezug zur Mythologie in dem Roman *Wanda*
(1928) her, wo es heißt:

In sogenannte Metakosmien, leere Räume, hat Epikur Himmel und Götter
verlegt. Hier leben sie in einer von der ewigen Unruhe der Stoffteilchen nicht

[7] XIII, 123 (C.-A., VI, 380).

berührten Glückseligkeit. Haakes Zustand hatte eine entfernte Verwandtschaft mit dem Gedanken eines solchen Zwischenreiches. (XI, 220; C.-A., V, 1031)

Der Ausdruck Metakosmion, auch Metakosmos, der hier mit Zwischenreich gleichgesetzt wird, kommt in Hauptmanns späten Schriften häufig vor. Gemeint ist damit ein über den Zugriff der menschlichen Sinnes- und Verstandestätigkeit Hinausliegendes, das nur in mystischen Zuständen des Außer-sich-Seins erlebbar wird: in Traum, Vision und «utopischem» Verhalten, wie Hauptmann es nennt[8]. In der Erfahrung dieses Bereichs wird *Erkenntnis* zuteil – das ist ein neues Motiv, auf das unsere Darstellung im weiteren noch geradeswegs zuläuft –, aber diese Erkenntnis wird nicht in logisch nachprüfbarer Form verfügbar, sondern lediglich im Medium des Bildes, des Mythos, des «Schemen». Das Zwischenreich ist also *auch* die Sphäre der mythischen Realitäten und ein Bereich, in dem, wenn der Mensch sich in ihn erhebt, höhere, intuitive Erkenntnis statthat, ein Raum ferner, dem alles dichterische Bilden entstammt. Für Hauptmann tut die Irrationalität, die bloß existentielle Vollziehbarkeit jener Erkenntnis ihrem Wirklichkeits- und Wahrheitsgehalt nicht den geringsten Abbruch: im Gegenteil, dieser wird eben dadurch noch gesteigert[9].

Das irrational-intuitive Erkennen, das für Hauptmann wesentlich zur Erfahrung des Zwischenreichs hinzugehört, findet zunächst beredten Ausdruck in der späten surrealistischen Erzählung *Das Meerwunder* (1934). Der Kapitän Cardenio erzählt dort in einem geheimnisvollen «Club der Lichtstümpfe» von seiner Ehe mit einer Meerfrau. Die Meerfrau verließ ihn, zog ihn aber vielmehr magisch in ihren überwirklichen, außermenschlichen Bereich hinein. Ihre Gestalt hat Cardenio in einer geschnitzten Galionsfigur festgehalten, die am Bug seines Schiffes hängt, als er zu seiner letzten Reise in See sticht; von dieser Fahrt heißt es:

Aber zugleich befand ich mich in einem immerwährenden Rausch von Glück, dem Kern des Unergründlichen näherzukommen. Es war keine Seereise, die ich tat, wie die andern vorher. Als ich diesmal die Anker gelichtet, war ich befreit von der alten Welt und befand mich in einer, die ich mit einigem Recht als Zwischenreich bezeichnen könnte. Es war eben das Reich meiner Galionsfigur, nur daß ich von der Seite des menschlichen Lebens, sie von der Seite des menschlichen Todes mit ihm verbunden war. (XIII, 121; C.-A., VI, 378f.)

Auf diesem Südsee-Eiland landen und stranden, schien nur die Verwirklichung meines schon auf der Hallig vollzogenen Übertritts aus der Welt gemeiner Wirklichkeit in eine andere zu sein, die man wohl eine übersinnliche nennen

---

[8] Helmut Gutknecht, *Studien zum Traumproblem bei G. Hauptmann*, Diss. Fribourg 1954, Kap. I.

[9] Näheres bei Guthke, *Gerhart Hauptmann*, Kap. I.

mag, besser aber noch eine, die anderer und höherer Sinne bedarf, um erkannt zu werden ... Damals, als jenes Meerweib ... auf dem Wege des Todes von mir ging, trat ich in ein Zwischenreich. (122 f., 147; C.-A., VI, 380, 399)

Cardenios Übertritt in einen höheren Bereich äußert sich, in Übereinstimmung mit dem bereits Gesagten, besonders darin, daß er in seinem Zwischenreich in der Welt des Mythos lebt, in der Welt eines bizarren, höchst individualisierten marinen Mythos, in dem sich allerlei traumhafte Schemen ineinanderwirren; und natürlich wird diese Welt als eine höhere Realität verstanden. Wieder also erscheint das Zwischenreich als Raum des Mythos und jener höheren mythischen Erkenntnis, die Hauptmanns Gedanken besonders in der Spätperiode immer wieder umkreisen.

Das Zwischenreich, so dürfen wir ferner aus Cardenios Erzählung schließen, ist nicht notwendigerweise mit dem Totenreich identisch; schon im Leben – in Vision, Traum, Ekstase, besonders auch in der Erfahrung des Existenzleids [10] – ist ein entsprechender Ausgriff ins Übermenschliche möglich. Wenn die Bildsprache jedoch gelegentlich eine Beziehung zwischen Totenwelt und Zwischenreich herstellt, so ist dies kein blindes Motiv, wie später bei der Behandlung des Hades-Besuchs im *Großen Traum* (1942) erhellen wird, wo die Zwischenreich-Vorstellung also bereits Elemente eines wohlakkreditierten mythologischen Motivs der abendländischen Tradition in sich aufnimmt, so zwar, daß sie aber auch keineswegs damit identisch wird [11]. (Bemerkenswert ist, daß Hauptmann die christliche Zwischenreich-Vorstellung, soweit man diesen Ausdruck auf das Purgatorio anwenden darf, seiner eigenen Zwischenreich-Konzeption nicht eingegliedert hat. Der Grund dafür ist wahrscheinlich, daß er der sich von dort her nahelegenden Moralisierung der Vorstellung aus dem Wege gehen wollte.)

Bevor wir diese Entwicklung zur überlieferten Totenwelt-Symbolik ins Auge fassen, empfiehlt es sich jedoch, noch auf *Das Märchen* (1941) hinzuweisen, dessen einziger stofflliche Vorwurf eben jenes, noch von antiken mythologischen Vorstellungen unberührte Zwischenreich bildet. Es ist ein Phantasiestück, das sich ausdrücklich an Goethes gleichnamigen Versuch anschließt, und wie bei Goethe, so tut man auch bei Hauptmann gut daran, von vornherein auf das Fahnden nach einer totalen Entschlüsselung zu verzichten. So viel bleibt dennoch über jede ingeniös willkürliche Ausdeutung erhoben: Ein

---

[10] Dazu Karl S. Guthke und Hans M. Wolff, *Das Leid im Werke G. Hauptmanns*, Bern 1958, Kap. I.

[11] Zur antiken Zwischenreich-Vorstellung vgl. Karl Kerényi, *Die antike Religion*, 2. Aufl., Köln und Düsseldorf 1952, S. 232. Als Zwischenreich deutet übrigens Hartwig Kleinholz auch die dritte Szene der *Finsternisse* (*Gerhart Hauptmanns szenisches Requiem* «*Die Finsternisse*», Diss. Köln 1962, S. 80 ff.). Doch fällt der Ausdruck in dem Stück nicht.

Greis wird von einem Fährmann über einen Strom gesetzt; danach befindet er sich im «Mittelreich», das allem Anschein nach mit dem Zwischenreich identisch ist[12]. Der Zustand des Menschen in diesem Bereich ist unkörperlich; sogar «die Dinge sehen genauso wie drüben aus, sind jedoch losgelöst von der Materie»[13]. Die Feststellung, daß dies ein Raum ist, der nur nach Abschluß des Lebens betreten werden kann, wird ausdrücklich vermieden; auch kehrt der Pilger ja am Ende in seine Welt zurück. Ob die Reise über den Fluß freiwillig oder unfreiwillig geschehen ist, ob sie von diesem Menschen zum erstenmal «oder schon zum tausendsten Male» unternommen wird, ist ebenfalls mit Absicht in der Schwebe gelassen[14]. So stellt sich der Übertritt des Menschen aus jener Welt, «wo man Tiere schlachtet, um sie zu essen, Kartoffeln aus der Erde gräbt, grüne Kohlköpfe zerschneidet und Brot aus gelben Körnern bäckt»[15], in einen höheren Existenzbereich als eine allgemeine menschliche Möglichkeit dar, die zum Menschsein hinzugehört. Dennoch hat die Erfahrung dieses Raums, nach einer kryptischen Bemerkung zu urteilen, wieder eine gewisse Ähnlichkeit mit einem Zwischenzustand zwischen Leben und Tod, der sich schon in dem Zitat aus *Gabriel Schillings Flucht* andeutete, ja: mit dem Tod selbst wie in der Erzählung Cardenios: «Du bist hier in ein Delta geraten», sagt die Schlange nämlich einmal zu dem Greis, «sagen wir, Euphrat und Tigris umschließen es. Du bist vom Osten lebendig hereingekommen; der Tigris wird im Westen von Toten durchquert.»[16] Dieses Motiv – der Tod als höheres «Sein, das keines Traums bedarf» (*Hirtenlied*)[17] – wird dann im *Großen Traum* weitergeführt. Im *Märchen* dagegen ist nur Gewicht auf den übernatürlichen Erkenntniszuwachs gelegt, der dem Menschen in der Entrückung ins Zwischenreich zuteil wird. Denn in das Reich hinter dem Strom ist der Wanderer verschlagen worden, «um etwas Neues zu sehen, mehr noch zu erleben, was meine sogenannte Erkenntnis bereichern kann»[18]. Das ist ein Nichts, höhnt die Schlange, die ihn begleitet; doch der Alte weiß bereits, daß die Erfahrung dieses *Nichts* «ein Allerhöchstes umschließt, was uns Menschen gegeben ist»[19]. Diese höhere Erkenntnis aber ist nichts anderes als Mythos und Bild. Was der Barfüßer auf seiner Wanderung durch das Zwischenreich erkennt, sieht, sind nur Bilder – Bilder, in denen sich die logischen Bezüge, wie sie aus der Alltagswelt gewohnt sind, vollkommen auflösen zu einem Zusammenhalt ganz eigener Art: ein See, auf dem sich die Jahreszeiten spiegeln; Fischer, die «das Nichts aus dem Wasser herausfischten»; Fischerkähne, die in die Tiefe sinken und wieder aufsteigen, was «ein ganz natür-

---

[12] XV, 430 (C.-A., VI, 478).   [16] XV, 426 (C.-A., VI, 475).
[13] XV, 427 (C.-A., VI, 476).   [17] C.-A., VIII, 598.
[14] XV, 430 (C.-A., VI, 478).   [18] XV, 434 (C.-A., VI, 481).
[15] XV, 432f. (C.-A., VI, 480).   [19] XV, 432 (C.-A., VI, 479).

licher Vorgang» in dieser Welt ist; die Stunde unterscheidet sich nicht mehr vom Jahr; Vögel durchsegeln die Tiefe des Sees; die Gestirne leuchten von unten herauf und was dergleichen mehr ist. Diese Bilder, die wesentlich mythisch sind in Hauptmanns Wortverstand, sind Kundgabe von etwas, das auch noch jenseits des Zwischenreichs ist. Sie sind, heißt es im *Märchen*, das Werk eines unsichtbaren Malers. Sie sind das Werk eines Malers, dessen Leinwand nicht nur der See ist, von dem die Rede war, sondern auch die menschliche Seele[20]. Der Alte vom Berge wird er auch genannt, auch Zauberer, und es wird angedeutet, daß sein Tun sogar in die Alltagswelt der «Kartoffeln, Rüben und Kohlköpfe» hinüberwirkt[21]. Ahnungshafte Vorwegnahmen des Zwischenreich-Zustands, so erhellt auch an dieser Stelle wieder, sind schon im Irdischen möglich, nicht erst im Tode.

An zwei Stellen weist die sonst bewundernswert geschlossene, «bedeutende», aber «deutungslose» Bildwelt des *Märchens* über sich hinaus in andere Zusammenhänge. Die Hades-Vorstellung[22] deutet hinüber zum *Großen Traum*, die Erwähnung der (Umbraten genannten) Schattenwesen der paracelsischen Philosophie[23] hinüber zum *Neuen Christophorus*. Davon zunächst.

In der Tat ist der Barfüßer im *Märchen* niemand anders als Theophrast, genannt Paracelsus, der also hier das Zwischenreich, das sich seinem eigenen spekulativen Denken erschloß, erfährt. Auf die in diesen Zusammenhang gehörige paracelsische Umbratentheorie geht Hauptmann an einer Stelle des erst 1943 veröffentlichten zweiten Buches des *Neuen Christophorus* ein:

... da Theophrast ganz im Sinne seiner eigentümlichen Mystik eine Sphäre konstruiert, an die das geistige Wissen und Wirken des Menschen nach seiner Meinung gebunden ist. Wenn Goethe das Absolute in der Naturerkenntnis ablehnt und eine bestimmte Form der Selbstironie dabei mitwirken läßt, so ist Paracelsus insofern weitergegangen und besser verfahren, als er den Menschen selbst in ein Zwischenreich versetzt, wo er im Sinne der heutigen Wissenschaft weder erkennt noch nichterkennt. Dabei kommt er dem indischen Wesen des Maja-Schleiers recht nahe, dem er aber gewissermaßen doch energisch zuleibe geht. Dabei entfernt er sich nirgends aus dem Einheitsgrunde der Geistigkeit. «Evestrum», sagt er, «ist ein Ding wie der Schatten an der Wand. Der Schatten wächst und kommt mit dem Corpus und bleibt mit demselben auch in seiner letzten Materie. Sein Anfang ist in der ersten Gebärung. Seelisches und Unseelisches, Empfindliches und Unempfindliches hat bei sich das Evestrum und alles, was Schatten gibt.»

Traramen wird mit der Vernunft geboren. Es ist unsichtbaren Wesens Schatten. Davon zu philosophieren steht nur der höchsten Weisheit zu. Das sterbliche

---

[20] XV, 433 (C.-A., VI, 480).   [22] XV, 435 f. (C.-A., VI, 482).
[21] XV, 437 (C.-A., VI, 483).   [23] XV, 434 (C.-A., VI, 480 f.).

Evestrum erkennt das Ewige und im Traramen, dem Schatten unsichtbaren Wesens, die Existenz des Höchsten. Wir leben vorwiegend im Evestrum, aber auch im Traramen, also überall unter Schatten. Unter « Umbraten» also, wie Paracelsus sie nennt. Als «Umbraten» gelten ihm einigermaßen betrügliche Schatten, die aus dem Jenseits ins Diesseits fallen, und die, die sich mit Gesicht, Gehör, Geruch, Geschmack, Getast zu Farbe und Gestalt, also Zeichen einen, die man auch Symbole nennen kann. (*N. C.*, 391 f.)

Wenn er aber von Umbraten spreche, so meine er wesentlich wohl Spiegelbilder, so daß sich beim Traramen ein Jenseitiges, uns Unsichtbares in unserem irdischen Spiegel abbilden würde – so wie Irdisches, also Evestrum, in dem gleichen Spiegel. Alle diese Schattenbilder wären also wesentlich immateriell ... (*N. C.*, 394)

Nicht ganz so paracelsisch ist dieser Gedanke in dem Bildungsroman *Im Wirbel der Berufung* (1936) zur Sprache gekommen:

Etwas Unbestimmbares, das überall im kühlen Dämmer dieses Hauses lebt, kommt und geht, so wie mit der Mutter, mit Walter und auch mit ihr [Pauline]. Man lebt zwar hier nicht im Schattenreich, aber in einem Zwischenreich, nicht oberirdisch, nicht unterirdisch! Wo aber doch dem gegen die Glut der Sonne aufgerichteten Hecken-, Wipfel- und Blätterschutz und dem wonnigen Schatten, den er gibt, ein zweiter seelischer Schatten entspricht, der die Witwe und die Kinder umschattet. (XIII, 412; C.-A., V, 1129)

Manches bereits Bekannte klingt an diesen Stellen wieder an. Das Paradoxon: erkennen und nicht erkennen, erinnert an das eigentümliche intuitive Innewerden eines Übersinnlichen und Übervernünftigen. Solches Innewerden konkretisiert sich jedoch wieder nur im Bildhaften, das als Kundgabe jenes Höheren zu verstehen ist: so ist die Rede von Schatten des Unsichtbaren, Schatten, die aus dem Jenseits ins Diesseits fallen, von Zeichen und Symbolen, von Spiegelung des Außerirdischen im Irdischen, von Mythischem.

Im *Großen Traum* schließlich erscheint das Zwischenreich als eine Totenstadt, als die Unterwelt der antiken Mythologie, leicht tingiert jedoch von der Vorstellung Venedigs, der Stadt, die in *Und Pippa tanzt!* Metakosmos ist und im volksläufigen Aberglauben gelegentlich ihrerseits mit dem Totenreich ineinsgesetzt wird [24]. Der Traumwanderer und sein Begleiter, Satanael, erreichen diese «tote Inselstadt des wahren Lebens» [25], indem sie einen Fluß oder See durchschwimmen. Wie ist sie beschaffen? Zunächst einmal wird wie schon im *Märchen* auch hier nachdrücklich bemerkt, daß dieser über die Alltagswirklichkeit überhobene Bezirk ein Ort der Körperlosigkeit ist: «Du suchest Fleisch und Blut allhier vergebens», sagt Satanael, und später heißt es: «Nichts

---

[24] Vgl. Mühlher S. 337.
[25] XVI, 329 (C.-A., IV, 1030).

ist hier Stoff von allem, was du siehst» [26]. Das Totenreich ist vielmehr der Ort der Seele.

Weiterhin wird das Erkenntnismoment wieder in den Vordergrund gespielt. Der Wanderer glaubt sich in der Gräberstadt «dem letzten Wissen nah» [27]. Er ist plötzlich mit einem neuen «Sinn» ausgestattet, mit den unsichtbaren Stirnaugen des Kentauren, könnte man im Gedanken an das Till-Epos sagen, mit einem Sinn jedenfalls, der den Menschen zu einem «neuen Sehertume» befähigt [28]. Daß es sich dabei wieder um ein mythisches Erkennen handelt, ist daraus zu entnehmen, daß gleich fortgefahren wird: dieses Sehertum sei wesentlich ein Bildnertum; und entsprechend heißt es von der Zwischenwelt: «alles predigt hier im Bilde. / Kein Fleckchen ist, wo nicht das ewige Wort / sich kündete, in Zeichen und in Zeilen.» [29] In Zeichen – da stoßen wir also noch einmal auf den Gedanken der sichtbaren Schatten des Unsichtbaren, der im *Neuen Christophorus* so stark ausgeprägt war. Und nicht zufällig kommt die Rede im *Großen Traum* gerade in diesem Zusammenhang auf das Schattenmotiv zurück, von der in ihrer Unbegreiflichkeit an das *Märchen* erinnernden Bilderflut ganz zu schweigen. Dazu stimmt dann vorzüglich, daß das Zwischenreich einmal beiläufig als «Land der Ideen» [30] im Sinne der platonischen Philosophie bezeichnet wird, der ja ein Gutteil des Hauptmannschen Denkens von früh an gegolten hat. Der aus dem *Neuen Christophorus* bekannte Widerspruch «Erkennen und nicht Erkennen» dieses Sehertums wird hier in das Paradox gefaßt: «War ich je so sehend, je so blind?» [31] Auch das Motiv kommt hier zur Geltung, daß das Zwischenreich zugleich der Bezirk ist, in dem sich alles künstlerisch-schöpferische Tun entfaltet:

> Wer in ihr [der Totenstadt] lebt, muß schaffend in ihr leben,
> muß mit dem «Fiat!» seiner Schöpferhand,
> im eigenen Blute, sie ins Dasein heben. (366; C.-A., IV, 1061)

Bezeichnenderweise wird denn auch der Parnaß, der Sitz der Musen, ins Zwischenreich verlegt. «Das Größte, unaussprechlich, wie es ist, in Zeichen und Symbolen zu berichten», sind gleicherweise des Künstlers wie «des Traumeswandrers Pflichten» [32].

Vom «letzten Wissen» war soeben die Rede. Trotzdem ist aber auch in der Totenreich-Vorstellung des *Großen Traums* wie schon in der Weltberg-, der

---

[26] XVI, 329, 356 (C.-A., IV, 1031, 1053).
[27] XVI, 332 (C.-A., IV, 1033). Vgl. «Stadt der Weisen» (S. 346, C.-A., IV, 1044).
[28] XVI, 333 (C.-A., IV, 1034).
[29] XVI, 335 (C.-A., IV, 1035f.).
[30] XVI, 346 (C.-A., IV, 1044).
[31] XVI, 361 (C.-A., IV, 1057).
[32] XVI, 379 (C.-A., IV, 1073).

Montsalvatsch- und der Delta-Vorstellung daran festgehalten, daß es ein «Jenseits» dieses Zwischenreichs gibt (andernfalls es ja diesen Namen auch kaum verdiente, da, wie wir bereits sahen, das Zwischen-Himmel-und-Hölle zu seiner Wesensbestimmung nicht ausschlaggebend ist). Die Toten in der Inselstadt sind tatsächlich noch nicht des «wahren Lebens» innegeworden, sie harren vielmehr der «Auferstehung» in das «wahre Sein»[33].

Wie es um dieses Jenseits bestellt ist, war an den bisherigen Stellen noch nicht klar geworden. Im *Großen Traum* deutet sich nun einiges an. Das kennzeichnendste Symbol des Zwischenreichs ist dort «ein steinern Ei, halb schwarz, halb weiß[34]». Dieses Sinnbild ist als antikes Grabornament bekannt; Hauptmann kam vermutlich durch Bachofens *Gräbersymbolik der Alten* darauf[35], ohne daß er allerdings Näheres aus dessen Deutung übernommen hätte. Das Zwischenreich ist für Hauptmann geradezu «das Reich des Schwarzen-Weißen»[36]. Damit mag einmal der Übergangscharakter der menschlichen Existenz in diesem Raum chiffriert sein (eine Deutung, die sich von Bachofen her nahelegt). Andererseits scheint es aber auch, daß mit diesen Farben die Mächte des Jenseits bezeichnet sind, die in das Zwischenreich hineinwirken. Während das im *Märchen* nur *eine* Kraft tat, der «Alte vom Berge», so sind es im *Großen Traum* nämlich die beiden konträr entgegengesetzten transhumanen Mächte Licht und Finsternis, die ja den Schicksalsraum in Hauptmanns Lebenswerk seit den Anfängen bestimmt haben. Daher wird denn in den Schlußgesängen des Epos wiederholt betont, daß sowohl der Glanz des höchsten, lichten Göttlichen wie auch der Hauch des Abgrunds in das Zwischenreich hineindringen (besonders Gesang 19 und Gesang 20). Und zwar handelt es sich dabei nicht mehr, wie so oft in früheren Werken, um das Gegeneinander von letztlich versöhnbaren metaphysischen Mächten, die Hauptmann auch gern als die Brüder Christus und Dionysos mythisch verkörpert, sondern um absolut entgegengesetzte letzte Seinskräfte: Gott, dem Vater des Christus und Dionysos, steht der ihm keineswegs hörige «Abgrund» der Dämonen entgegen, «der wahren Höllen Glut», von der der christliche Seher Dante überhaupt nicht erfahren habe[37]. Das Jenseits ist, so wird aus dem *Großen Traum* deutlich, im absoluten Sinne antinomisch strukturiert, und diese Antinomie wirkt ins Zwischenreich ebenso hinein wie in die Alltagswirklichkeit. Dieses Jenseits ist aber nichts anderes als jenes «wahre Sein», in das die Bewohner des Zwischen-

---

[33] XVI, 343 (C.-A., IV, 1042).

[34] XVI, 332 (C.-A., IV, 1033).

[35] Vgl. F. B. Wahr, «Hauptmann and Bachofen», *Monatshefte*, XLII (1950), 153–159, besonders 156f.

[36] XVI, 353 (C.-A., IV, 1050).

[37] XVI, 369 (C.-A., IV, 1064).

reichs, wie wir hörten, «aufzuerstehen» bestimmt sind. Daß das Göttliche, mit dem sich die entkörperte Seele vereinigen wird, kein einheitliches Sein, sondern in sich gespalten ist, das ist eine Vorstellung, die zum Beispiel Jacob Böhme geläufig war, dessen Philosophie Hauptmann lebenslang, bereits in den Jahren vor der Jahrhundertwende, studiert hat. Auch der Gnosis ist sie natürlich geläufig. Und dies ist für unsern Zusammenhang ungleich wichtiger. Denn im Gedankengut der Gnosis finden wir nicht nur die Zwischenreich-Vorstellung wieder, auch fallen die Übereinstimmungen mit Hauptmanns spezifischer Auffassung ins Auge. Und zwar ist da besonders das kosmologische Diagramm der Ophiten (Ophianer), einer gnostischen Sekte der frühchristlichen Zeit, von Interesse. Wir kennen dieses Diagramm aus Origenes' Streitschrift *Contra Celsum*. In Hans Leisegangs *Gnosis* (1924), einem Buch, das Gerhart Hauptmann, wie wir zufällig wissen[38], intensiv studiert hat, findet sich außer der Wiedergabe des Diagramms selbst ein ausführlicher Kommentar dazu[39]; denkbar ist aber durchaus, daß dem Dichter diese ophitische Kosmologie bereits vorher bekannt war, da er sich bekanntlich eingehend mit gnostischer Literatur beschäftigt hat. Zu denken wäre vor allem an Jacques Matters *Histoire du gnosticisme* (1828)[40], F. C. Baurs *Christliche Gnosis* (1835)[41] und Adolf Hilgenfelds *Ketzergeschichte des Urchristentums* (1884)[42]. Wie dem auch sei: in Unbekanntschaft mit der gnostischen Vorstellung dürfte Hauptmann seine eigene Konzeption kaum entwickelt haben. Damit soll natürlich nicht ein Einfluß behauptet sein, was ja bei einem Dichter von der Schaffensart Gerhart Hauptmanns von vornherein ein bedenkliches Unternehmen wäre, wie man in anderen Zusammenhängen vielfach betont hat. Aber ein Vergleich ist doch lehrreich.

Zunächst ist zu sagen, daß die abstruse Szienz und detaillierte Allegorik, die sich bei den Ophiten mit dem Zwischenreich-Gedanken verbinden, bei Hauptmann nicht ihresgleichen finden. Was bei ihm bleibt, ist lediglich – namentlich im *Großen Traum* – die allgemeine Vorstellung des heilsgeschichtlichen Kreislaufs der menschlichen Seele aus dem Göttlichen, dem Pleroma, auf die Erde und zurück zu Gott. Auf dieser Wanderung wird, den Ophiten zufolge, ein Zwischengebiet zwischen Himmel und Erde durchlaufen, das zugleich auch der Ort der Engel ist. Dieses Zwischenreich (wie Leisegang den griechischen Ausdruck übersetzt) ist bei den Gnostikern eine Stätte der Körperlosigkeit wie auch bei Hauptmann, genauer: der Seele und des Geistes, während der irdischen Welt Körper und Seele und Geist zugehören, dem göttlichen Lichtbezirk aber nur der reine Geist. Ferner ist das Zwischenreich gekenn-

---

[38] F. A. Voigt, *Antike und antikes Lebensgefühl bei G. Hauptmann*, Breslau 1935, S.114 (= *Gerhart Hauptmann und die Antike*, Berlin 1965, S. 104).
[39] S. 166ff.   [40] II, 220ff.   [41] S. 196.   [42] S. 277ff.

zeichnet durch das Miteinander von Licht und Finsternis, von Gutem und Bösem, das im Diagramm durch einen gelben und einen blauen Kreis angedeutet ist. Daß schließlich auch der Löwe und die Schlange prominente Symbole in dieser mythischen Kosmologie darstellen, braucht man dagegen wohl kaum mit dem Hauptmannschen *Märchen* in Verbindung zu bringen, wo diese Tiere ebenfalls an hervorgehobener Stelle symbolisch verwendet werden.

Gewisse Übereinstimmungen sind also gar nicht zu verkennen. Ihre hauptsächliche Bedeutung liegt jedoch darin, daß sie daran erinnern, daß das Spätwerk Hauptmanns unter dem nachhaltigen Eindruck der Vorstellungswelt der Gnosis Gestalt gewonnen hat. Wie sehr das in der Weltschöpfungsmythe des *Großen Traums* der Fall war, ist bereits dargelegt worden[43], und ohne Zweifel dürfte ein eingehender Vergleich der Sekundärwerke von Hans Leisegang, Ignaz Döllinger (*Beiträge zur Sektengeschichte des Mittelalters*, 1890) und anderen, die Hauptmann nachweislich gekannt hat, mit dem dichterischen Spätwerk eine Fülle interessanter Ergebnisse zutage fördern, die unsere Kenntnis der Altersperiode Hauptmanns erheblich bereichern würde.

[43] Vgl. die Studie «Die gnostische Mythologie im Spätwerk G. Hauptmanns».

VI
GEISTESGESCHICHTE

SHAKESPEARE IM URTEIL
DER DEUTSCHEN THEATERKRITIK
DES 18. JAHRHUNDERTS

I

«Er ist kein Theaterdichter, an die Bühne hat er nie gedacht.» So der Theatermann Goethe nach Eckermanns Bericht vom 25. Dezember 1825 über den Theatermann Shakespeare. Ein geheimrätlicher Scherz mit dem biederen Zuhörer? Dann steckte allerdings ein Problem dahinter, ganz wie es Goethe selbst von den Scherzen Lichtenbergs behauptet hat. In der Tat: es ist einer jener tiefsinnigen Scherze des albischen Alten, die auf einen hintergründigen Ernst verweisen. «Ein allgemein anerkanntes Talent», heißt es im dritten Teil von «Shakespeare und kein Ende» (1816), «kann von seinen Fähigkeiten einen Gebrauch machen, der problematisch ist». Und Goethe fährt fort: «So gehört Shakespeare notwendig in die Geschichte der Poesie, in der Geschichte des Theaters tritt er nur zufällig auf.» Das heißt, die mit der Bühne, für die er schrieb, gegebenen realen Bedingungen seines Schaffens waren nur ein Hemmschuh für den ins Grenzenlose strebenden Geist des «Epitomators der Natur», meint Goethe und leugnet, «und zwar zu seinen Ehren, daß die Bühne ein würdiger Raum für sein Genie gewesen»[1].

Diese Auffassung ist keineswegs originell. Charles Lamb zum Beispiel behauptete ungefähr gleichzeitig Ähnliches, und selbst die zünftige Shakespeare-Forschung spiegelt bis in unsere Tage jene von Goethe so provozierend formulierte Antinomie von Theaterdichter und Lesedramautor wider[2].

Das liegt in der Natur der Sache, in der Natur der Dichtung für die Bühne. Und doch sollte, jedenfalls bei einem großen Theaterdichter, die Frage nicht die nach der jeweils größeren Berechtigung dieser Aspekte sein. Vielmehr sollte sie darauf abzielen, deren mögliche gegenseitige Förderung und Bereicherung ins Licht treten zu lassen. Inwiefern ein vorangegangenes Nachempfinden der poetischen Qualitäten, das also ein Bühnenstück zunächst einmal ganz als

---

[1] Weimarer Ausgabe, 1. Abt. XLI: 1, 65, 67.

[2] So stehen sich heute noch – obwohl man sicher darüber klar zu werden beginnt, daß die Frage mit ihrem starren Denkschema des Entweder-Oder schon im Ansatz falsch gestellt ist – zwei Richtungen der Shakespeare-Forschung gegenüber: eine behandelt die Dramatik als autonome Poesie, die sich in ihren formalen und gehaltlichen Feinheiten nur dem nachsinnenden und nachempfindenden Lesen erschließt, die andere deckt auf Schritt und Tritt Theaterkonvention und direkte Reflexe der besonderen, zeitgebundenen Bühne auf, für die Shakespeare schrieb, oder betont die Wirksamkeit der spezifischen Theaterqualitäten der Stücke.

Lesedrama behandelt, einer Inszenierung zugute kommen kann, ist auch ohne *Wilhelm Meister* ohne weiteres einsichtig. Denkbar ist aber auch der umgekehrte Fall: daß eine «kongeniale» Aufführung die Kritik zu neuen, vertieften Einsichten führt; so schreibt etwa Tieck um 1790 über die Lear-, Macbeth- und Othello-Darstellungen des Schröder-Schülers J.F.F.Fleck:

Alle sonderbaren Reden und Übertreibungen, die ja auch oft genug die englische schwache Kritik angemerkt und bedauert hat, wurden durch Flecks poetische Kraft ebenso viele Schönheiten: das erschütterte eben, was manchem dürftig oder überflüssig schien, und dieser merkwürdige Mann hätte mit Sicherheit den unverfälschten ganzen Text des großen Dichters brauchen und uns mehr wie alle englischen Kommentatoren jene Stellen erläutern können, die auch ein Garrick nicht beachtete oder anstößig fand[3].

Überhaupt lassen sich bei jeder Begegnung mit dramatischer Dichtung Theorie und Praxis, das heißt Literaturkritik und «Aufführung», nur *in abstracto* scheiden: die Aufführungspraxis ist, bewußt oder nicht, Theorie *in actu;* die Theorie aber lebt aus einer intuitiv-imaginativ vorweggenommenen, in der Phantasie geleisteten Praxis der szenischen Vergegenwärtigung. Der ideale Ort dieses Miteinanders von Theorie und Praxis ist die Theaterkritik. Recht betrachtet, vermag sie nicht nur bühnenkundliche Aufschlüsse zu vermitteln, sondern zugleich auch solche zur Geschichte der Kritik und des Geschmacks sowie der Deutung und Wertung der betreffenden literarischen Werke.

Diesem Ineinander von Literaturkritik und Aufführungspraxis gilt diese Studie der Begegnung Deutschlands mit Shakespeare. Das ist ein neuer Zugang zu einem alten Thema, aber ein berechtigter. Denn allzu oft gewinnt man doch aus den Arbeiten über die Eroberung Shakespeares als eines «deutschen Klassikers» den Eindruck, als habe sich diese Begegnung eben nur direkt, das heißt unter Ausschaltung der Verwirklichung auf der Bühne, vom Text zum Leser vollzogen. Weithin ist das auch wirklich der Fall gewesen: erst seit Ifflands Berliner *Hamlet*-Aufführung in der Schlegelschen Übersetzung (1799) lernt man ja auf der deutschen Bühne einen einigermaßen «originalgetreuen» Shakespeare kennen. Aber daraus ist nicht zu schließen, daß sämtliche früheren deutschen Shakespeare-Aufführungen für die Literatur- und Geistesgeschichte irrelevant und allenfalls für die Theaterhistorie von Interesse seien. Für das 17.Jahrhundert hat diese Scheidung durchaus ihre Berechtigung: die Truppenaufführungen «Shakespearescher» Stücke waren nicht als Kunst, sondern als Pöbelbelustigung gemeint; Tragödie wurde zur

---

[3] Monty Jacobs, *Deutsche Schauspielkunst. Zeugnisse zur Bühnengeschichte klassischer Rollen*, Leipzig 1913, S. 318. Die Orthographie der Quellenzitate ist modernisiert, da sie oft Nachdrucken entnommen werden mußten.

bluttriefenden Schaumoritat vergröbert; die Poesie räumte der übertriebenen pantomimischen Vergegenwärtigung das Feld, der ergreifende Moment wich dem szenischen Knalleffekt, die fein nuancierte Humorheiterkeit der schwankhaft grellen Drastik der Farce. Aber im 18. Jahrhundert liegen die Dinge schon anders – anders auch als im 19., das durch die Schlegel-Tiecksche Übertragung einen Zugang zum echten Shakespeare besaß und damit die Voraussetzung dafür, daß Inszenierung, Aufführungsbeurteilung und Literaturkritik Hand in Hand arbeiteten. Im 18. Jahrhundert entwickelt sich diese Annäherung vielmehr erst; die entscheidenden Schritte zur Gewinnung Shakespeares nicht nur für die deutsche Literatur und Literaturkritik, sondern auch für die deutsche Bühne werden in dieser Zeit unternommen, als man Shakespeare noch nicht unverändert auf die Bretter bringt, sondern dem geistesgeschichtlichen Standort gemäß bearbeitet. Das Ineinanderwirken von Theorie und Praxis nimmt hier seinen Anfang.

Freilich kommt es dabei auf die literarische Qualität der Praxis an. Die deutschen Inszenierungen des 18. Jahrhunderts stehen da zwischen den volkstümlichen Bandenaufführungen des Barockzeitalters, die keine eigentliche Begegnung mit Shakespeare waren, und den Bühnenverwirklichungen des 19. Jahrhunderts, etwa durch Joseph Schreyvogel, August Klingemann und Immermann, die die Schlegel-Tiecksche Übersetzung zugrunde legen und, wie diese beiden Übersetzer, zu «den eigensinnigen Leuten» gehören, «die ihren Dichter durchaus so verlangen, wie er ist, wie sich Verliebte die Sommersprossen ihrer Schönen nicht wollen nehmen lassen»[4]. Zwar sind die Grenzen keineswegs scharf zu ziehen: die mehr oder weniger Shakespeareschen Haupt- und Staatsaktionen des volkstümlichen Barocktheaters werden noch bis weit ins aufgeklärte Jahrhundert hinein von wandernden Komödiantengesellschaften und Puppenspielern aufgeführt; und andererseits dauert es lange, bis die poetisch adäquate Fassung der deutschen Romantiker sich durchsetzt; so sah zum Beispiel Hebbel noch 1838 in Wien *King Lear* in Schröders Adaptation[5]. Aber diesen fließenden Übergängen zum Trotz darf man sagen, daß das 18. Jahrhundert in den deutschsprachigen Ländern die Zeit ist, in der Shakespeare in bearbeiteter Form auf der Bühne erscheint. Wie später Literaturkritik und Bühnenpraxis zusammengehen, so auch in der Shakespeare-Rezeption der Aufklärung, doch nur mittelbar, sofern die theatralische Aneignung in dieser Zeit von Wielands und Eschenburgs Verdeutschungen ausgehen mußte, die aber, schon durch ihre vorherrschende Prosaform, von der Auslassung anstößiger, vermeintlich entbehrlicher und schwer übersetzbarer Passagen ganz zu schweigen, wesentlich doch eine Umvisierung auf den bürger-

[4] A. W. Schlegel (1796), *Sämmtliche Werke*, hg. von Ed. Böcking, Leipzig 1846, VII, 34.
[5] *Tagebücher*, hg. von R. M. Werner, Berlin o. J., I, 275.

lich-deutschen Horizont darstellten: die Grundlage der Bearbeitungen war also selbst schon quasi Bearbeitung.

Trotzdem sind diese Bearbeitungen Shakespeares im 18.Jahrhundert keineswegs mit der Verballhornung des englischen Dramatikers im vorangehenden Jahrhundert auf eine Stufe zu stellen. Wenn zwei dasselbe tun, ist es nicht das gleiche. Im Barock geschah die Aneignung Shakespeares nicht im Interesse der Literatur; die «Bearbeiter» waren anonyme oder literarisch bedeutungslose Schmierenprinzipale[6]. Die des 18.Jahrhunderts steht dagegen im Zeichen der (nicht nur von Gottsched geförderten) Bemühung um die Wiederbegegnung von Literatur und Theater. (Im 17.Jahrhundert war das allenfalls an einigen Höfen der Fall, wo freilich dem französischen Theater der Vorzug gegeben wurde.) Entsprechend erfolgt denn auch die deutsche Eroberung Shakespeares für die Bühne im 18.Jahrhundert, im krassen Gegensatz zum 17.Jahrhundert, auf dem Umweg über die *literarische* Entdeckung. Denn auf dem deutschen *Theater* der Aufklärung war Shakespeare ganz ins Hintertreffen geraten[7]. Der ersten Aufführung eines dem Original (im Vergleich zu den barocken Volksbelustigungen) entschieden angenäherten, wenn auch nicht originalgetreuen, verdeutschten Shakespeare-Stücks, Schröders *Hamlet* am 20. September 1776 in Hamburg[8], dieser «eigentlich ersten» Entdeckung Shakespeares für die deutsche Bühne[9], war die literarische Entdeckung Shakespeares um Jahrzehnte vorausgegangen. Und zwar ist diese im Bewußtsein der Zeit und der Entdecker selber nicht eine Wiederentdeckung im Hinblick auf die fragwürdigen deutschen «Shakespeare»-Stücke des 17.Jahrhunderts, sondern eine erstmalige Erschließung, eine Neuentdeckung.

Die Etappen dieser *literarischen* Entdeckung Shakespeares sind oft beschrieben worden. Die erste – nach allerlei nichtssagenden Erwähnungen – ist um 1740: Frau Gottsched übersetzt den *Spectator*, der im 592. Stück Shakespeare auf Kosten der regelmäßigen Dramatik in den Himmel hebt (1739ff.); Bodmer verweist in der *Abhandlung von dem Wunderbaren in der Poesie* lobend auf den Engländer (1740); der preußische Gesandte in London, Caspar Wilhelm von

[6] Ob Gryphius im *Peter Squentz* auf das Original zurückgriff, ist unentschieden. Vgl. R. Newald, *Die Deutsche Literatur vom Späthumanismus zur Empfindsamkeit*, München 1951, S. 290.

[7] E.L. Stahl, *Shakespeare und das deutsche Theater*, Stuttgart 1947, S. 33 und 40.

[8] Abgesehen wird hier von Wielands Biberacher Liebhaberaufführung des *Tempest* (*Der erstaunliche Schiffbruch oder die Verzauberte Insel*, 1761) wie auch von der Premiere des Heufeldschen *Hamlet* in Wien (1773), der ein blutrünstiges Spektakelstück geworden war, und von der nicht weiter aufsehenerregenden Berliner Aufführung von Chr. H. Schmids *Othello*-Übersetzung durch die Döbbelinsche Wandertruppe (1775). – Zur Bedeutung von Schröders *Hamlet*-Inszenierung von 1776 siehe A.E. Zucker, «Schröder Stages *Hamlet* in Hamburg», *Modern Language Forum*, XXIII (1938), 51–65.

[9] Stahl S. 68.

Borck, überträgt *Julius Caesar* in deutsche Alexandriner (1741), und der unbotmäßige Gottsched-Schüler J.E. Schlegel untersteht sich, in den Gottschedschen *Beiträgen zur kritischen Historie* Shakespeare und Gryphius in einer dem Engländer nicht ganz ungünstigen Weise zu vergleichen (1741). In der Mitte der fünfziger Jahre greift dann Friedrich Nicolai das Motiv wieder auf in seinen *Briefen über den itzigen Zustand der schönen Wissenschaften in Deutschland* (1755); 1758 kommt in Basel die erste Blankversübertragung eines Shakespeareschen Dramas heraus, Simon Grynaeus' *Romeo und Julia;* im gleichen Jahr veröffentlicht Moses Mendelssohn in seinen *Betrachtungen über das Erhabene* verdeutschte *Hamlet*-Stellen, und schon im nächsten Jahr erscheint Lessings 17. *Literaturbrief.* 1762–1766 bringt Wieland in Zürich seine Übersetzung fast aller Dramen heraus, die Eschenburg 1775–1777 verbessert; 1766 bricht Gerstenberg in den *Briefen über Merkwürdigkeiten der Literatur* eine Lanze für Shakespeare, ähnlich und nachdrücklicher, wenn auch aus nicht ganz einsichtiger Motivation, Lessing 1767–1769 in der *Hamburgischen Dramaturgie*, schließlich – alles noch vor der Schröderschen *Hamlet*-Aufführung – die panegyrischen Ergüsse der Stürmer und Dränger Lenz, Goethe, Herder.

Diese literarische Entdeckung, die also der Eroberung Shakespeares für die deutsche Bühne vorausgeht, führt jedoch im 18. Jahrhundert den Theatermann noch nicht zum unveränderten deutschen oder englischen Text, sondern zum bearbeiteten Shakespeare. So wie er geschrieben ist, glaubt man, von Gemmingen abgesehen, den Shakespeareschen Text nicht spielen zu können. «Ein anderes ist es, Shakespeare für den Leser, ein anderes, ihn für den Zuschauer übersetzen», behauptet J.F. Schink im Ton der Selbstverständlichkeit: «Übersetzungen Shakespeares für unsere Bühne im eigentlichen Verstande des Übersetzen nützen der dramatischen Kunst nichts, sie schaden ihr vielmehr unendlich.»[10] Ähnlich liest man im Vorbericht zum Druck von Franz Heufelds *Hamlet* in der Sammlung *Neue Schauspiele, aufgeführt in den K.K. Theatern zu Wien* (1773): «Wem dieses große Originalgenie des englischen Theaters bekannt ist, der wird wissen, wie wenig ratsam es sei, Stücke von ihm auf die deutsche Schaubühne zu bringen, ohne sie durchaus überarbeitet zu haben. Herr Heufeld verdient Dank, daß er sich die Mühe geben wollen, ein für England gutes Stück in ein brauchbares für Deutschland zu verwandeln.» Schon Lessing hatte 1759 im 17. *Literaturbrief* Aufführungen «mit einigen bescheidenen Veränderungen» statt Originalinszenierungen vorgeschlagen. Goethe sieht sie noch 1816, als die Romantiker bereits seit langem unveränderte Aufführungen durchzusetzen bestrebt sind, als Gebot der Zeit: «Nun hat sich aber», heißt es in «Shakespeare und kein Ende»,

seit vielen Jahren das Vorurteil in Deutschland eingeschlichen, daß man Shakespeare auf der deutschen Bühne Wort für Wort aufführen müsse, und wenn

[10] *Dramaturgische Fragmente*, II, Graz 1781, S. 311, 310.

Schauspieler und Zuschauer daran erwürgen sollten. Die Versuche, durch eine vortreffliche, genaue Übersetzung veranlaßt, wollten nirgends gelingen, wovon die Weimarische Bühne bei redlichen und wiederholten Bemühungen das beste Zeugnis ablegen kann. Will man ein Shakespearisch Stück sehen, so muß man wieder zu Schröders Bearbeitung greifen; aber die Redensart, daß auch bei der Vorstellung von Shakespeare kein Jota zurückbleiben dürfe, so sinnlos sie ist, hört man immer wiederklingen. Behalten die Verfechter dieser Meinung die Oberhand, so wird Shakespeare in wenigen Jahren ganz von der deutschen Bühne verdrängt sein, welches denn auch kein Unglück wäre[11].

Goethe spricht hier zwar pro domo, nämlich in Sachen seiner freien *Romeo-and-Juliet*-Bearbeitung von 1812; auch widerspricht er seiner eigenen früheren und späteren Einstellung[12]. Aber für die Zeit vor 1800 hat er als Historiker jedenfalls durchaus recht; nicht zufällig bemängelte ja die Tageskritik an den ersten so gut wie unveränderten Aufführungen des Schlegel-Tieckschen Textes, daß eine bearbeitete Fassung das Publikum stärker angesprochen hätte[13]. Ja, abgelehnt hatte das Publikum vorher sogar die dem Original relativ stark angenäherten, also pietätvollsten Bearbeitungen: Schröders *Othello* mußte nach anfänglicher negativer Publikumsreaktion mit einem versöhnlichen Schluß versehen werden; seine *Measure-for-Measure*-Version wurde durch die freiere Bearbeitung durch W.H. Brömel, *Gerechtigkeit und Rache*, verdrängt, und über seine *Macbeth*-Aufführung urteilte die Berliner *Literatur- und Theaterzeitung* 1779: «Auch nicht auf ein paar Stunden will man sich in den Geist des Jahrhunderts versetzen, in dem Shakespeare dichtete.»[14] Also: wenn im 18. Jahrhundert in Deutschland die Frage gestellt wird, «ob es nicht möglich wäre, dem Volk den Shakespeare, von dem es jetzt so viel hört, auch auf der Bühne zu zeigen», so herrscht in der Regel die Überzeugung, «es sei auf keine andere Art möglich, als wenn man seine Stücke so sehr, wie Weiße den *Romeo*, modernisierte»[15]. Und diese Modernisierungen sind es,

[11] Weimarer Ausgabe, 1. Abt. XLI: 1, 70.

[12] Brief an A.W. Schlegel vom 27. Oktober 1803 und Besprechung von Tiecks *Dramaturgischen Blättern* aus dem Jahre 1826 (W.A. 1. Abt. XL, 179).

[13] Vgl. Wilhelm Widmann, *Hamlets Bühnenlaufbahn*, Leipzig 1931, S. 115 über die Berliner *Hamlet*-Aufführung von 1799 und Stahl S. 215 über eine *Julius-Caesar*-Aufführung von 1803.

[14] Stahl S. 103, zu Brömel ebd. S. 94.

[15] Chr. H. Schmid in der Vorrede zu seinem *Othello* im *Englischen Theater*, I, Leipzig 1769. – Die Tageskritik ist sich allerdings nicht immer bewußt, daß die Bearbeitungen vom Original abweichen. Zeugnisse dazu bei A. v. Weilen. *Der erste deutsche Bühnen-Hamlet: Die Bearbeitungen Heufelds und Schröders*, Wien 1914, S. xl; Erich Schumacher, *Shakespeares Macbeth auf der deutschen Bühne*, Diss. Köln 1938, S. 265, Anm. 125; Walter Kühn, *Shakespeares Tragödien auf dem deutschen Theater im 18. Jahrhundert*, Diss. München 1910, S. 22.

die Shakespeare in den letzten Jahrzehnten des 18. Jahrhunderts zur wahren Volkstümlichkeit verholfen haben[16].

Ein Erfolg des unechten, des zeitgemäß verfälschten Bühnen-Shakespeare allerdings. Wie ist er zu bewerten? Die beiden Standardwerke über die deutsche Begegnung mit Shakespeare weichen in dieser Hinsicht radikal voneinander ab. Für Gundolf hinkt das Theaterpublikum dem Fortschritt des deutschen Geistes in der Eroberung des Engländers in geradezu peinlicher Weise nach; verblendet durch Rationalität einerseits und Empfindsamkeit andrerseits, ist es im 18. Jahrhundert noch nicht in der Lage, Shakespeare adäquat aufzunehmen; die Verstümmelung Shakespeares sei mithin für die deutsche Geistesgeschichte ohne Interesse[17]. Umgekehrt Stahl: « Die Eroberung Shakespeares für Deutschland seit der zweiten Hälfte des 18. Jahrhunderts gehört zu den 'großen geistigen Ereignissen Deutschlands', und ist in der Tat zu einem bedeutenden Teil – gegen Gundolf zu sagen – durch die Bühne geschehen ... Der Einsatz der deutschen Bühne für Shakespeare ist und bleibt eine der großen Leistungen der deutschen Kultur- und Geistesgeschichte.»[18]

Hier entscheiden zu wollen, wäre witzlos. Wichtiger scheint es, das zentrale Problem in den Blick zu bekommen, das bisher nicht als die zugrunde liegende Crux dieser frühen deutschen Shakespeare-Begegnung erkannt worden ist. Es läßt sich folgendermaßen umschreiben: In seiner Originalgestalt ist das Shakespearesche Drama, namentlich die Tragödie, zu « starke Kost »[19] für das 18. Jahrhundert; das Publikum ist seelisch « nicht stark genug »[20] für die leidenschaftliche Bewegtheit und «das Große, das Schreckliche» Shakespeares, von dem Lessing im 17. *Literaturbrief* gesprochen hatte. Daher gleicht man also Shakespeare den eigenen formalen und gehaltlichen Erwartungen an. Man will Rührung, nicht Erschütterung; Familienbilder, nicht elementare menschheitliche Tragödie; Ordnung und Überschaubarkeit, nicht aufrüttelnde und verwirrende poetische Weltschöpfung; die wohlvertrauten alltäglichen Typen der sentimentalen Bürgerstücke, nicht die kühn entworfenen, übermenschlichen und fast unmenschlichen Charaktere des Engländers. *Aber:* diese Einebung erklärt nicht, wieso der bearbeitete Shakespeare im 18. Jahrhundert einen solchen Erfolg haben konnte; denn er wäre ja nichts Neues gewesen. Da er aber unerhörtes Aufsehen erregte, muß zugleich unter der

---

[16] Zu Shakespeares Volkstümlichkeit seit dem Ende der siebziger Jahre s. Stahl S. 90, 128; Schink, *Dramaturgische Fragmente*, I, 153; F. L. W. Meyer, *Friedrich Ludwig Schröder*, Hamburg 1823, II, 6; A. v. Weilen, *Hamlet auf der deutschen Bühne bis zur Gegenwart*, Berlin 1908, S. 68 f.

[17] *Shakespeare und der deutsche Geist*, 5. Aufl. Berlin 1920, S. 279, 282 f.

[18] S. 7, 8.

[19] Ekhof nach Ifflands Bericht in *Meine theatralische Laufbahn*, Leipzig 1798, S. 84.

[20] Gemmingen, *Mannheimer Dramaturgie*, Mannheim 1780, S. 36.

angeglichenen Oberfläche noch etwas anderes mitgewirkt haben. Die Bemühungen des ganzen 18.Jahrhunderts um einen deutschen Bühnen-Shakespeare sind Bemühungen um einen falschen Shakespeare, zugleich aber – so
wird immer wieder betont – wären ohne diese Bemühungen «die Tage eines
besseren und tieferen Verständnisses für seine Gedanken- und Kunstwelt
kaum so schnell herangekommen»[21]. «Man war sich vollauf bewußt», behauptet sogar ein Kritiker, für die Zeit um 1780, «daß die Wandlung des Geschmacks, die Abkehr von den steifen, regelmäßigen wie von den empfind-
samen und rührseligen Tragödien und von dem Singspiele auf Shakespeare zu-
rückging.»[22] Aber gerade diesen dramatischen Typen, auch dem Singspiel
(zum Beispiel Gotter), hatte man Shakespeare doch eben in dieser Zeit an-
geglichen, um ihn überhaupt akzeptabel zu machen, während der «eigentliche» Shakespeare gerade Grauen und Entsetzen erregte[23]. Zur blutrünstigen
Moritat vergröbert, war im 17.Jahrhundert das «Entsetzliche» der Shakespeareschen Tragik noch erträglich gewesen: gerade die Übertreibung distan-
zierte. Wie aber läßt es sich erklären, daß das 18.Jahrhundert einerseits zu-
rückschreckt vor dieser elementaren Erschütterung durch Shakespeare, andrerseits jedoch, wie so oft behauptet wird, durch seine Shakespeare-Bearbeitungen beim Publikum die Disposition schafft für die spätere adäquate Aufnahme Shakespeares?

Man ist natürlich versucht, die literarhistorische Situation in Rechnung zu
stellen und anzunehmen, daß durch die leidenschaftlich bewegte, das emotionale Extrem suchende Dramatik der Stürmer und Dränger, die sich zum Teil
ja auch von Shakespeare angeregt glaubten, wie auch schon durch die etwas
älteren, aber nicht weniger krassen Bühnenstücke Weißes (*Richard III.*) der
Boden für die Tragik Shakespeares bereitet worden wäre. Das hat sicher mit-
gespielt, um so mehr, als solche Werke von Schröder aufgeführt wurden, der
in Norddeutschland und in Wien als Bahnbrecher Shakespeares wirkte, um so
mehr auch, als die Kritik der siebziger Jahre, soweit sie dem Umkreis des
Sturm und Drangs entstammt, die elementaren Kräfte des Shakespeareschen
Werks zu schätzen weiß. All das mag die erstaunlich rasche Aneignung Shakespeares in den siebziger, achtziger Jahren plausibel werden lassen. Es erklärt
aber noch nicht die Art und Weise dieser Aneignung, löst mithin auch nicht
das oben bezeichnete Paradox, daß die Aneignung des bearbeiteten, also dem

---

[21] Wolfgang Drews, *König Lear auf der deutschen Bühne bis zur Gegenwart*, Berlin 1932,
S. 123.

[22] Kühn S. 15.

[23] Zum Beispiel Ulrich Bräker, *Etwas über William Shakespeares Schauspiele* (1780),
hg. von W. Muschg, Klosterberg und Basel, 1942, S. 70–72, und Schink, *Dramaturgische
Monate*, I, Schwerin 1790, S. 152–154.

Empfinden und den Denkformen der Zeit angepaßten Shakespeare zugleich als eine Vorbereitung der Eroberung des «echten» Shakespeare zu werten ist. Offenbar hat hier kein jäher Geschmackswechsel stattgefunden, falls es derartiges überhaupt geben kann. Vielmehr muß unter der Oberfläche der Bearbeitung noch genug des Eigentlichen spürbar gewesen sein, das dann später, als die Schlegel-Tiecksche Übersetzung sich die deutsche Bühne eroberte, in seiner reinen Form dem Publikum zusagen konnte, weil es eben schon durch Jahrzehnte hindurch diese Substanz «durch einen dunklen Spiegel» aufgenommen hatte, wissend oder, in den meisten Fällen wahrscheinlicher, ohne sich selbst darüber klar zu sein. Damit präzisiert sich die Frage nach dem Wie der vorbereitenden Aneignung des «Shakespeare incognito» im 18. Jahrhundert dahin, daß man fragt: was war es, das das Elementar-Erschütternde den Zuschauern des 18. Jahrhunderts verschleiert oder abgestumpft und dadurch erträglicher gemacht hat?

Wir nehmen die Antwort vorweg: man sucht sich im 18. Jahrhundert Shakespeare anzunähern, indem man das Elementare, das über alle Grenzen Hinausgehende der Größe und der Tragik in seiner (zum Teil ohne Frage gar nicht vorhandenen) psychologischen Verfeinerung sieht, gewissermaßen das Menschlich-Verständliche am Ungeheuerlichen in den Blick faßt. Der Paradefall ist *Macbeth*, vor dem «der arme Mann aus Toggenburg» sich entsetzte: Meyer lobt an Schröders Darstellung der Titelrolle (1779), er habe «den Charakter menschlicher gefaßt und versöhnt das Herz mit ihm», und über Madame Nouseuls Lady Macbeth heißt es 1779 in einer Berliner Kritik, sie habe «diesen Charakter vermenschlicht» und damit die «Anteilnehmung» des Publikums «bewirkt»[24].

Dieses Verfahren, auf das man durch die Häufigkeit von Ausdrücken wie «natürlich», «wahr», «menschlich» in den Theaterkritiken der Zeit aufmerksam wird, liegt durchaus im Zug der dramatischen Tendenzen der zweiten Jahrhunderthälfte in Deutschland: überall ist ein Abrücken von der auf Bewunderung der heldischen Haltung abzielenden *haute tragédie* zugunsten des sogenannten bürgerlichen Trauerspiels zu beobachten. Dieser unglückliche Ausdruck meint aber letztlich nichts anderes als die Tatsache, daß der Zuschauer jener Jahre Gestalten auf den Brettern sieht, die ihm nicht nur im ständischen Sinne, sondern auch im Hinblick auf seine Mentalität und seine Empfindungsmöglichkeiten ähnlich sind. Das erkannte schon Lessing. In Rap-

---

[24] F. L. W. Meyer, *Schröder*, I, 317. E. Schumacher S. 65. Vgl. auch Schinks Verurteilung des Unmenschlichen in Ducis' Shakespeare-Bearbeitungen (*Dramaturgische Fragmente*, I, 208: «menschliche Tragödien und menschliches tragisches Spiel sind noch immer über den Horizont der Franzosen» und *Dramaturgische Monate*, II, 428: «Theaterscheusale, an denen die menschliche Natur nicht den mindesten Anteil hat»).

port kann man sich dieser Theorie gemäß nur mit dem Gleichen setzen, und auf diesen Rapport zwischen Bühnenfigur und Zuschauer kommt es entscheidend an, so sehr, daß idealiter sogar dem Publikum das Bewußtsein von der Künstlichkeit des Vorgestellten schwindet. So stößt man denn auch nicht zufällig in den Kritiken von Shakespeare-Aufführungen des 18. Jahrhunderts so häufig auf das Lob der vollendeten «Täuschung». In der deutschen Theorie der Bühnenkunst wird entsprechend gerade in dieser Zeit, in der zweiten Jahrhunderthälfte, der Gedanke geltend gemacht, daß an die Stelle des auf das statuarisch Schöne gerichteten Deklamationsstils der Heldentragödie die «natürliche» Nachahmung zu treten habe, die in ihrem Bestreben nach Wiedergabe des Alltäglichsten und Gewöhnlichsten sogar das Häßliche nicht zu scheuen brauche.

In der Durchsetzung dieses neuen Stils aber spielt Shakespeare eine entscheidende Rolle[25]. In England hatte Garrick, der sich hauptsächlich als Shakespeare-Darsteller einen Namen machte, Shakespeare von dieser neuen Seite gezeigt, war aber in der Heimat ohne Nachfolger geblieben. Die eigentliche Nachfolge traten, angeregt von Lichtenbergs Briefen über Garricks Shakespeare-Darstellungen, die 1776 und 1778 im *Deutschen Museum* erschienen, die Deutschen an: Schröder in Hamburg und Dalberg in Mannheim. Durch ihr Eintreten für den auf das charakterlich Individuelle und «Natürliche» stilisierten Shakespeare nehmen sie mit ihren zahlreichen Schülern in der Geschichte der deutschen Schauspielkunst eine Wendepunktstellung ein[26].

Diese Einstellung auf den «natürlichen» Shakespeare war freilich nicht nur eine Sache des Aufführungsstils, sondern zugleich eine der Bearbeitung. Die Eigenart der Bearbeitung übt bereits einen bestimmenden Zwang auf die Darstellungsweise aus; sie «sagt über den Aufführungsstil unter Umständen mehr als ein Referat über den Theaterabend»[27].

II

Es ist daher zunächst ein Wort über die typischen Grundzüge der deutschen Shakespeare-Bearbeitungen des 18. Jahrhunderts erforderlich. Auszunehmen von dieser Verallgemeinerung sind freilich die ganz freien Adaptationen, denen überhaupt nicht das Bestreben zugrunde liegt, dem deutschen Publikum

---

[25] H. Oberländer, *Die geistige Entwicklung der deutschen Schauspielkunst im 18. Jahrhundert*, Hamburg 1898, S. 10, 19, 71 ff.

[26] Christian Gaehde, *David Garrick als Shakespeare-Darsteller und seine Bedeutung für die deutsche Schauspielkunst*, Berlin 1904, besonders S. 116, 120, 131. Vgl. auch Heinz Kindermann, *Theatergeschichte Europas*, IV, Salzburg 1961, S. 248 ff., 501–584, 676 ff.

[27] Schumacher S. 53.

Shakespeare zuzuführen, sondern die Absicht, den von Shakespeare gelieferten Stoff eigenen Zwecken dienstbar zu machen. In Rede stehen vielmehr nur diejenigen Stücke, die man mit einiger Largesse als Shakespeare-nah, wenn auch nicht Shakespeare-treu (das gibt es erst seit Schlegel-Tieck) bezeichnen kann: als nur Shakespeare-*nah*, weil auch sie, wenn auch sehr behutsam, das fremde Material den eigenen Denk- und Anschauungsformen anpassen. Wir sehen dabei natürlich ab von solchen Veränderungen, die einerseits in der Zensur, andererseits in dem Streben nach Beachtung der «Regeln», schließlich auch in den seit der Shakespeare-Zeit veränderten praktischen Bühnenverhältnissen ihre Ursache haben. Wir beschränken uns vielmehr auf solche Abänderungen, die bestimmte typische, geistesgeschichtlich relevante Anschauungsschemata erkennen lassen.

Mit dem Stil der Sprachgebung fängt die Umgestaltung bereits an, den meisten Bearbeitern freilich unbewußt. Denn sie stützen sich im 18. Jahrhundert in der Regel auf die Wielandsche oder Eschenburgsche Übersetzung, wo statt des Blankverses die Prosa herrschte (mit einer Ausnahme: Wielands Übertragung von *Midsummer Night's Dream*). Der Unterschied von Blankvers und Prosa ist aber zugleich der von Poetischem und Prosaischem: Die reiche Bildlichkeit der Shakespeareschen Dichtersprache zum Beispiel weicht im Deutschen einer farblosen, platten Verständigkeit und Nüchternheit, die den Gesamteindruck von vornherein wesentlich verändert[28]. Offensichtlich leistet diese Umformung des Poetischen ins Prosaische aber dem «natürlichen» Darstellungsstil, von dem die Rede war, Vorschub.

Die Einebung ins Alltägliche begegnet auch in anderen Aspekten. Da das Alltägliche zugleich das bürgerlich Gewohnte war, fielen dieser sprachlichen Anpassung auch die gelegentlichen Derbheiten und Obszönitäten des Originals zum Opfer.

Doch machen sich die Denkformen des populären Rationalismus in noch entscheidenderen Punkten geltend. Oft hat die Einzelforschung zum Beispiel in den deutschen Bearbeitungen den Zug zur Rationalisierung der Handlungsstruktur festgestellt, das heißt, das Bemühen, nicht das Geringste unklar zu lassen. Dies ist etwa am Werk, wenn die Motivation, wie in F. J. Fischers *Kaufmann von Venedig* (1777), verstärkt und verdeutlicht, die Handlungsführung vereinfacht oder auch ein Sachverhalt unmißverständlich gemacht wird, etwa wenn Schröder in seiner *Lear*-Fassung Cordelia nicht sterben, sondern nur ohnmächtig werden läßt und ihr (nach der Erstaufführung) noch

---

[28] So schon A. W. Schlegel 1796 in seinem *Horen*-Aufsatz «Etwas über Shakespeare bei Gelegenheit *Wilhelm Meisters*». Vgl. auch E. Stadler, *Wielands Shakespeare*, Straßburg 1910, S. 51 f., Merschberger, *Shakespeare-Jahrbuch*, XXV (1890), 251; A. v. Weilen. *Der erste deutsche Bühnen-Hamlet*, S. ix.

ein paar Worte in den Mund legt, damit das Publikum nicht darüber im un-
klaren bleibt, daß sie auch wirklich lebt[29]. Dem Drang zum rational Einsich-
tigen muß man auch eine Änderung zuschreiben, die im 18. Jahrhundert fast
durchweg angebracht wurde und noch 1816 Goethes Billigung erhielt: die
Länderverteilungsszene am Anfang des *Lear* ließ man weg, nicht allein aus
dramaturgischen Gründen (Zügigkeit), sondern auch weil sie Lear auf eine
Weise unvernünftig zeigt, die dem aufgeklärten Publikum nicht nachvollzieh-
bar war[30].

Damit ist zugleich auf ein weiteres wesentliches Moment gewiesen: da man,
wie bereits erwähnt, eine möglichst mühelose Identifizierung mit den auf der
Bühne vorgestellten Personen wünscht, ist der Shakespeare-Bearbeiter der
Versuchung ausgesetzt, die Welt der hohen politisch-geschichtlichen Tragödie
zur Welt des rührseligen Familienstücks umzuschaffen, das des Rationalismus
liebstes Bühnenkind war. Das ist nicht nur eine Versuchung für kleine Geister; selbst Lessings Faszination durch die Welt Shakespeares läßt sich nur
dann mit seinem Eintreten für das bürgerliche Schauspiel in Einklang bringen,
wenn man annimmt, daß er gelegentlich einen derartig häuslich-familiären,
rührenden Shakespeare im Auge gehabt hat[31]. Immerhin: im 18. Jahrhundert
ist die Umstilisierung Shakespeares zum Familienstückautor im Sinne der Zeit
eine der am häufigsten zu beobachtenden Eigenarten der deutschen Inszenierungen, und Schink spricht für viele, wenn er über Shakespeare sagt:

Die meisten seiner tragischen Charaktere sind Menschen, deren Lage, deren
Leiden, deren Schicksale, deren Klage unseren Lagen, unseren Leiden, unseren
Schicksalen, unseren Klagen ähnlich, kurz: Menschenlage, Menschenleiden,
Menschenschicksale, Menschenklagen sind und also unser Herz und unsere
Menschheit erschüttern. Hier können wir fürchten, hier können wir in Mitleid
zerfließen: denn in ähnlichen Situationen waren wir, oder wir fühlen, wir kön-
nen dahin kommen[32].

[29] Zur Motivation: Wolfgang Drews S. 123 und Georg Schweinshaupt, *Shakespeares
Dramatik in ihrer gehaltlichen und formalen Umwandlung auf dem österreichischen Theater
des 18. Jahrhunderts*, Diss. Königsberg 1938, S. 93. Zur Handlungsführung: Drews S. 35 f.
Zu Schröders *Lear*: B. Litzmann, *F. L. Schröder*, Hamburg und Leipzig 1884, II, 251.
[30] Vgl. Drews S. 119, Goethe, W. A. 1. Abt. XLI: 1, 69.
[31] Vgl. Guthke, *Der Stand der Lessing-Forschung*, Stuttgart 1965, S. 28, 74.
[32] *Dramaturgische Fragmente*, IV, 984 f. Selbst aus dem *Coriolan* machte Schink 1790,
nicht anders als Dalberg im darauffolgenden Jahr, ein rührendes Familiendrama, das
um das Mutter–Sohn-Verhältnis kreist und die staatliche Problematik einfach ausfallen
läßt (Schweinshaupt S. 72). Ähnlich ergeht es *Hamlet* in Heufelds und Schröders Bearbeitung, *Romeo and Juliet* in Weißes und in Christoph F. Bretzners Fassung (1796).
Selbst ein so klarsichtiger Kritiker wie Tieck war der Meinung, man könne *Othello* «ein
bürgerliches Stück nennen» (Jacobs S. 367). Dalberg brachte es sogar fertig, den *Timon*
dem zeittypischen Familienstück anzunähern (E. Kilian, *Shakespeare-Jahrbuch*, XXV,

Mit dieser Umformung zum Rührstück geht der Verlust des Tragischen Hand in Hand. Wie im Familienstück der Zeit mit seinen Gardeleutnants und Kommerzienräten und seiner Freude am Häuslich-Privaten das zugleich zermalmende und erhebende «große gewaltige Schicksal» fehlt, wie Schiller im Xenion «Shakespeares Schatten» bemängelte, so auch in dem auf den deutschen Zeithorizont visierten Shakespeare. Die Abbiegung des Dramenschlusses ins Untragische läßt das am deutlichsten erkennen. Das untragische Ende der Shakespeareschen Tragödie ist den deutschen Bearbeitern im 18. Jahrhundert fast zur Gewohnheit geworden. Vereinzelt traf man es außerhalb Deutschlands auch schon vor den deutschen Verharmlosungen an (Nahum Tate, Garrick, Jean-François Ducis). Interessant ist Schröders Versuch, wenigstens im *Othello* (1776) das tragische Ende zu belassen: schon nach der dritten Aufführung sah er sich aber unter dem Druck der öffentlichen Meinung genötigt, eine Neufassung anzukündigen, in der Othello und Desdemona am Leben bleiben sollten. Was hier triumphiert, ist – vom Geschäftssinn Schröders abgesehen – eins der beliebtesten Prinzipien der Aufklärungsdramaturgie: die poetische Gerechtigkeit, die die moralische Auffassung gewährleistet.

Wird aber der Ausgang nicht in letzter Minute abgebogen, so ist die moralisierende Umdeutung nicht weniger wirksam: dem Helden wird dann das aristotelische Mittelmaß genommen, er wird zum schwarz in schwarz gezeichneten «Bösewicht» degradiert, mit dessen Sturz ein Exempel zu statuieren ist: aus tragischer Demonstration wird ein *fabula docet*[33].

III

Die Bearbeitung, sagten wir, bestimmt bis zu einem gewissen Grade den Aufführungsstil. Über diesen Genaueres in Erfahrung zu bringen, ist jedoch bedeutend schwieriger als das Studium eines Bearbeitungstexts. Denn man ist dabei vor allem angewiesen auf Kritiken und Beschreibungen der schauspielerischen und regielichen Leistung; diese aber erwecken nicht selten den Ein-

1890, S. 31). Das Kabinettstück solcher Verwandlungskünste ist Joh. Christian Bocks *Lear* von 1779, in dem der König «wie ein in Pension gehender Beamter» (Drews S. 120) abtritt.

[33] So endet Brockmanns *Othello* (1785 in Wien gespielt) mit der Deutung: «Unglücklicher Othello! Traurige Wirkung der Eifersucht!» (Schweinshaupt S. 71), Bretzners *Romeo und Julia* (1796) mit der Aufforderung an die Hinterbliebenen: «Erkennet die Wege der Vorsehung und küsset die strafende Hand des Allmächtigen» (Kühn S. 44) und Wernichs *Macbeth* (1778) mit Macduffs Fazit: «Möge dein Fall ein unvergeßliches Denkmal unbändigen Stolzes, teuflischer Lügen und blutdürstiger Tyrannei bleiben» (Kurt Kauenhowen, *Shakespeare-Jahrbuch*, LIV, 1918, 59).

druck der Unverläßlichkeit: Urteile widersprechen sich; oft wird anonym geurteilt; alle Beschreibungen erfolgten der Natur der Sache nach post festum:
was geht also in der Schilderung auf Rechnung der nacherlebenden Zu-
schauerphantasie? Was ist Stilwille und was schauspielerisches Versagen oder
Zufallstreffer? Schauspielerische Leistungen können, wie besonders im Falle
von Fleck, von Tag zu Tag, ja innerhalb einer Aufführung wechseln.

Für das Verfahren des Historikers folgt daraus, daß es ihm bei der Durchsicht der Fülle von auf den ersten Blick je individuellen und isolierten Berichten und Kritiken über Shakespeare-Aufführungen gelingen muß, in der Vielfalt Gleichartiges, gewisse Konstanten der Deskription zu entdecken, die als
solche dann nicht auf das Konto des jeweiligen Beobachters gehen können,
sondern der Inszenierung «objektiv» eigen gewesen sein müssen. Erleichtert
wird dies dadurch, daß das Ensemblespiel im 18. Jahrhundert zwar von manchen Bühnenleitern wie Schröder, Dalberg und Iffland angestrebt, aber kaum
erreicht wurde[34], so daß die Aufführungskritiken in der Regel auf die Hauptdarsteller eingestellt sind, die die Aufführung beherrschten. Diese Verengung
des Blickwinkels hat den Vorteil, daß die Leistung der Mittelpunktsfiguren um
so genauer beschrieben wird und sich das Konstante, das vielen Aufführungen
Gemeinsame, ebenso deutlich heraushebt wie das sie Unterscheidende. Diese
Konstanten aber sind wesentlich, weil sie in der Geschichte der Theorie und
Praxis der deutschen Bühnenkunst im 18. Jahrhundert, in der Umstellung
vom Deklamationsstil der *haute tragédie* auf den darstellerischen «Realismus»,
entscheidend sind. Und indem sie entwickelt werden, wirkt das Shakespearesche Drama als Katalysator. Um welche Konstanten handelt es sich?

Am auffälligsten kehrt in den Berichten über Shakespeare auf der deutschen
Bühne das Wort *Täuschung* wieder: in der gelungenen Aufführung eines
Shakespeareschen Dramas glaubt man nicht mit einer künstlerischen Welt,
sondern mit der Wirklichkeit konfrontiert zu sein; das Gefühl, im Theater zu
sitzen, schwindet aus dem Bewußtsein. So heißt es etwa 1779 in der Berliner
Literatur- und Theaterzeitung über Johann Friedrich Reineckes Macbeth-Dar-
stellung, sein Spiel sei so «wahr», daß man «Schauplatz und Werk des Dichters und alles vergißt und die Szenen wirklich zu sehen wähnt, deren Gemälde
er uns darstellt»[35]. Ähnlich Schink über Schröder als Lear (1790): «Wem kam
da [am Ende des Dramas] auch nur die kleinste Erinnerung an Dichtung, an
Bühne, an mimische Kunst? Die Wirklichkeit war da, alles ging vor, der un-

---

[34] Dazu Drews S. 53f. Joh. Frdr. Schütze, *Hamburgische Theatergeschichte*, Hamburg
1794, S. 530: «Es war, als ob Schröder allein spielte.» Fr. L. Schmidt, *Denkwürdigkeiten*, hg. von H. Uhde, Hamburg 1875, I, 293: «Die Nebenspieler [Schröders] wagten
oft kaum zu sprechen.»

[35] Nach Robert Prölss, *Geschichte des Hoftheaters zu Dresden*, Dresden 1878, S. 298.

glückliche Lear entlockte uns Tränen und Mitgefühl.»[36] Schließlich die *Literatur- und Theaterzeitung* (1779) über Schröders Hamlet in der Szene mit Gertrud: «Wie weit natürlicher ist dies Abdrehen des Gesichts von der Mutter als bei Brockmann ... Er war das lebendigste Bild des Entsetzens; Bühn und Komödiant schwand ganz aus unsern Augen weg.»[37] Auch sonst wird das «Täuschende» von Schröders Spiel gern gelobt[38]. Und wie sehr die Täuschung auch Sache der Bearbeitung des Originaltextes ist, bezeugt Schink, wenn er betont, der englische Text ermögliche nicht halb so viel Täuschung wie Schröders Übersetzung[39].

Täuschung ist nun aber im 18.Jahrhundert auch ein Terminus technicus der Theorie der Schauspielkunst. Und zwar tritt er gerade dort auf, wo man sich bemüht, den französischen Deklamationsstil, der die erste Jahrhunderthälfte noch völlig beherrschte, zurückzudrängen. Denn offensichtlich: wo das Theater in Text und Aufführungsweise auf die erhöhende Stilisierung des Lebens ausgerichtet ist, auf die distanzierende Vorstellung von Daseinsweisen, auf die nur mit Bewunderung oder Abscheu zu reagieren ist, kann die Täuschung, das heißt das Vergessen des Kunstcharakters des Vorgestellten, nicht erwünscht sein; das Gegenüber wird im Gegenteil nachdrücklich betont.Wenn sich daher das Mannheimer Nationaltheater, seit 1779 unter Dalbergs Leitung, diesem französischen Dramen- und Aufführungstyp widersetzt, so ist «Täuschung», wie schon in der *Hamburgischen Dramaturgie*, nicht zufällig ein Kennwort dieser Reformbestrebung. Und da diese Reform, die mit Schröders Hamburger *Hamlet*-Aufführung im September 1776 bereits eingesetzt hatte, auch, obgleich nicht ausschließlich, im Namen Shakespeares geschah, so verbindet sich das Wort Täuschung in prägnanter Weise mit der Eroberung Shakespeares für die deutsche Bühne des 18.Jahrhunderts. Indem die Reform im Namen Shakespeares geschah, erfolgte sie im Namen der *Natur*. Das Wort Natur aber, lesen wir in den Protokollen des Mannheimer Nationaltheaters, «in Rücksicht theatralischer Vorstellung, kann nichts anderes bedeuten, als die Täuschung, wodurch uns die Nachahmung einer Handlung oder Charak-

---

[36] *Zeitgenossen*, Leipzig 1818, III, 49 (nach Drews S. 51).

[37] Jacobs S. 265.

[38] *Carl Ludwig Costenobles Tagebücher von seiner Jugend bis zu seiner Übersiedlung nach Wien*, hg. von A. v. Weilen, Berlin 1912, I, 47. Joh. H. Frdr. Müller, *Abschied von der k.k. Hof- und Nationalbühne*, Wien 1802, S. 110. J. F. Schütze, *Hamburgische Theatergeschichte*, S. 470. M. Mendelssohn an J.G. Zimmermann, 29. Januar 1778 (Ed. Bodemann, *Joh. Georg Zimmermann*, Hannover 1878, S. 288).

[39] *Dramaturgische Monate*, I (1790), 154f. Vgl. *Dramaturgische Fragmente*, II, 332: «Wie hört alles denn so ganz auf, Dichtung zu sein! Wie drängen sich Zeit und Begebenheit so täuschend vor unserer Seele, daß die Bühne wie ein Punkt aus unserm Gedächtnis weggewischt und alles, was wir sehen, Auftritt des Lebens, Welt, Faktum wird.»

ters so dargestellt wird, als sähe man es wirklich»⁴⁰. Und Dalberg verallgemeinert die übereinstimmenden Urteile seiner Schauspieler dahin, daß er die angestrebte «Natur auf der Bühne» definiert als «die Kunst, Menschen darzustellen, eine Kunst, wodurch der Schauspieler den Zuschauer so zu täuschen weiß, daß er die vorgestellte Person vor sich zu sehen glaubt und den Schauspieler darüber vergißt»⁴¹. Nicht von ungefähr wird Schröder (neben dem späteren Ekhof) von den Mannheimern als Vorbild für diesen Stil genannt und – der bearbeitete – Shakespeare als Musterfall für den ihm zugrunde liegenden adäquaten Text: «Es ist gewiß», äußert der Mannheimer Schauspieler Rennschüb,

daß die Shakespeare-Schauspiele viel zur Verdrängung der französischen Trauerspiele von der deutschen Bühne beigetragen haben, und niemand wird sich hierüber wundern; denn welch' ein Unterschied zwischen der mächtigen Kunst dieses Dichters, Leidenschaften zu schildern, und der allgemeinen Deklamation, mit der der Zuschauer in den meisten französischen Tragödien amüsiert wird!⁴²

Vorbedingung für das Zustandekommen der vollendeten Täuschung ist der durch die Shakespearesche Prosa erleichterte «natürliche» Leidenschaftsausdruck im Gegensatz zur Versdeklamation. Da die Täuschung darauf berechnet ist, daß der deutsche Durchschnittsmensch des 18.Jahrhunderts in den Bühnenvorgängen seine alltägliche Wirklichkeit wiedererkennt, muß das hier geforderte «Natürliche» auch das alltäglich Vertraute und daher «Wahre» sein. (Diese Vokabeln kehren in der Bühnenkritik stereotyp wieder.) In diesem Sinne nennt die Kritik der Zeit die Shakespeare-Darsteller der Hamburger Schule, die hier bahnbrechend wirkte, also den späten Ekhof, Schröder, Brockmann, Reinecke und Fleck, gern «Naturalisten»⁴³; Garrick, mit dem sie oft verglichen wurden, war ihnen in dieser Hinsicht natürlich vorangegangen.

Und wie Lichtenbergs Berichte über Garricks Spiel den natürlichen Stil gerühmt hatten, so auch die Zeugnisse über die Darsteller der Hamburger Schule. «In den letzten Szenen zeigt er sich ganz als großen Schauspieler», bescheinigt die *Literatur- und Theaterzeitung* 1780 Reinecke als Macbeth, «da er fast immer wütend ist und doch nie die Grenzen der Natur überschreiten wird.»⁴⁴ «Auch im Wahnsinn vergaß er die Natur nicht», lobt Joh.H.F.Mül-

⁴⁰ *Die Protokolle des Mannheimer Nationaltheaters unter Dalberg aus den Jahren 1781 bis 1789,* hg. von Max Martersteig, Mannheim 1890, S.74, vgl. S.76, 79 f.
⁴¹ Ebd. S. 85.
⁴² Ebd. S. 135.
⁴³ Vgl. E. Gross, *Joh. Fr. Ferd. Fleck,* Berlin 1914, S. 114, und Drews S. 117.
⁴⁴ Jacobs S. 398.

ler an Brockmanns Hamlet[45]. «Ekhof spricht natürlich und überzeugt», meint Chr. H. Schmid 1770[46]. Und über Fleck urteilt Tieck im *Phantasus:*

> Der Tragiker, für den Shakespeare dichtete, muß viel von Flecks Vortrag und Darstellung gehabt haben, denn diese wunderbaren Übergänge, diese Interjektionen, dieses Anhalten und dann der stürmende Strom der Rede, sowie jene zwischengeworfenen naiven, ja an das Komische grenzenden Naturlaute und Nebengedanken gab er so natürlich wahr, daß wir gerade diese Sonderbarkeit des Pathos zuerst verstanden[47].

Schließlich ein Urteil aus dem Jahre 1779 über Madame Nouseuls Lady Macbeth:

> Lady Macbeth und alle Königinnen der alten und neueren Zeiten können sich nie durch einen königlicheren Wuchs, durch einen königlicheren Anstand, durch einen königlicheren Ton bei der Nachwelt verewigt wünschen: als sie sich in diesen Rollen dieser Schauspielerin verewigt finden ... Und was diese Majestät, diesen Adel äußerst anziehend für unser Herz macht, ist die Menschlichkeit, die überall durchschimmert und nirgends Theaterfirlefanz und Komödiantenflittern sehen läßt ... Stolz und Wut, Rache und Verzweiflung, Wehmut und Ermatten der Seele im Kampf der Leidenschaft ... jeder Affekt, jede Empfindung, sie habe einen Namen, welchen sie wolle, erscheinen überall bei ihr in ihrer wahren, unüberkleisterten Gestalt[48].

Aber was ist genauer unter dieser «wahren», «unüberkleisterten» Natur des Hamburger und später Mannheimer und Berliner Darstellungsstils zu verstehen?

Was die Sprechtechnik angeht, zunächst die Vermeidung der Deklamation. «Mit Feuereifer» solle man gegen diese «Kunstrednerei» zu Felde ziehen, meint Iffland in seiner Mannheimer Zeit, allenfalls «an ganz dürren Tagen, oder bei halber Krankheit» dazu Zuflucht nehmen[49]. Wie erwähnt, war man sich im klaren darüber, daß die Prosa des deutschen Shakespeare diesem Darstellungswillen durchaus entgegenkam. Nicht zufällig lobt Goethe noch 1813 an Wielands Prosa-Shakespeare seine «hohe Natürlichkeit»[50]. Es ist ein besonders angemessenes Lob für Schröder, wenn es von ihm 1780 in den *Rheinischen Beiträgen zur Gelehrsamkeit* heißt: «Er schreit nicht, um verstanden zu werden oder Empfindungen zu äußern, die nicht in der Seele sind, und dekla-

---

[45] *Abschied* S. 109.
[46] Jacobs S. 469.
[47] Jacobs S. 317.
[48] Nach Schumacher S. 67. Vgl. Schink, *Dramaturgische Monate*, I, 217, über die «Wahrheit» des Mimischen in Madame Schröders Ophelia-Darstellung.
[49] Martersteig S. 84f.
[50] Zu Falk, 25. Januar 1813. *Goethes Gespräche*, hg. von F. v. Biedermann, II, Leipzig 1909, 166.

miert nicht, wie ein Herold, um ein tragischer Schauspieler zu sein. Er spricht natürlich.»[51]

Die rhetorische Deklamation neigt zu zwei Extremen: zur Übertreibung und zur Monotonie. Wenn diese im 18. Jahrhundert im Namen der «Natur» für die deutschen Shakespeare-Aufführungen abgelehnt werden, beispielhaft das variationslose majestätische Auftreten der Sophie Friederike Hensel-Seyler in der Weißeschen Juliet-Rolle (1770)[52], so bedeutet das also ein Eintreten für die naturgetreue Mäßigung einerseits und die naturwahre sprachliche Ausdrucksnuancierung und «individualisierende Gestus» (Lessing) andererseits. Und das ist nicht nur ein Theorem der Bühnenkunst. Die gleichzeitige Poetik der Stürmer und Dränger postuliert ebenfalls die individuelle Echtheit und Genauigkeit des Charakterausdrucks als einzig verläßliches Kriterium des dichterischen Wahrheitsanspruches. *Natur als Maß* also und *Natur als Nuance:* das sind die Vorbedingungen der wahr-scheinenden Wirklichkeitsvortäuschung.

Maß bedeutet dabei nicht – wie später in der Weimarer Schule – die Gemessenheit, das Ansichhalten, sondern das Fehlen der theatralischen Kraßheit und Übertreibung. Deutlich geht das etwa aus der Besprechung von Reineckes Hamlet-Darstellung in der *Literatur- und Theaterzeitung* von 1780 hervor:

> Hab ich je einen Schauspieler all das ausdrücken gesehen, was der Zustand, in dem er sich befand, verlangte, so ist es Reinecke in dieser Szene, und doch ist es Leidenschaft ohne alle Übertreibung und Grimassierung, ganz die gute, unverstellte Natur[53].

Da sich Übersteigerung aber am ehesten im Gebärdenspiel ausdrückt und ihre Hohlheit gerade dort am leichtesten zu erkennen gibt, ist die Shakespeare-Kritik der Zeit gerade in diesem Punkte sehr empfindlich. Das geringste Zuviel an Gestikulation wird, selbst bei einem so erfahrenen Schauspieler der Hamburger Schule wie Brockmann, bemängelt, und zwar unter Hinweis auf Garricks natürlicheres Spiel, ganz zu schweigen von den schon fast grotesken Theatergebärden der Katharine Friederike Döbbelin[54]. Umgekehrt verdient ausdrucksvolle, doch gemäßigte alltägliche Natürlichkeit höchstes Lob. So die *Rheinischen Beiträge zur Gelehrsamkeit* 1780 über Schröders Mannheimer Hamlet-Gastspiel:

> Seine Seele ist unendlich mehr beschäftigt, als seine Hände und Füße ... Selbst im heftigsten Strome, im Sturme, im Wirbelwinde der Leidenschaften beobachtet er eine Mäßigung, wodurch diese etwas Einnehmendes erhalten ...

---

[51] Nach Wilhelm Widmann, *Hamlets Bühnenlaufbahn*, Leipzig 1931, S. 132.
[52] Jacobs S. 469.
[53] Jacobs S. 269.
[54] Jacobs S. 261 (Mendelssohn) und S. 469 f.

Die Worte passen zu seinen Gebärden und die Gebärden zu den Worten. Nie durchsägt er unnütz die Luft mit den Händen und zerfetzt eine Leidenschaft durch unnötig vervielfältigte und übertriebene Gestikulationen ... Er verzerrt das Gesicht nicht, um Schmerz auszudrücken, sperrt den Mund nicht zum Entsetzen auf, und reckt die Hände nicht aus, als wäre er auf die Folter gespannt ... Er ist nie außer seiner Rolle. – Diese ist ganz in seine Seele verwandelt, wie sich die Speise ins Blut verwandelt ... Es ist alles sein eigen, selbst das, was er von der Kunst erhielt, auch die Gedanken und Worte des Dichters.

Die Rezension gipfelt in dem Resümee: «Schröder ist der Schauspieler, der allen gefällt, weil er natürlich spielt.»[55]

Natürliches Spiel bedeutet, so darf man dieser Mannheimer Theaterkritik entnehmen, auch, daß die «Seele» sich möglichst unverfälscht durch die «körperliche Beredsamkeit» zu erkennen gibt. Die körperliche Bewegung drückt die seelische Bewegung aus, gewinnt ihr Maß von dieser seelischen Bewegung her; sie darf sie nicht eigenmächtig übertrumpfen und dadurch von der Wahrheit dieser seelischen Bewegung ablenken oder sie verfälschen. Denn die Wahrheit der seelischen Bewegung liegt – das ersieht man aus den Kritiken von Shakespeare-Aufführungen in dieser Zeit – gerade in ihrer Feinheit, Vielfältigkeit, Individualität, kurz in ihrer Nuancierung. So ist denn auch das Hauptthema, auf das sich die Theaterkritiken konzentrieren, die Gestaltung der Nuance des Charakterbildes, wie sie im dramatischen Moment in Erscheinung tritt. Im deklamatorisch-rhetorischen Rededrama französischer Provenienz konnte die Schauspielkunst solche Nuancentechnik nicht zur Geltung bringen; erst mit der Eroberung Shakespeares der deutschen Bühne dringt sie ein. Garrick, der in Shakespeare den genauen Menschenkenner sehen gelehrt hatte, war hier natürlich das Vorbild.

Und wieder ist das nicht nur eine Angelegenheit der Bühnenkunst. Entsprechendes ist in der gleichzeitigen Literaturkritik des Sturm und Drangs zu beobachten, die in Shakespeare den großen Menschengestalter entdeckt beziehungsweise wiederentdeckt, der einen besonders exakten Einblick in die Feinheiten und Verborgenheiten der menschlichen Seele gehabt habe (Gerstenberg, Herder, Schink, Schiller). So gedeutet, konnte er dann als Vorbild für den auf das Charakteristische gehenden Stilwillen dieser Generation in Anspruch genommen werden. Den Boden dafür hatte die Gefühlszergliederung der Empfindsamkeit bereitet. In der Literaturtheorie der Zeit findet sich das Komplement dazu in der Theorie des bürgerlichen Trauerspiels, und zwar in dem Gedanken, daß nur das «uns» seelisch Nachvollziehbare Mitempfinden auslösen könne: also nicht etwa der Bühnenwüterich des Barocks, wohl aber der individuell vermenschlichte Macbeth Schröders (s. o. S. 229) oder die psy-

---

[55] Nach Widmann S. 132 f.

chologisch verständlich gemachte Lady Macbeth der Madame Nouseul (s. o. S. 229) oder schließlich Reineckes Macbeth, über den die Berliner *Literatur- und Theaterzeitung* 1780 schreibt: «Der Ton bei den Worten 'Ich konnte nicht Amen sagen' erschüttert bis ins Innere der Seele.»[56] Erschütterung und Rührung ist aber nur durch die seelische Nuance möglich, die den Zuschauer als das ihm Gemäße, ihm Ähnliche anspricht. Sie kennzeichnet das bürgerliche Stück der zweiten Jahrhunderthälfte, jedenfalls der Intention nach. Und nur aus diesem Grunde, wegen der Kunst der charakteristischen Individualisierung, die die emotionale Wirkung gewährleistet, hätte Lessing lieber den *London Merchant* geschrieben als den *Sterbenden Cato*[57].

Wenn die Hamburger und Mannheimer Schule, wie gesagt, im Namen Shakespeares das Schlagwort «Natur» gegen den bisher herrschenden Deklamationsstil geltend macht, so ist in erster Linie an Natur als Nuance im Seelischen gedacht, an das Charakteristische, das für die Literaturkritik der Zeit das *sigillum veri* ist. Wahrheit ist genauer Ausdruck der seelischen Nuance. Schröder, der das Individualisieren für das Wesentliche an der Schauspielkunst hält, hofft daher mit seinen Darstellungen vor den Ansprüchen des «Menschenkenners» zu bestehen, und der Mannheimer Schauspieler David Beil will gerade auf den «Seelenkundigsten» überzeugend wirken[58]. Gelingt das, so stellt sich die perfekte «Täuschung» her[59]. Man spürt, wie die Kennwörter der Theaterkritik untereinander zusammenhängen.

Abschließend mögen ein paar Beispiele die Würdigung der psychologischen Nuancentechnik demonstrieren. «Feinheiten» ist da fast ein Stichwort. «Er bringt an verschiedenen Orten ganz vorzügliche Feinheiten des Spiels an», liest man 1780 in der *Literatur- und Theaterzeitung* über Reineckes Hamlet, «gleich in der ersten Szene seines Wahnwitzes mit Oldenholm (Polonius) richtet er anfänglich seine Antworten gegen die Seite, wo dieser nicht steht.»[60] Über den ersten deutschen Hamlet, Brockmann, heißt es bei Schink: «Seine Nuancen sind fein und eines so großen Künstlers würdig.»[61] Und noch 1782, als der deutsche Hamlet schon seit sechs Jahren gespielt wird, rühmt ein Rezensent an Flecks Darstellung «so manche überraschende Feinheit in Ton und Ausdruck»[62]. Die Kunst der Nuance, resümiert Tieck, sei die besondere Stärke von Flecks Lear-, Othello- und Macbeth-Darstellungen gewesen:

[56] Jacobs S. 398.
[57] Vorrede zu «Des Herrn Jakob Thomsons Trauerspiele», 1756, *Sämtliche Schriften*, hg. von Lachmann und Muncker, Stuttgart 1886–1924, VII, 68.
[58] Meyer, *Schröder*, I, 338. Martersteig S. 79.
[59] Martersteig S. 79.
[60] Jacobs S. 267.
[61] Jacobs S. 259.
[62] Nach Adolf Winds, *Hamlet auf der deutschen Bühne bis zur Gegenwart*, Berlin 1909, S. 91.

Diese sonderbare Kühnheit ..., einen Anklang des Komischen mit dem Ernst zu verbinden, und selbst in die Töne der Verzweiflung und des tiefsten Schmerzes eine gewisse Kindlichkeit, Naivetät, wunderlichen Widerspruch mit sich selbst, oder man nenne es, wie man wolle, hineinzuwerfen, dieses seltsame Talent war Flecks Größe und ihm, ohne Anstrengung, das natürlichste[63].

Ein ähnliches Talent für den ironischen Oberton im tiefsten Ernst wird Brockmann nachgesagt[64].

Soviel zur Nuancentechnik im allgemeinen. Ein paar Beschreibungen konkreter Bühnenmomente, in denen diese Nuancenkunst praktisch zur Geltung kommt, erläutern weiter, was gemeint ist. F. L. W. Meyer berichtet in seiner Schröder-Biographie:

Wenn im vierten Aufzuge der wahnwitzige Lear Glostern predigen will, hatte Brockmann den Stamm eines abgehauenen Baums bestiegen; und das war als gelungenes Theaterspiel gelobt. Schröder versuchte ihn zu besteigen, und die Kräfte versagten ihm. Ein Geschrei des Jubels durchdrang das Haus[65].

Brockmann, der in der Hamburger Erstaufführung vom 20. September 1776 die Titelrolle spielte, scheint sich im Gegensatz zu den anderen Hauptdarstellern der Hamburger Schule nicht immer entschieden genug auf die Seite des neuen «naturalistischen» Stils geschlagen zu haben[66], doch Schink, der Brockmanns Hamlet-Darstellung eine eigene Schrift widmet, rühmt trotz mancher Kritik auch seine Nuancierungskunst, und zwar besonders im stummen Spiel:

In der ersten Szene, in der er erscheint, tritt er mit dem beredtesten Ausdruck des Schmerzes langsam und bebend einher, den Blick zur Erde gesenkt, die Arme übereinander geschlagen, ein wahres Ideal für einen Maler, der den Schmerz malen wollte! Während daß der König spricht und er stumm dasteht, ist gleichwohl seine Stummheit ... beredter als eine Menge von Worten. Er seufzt tief aus der Brust, seine Augen scheinen in Tränen zu schwimmen und seine Knie unter ihm zu zittern. Indessen merkt man unter diesen Zeichen der Traurigkeit den Kampf der stärkeren Leidenschaft deutlich genug. Sein Unwillen wird in den Blicken voll Verachtung, die er zuweilen auf den König und seine Mutter wirft, merklich sichtbar und bricht auch auf einmal auf die Anrede des Königs ... in den Worten aus: Lieber nicht so nah befreundet und weniger geliebt!

Was Brockmann besonders als großen Schauspieler auszeichnet, ist die außerordentliche Beredsamkeit seines Gesichts ... Sein Auge, naß von Tränen, hängt starr auf dem Boden — und ein finstrer Flor von schwarzen Ideen umhüllt seine Stirn. Seine Freunde treten auf, er erkennt sie, trocknet sich die Augen, und

[63] Jacobs S. 317 f.
[64] Jacobs S. 264f., 259. Vgl. Widmann S. 74.
[65] I, 342 f.
[66] Vgl. Zeugnisse bei von Weilen, *Hamlet auf der deutschen Bühne*, S. 52 und Jacobs S. 261.

seine Tränen ersticken gleichsam im Hervorkeimen. Ein heitres Lächeln zieht sich über seine Backen und Augen – aber es ist nur das Lächeln des dämmernden Tages[67].

Der unübertroffene Meister dieser Nuancierungskunst war freilich Schröder selbst. Die Nuance, die Schattierung und seelische Vielfalt in ein und demselben Moment war für ihn das Kriterium der «Natur». Sehr adäquat nachempfunden ist das zum Beispiel in Schinks Beschreibung seines Falstaff:

Diese vollen, speckglatten Wangen, diese zwischen ihnen hervorquellenden Augen voll Lebensbegehrlichkeit, Genußgier, derber Sinnlichkeit und sprühender Witzfunken, wem konnten sie gehören als dem dicken Hans? Diese Anstrengung, mit welcher er den gewaltigen Schmerbauch vor sich herträgt, dieses langsame Daherwatscheln, und doch, bei aller Schwerfälligkeit seiner Fettmasse, diese leichte Beweglichkeit seines Hauptes, seines Mienenspiels, seine Diskantstimme, die Schnelligkeit seiner Zunge, das selbstgefällige Zuspitzen seines Mundes, wenn er seinen Witz florieren ließ: wahrer, lebendiger, veranschaulichender kann sich keine Natur aussprechen, als hier die Falstaffische sich unsern Augen, unsern Ohren, unserer Phantasie kundgab[68].

Ähnlich Brockmann verstand Schröder es, durch das Schweigen ebensoviel auszudrücken wie durch das Wort. Besonders die Technik der beredten Pause scheint er zur hohen Kunst ausgebildet zu haben. Der Schauspieler Heinrich Beck rühmt in seiner Erörterung der Bedeutung der Kunstpause für die schauspielerische Darstellung diese Finesse als besondere Spezialität Schröders:

Wenn die Weigerung, die gleichsam die Natur empörende Härte der Töchter des Lear auf den höchsten Grad gestiegen ist, so sagt der alte Lear weiter nichts als: «Ich gab Euch alles!» Schröder machte vor dieser Rede eine kleine Pause, seine Gebärden drückten Schmerz, der an Wahnsinn grenzt, aus, es schien, als ob er sagen wollte: O Ihr undankbaren Töchter! – (Pause) Ich gab Euch alles! – War's nur Gefühl, oder hohes Gefühl mit Kunst vereinigt? Der Ton, mit dem er dies sprach, die von Gebärdenspiel begleitete Pause erreichten den höchsten Grad der Wirkung[69].

Zu Schröders bedeutendsten Schülern und den Verbreitern des naturalistischen Stils der Shakespeare-Darstellung gehört neben dem schon erwähnten Fleck auch J.F. Reinecke. Wie sehr auch er die Nuance des Gesprochenen und Ungesprochenen auszubeuten verstand, ist aus dem Bericht der Berliner *Literatur- und Theaterzeitung* (1780) zu schließen:

Nun tritt Macbeth auf, zitternd, bei jedem Geräusch zusammenschauernd, ängstlich umhersehend, furchtsam für seinen eigenen Schatten, nähert er sich langsam dem Zimmer des Königs; plötzlich steht er unbeweglich da, mit starrem Blick auf einen Ort geheftet: «Ist dies ein Dolch, den ich da vor mir seh', den

---

[67] Jacobs S. 255 f.   [68] Jacobs S. 421 f.   [69] Martersteig S. 219.

Griff gegen meine Hand gekehrt? Komm laß mich dich fassen», – und in diesem Augenblick bewegt er mit Heftigkeit die rechte Hand vorwärts, bleibt einige Augenblicke ganz betäubt in dieser Stellung stehen, läßt dann die Hand wieder langsam sinken und sagt mit beklemmter Brust: «Ich habe dich nicht und sehe dich noch immer» usw., bis auf die Stelle: «... auf deiner Klinge Blutstropfen», wo sich seine Angst immer mehr und mehr vermehrt. Eine Pause; und nun etwas ruhiger. Bei den Worten, «es ist deine Sterbeglocke», stürzt er sich mit aller Gewalt ins Zimmer. Die Tat ist geschehen. Er kommt mit blutigen Händen und eilig, als wenn er verfolgt würde, aus dem Zimmer zurück.

Als er später «mit gezwungener Ruhe» wieder auftritt, bringt er die für unser Empfinden vielleicht etwas aufdringliche Gebärdenfinesse an, daß er sich beständig die Hand wischt und sie zu verbergen versucht, aber der anonyme Zeitungskritiker meint, eben «dies sind Züge, woran man einen großen Schauspieler erkennt»[70].

Von Rosalie Nouseuls psychologischer Durchdringung der Lady-Macbeth-Gestalt war schon die Rede. Hier noch Schinks Momentaufnahme ihres Auftretens in Berlin 1779:

Wenn sie als Lady Macbeth, indem sie ihres Gemahles Brief liest, bei der Prophezeiung der Zauberinnen: «der einst König sein wird!» plötzlich innehält und mit dem ganzen Ausdruck des aufschwellenden Ehrgeizes, dem ganzen Gefühl, was eine Königin ist, die Worte: «der einst König sein wird!» sich wiederholt, so ist ihr Ton so voll tiefen, wahren Ausdrucks, so ist ihre Gebärde so voll tiefer psychologischer Bedeutung, daß man ihren ganzen entsetzlichen Entschluß ... zum voraus ahndet[71].

Daß der Kult der Nuance von Garrick angeregt wurde, der als «täuschender Nachahmer der Natur» die «Gabe» hatte, «alles zu individualisieren» (wie Lichtenberg über seinen Hamlet bemerkte)[72], wurde bereits erwähnt. Wie weit aber die Nachahmung ging, begreift man, wenn man Lichtenbergs Beschreibung von Garricks Spiel in der Geisterszene mit Berichten über Brockmanns, Schröders und Reineckes Auffassung dieser Szene vergleicht. Lichtenberg schreibt:

Auf einmal, da Hamlet eben ziemlich tief im Theater, etwas zur Linken, geht und den Rücken nach der Versammlung kehrt, fährt Horazio zusammen: Sehen Sie, Mylord, dort kommt's, sagt er, und deutet nach der Rechten, wo der Geist schon unbeweglich hingepflanzt steht, ehe man ihn einmal gewahr wird. Garrick, auf diese Worte, wirft sich plötzlich herum und stürzt in demselben Augenblick zwei bis drei Schritte mit zusammenbrechenden Knien zurück, sein Hut fällt auf die Erde, die beiden Arme, hauptsächlich der linke, sind fast ausgestreckt, die Hand so hoch als der Kopf, der rechte Arm ist mehr gebogen und

---

[70] Jacobs S. 397 f.   [71] Jacobs S. 403.   [72] 4. Mai 1775 an Boie.

die Hand niedriger, die Finger stehen auseinander, und der Mund offen, so bleibt er in einem großen, aber anständigen Schritt, wie erstarrt, stehen, unterstützt von seinen Freunden, die mit der Erscheinung bekannter sind, und fürchteten, er werde niederfallen; in seiner Miene ist das Entsetzen so ausgedrückt, daß mich, noch ehe er zu sprechen anfing, ein wiederholtes Grausen anwandelte. Die fast fürchterliche Stille der Versammlung, die vor diesem Auftritt vorherging, und machte, daß man sich kaum sicher glaubte, trug vermutlich nicht wenig dazu bei. So spricht er endlich, nicht mit dem Anfange, sondern mit dem Ende eines Atemzuges und bebender Stimme: *Angels and ministers of grace, defend us*, Worte, die alles vollenden, was dieser Szene noch fehlen könnte, sie zu einer der größten und schrecklichsten zu machen, deren vielleicht der Schauplatz fähig ist. Der Geist winkt ihm, da sollten Sie ihn sich von seinen Freunden, die ihn warnen, nicht zu folgen, und ihn festhalten, losarbeiten sehen, immer mit den Augen auf den Geist, ob er gleich mit seinen Gefährten spricht ... Hamlet steht noch immer still, mit vorgehaltenem Degen, um mehr Entfernung zu gewinnen; endlich, da der Zuschauer den Geist nicht mehr sieht, fängt er an, ihm langsam zu folgen, steht zuweilen still, und geht dann weiter, immer mit ausgelegtem Degen, die Augen starr nach dem Geist, mit verwirrtem Haar und noch außer Atem, bis er sich ebenfalls hinter den Szenen verliert[73].

Über Brockmanns Hamburger Hamlet (1776) berichtet Schink ganz ähnliches; das Detail, daß Hamlet das Barett vom Kopf fällt, scheint – auch bei Schröder und Reinecke – am meisten Schule gemacht zu haben:

Der Geist tritt auf, Herr Brockmann schlägt ein Kreuz, würft den Hut herunter, steht mit bebendem Knie, keuchendem Atem und vorgebeugtem Leib da – und indem der Geist näher tritt, redet er ihn mit gebrochener Sprache, und zwar mit halben Tönen an ... Der Ton ist in der ganzen Szene der Ton des Bebens und Zagens. Da ihm der Geist verschiedene Male winkt, reißt er sich von seinen Freunden los, schwankt, sein Schwert vor sich gestreckt, mit zitterndem Schritt hinter ihm her[74].

Über Reineckes Berliner Hamlet berichtet die *Literatur- und Theaterzeitung* 1780:

Nun zu der Szene, wo ihm sein Vater erscheint: Sobald er ihn erblickt, sinkt er mit ausgebreiteten Armen rückwärts, in welcher malerischen Stellung er von seinen Begleitern unterstützt wird. Sein Gesicht hat die Farbe des Todes, und der Ton seiner Stimme ist zitternd, doch wird sie immer nach und nach fester, wie sich seine Herzhaftigkeit vermehrt. Er reißt sich von seinen Begleitern los, tut mit gezücktem Schwert einige schwankende Schritte, wenige Augenblicke zweifelhaft still, und folgt dann, mit weniger Furcht, dem Geist nach[75].

Am ausdrucksvollsten, und insofern Garrick am ehesten ebenbürtig, ist jedoch ohne Zweifel Schröders Hamlet gewesen. Über ihn berichtet dieselbe Zeitschrift 1779 anläßlich seines Berliner Gastspiels:

[73] 1. Oktober 1775 an Boie.   [74] Jacobs S. 257 f.   [75] Jacobs S. 266.

Erstaunungsvoll taumelte er hinter sich, im Zurücktaumeln stürzte ihm der Hut ab, keuchend und an jedem Gliede zitternd bog sich sein Leib noch immer rückwärts, er blieb einige Momente in der Stellung, dann beugte er sich allmählich wieder vorwärts, lauschte dem Geiste entgegen, und nun erst fand er Worte, die aber seine Zunge nur halb herauszubringen vermochte. Nach und nach verlor sich die Erschrockenheit aus seiner Seele, das Beben seiner Glieder hörte auf, der Ton ward fester, und bei den Worten: «Wofür sollte ich mich fürchten?» usw. las man aufs deutlichste Entschlossenheit in seiner Miene. Rasch eilte er ... hinter dem Geiste her. Auf der Mitte des Theaters überfiel ihn – wie man aus seinem stummen Spiel sah – der Gedanke, nicht ohne einen kleinen Schauder: «Ob du auch wohl tust?» Allein kaum geboren, erstickte er ihn als zu kleinmütig, seiner völlig unwert, und mit dem festesten Mute folgte er der Erscheinung. In der Unterredung mit dem Geiste seines Vaters war keine Spur von Zagen mehr wahrzunehmen. Festes Mutes stand er da und voller Begierde nach Dingen, die er schon zum Teil ahnte. Während der Erzählung sahe man wechselweise Mitleiden, Rachgier und höchsten Schmerz in seinem Innern arbeiten[76].

Wie bei Garrick sagt also auch hier die körperliche Beredsamkeit durch ihre genau durchdachte Ausdrucksabstufung mehr aus als das Wort selbst, auf das sich jener französische Deklamationsstil gestützt hatte, dessen Vorherrschaft in Deutschland Schröder und seine Schüler mit ihren Shakespeare-Darstellungen ein Ende machten. Zugleich gelang es, wie schon angedeutet, durch die psychologisch verfeinerte schauspielerische Nuancentechnik, das Ungeheuerliche Shakespeares, vor dem die Leser sich entsetzten, dem an das bürgerliche Trauerspiel gewöhnten Publikum menschlich verständlich zu machen und so durch den bearbeiteten Shakespeare dem echten Shakespeare den Weg zu bereiten.

IV

Unbestritten blieb dem neuen Stil das Feld freilich nicht, selbst in Shakespeare-Aufführungen nicht. Gegen Ende des Jahrhunderts stellt sich dem Hamburger Stil, der mittlerweile auf Mannheim, Berlin und Wien übergegriffen hatte, der sogenannte Weimarer Stil entgegen. Verallgemeinernd darf man ihn als Rückkehr von der Ausdruckskunst zum rezitativen Deklamationsprinzip der rhetorischen Dramatik des Klassizismus beschreiben, das bereits in der ersten Jahrhunderthälfte dominierte. An die Stelle des nuancierten Seelenausdrucks mit seinem Wirklichkeitsanspruch trat nun wieder die erhöhende Stilisierung des Lebens auf eine antik gesehene Schönheit, die Betonung der statuarischen Gehaltenheit und Harmonie in Ton und Gebärde, die den Schauspieler einen Charakter nicht sein, sondern präsentieren läßt. Und wenn dieses Prinzip, das Goethe seit seiner Übernahme des Weimarer Hoftheaters im Jahre 1791 frei-

[76] Jacobs S. 262 f.

lich erst allmählich entwickelte[77], auf Shakespeare angewendet wird, so entsteht ein ganz andres Bild – vor allem bei Goethes Schüler Pius Alexander Wolff, während Ifflands Spiel mehr den Übergang erkennen läßt. Auch Adolf Sonnenthal als Hamlet war übrigens «überall der überlegene hoheitsvolle Prinz»[78].

In der Geschichte der Eroberung Shakespeares für die deutsche Bühne ist dies jedoch bereits ein neues Kapitel. Ihm entspricht in der Geschichte des deutschen Shakespeare-Textes die originalgetreue Schlegel-Tiecksche Übertragung, die 1797 zu erscheinen beginnt – wie sich vorher der schauspielerische Naturalismus und der bearbeitete Shakespeare-Text entsprochen hatten. Ob man dem Schlegel-Tieckschen Text allerdings angemessen begegnet, indem man ihn im «Weimarer Stil» inszeniert, sei dahingestellt. Die heutige Theaterwissenschaft wird die Frage verneinen; Goethe sah es anders: es ist sicher kein Zufall, daß er gerade in der Zeit, als er den «Weimarer Stil» zur höchsten Vollendung ausgebildet hat, für den originalgetreuen Shakespeare-Text eintritt, wie Schlegel und Tieck ihn damals für Deutschland schaffen[79]. Jedenfalls aber fällt das Ende der ausschließlichen Geltung des bearbeiteten deutschen Theater-Shakespeare mit dem Ende der unbestrittenen Herrschaft jenes «naturalistischen» Aufführungsstils zusammen, der sich seit dem Eindringen Shakespeares in das deutsche Theaterrepertoire durchgesetzt hatte. Mit dem Schlegel-Tieckschen Shakespeare und dem deklamatorischen Darstellungsstil Weimars setzt dann eine neue Periode ein. Von den Möglichkeiten, die sie erschloß, lebt das Theater der Gegenwart nicht minder als von denen, die die Shakespeare-Inszenierungen des 18. Jahrhunderts entwickelten.

---

[77] Goethe, «Weimarisches Hoftheater» (1802), Eckermann, «Regeln für Schauspieler» (1824). Voll entwickelt ist der Weimarer Stil erst um 1800 (Stahl S. 189, Oberländer S. 183 ff.). In der Frühzeit seiner Regietätigkeit stand Goethe den Schröderschen Prinzipien noch verhältnismäßig nahe.

[78] Zeitgenössische Rezension, nach Winds S. 114.

[79] Goethe an A. W. Schlegel, 27. Oktober 1803. Oberländer datiert die eigentliche Perfektion des Weimarer Stils von 1803 an.

LESSINGS FAUST-DICHTUNG

Daß Lessing 1759 im 17. *Literaturbrief* im Zusammenhang seiner Bemühungen um ein eigenständig deutsches Trauerspiel, das zugleich die französische *haute tragédie* als verpflichtendes Modell überwinden und die tragische Substanz der antiken Tragödie erneuern sollte, eine Faust-Szene als Beispiel für den beabsichtigten nationalen Dramentyp wählte – das war kein schlechter Griff (obwohl, wie man schon seit Lessings Zeiten weiß[1], der klügelnd pointierende Stil des Fragments von der Darbietungsweise des Volksdramas denkbar weit entfernt ist). Ist doch das Faust-Motiv einer der wenigen Stoffe des 16. und 17. Jahrhunderts, die man ohne Einschränkung als deutsch bezeichnen darf; denn einmal gründet er sich auf geschichtliche Ereignisse um die bald legendär gewordene Gestalt des deutschen Magiers Johannes Faust[2]; zum andern wurde er zuerst durch die deutsche Volksbuchliteratur in der Dichtung angesiedelt[3].

Die Faust-Sage selbst zu bearbeiten, war jedoch für Lessing ein unfruchtbarer Gedanke. Verwunderlich ist schon, daß er, um die Mitte der fünfziger Jahre, den Stoff überhaupt aufgriff – trotz des ihm ungemäßen Themas des bestraften Wissensdranges, das er darin sah. Noch erstaunlicher ist die Ausdauer bei dieser Arbeit: Die Beschäftigung mit der Materie erstreckt sich fast über die ganze Zeit seiner schriftstellerischen Laufbahn (1755–1775). Dabei konnte es sich bei Lessing um eine bloße poetische Stoffreproduktion nicht handeln. Vielmehr hat seine Gestaltung des Überlieferten den Charakter einer Auseinandersetzung, wozu das Vorliegende nur die Herausforderung bot. Sehr verschiedene Lösungen des Faust-Problems hat Lessing im Laufe von zwanzig Jahren versucht; zu Rande gekommen ist er mit keiner. Wo die inneren

[1] In den *Briefen, die Einführung des Englischen Geschmacks in Schauspielen betreffend,* Frankfurt und Leipzig 1760, wurde der unvolksmäßige Charakter der im 17. *Literaturbrief* gedruckten, angeblich original altdeutschen Faust-Szene Zeile für Zeile nachgewiesen. Seit Danzel vermutet man, daß diese Partien aus der Feder von Frau Gottsched stammen. Wieder abgedruckt bei Robert Petsch, *Lessings Faustdichtung, mit erläuternden Beigaben,* Heidelberg 1911, S. 51–56. Vgl. Robert R. Heitner, «A Gottschedian Reply to Lessing's Seventeenth *Literaturbrief*», in: *Studies in Germanic Languages and Literatures,* St. Louis: Washington University Press, 1963, S. 43–58.

[2] Mehr oder weniger analoge Teufelsbündner-Motive tauchen natürlich schon früher auf. Ihnen gegenüber behält jedoch die Faust-Sage ihre unverkennbaren Eigenqualitäten. Über diese Magier-Motive vergleiche E. M. Butler, *The Myth of the Magus,* Cambridge 1948.

[3] Übersicht über das Faust-Motiv in der Weltliteratur bei E. M. Butler, *The Fortunes of Faust,* Cambridge 1952. Dort wird S. 113–124 auch Lessings *Faust* eingehend und auf Grund ausgedehnter Kenntnis der Sekundärliteratur besprochen.

Gründe dafür liegen, inwiefern diese Thematik für Lessing nahezu unüberwindliche Schwierigkeiten bieten mußte, aber auch welcher möglichen Lösung des Faust-Problems seine Bearbeitung zustrebt – das sind die Fragen, die auf den folgenden Seiten überlegt werden sollen[4].

Der Faust des Volksbuches und des Volksdramas endet tragisch. Der Teufelsbündner, der sich übernatürlicher und widergöttlicher Hilfsmittel bedient, wird mit ewiger Verdammnis bestraft. Daß dieser Stoff Lessing anzog, ist an sich schon merkwürdig, wie gesagt. Man hat öfters darauf hingewiesen, daß volkstümliche Dichtung durchaus nicht sein Genre war, daß Lessing keine «faustische» Natur im Sinne späterer Bearbeitungen des Stoffes war und daß schließlich die «Teufelei», das Übernatürliche, Lessings aufgeklärter Geistigkeit nicht entsprach. Aber das ist nicht das Wesentliche. Lessing hätte ja das Motiv nicht in der Sinngebung etwa des Sturm und Drangs oder Goethes zu behandeln brauchen. Die ganz verschiedene Voraussetzung, der andere Ansatz, erhellt ja schon daraus, daß Lessing das faustische Streben durchaus noch als Wissensdrang auffaßt, noch nicht als das Goethesche totale Streben, das bereits im *Urfaust* wirksam ist. Schon in den jeweiligen Beschwörungsszenen kommt das zum Ausdruck: Goethes Magier zitiert den Erdgeist, Lessings Doktor den Schatten des Aristoteles[5]. Ferner: das Geisterwesen (Erscheinungen, Teufel, sonstiges Übernatürliches der Sage) mag Lessings «Weltanschauung» entgegengesetzt sein, aber hier gilt es, im Anschluß an Mendelssohns (von Lessing spätestens im *Briefwechsel über das Trauerspiel* übernommene) Unterscheidung von lebensmäßiger und «theatralischer» Sittlichkeit den Illusions- und Kunstcharakter der dramatischen Vorstellungsweise in Betracht zu ziehen, die den Maßstäben des Lebens nicht konform zu sein braucht, und schon gar nicht des «vernünftigen» Lebens im Wortverstand des aufgeklärten Zeitalters. Gerade Lessing tritt ja für die Autonomie der Dichtung ein im Sinne der Befreiung von der Fremdbestimmung durch weltanschauliche und geschichtlich-faktische Prämissen. Und wenn die Kunst scheinbar Fremdes aufnimmt, so wird dieses doch im künstlerischen Gefüge zu neuer «poetischer», meist symbolisch zeichenhafter Bedeutung erhoben. Lessing selbst hat diesen Gesichtspunkt geltend gemacht, und zwar gerade zu einer Zeit, als er wieder an seinem *Faust* arbeitete. In der *Hamburgischen Dramaturgie* weist er ganz ähnliche Einwände gegen die Verwendung von Geistern in Voltaires *Semiramis* ab: ob es Geister gäbe oder geben könne, sei weder entschieden

---

[4] Das Lessingsche *Faust*-Material, einschließlich allerlei brieflicher Zeugnisse, findet sich zusammengestellt in Robert Petschs oben angeführter Arbeit. Eine Ergänzung bringt Heinrich Schneider, «Zu Lessings Faust», *MLN*, LXVIII (1953), 389–392 (ein zweiter, früherer Bericht Engels über sein Gespräch mit Lessing über die Faust-Pläne).

[5] Siehe das *Vorspiel* und die Beschwörungsszenen, Petsch S. 37 f., 49.

noch entscheidbar. « Der Saame, sie zu glauben, liegt in uns allen ... So mögen wir in gemeinem Leben glauben, was wir wollen; im Theater müssen wir glauben, was Er [der Dichter] will. » [6]

Die eigentliche Paradoxie in Lessings Griff nach der Faust-Sage scheint vielmehr die zu sein, daß für Lessing der Drang nach Wissen und Erkenntnis, den er in Faust sieht, eben nicht eine Sünde sein oder zu Sünde verführen konnte. Darin war er ein Kind seiner Zeit. So schreibt Mendelssohn etwa: « In mir liegt ein unwiderstehlicher Trieb zu Vollkommenheit, ein sehnliches Bestreben nach Begriffen, die ineinander begründet sind; und dieses Bedürfniß meiner Seele soll, seiner großen Bestimmung uneingedenk, zum Dienste schändlicher Begierden meinem Wesen eingepflanzt sein? Ich soll mich von der Urquelle aller Vollkommenheit, von Gott, entfernen, und seinem Wohlgefallen zuwider, auf meinen blöden Eigendünkel bauen? Wer ist so verkehrt, den diese Beweggründe nicht wie ein Wetterstrahl rühren? Und wie sehr muß sich das Innerste eines Ruchlosen bewegen, wenn er Gewalt genug über sich hat, diese Betrachtungen in Erwägungen zu ziehen! » [7] Und von Lessing selbst gehört das berühmte Wort aus der *Duplik* in diesen Zusammenhang: «Wenn Gott in seiner Rechten alle Wahrheit, und in seiner Linken den einzigen immer regen Trieb nach Wahrheit, obschon mit dem Zusatze, mich immer und ewig zu irren, verschlossen hielte, und spräche zu mir: wähle! Ich fiele ihm mit Demuth in seine Linke und sagte: Vater, gieb! die reine Wahrheit ist ja doch nur für dich allein! » [8] Wie sehr diese Überzeugung vom Segen der Wahrheitssuche, des Wissensdrangs Lessings Leben bestimmt hat, geht vielleicht am deutlichsten hervor aus Herders schönem Nachruf:

Und wo bist du nun, edler Wahrheitsucher, Wahrheitkenner, Wahrheitverfechter — was siehest, was erblickst du jetzt? Dein erster Blick, da du über die Grenzen dieser Dunkelheit, dieses Erdenebels hinwegwarst, in welch anderm, höhern Lichte zeigte er dir alles, was du hienieden sahest und suchtest? Wahrheit *forschen*, nicht erforscht haben, nach Gutem *streben*, nicht alle Güte bereits erfaßt haben, war hier dein Blick, dein strenges *Geschäft*, dein *Studium*, dein *Leben*. Augen und Herz suchtest du dir immer wach und wacker zu erhalten, und warst keinem Laster so feind, als der unbestimmten, kriechenden Heuchelei, unsrer gewohnten täglichen *Halb-Lüge* und *Halb-Wahrheit*, der falschen Höflichkeit, die nie dienstfertig, der gleißenden Menschenliebe, die nie wohlthätig seyn will oder seyn kann; am meisten (deinem Amt und Beruf nach) der langweiligen, schläfrigen Halbwahrheit, die wie Rost und Krebs in allem *Wißen*

---

[6] XI. Stück (*Sämtliche Schriften*, hg. von Lachmann und Muncker, Stuttgart 1886 bis 1924, IX, 228f.).

[7] *Mendelssohn, Schriften zur Philosophie, Ästhetik und Apologetik*, hg. von M. Brasch, Leipzig 1880, II, 35.

[8] *Sämtliche Schriften*, XIII, 24.

und *Lernen* von frühauf an menschlichen Seelen naget. Dies Ungeheuer und ihre ganze fürchterliche Brut gingst du, wie ein Held, an und hast deinen Kampf tapfer gekämpfet. Viele Stellen in deinen Büchern voll reiner Wahrheit, voll männlichen, vesten Gefühls, voll goldner ewiger Güte und Schönheit, werden, solange Wahrheit, Wahrheit ist und der menschliche Geist das, wozu er geschaffen ist, bleibet – sie werden aufmuntern, belehren, befestigen, und Männer wecken, die auch wie du der Wahrheit *durchaus* dienen: jeder Wahrheit, selbst wo sie uns im Anfange fürchterlich und häßlich vorkäme; überzeugt, daß sie am Ende doch gute, erquickende, schöne Wahrheit werde. Wo du *irrtest*, wo dich dein Scharfsinn und dein immer thätiger, lebendiger Geist auf *Abwege* lockte, kurz, wo du ein Mensch warst, warst du es gewiß *nicht gern*, und strebtest immer ein *ganzer* Mensch, ein fortgehender zunehmender Geist zu werden[9].

Einem solchen Menschen muß das Verhältnis zu einem als Fanatiker des Wissens und Erkennens aufgefaßten Faust höchst problematisch sein. Das tragische Ende, von der Überlieferung vorgeprägt, muß die eigentliche Schwierigkeit ausmachen. Man wundert sich nicht, wenn Lessing am 12. Dezember 1755 an G.A. von Breitenbauch schreibt: «Könnten Sie mir nicht ihre melancholische Einbildungskraft manchmal leihen, damit ich die meine nicht zu sehr anstrengen dürfte? Ob Sie sie über die Prophezeyungen *Daniels* spintisiren, oder mir an meinem *Faust* helffen ließen, das würde wohl auf eins herauskommen. Es sind beydes Wege zum Tollhause; nur das jener der kürzeste und gewöhnlichste ist. Ich verspare die Ausarbeitung der schrecklichsten Scenen auf *England*. Wenn Sie mir dort, wo die *überlegende Verzweiflung* zu Hause ist, ... nicht gelingen, so gelingen sie mir nirgends. –» Lessing denkt also 1755 für seine eigene Version offenbar noch an einen unglücklichen Ausgang, zugleich widerstrebt ihm eine derartig pessimistische Sicht. Dieser Unvereinbarkeit seiner eigenen Anschauungen über das Streben nach Erkenntnis mit dem vorgegebenen tragischen Schluß entspringt sein mißgestimmter Brief. Ein tragisch endender *Faust* ermöglichte in der Tat keine dramatische Theodizee mehr, die für Lessing der Tragödie wesentlich war. Weit ist Lessing denn auch 1755 bis zirka 1758/59 nicht mit seinem Drama gekommen. Das «Vorspiel» ist nur skizziert, ebenso I, 1 und I, 3; I, 2 ist halb ausgeführt; I, 4 ganz fragmentisch angedeutet. Das ist alles. Der Ansatz ist jedoch klar: «Zu viel Wißbegierde ist ein Fehler; und aus einem Fehler können alle Laster entspringen, wenn man ihm zu sehr nachhängt», sagt der Teufel im «Vorspiel». Schon im *Jungen Gelehrten* hatte Lessing die Wißbegierde zum Thema genommen – und sie karikiert. (Es steht da sogar eine merkwürdig an die Faust-Thematik anklingende Szene, in der sich Satire und Ernst eigenartig mischen und die vielleicht ursprünglich für ein Faust-Drama beabsichtigt

[9] *Sämmtliche Werke*, hg. von B. Suphan, Berlin 1877–1913, XV, 510f.

war[10].) Aber in der Komödie ging es um den *falschen* Wissensdrang, um gelehrte Eitelkeiten und akademische Charlatanerien. Im *Faust*-Fragment ist davon aber keine Spur. Vielmehr steht da die echte Erkenntnissehnsucht zur Debatte. Sich über *diese* lustig zu machen, verbietet sich für Lessing ebensosehr wie der Gedanke, den Wissensdrang als Verfehlung aufzufassen und Faust scheitern zu lassen. An diesem Dilemma verzweifelt Lessing. Der *Faust* blieb liegen.

Erst am 8. Juli 1758 hören wir wieder von dem Drama, und zwar in einem Brief an Gleim. Lessing gibt sich da den Anschein, als arbeite er eifrigst an seinem *Faust;* aber es wird in der Forschung allgemein und mit Recht angenommen, daß dieses Zeugnis insofern unglaubwürdig ist, als Lessing sich mit Gleim einen Scherz erlaubt. Immerhin erscheint dann im folgenden Jahr in den *Literaturbriefen* die eingangs erwähnte Szene (Faust läßt sich von den Teufeln über ihre Geschwindigkeitsgrade unterrichten). In Breslau soll Lessing nach dem Bericht des Rektors Klose[11] wieder am *Faust* gearbeitet haben; doch wissen wir nichts über die damals beabsichtigte Sinngebung oder Umdeutung des Vorwurfs, da der einzige mögliche Hinweis, nämlich daß Lessing «einige Scenen aus Noels Satan zu nutzen» gedenke, in diesem Zusammenhang nichts besagt[12]. Erst aus der Hamburger Zeit haben wir dann wieder ein Zeugnis von Lessing selbst: in einem Brief vom 21. September 1767 an seinen Bruder Karl spricht er zuversichtlich davon, den *Faust* «noch diesen Winter» spielen zu lassen.

In diese Zeit fällt höchstwahrscheinlich der sogenannte «bürgerliche» *Faust* Lessings, von dem nichts erhalten, dessen Existenz aber mehrfach glaubwürdig belegt ist[13]. Darin sollte kein Teufel, überhaupt nichts Übernatürliches erscheinen; der Satan wäre vielmehr ein *menschlicher fabricator doli,* und die Ereignisse sollten «so sonderbar aufeinanderfolgen, daß bei jeder Scene der Zuschauer würde genötigt gewesen sein, auszurufen: das hat der Satan so gefügt»[14]. In diesem *Faust* «ohne Teufelei» zeichnet sich jedenfalls ein Zugang

---

[10] I, 1 (*Sämtliche Schriften*, I, 283).

[11] Petsch S. 41 f.

[12] Vgl. Petsch S. 41 und 21.

[13] Petsch, S. 43, 44 f., 45, 47. Daß ein bürgerlicher Faust schon früher geplant war, meint zum Beispiel Fritz Brüggemann, «Lessings Bürgerdramen und der Subjektivismus als Problem», *Jahrbuch des Freien Deutschen Hochstifts*, 1926, S. 110. Die Beweiskraft des einzigen Zeugnisses (Brief Mendelssohns vom 19. November 1755 an Lessing; Petsch, S. 40) ist jedoch zweifelhaft, weil dort nicht klar wird, in welchem Sinne «bürgerliches Trauerspiel» verwendet wird. Das *kann* eventuell nur eine Anspielung auf das bürgerliche Milieu des unadeligen Magiers sein, die als solche Übernatürliches nicht auszuschließen braucht.

[14] Maler Müllers Bericht, Petsch S. 45.

zu einer Lösung der eingangs angedeuteten Paradoxie ab. Ein *menschlicher*
Verführer ist es, der Faust ins Unglück stürzt. Damit ist, so scheint es, die Problematik der Theodizee, an der die Weiterführung der Berliner Entwürfe ge-
scheitert sein dürfte, erheblich gemildert; denn es handelt sich ja nicht mehr
um die übermenschliche Schicksalskraft des Widergöttlichen, dem der Mensch
unrettbar preisgegeben wäre und das den für Lessing und seine Zeit gottgege-
benen Erkenntnistrieb[15] dem Menschen zum Fallstrick gemacht hätte. Das
Satanische als metaphysische Macht von eigener Zwangsgewalt scheidet aus.
Doch diese Lösung ist oberflächlich. Sie verschiebt eigentlich die Problematik
nur ins Menschlich-Irdische, um von daher wieder auf den fragwürdigen Gott
zurückzuverweisen: die Frage, wieso Gott einen «guten Menschen» im Sinne
Lessings durch einen menschlichen «Erzbösewicht» der rettungslosen Vernichtung anheimgeben kann, ist ebenso berechtigt wie die nach dem Grund,
warum er dies durch Satan geschehen läßt. In der Tat: jene Frage ist sogar noch
peinlicher. Aus solchen Erwägungen über die problematisch werdende Theodizee verbannte ja denn Lessing auch gerade in der Zeit der Arbeit am bürgerlichen *Faust* den absoluten Bösewicht (als Beispiel wählt die *Hamburger Dramaturgie* Christian Felix Weißes *Richard III.*) aus der Tragödie: Gott kann
ein derart radikal Negatives in der Struktur der moralischen Welt nicht zulassen; denn «ist dieser Jammer, der mich mit Schaudern an die Schicksale
der Menschen denken läßt, dem Murren wider die Vorsehung sich zugesellet,
und Verzweiflung von weiten nachschleicht, ist dieser Jammer – ich will nicht
fragen, Mitleid? – Er heiße, wie er wolle – Aber ist er das, was eine nach-
ahmende Kunst erwecken sollte?»[16]

So kehrt Lessing denn in seiner letzten Fassung wieder zum ursprünglichen
Faust mit «Teufelei» zurück. Über diese letzte Schaffensphase haben wir nur
Berichte, die auf Mitteilungen Lessings aus der Mitte der siebziger Jahre zurückgehen. Sie stimmen im wesentlichen überein und lassen eine neue Lösung
der Faust-Problematik erkennen. Fausts «unauslöschlicher Durst nach Wissenschaften und Kenntnis» und daß er «ganz der Weisheit ergeben [ist]; ganz
nur für sie athmend, für sie empfindend; jeder Leidenschaft absagend, ausser
der einzigen für die Wahrheit»[17] – dieser thematische Ansatz der frühsten
Fassung ist noch beibehalten. Doch versucht es Lessing jetzt mit einer Erlösung Fausts. Als die Teufel über ihren Sieg über Faust triumphieren, erscheint nach von Blankenburgs Zeugnis ein Engel und unterbricht mit den
Worten: «Triumphirt nicht, ihr habt nicht über Menschheit und Wissenschaft

---

[15] Vergleiche auch, was von Blankenburg über den «letzten» *Faust* berichtet, Petsch
S. 47, und Engels Bericht bei Schneider S. 390.

[16] 79. Stück (*Sämtliche Schriften*, X, 120).

[17] Petsch S. 49, vgl. S. 46 und Schneider S. 390.

gesiegt; die Gottheit hat dem Menschen nicht den edelsten der Triebe gegeben, um ihn ewig unglücklich zu machen; was ihr sahet, und jetzt zu besitzen
glaubt, war nichts als ein Phantom.»[18] – Was es mit dem Phantom auf sich
hat, erklärt sich aus J.J. Engels parallelem Bericht: ein Cherub versenkt Faust
in tiefen Schlaf, schafft statt seiner ein «Gebild», das von Satan verführt wird,
während «alles, was mit diesem Phantome vorgeht, Traumgesicht für den
schlafenden wirklichen Faust ist». Als Faust aus dem Traum erwacht, begreift
er die Vision als Fingerzeig Gottes und «dankt der Vorsehung für die Warnung, die sie durch einen so lehrreichen Traum ihm hat geben wollen. – Er
ist jezt fester in Wahrheit und Tugend, als jemals.»[19]

Wenn aber durch diese Auflösung des Faust-Problems «die Menschheit be-
ruhigt» sein soll, wie der Hauptmann von Blankenburg versichert[20], so wird
jedoch die jetzt neu hineingebrachte offene Problematik übersehen: Faust
strebt nach Wahrheit und bedarf als ein solcher Strebender der Erlösung von
möglicher Verschuldung durch göttliche Warnung. Warnung wovor? fragt
man. Vor dem Streben nach Wahrheit offenbar. Man stutzt: dieser Trieb ist
doch für Lessing der göttlichste, der dem Menschen gegeben ist. Wie kann
davor *gewarnt* werden? Nach Ausweis der vorliegenden Zeugnisse bleibt das
eine offene Frage.

Einen möglichen Ausweg aus dieser widersprüchlichen Situation entdeckt
man, wenn man versucht, hier im Sinne des Wolfenbütteler Lessing weiter-
zudenken (der «letzte» Faust stammt ja aus dieser Periode). Wir sahen: von
Anfang an strebt Faust nach Wahrheit. Das führt offenbar zu gewissen Ver-
fehlungen. Vor ihnen wird gewarnt. *Danach* ist Faust jedoch gerade wieder
«fester in Wahrheit und Tugend, als jemals»! Ein scheinbares Paradox: Das
Wahrheitsstreben erhält eine Warnung um der Wahrheit willen. Demnach
wird nicht auf die grundsätzliche Sündigkeit des Erkenntnisdrangs hingewiesen; vielmehr dreht sich die ganze Handlung um das *rechte Verhältnis des er-
kennenden Menschen zur Wahrheit*, und *so* wird Faust durch den Warntraum
zur Wahrheit geführt. Während er auch vorher schon auf dem Weg zur Wahrheit war, ist ihm jetzt der *rechte* Weg gezeigt worden. Doch welcher ist das?

Nehmen wir diese Deutung als zutreffend an, so findet sie in Lessings
Wolfenbütteler Gedankengängen Klärung und Vertiefung. Was der Faust
schon des Berliner Szenars offenbar will, ist ein erschöpfendes Wissen um letzte
Fragen im gegebenen Zeitpunkt[21]. Ihm ist es um ein sofortiges Haben der
Wahrheit zu tun. Darauf verweist auch die Szene «II, 3» im 17. *Literatur-
brief;* denn dort hat Faust es doch darauf abgesehen, für die Erfüllung seiner
Zwecke (nämlich für sein Erkenntnisstreben) den *schnellsten* Höllengeist aus-

[18] Petsch S. 47.   [20] Petsch S. 47.
[19] Petsch S. 50 und Schneider S. 390.   [21] Vgl. Petsch S. 38.

findig zu machen; und der Dialog mit dem «fünften Geist» deutet an, daß dem Magier an der Überwindung der selbsterfahrenen Langsamkeit der menschlichen «Gedanken» in *den* Fällen gelegen ist, «wenn Wahrheit und Tugend sie auffordern»[22]. Dies Bestreben Fausts nach dem Besitz der vollen Wahrheit in der jeweiligen unmittelbaren Gegenwart widerspricht aber Lessings Anschauungen, die besonders in der *Erziehung des Menschengeschlechts* ihren Niederschlag gefunden haben. Wir erinnern zunächst an die oben zitierten Worte aus der *Duplik* über das Wahrheitsstreben. Vorher gehen da die Sätze: «Nicht die Wahrheit, in deren Besitz irgend ein Mensch ist, oder zu seyn vermeinet, sondern die aufrichtige Mühe, die er angewandt hat, hinter die Wahrheit zu kommen, macht den Werth des Menschen. Denn nicht durch den Besitz, sondern durch die Nachforschung der Wahrheit erweitern sich seine Kräfte, worin allein seine immer wachsende Vollkommenheit bestehet. Der Besitz macht ruhig, träge, stolz –.»[23] Die Schrift über *Die Erziehung des Menschengeschlechts*[24] ist von dem Gedanken beherrscht, daß es der menschlichen Vernunft unmöglich sei, dem göttlichen Erziehungsprozeß eigenmächtig vorzugreifen, daß es vielmehr von Gottes Weisheit abhänge, wie weit der einzelne Mensch, und durch ihn das ganze «Menschengeschlecht», auf dem Wege zur vollendeten Erkenntnis fortschreite. Der besonders Befähigte und Begnadigte mag glauben, die Entwicklung voraussehen zu können: er fügt sich dennoch dem von Gott vorgesehenen Gang der Erziehung. «Was habe ich denn zu versäumen? Ist nicht die ganze Ewigkeit mein?»[25] Die Wahrheit ist immer erst aufgegeben, nicht gegeben. Ereignis wird sie erst in der Zukunft, über «tausend tausend Jahre», wie der Richter im *Nathan* sagt. Lessings Faust ist diese Einstellung so fremd wie sie Lessing vertraut war. Faust will die *ganze* Wahrheit *hic et nunc*. Lessing dagegen ist getragen von dem unerschütterlichen Glauben, daß Gott «die Zeit der Vollendung, die Zeit eines neuen ewigen Evangeliums» nach seinem weisen Plan in Zukunft heraufführen werde und daß es diesen Zeitpunkt in Ehrfurcht vor dem Geheimnis

[22] Petsch S. 35.

[23] *Sämtliche Schriften*, XIII, 23 f. Vergleiche auch den oben zitierten Nachruf Herders: «Wahrheit *forschen*, nicht erforscht haben, nach Gutem *streben*, nicht alle Güte bereits erfaßt haben, war hier dein Blick, dein strenges *Geschäft*, dein *Studium*, dein *Leben.*»

[24] Daß sich in diesem Werk ein echter religiöser Bezug und eine transzendenzgläubige Position geltend machen und Lessing also nicht an eine immanente Entfaltung der menschlichen Vernunft denkt, für die die Rede von der «Offenbarung» und «Erziehung» nur übertragene Ausdrucksweise sei, haben erst die Forschungen von Helmut Thielicke (*Vernunft und Offenbarung*, 1936, 3. Aufl. 1957) und Otto Mann (*Lessing: Sein und Leistung*, 1949, 2. Aufl. 1961) eindringlich gegen frühere Ergebnisse (B. v. Wiese, Leisegang, Hauck, Waller und andere) herausgearbeitet.

[25] *Erziehung des Menschengeschlechts*, § 100.

abzuwarten gelte (§§ 82–88). Indem er diese Position einnimmt, setzt er sich bewußt ab von den «Schwärmern», die die Zukunft und die in ihr evident werdende Wahrheit nicht abwarten können und sie daher selbständig zu «beschleunigen» trachten. «Wozu sich die Natur Jahrtausende Zeit nimmt, soll in dem Augenblicke seines Daseyns reifen» (§ 90). Lessing selbst jedoch weiß von Sinn und Notwendigkeit des langwierigen Ablaufs des göttlichen Erziehungswerks: «Geh deinen unmerklichen Schritt, ewige Vorsehung! Nur laß mich dieser Unmerklichkeit wegen an dir nicht verzweifeln. – Laß mich an dir nicht verzweifeln, wenn selbst deine Schritte mir scheinen sollten, zurück zu gehen! – Es ist nicht wahr, daß die kürzeste Linie immer die gerade ist» (§ 91). Daß Faust sich zu dieser Haltung nicht aufschwingen kann, zu dieser zuversichtlichen Bescheidung, das ist die Verfehlung seines Erkenntnisstrebens, das an sich nicht widergöttlich und sündig zu sein braucht.

Sieht man Lessings letzten *Faust* in diesen Zusammenhängen – und das ist ja das Nächstliegende –, so erscheint eine neue Faust-Konzeption aus der Gedankenwelt des späten Lessing durchaus möglich und plausibel. Alle erhaltenen Fragmente, Entwurfstücke und Zeugnisse fügen sich dann lückenlos zu einer andeutungsweise erkennbaren Sinnstruktur zusammen, die für Lessing eine große Wahrscheinlichkeit besitzt. Es ist also keineswegs nötig, anzunehmen, Lessing habe niemals mehr als die erhaltenen Bruchstücke von seinem *Faust* geschrieben [26]. Vielmehr lag eine eingehendere Beschäftigung mit dem Thema gerade von den Voraussetzungen der Gedankenwelt des Wolfenbütteler Lessing besonders nahe. Lessings *Faust* – gleichgültig, ob geschrieben oder nur konzipiert – stellte dann die Geschichte eines von Gott berichtigten Irrtums auf dem Wege des Menschen zur Wahrheit dar. Die Warnung korrigierte also den Irrtum des maßlosen Verhaltens in der Leidenschaft für die Wahrheit; und: «Gott hätte seine Hand bey allem im Spiele: nur bey unsern Irrtümern nicht?» [27]

[26] Das tat Meyer-Benfey, «Lessings Faust-Pläne», *GRM*, XII (1924), 78–88. Doch sind die bei Petsch zusammengestellten Zeugnisse für das Vorhandensein der später verschollenen *Faust*-Manuskripte wenigstens zum Teil überzeugend.

[27] *Erziehung des Menschengeschlechts*, «Vorbericht des Herausgebers» (*Sämtliche Schriften*, XIII, 415).

HEBBELS «DIALEKTIK IN DER IDEE»: DIE ERFÜLLUNG EINER PROGNOSE

Auf die Gefahr hin, manchen Leser vor den Kopf zu stoßen, fallen wir mit der Feststellung ins Haus: daß der Fortsetzer Hebbels in gewisser Hinsicht kein anderer gewesen ist als Gerhart Hauptmann.

Hebbel und Hauptmann – die Zusammenstellung befremdet. Zwischen der Welt des theorieverpflichteten nordischen Grüblers und der des auf den ersten Blick viel «naiveren», mehr der bloßen Menschengestaltung zugewandten schlesischen Dramatikers scheint es keine Brücken zu geben. Wahrscheinlich erinnert man sich auch gleich an eine der ganz wenigen Äußerungen Hauptmanns über Hebbel: «Die Gestalten Hebbels sind wie Eisblumen, gefrorener Seelenhauch.»[1] Trotz seiner bekannten Regiefreudigkeit konnte sich Hauptmann daher bekanntlich auch nicht entschließen, die Inszenierung von Hebbels *Nibelungen* zu übernehmen[2]. Nichtsdestoweniger spinnen sich jedoch wichtige Verbindungsfäden herüber und hinüber. Zwar sind das nicht sehr direkte; denn ein Vergleich selbst motivverwandter Dramen wie *Kaiser Karls Geisel* und *Agnes Bernauer* ist viel eher dazu angetan, den klaffenden Abgrund zwischen Hauptmann und Hebbel ins Bewußtsein zu rufen. Wohl aber finden sich gewisse Entsprechungen zwischen Hebbels Theorie des Dramas oder genauer zwischen seiner Philosophie der geschichtlichen Entfaltung des Tragischen und der gedanklichen Grundstruktur des späten Hauptmannschen Dramas, sofern dieses Hebbels Spekulation über das Tragische der Zukunft in seiner mythischen Konfiguration verwirklicht.

Hebbel faßt das Tragische grundsätzlich als ein Phänomen, das im Verhältnis des Menschlichen zum Göttlichen gründet. Dieses Verhältnis ist jedoch historisch variabel; das Tragische wird also in verschiedenen Epochen verschieden empfunden und gestaltet, entsprechend den sich wandelnden Grundbedingungen jenes Gegenübers. In der Antike entsprang das Tragische, meint Hebbel, aus der unüberwindbaren Distanz zwischen der Welt der Menschen und dem Raum der über sie bestimmenden Götter und des Schicksals, einer

---

[1] Ausgabe letzter Hand, XVII, 435 (Centenar-Ausgabe, VI, 1043).

[2] C.F.W. Behl, *Zwiesprache mit Gerhart Hauptmann*, München 1949, S. 240. Vgl. auch Hans von Hülsen, *Freundschaft mit einem Genius: Erinnerungen an Gerhart Hauptmann*, München 1947, S. 117. Auf das Verhältnis Hauptmanns zu Hebbel ist in der Fachliteratur bisher so gut wie gar nicht eingegangen worden. Am wichtigsten sind die Bemerkungen von Ralph Fiedler, *Die späten Dramen Gerhart Hauptmanns*, München 1954, S. 146f. Vgl. auch die Bemerkung Robert Mühlhers, die freilich weiterführender Klärung bedürfte (*Dichtung der Krise*, Wien 1951, S. 262).

Distanz, die als solche in ihrer Schmerzlichkeit einfach hinzunehmen war. In der Renaissance, als deren Repräsentant ihm Shakespeare gilt, ist das Grundverhältnis noch wesentlich das gleiche, nur daß der Mensch sich jetzt auflehnt gegen die uneinsichtigen Beschlüsse aus der Götterwelt und in der Hoffnungslosigkeit dieses Unternehmens seine Tragödie erfährt. Für die Zukunft jedoch stellt sich Hebbel einen prinzipiell neuen Tragödientypus vor, dem Goethe, wie Hebbel glaubt, im *Faust* und in den *Wahlverwandtschaften* bereits auf der Spur war: in dieser Tragödie herrscht der Kampf nicht nur und nicht in erster Linie zwischen dem Bereich des Menschlichen und dem des Göttlichen, sondern die «Dialectik», wie Hebbel es ausdrückt, wird nun «in die Idee selbst hinein geworfen»[3]. Das heißt: das menschliche Leiden ist weniger in der bloßen Götterferne begründet als in dem Umstand, daß der Zwiespalt, der Streit der Götter, der nur vorübergehend erlischt, sich in der Welt der Menschen tragisch auswirkt. So hat das Irdische jetzt innig teil am Überirdischen und letztlich Bestimmenden, doch nur auf tragische Weise, so daß mit der Aufhebung der Distanz, also dessen, was in den zwei früheren geistesgeschichtlichen Phasen das Tragische begründete, sich schließlich doch wieder das Tragische – in neuer Variation – herstellt, und vielleicht dürfen wir hinzufügen: in verschärfter Form. Denn nun ist ja das Weltprinzip, das Walten der Götter, zwar einer (begrenzten) Erkenntnis zugänglich geworden, was bei der bloßen Götterferne nicht der Fall war, diese Erkenntnis aber ist, als Antwort auf die Frage nach Sinn und Art des menschlichen Leidens, nur noch bitterer als das tragische Wissen der beiden früheren Perioden.

Tragik als Resultat der «Dialektik in der Idee» – das also sieht Hebbel für die zukünftige Entwicklung des Tragischen im Drama voraus. Mit seiner eigenen Dramatik glaubt er diese gebieterische Prognose jedoch schon in der Praxis vorwegzunehmen. Wir lassen das dahingestellt; Theorie und Wirklichkeit gehen in Hebbels Dramen keineswegs Hand in Hand[4]. Wir fragen lieber, wieweit Hebbel mit seiner Voraussage recht gehabt hat.

Richten wir uns mit dieser Frage auf das Drama im deutschsprachigen Raum, so tritt als erster Gerhart Hauptmann in unser Blickfeld. Seine Werke dürfen in der Geschichte des Weiterlebens des Tragischen im deutschen Drama der nachhebbelschen Zeit gewiß ein großes Kapitel füllen, und eins der bedeutenderen; aber mehr noch: als Gestalter setzt Hauptmann, wie noch im

---

[3] Vorwort zu *Maria Magdalena* (*Sämtliche Werke*, hg. von R. M. Werner, 2. Aufl., Berlin 1904, XI, 41). Im übrigen vergleiche man v. Wieses ausgezeichnete Bemerkungen in *Die deutsche Tragödie*, 6. Aufl., Hamburg 1964, 566–569.

[4] Die anregendste neueste Arbeit zu diesem Problem ist die von Karl-Heinz Schulz-Streeck, «Hebbels tragische Sicht als Überwindung des Nihilismus», *Jahrbuch der Hebbel-Gesellschaft* 1959, S. 103–133.

einzelnen auszuführen, die Hebbelsche Theorie von der «Dialektik in der Idee» in grader Linie fort. Damit ist jedoch nicht ein Einfluß der Hebbelschen Dichtungsspekulation gemeint. Bei dem geringen Interesse Hauptmanns für Hebbel ist daran kaum zu denken, um so weniger, als Hauptmann ein höchst autonomer Gestalter war, der sich Anregungen so vollkommen anverwandelte, daß es sinnlos wird, überhaupt von Beeinflussung zu sprechen (von einigen wenigen unfertigen Werken wie *Helios* vielleicht abgesehen, wo die Nachwirkung Nietzsches beim besten Willen nicht zu verkennen ist). Vielmehr scheint es so zu sein, daß – trotz mancher bleibenden Verschiedenheit – an zwei unverbundenen Stellen der deutschen Geistesgeschichte gleichgerichtete Tendenzen zutage treten. Will man dennoch auf eine gemeinsame «Quelle» zurückgehen oder richtiger auf einen gemeinsamen Geistesverwandten, so ist am ehesten an Jakob Böhme zu denken[5], dessen Gedankenwelt, abgesehen von dem Beiwerk abstruser alchimistisch-pseudonaturwissenschaftlicher Szienz, sein Landsmann Gerhart Hauptmann seit den neunziger Jahren eindringlich studiert hat und der auch Hebbel öfters beschäftigte. Zu denken wäre da natürlich an die für Böhmes Philosophie zentrale Vorstellung vom Widerspruch in Gott, der die «Angstqual» begründet, die für ihn die Signatur des menschlichen Daseins darstellt. Nur durch dieses Leiden des Menschen kommt der Gott, selber leidend, im kosmischen Evolutionsprozeß zur endlichen Erkenntnis seiner selbst und der Mensch zur Erkenntnis Gottes. Ähnlich spricht Hebbel von der Welt als «Wunde Gottes»[6]. Im *Buch der Leidenschaft* lesen wir in verwandtem Sinnzusammenhang: «In diesem Bilde der Wunde wird das Schicksal, das Menschenschicksal überhaupt, wie in keinem anderen gekennzeichnet.»[7]

Nun ist zwar gleich zu betonen, daß, wie in Hebbels Dramen, die zugrunde liegende Sinnstruktur, der Konflikt im Raum des Göttlichen, auch bei Hauptmann nicht immer transparent wird, in den frühsten Dramen überhaupt nicht. Doch in den Stücken, die nach der «naturalistischen Tetralogie»[8] entstanden, ist die dichterische Welt dann vor allem von der Antinomie von Le-

---

[5] Dazu Guthke und H.M.Wolff, *Das Leid im Werke Gerhart Hauptmanns*, Bern 1958, S. 47 ff., wo auch weitere Literatur angegeben ist. Fiedlers Auffassung, auch Schopenhauer sei als «Verfechter des Pantragismus» als geistiger Ahne Hebbels und Hauptmanns in Betracht zu ziehen (S. 146), scheint mir gerade unter diesem Gesichtswinkel abwegig, da Schopenhauer doch in bezug auf den Grund des Seins Monist ist. Eher ist daran zu erinnern, daß Hauptmann Heraklit sehr hochschätzte (F. A.Voigt, «Die geistige Welt G. Hauptmanns», *Gerhart Hauptmann Jahrbuch*, 1948, S. 22).

[6] Tagebucheintragung Nr. 2663 (*Tagebücher*, hg. v. R.M.Werner, Berlin o.J., II, 239).

[7] Ausgabe letzter Hand, XII, 238 (C.-A., VII, 313).

[8] Zum Begriff der «naturalistischen Tetralogie» vgl. Karl S. Guthke, *Gerhart Hauptmann: Weltbild im Werk*, Göttingen 1961, Kap. 3.

bensmächten bestimmt, die den Menschen zum willenlosen, werkzeughaften Objekt machen; und es finden sich gelegentlich auch Hinweise darauf, daß diese antinomischen Weltkräfte, die das Leiden verursachen, letztlich in Gott gegründet sind, der mithin selbst den Widerspruch, wenn nicht in sich enthält, so doch aus sich hervorgehen läßt[9]. Hauptmann spricht in diesem Zusammenhang gern vom «Urdrama»[10], und als mythische Verbildlichung solcher widerstreitenden Kräfte wählt er sich in der Altersperiode – eine gnostische Tradition teils aufnehmend, teils neubildend – die Vorstellung, Gott habe nicht nur einen Sohn in die Welt gesandt, sondern zwei: Christus und Satanael, die entgegengesetzte Weisen menschlicher Lebensbegegnung symbolisieren, schließlich aber doch zur Harmonie geführt werden sollten[11]. Dieser Mythos eignet sich, sollte man denken, sehr wohl zur dichterischen Gestaltung der Hebbelschen Theorie, daß im neueren Drama die Dialektik in die Idee hineingetragen werde. Doch hat Hauptmann diese mythische Konfiguration keinem seiner vollendeten Dramen in klar erkennbarer Weise zugrunde gelegt (wohl aber dem Terzinenepos *Der Große Traum*, das allerdings ebenfalls nicht *ganz* zur Vollendung gediehen ist, wenn auch die mythischen Grundlinien klar erkennbar sind). Vielmehr hat er seine Vorstellung vom Widerspruch im Göttlichen im dramatischen Spätwerk in einer anderen mythischen Konstellation verbildlicht: in der Feindschaft von Apoll und Artemis in der *Atridentetralogie*[12]. Und wie diese Dramenreihe Hauptmanns dramatisches Schaffen krönt und abschließt, so ist hier auch seine Ansicht vom Urwiderspruch alles Seins, des göttlichen wie des menschlichen, am gelungensten gestalterisch vergegenwärtigt. Das heißt jedoch keineswegs, daß der späte Hauptmann in der Gegenüberstellung von Apoll und Artemis, die weitgehend in eigener Umdeutung der antiken mythischen Überlieferung geschieht, lediglich den Gegensatz von Christus und Satanael wiederaufgreift, so sehr das auch stellenweise den Anschein hat. Denn gäbe man solchem Gedankenspiel einmal nach –

[9] Dazu W. Emrich, «Der Tragödientypus G. Hauptmanns», *Der Deutschunterricht*, 1953, Heft 5, S. 20–35, und in Emrich, *Protest und Verheißung*, Frankfurt und Bonn 1960, S. 193–205.

[10] Dazu F. A. Voigt und W. A. Reichart, *Hauptmann und Shakespeare*, 2. Aufl., Goslar 1947, S. 116 ff.

[11] Vgl. F. A. Voigt im Nachwort zum *Dom*, Chemnitz 1942, auch Voigt und Reichart S. 123 ff. und die Studie «Die gnostische Mythologie im Spätwerk Gerhart Hauptmanns».

[12] Zitate nach der Centenar-Ausgabe Bd. III. Meine Interpretation der Tetralogie (*Das Leid im Werke G. Hauptmanns*, S. 83 ff.) geht auf den hier herausgestellten Gesichtspunkt nicht ein. Ebd. S. 119 die wichtigste Literatur. Dazu noch van Stockum, *Gerhart Hauptmanns Atriden-Tetralogie*, Mededelingen der Koninglijke Nederlandse Akademie van Wetenschapen, afd. Letterkunde, Nieuwe Reeks, Deel 20, No. 9, 1957, und D. Meinert, *Hellenismus und Christentum in Gerhart Hauptmanns Atriden-Tetralogie*, Kapstadt und Amsterdam 1964.

verlockend ist es ja –, so würde man das Lebensverneinende der Göttin Arte-
mis-Hekate-Selene vielleicht mit Christus ineinssetzen, der in Hauptmanns
Mythologie die Lebensabkehr vertritt, würde dann aber sogleich in Schwierigkeiten geraten, wenn man auch folgerichtig den Sonnengott Apoll-Loxias-
Phoibos mit Satanael identifizierte, der jedoch in Hauptmanns mythischem
Denken wiederum in engste Verbindung mit Lucifer und – Dionysos gebracht
wird![13] Und hinzu kommt, daß in dem Bruderpaar Dionysos-Christus ja nicht
einfach das für Hauptmanns Schaffen weithin bestimmende Gegenspiel von
Licht und Dunkel, Tag und Nacht, Ormuzd und Ahriman wiederholt wird,
vielmehr das Luziferisch-Dionysische selbst schon, jedenfalls an einer Kernstelle, «die höchste Verschmelzung von Himmel und Abgrund, ewigem Licht
und ewiger Nacht» bedeutet[14]. Gerade dieser *Gegensatz* von Licht und Nacht
aber trifft in gewisser Weise wieder auf Apoll und Artemis zu, obwohl er ihr
Wesen nicht ganz erschöpft. Schließlich stößt man beim Versuch, die apo-
kryph-biblische Mythologie Hauptmanns mit seiner griechischen im einzelnen
zu parallelisieren, noch auf die Schwierigkeit, daß der Dualismus von Christus
und Satanael (der ein relativer ist, da in Gottvater aufgehoben) noch überwölbt wird von einem zweiten, absoluten Dualismus von Gottvater und den
Mächten des «Abgrunds»; die widerstreitenden griechischen Göttergestalten
dagegen sind zwar auch durch Blutsverwandtschaft verbunden, wodurch ihr
Gegensatz in der Sprache des Mythos also relativ und aufhebbar wird, wenn
auch nur auf Zeit, nicht endgültig, aber es fehlt der entsprechende übergrei-
fende Dualismus. Oder ist auch die den Göttern übergeordnete «Kere» dua-
listisch gedacht? Wir tun wohl gut daran, naheliegende Kombinationsfreude
zu zügeln und stattdessen in dem Gegeneinander von Apoll und Artemis lediglich ein noch unspezifiziertes Ja und Nein zu sehen, das die Welt regiert; und
das ist ja auch insofern in unserem Zusammenhang nicht abwegig, als bei
Hebbel ebenfalls eine genauere Bestimmung der Dialektik im Sinne von sich
fordernden gegensätzlichen Potenzen nicht in Sicht kommt. Es bleibt also hier
wie da bei einer mythisch im Allgemeinsten formulierten Chiffre für den leid-

---

[13] Voigt (*Dom*-Nachwort) identifiziert Lucifer, Dionysos und Satanael. Ebenso F.B.
Wahr, «Comments on Hauptmann's *Der Große Traum*», Germanic Review, XXVIII (1953),
44. Hermann Schreiber (*Gerhart Hauptmann und das Irrationale*, Aichkirchen 1946,
S. 256 ff.) schränkt das ein. Theodore Ziolkowski («Hauptmanns *Iphigenie in Delphi:
A Travesty?*», Germanic Review, XXXIV [1959], 109) identifiziert den Gegensatz Apoll–
Hekate ungefähr mit der Nietzscheschen Antithese Apoll–Dionysos, wodurch also zum
Teil das Gegenteil von unserem Gedankenspiel erreicht wird (Hekate und Dionysos als
Vertreter des Gleichen). Hauptmann kam es gewiß weniger auf solche Identifikationen
an als auf ein in der allgemeinsten Fassung gehaltenes Bild von der Bestimmung des
menschlichen Lebens durch göttliche Gewalten, ja auch übergöttliche Gewalten (Moira).

[14] *Im Wirbel der Berufung*, Ausgabe letzter Hand, XIII, 541 (C.-A., V, 1232).

vollen Widerspruchscharakter des Lebens. Von einer solchen generellen Fassung aber – bei Hebbel mythisch gedacht, bei Hauptmann mythisch gestaltet – kann der Vergleich des Entsprechenden bei beiden Dichtern sinnvoll seinen Ausgang nehmen, ohne daß man nun Hauptmanns *Gesamtwerk* auf den Mythos vom Götterzwist hin untersuchte[15].

Wir dürfen es uns schenken, die blutrünstige Fabel vom Geschick der Atriden, die von Kindesmord über Gattenmord und Muttermord zur Entsühnung des Geschlechtes führt, im einzelnen zu rekapitulieren. Wenn Gerhart Hauptmann, wie Thomas Mann es 1952 in seiner Gedenkrede formulierte, je der Dramatiker des Leids und des Leidens war, der « die Bluthistorie der Menschheit, insonders auch der deutschen, in sich trug – gequälter, leibhaft leidender als irgendein anderer »[16], dann namentlich auch in dieser Vierdramenreihe, die am Paradigma des Fluchs einer Herrscherfamilie den Fluch der Menschheit aufdecken will. Wie so oft bei Hauptmann schreibt sich dieses Leid nicht aus lebensimmanenten Geschehenszusammenhängen und Charakterkonstellationen her, sondern aus dem Bereich des Göttlichen, das die Lebensantinomien bewirkt. Für die *Atridentetralogie* gilt, daß der « die andre Welt ... im tiefsten Grund verkennt, der meint, daß sie von Kampf und Not befreit sei » (S. 926)[17]. Das ist die mythische Grundvoraussetzung aller vier Stücke. Schon die bloße Tatsache, auf die immer wieder nachdrücklich verwiesen wird, daß auf Agamemnon, Klytämnestra, Elektra, Iphigenie und Orest der Fluch der Tantaliden lastet[18], deutet auf einen (in der Vorgeschichte liegenden) Konflikt unter Göttern und Göttersöhnen hin, der sich in dem Geschlecht der Atriden, auf dem noch ein besonderer Fluch liegt, auswirkt:

> Es streiten zwei Dämonen sich in ihm;
> ein ewiger Bruderkrieg mit giftigen Dolchen! (S. 1056)

Das ist vom Haus der Atriden gesagt. Die gleichen Dämonen streiten sich aber auch in der Überwelt:

> ... warum säen sie [die Kroniden]
> der ewigen Zwietracht Martern rastlos aus,
> ihr schönstes Eigentum damit vergiftend?

[15] Verwiesen sei trotzdem auf eine verwandte, doch in anderes Gewand gekleidete mythische Vorstellung in *Indipohdi*:

> Oder wenn Götter sich befehden können
> und wenn der Weinende im Ball der Sonne
> zwiträchtige Söhne hätte, wäre dieser
> vielleicht ein Brudergott, dem Bruder todfeind?
>
> (Ausgabe letzter Hand, VIII, 641; C.-A., II, 1400)

[16] *Altes und Neues*, Frankfurt 1953, S. 450. Vgl. *Das Leid im Werke Hauptmanns*, S. 12 ff.

[17] *So ist also der Seinsgrund beschaffen, in den Iphigenie eingeht.*

[18] Zum Beispiel C.-A., III, 917, 952, 981, 987, 997, 1021 f., 1036, 1056.

> Sind mehr Altäre nicht in unsrem Land
> beinah als Beter? Welcher böse Gott,
> Kroniden, treibt sein Wesen unter euch,
> tückisch verborgen und zu eurem Unheil
> und eurer sowie unsrer Schmach und Scham? (S. 875 f.)

Es wird aus einer Stelle wie dieser ganz deutlich, daß die menschliche Konfliktsituation – man ist in Aulis, die Zwistigkeiten im Heer haben bereits ihre ersten Opfer gekostet, und schon bald werden sie, so scheint es, auch Iphigenie fordern – in nicht näher bestimmter Weise bezogen ist auf eine entsprechende im Götterraum; und erst als die Götter untereinander versöhnt werden, kehrt auch wieder Harmonie unter den Menschen ein. Das wird im letzten Drama Ereignis, in der *Iphigenie in Delphi*.

Bleiben wir jedoch zunächst einmal bei dem Widerstreit der Götter, so fällt eine merkwürdige Inkonsequenz in der mythischen Verbildlichung auf. Erst im Schlußteil konkretisiert sich nämlich der Götterzwist zu der Feindschaft der Geschwister Apoll und Artemis, während in den ersten drei Stücken nur in allgemeinster Weise von Konflikten in der Götterwelt die Rede ist. «Ares regiert», heißt es von der Ausgangssituation in Aulis (S. 866), und schon wenig später fügt die kundige Peitho hinzu:

> Allein, du weißt: selbst seinem Vater
> verhaßt ist Ares, so wie allen Göttern. (S. 869)

Also ein Streit unter den olympischen, den oberen Göttern; das meint auch Menelaos (S. 921). Aber die einzige Deutung ist das keineswegs. Andere, sogar Peitho selbst, denken eher an eine Beteiligung des «unteren», des «schwarzen» Zeus an der Verwirrung, die aus dem göttlichen Bereich ins menschliche übergreift (S. 931). Agamemnon redet vom erneuten Aufflackern des Kampfes der Uranionen, der Titanen, die «sich im Abgrund, nie ganz überwunden ... regen» (S. 889; vgl. 1032). Schließlich jedoch wird klar, daß, sofern überhaupt von einem Streit der Götter um die Situation von Aulis gesprochen werden kann, der Tumult von dem Gegeneinander des Göttervaters, des oberen Zeus, und einiger seiner Anhänger einerseits und den Geschwistern Apoll und Artemis andererseits herstammt: Die Griechen können Aulis nicht verlassen, weil die Göttin Artemis erzürnt ist. Agamemnon hat auf der Jagd eine Hinde der Artemis erlegt, und die Göttin verlangt Sühne. Später kommt als Motivation ihres Zornes noch hinzu, daß Helena sie durch ihren Ehebruch beleidigt hat, wofür die Griechen ebenfalls Sühne entrichten sollen. Bemerkenswert ist dabei, daß Apoll, der Bruder der Artemis, in diese Forderung einstimmt:

> So spüren alle, daß sie [Artemis] Rache schnaubt
> trotz ihres unverbrüchlich-grausen Schweigens,
> und so der Pythontöter neben ihr,

der seiner Schwester Qual mit Schrecken sieht.
Er brennt in gnadenloser Wut vom Himmel,
statt Regentropfen Feuerbrände schleudernd. (S. 880, vgl. 866)

Und wenn schließlich, wie der Seher Kalchas verkündet, der Herr der Götter durch diese grausamen Rachegelüste seinerseits erzürnt wird, das Bild der
Artemis zertrümmert und als Adler aus schwärzlichem Gewölk auf eine Hirsch-
kuh im Hain der Göttin hinabstößt zum Zeichen, daß statt der Iphigenie das
Tier als Sühnopfer auf dem Altar der Artemis dargebracht werden soll, dann
sind offensichtlich Artemis und Apoll beide in gleicher Weise von dem Eingreifen des Zeus betroffen – war es doch Apoll selbst, der durch das Delphische
Orakel verkündet hatte, keine andere als die Feldherrntochter Iphigenie müsse
im Tempel zu Aulis als Sühnopfer verbluten (S. 900). Eigens betont hat
Hauptmann die Beteiligung Apolls, des Sonnengottes, an der Seite seiner
Schwester noch, indem er, von den griechischen Quellen abweichend, bei der
Notlage der Griechen in Aulis nicht so sehr die Windstille als Ursache heraus-
streicht, sondern die Gluthitze, die Dürre, den Wassermangel, den eben der
Brudergott hervorruft, um das Heer zum verlangten Sühnopfer zu bewegen[19].

Es hat also ganz den Anschein, als habe sich das widerspruchsvolle Verhältnis der Götter zueinander jetzt eindeutig geklärt. Und hätte Hauptmann in
den auf Aulis folgenden Situationen an dieser mythischen Konfiguration der
weltbestimmenden Antinomien festgehalten, so wäre trotz der anfänglichen
Unbestimmtheit noch ein einheitliches mythisches Grundgerüst für die ganze
Tetralogie möglich gewesen. Leider ist das aber nicht der Fall. In *Elektra*
und *Orest*, den Mittelpfeilern des Gesamtgebäudes, ist der mythische «Über-
bau» noch höchst unbestimmt gehalten; in *Iphigenie in Delphi* jedoch hat sich
seine Struktur bereits entschieden verändert. Das mag zum Teil seinen Grund
in der Entstehungsgeschichte haben: das Schlußstück entstand bekanntlich
zuerst, und Hauptmann-Forscher haben seit Erscheinen des ganzen Werks ihre
besondere Freude am Aufspüren von Inkongruenzen zwischen Anfang und
Ende gehabt[20]. Mehr noch ist die Unstimmigkeit in der zugrunde liegenden
Mythologie aber wohl mit dem Umstand in Beziehung zu setzen, daß Hauptmann bei der Ausformung des mythischen Rahmens im wesentlichen auf
seine eigene mythenbildende Phantasie angewiesen war. Denn in den antiken
Behandlungen des Atridenstoffes spielen Konflikt und Versöhnung im Götterraum keine begründende Rolle für Leid und Harmonie unter den Menschen.
Dafür ist gleich das Geschehen in Aulis ein erhellendes Beispiel: Bei den Grie-

---

[19] Vgl. van Stockum S. 4, Anm. 2.
[20] Fiedler S. 124 bringt das Wichtigste. Siehe auch Th. Ziolkowski, 105–123. Hauptmann selbst war sich gewisser Inkongruenzen bewußt, meinte aber: «Das Wesentliche
klingt doch ... zusammen» (Behl, *Zwiesprache*, S. 160).

chen, und dann namentlich bei Goethe, bedeutet die Verhinderung des Menschenopfers «die symbolische Bildwerdung jenes stolzen Augenblicks in der Menschheitsgeschichte, da ihm deutlich wird, die Götter wollen nicht, daß er am Altar verblute, dieselbe Humanisierung des Gottesglaubens, die in der Geschichte Abrahams durchbricht, dessen Hand von Gott festgehalten wird, als er schon im Begriff steht, seinen einzigen Sohn Isaak als Blutopfer darzubringen»[21]. Bei Hauptmann hingegen bedeutet die Verhinderung des Menschenopfers, daß die Götter unter sich uneins sind (wie denn ja auch das Menschenopfer und das Leid nur zum Schein verhindert, in Wirklichkeit jedoch im Verlauf der Handlung zu ihren letzten inhumanen Konsequenzen gesteigert werden).

Die völlig verschobene mythische Ausgangslage in der *Iphigenie in Delphi* ist also die, daß *Artemis und Apoll* miteinander im Streit liegen. Warum, wird nicht erklärt. In den drei ersten Stücken findet sich nicht der geringste Anhalt für *diesen* Götterzwist. Und durchdenkt man das entscheidende Motiv dieses Dramas, daß nämlich Apoll es ist, der durch sein Orakel Orest den Auftrag zu der Bluttat – Ermordung seiner Mutter als Sühne für deren Gattenmord – gegeben hat, so gerät man in immer tiefere Schwierigkeiten: Denn denkbar ist ja die Konstellation, daß Artemis – herkömmlich die menschenfreundliche, humane Göttin – über eben diesen grausamen Beschluß mit Apoll in ein ernstes Zerwürfnis geraten ist, zumal ja der Brudergott Orest auch nach der Ausführung des Befehls noch mitleidlos von den Erinnyen verfolgen läßt. Aber dem widerspricht wiederum, daß Hauptmann gerade im letzten Teil der Tetralogie, im Rückgriff auf andere Schichten des griechischen Mythos, eine wesentliche Änderung eingeführt hat: erweckte Artemis in *Iphigenie in Aulis* als Göttin der Jagd noch nicht den «grausen», nächtigen Eindruck der Hekate, so tritt sie in *Iphigenie in Delphi* nur noch so in Erscheinung[22]. Herrscht Artemis aber als Hekate, so sind ihr die humanen Eigenschaften keineswegs mehr zuzuschreiben, vielmehr ist sie nicht weniger blutdürstig und grausam als ihr Bruder; «die Gnadenlose» wird sie geradezu genannt, sogar von ihrer eigenen Priesterin (S. 1066), und «graus» ist ihr stereotypes Attribut. Damit aber wird der einzig vorstellbare spekulative Nachvollzug des Haders zwischen Apoll und Artemis hinfällig, und es bleibt bei einer völlig *alogischen* Gegensätzlichkeit[23].

[21] Oskar Seidlin, «Die Orestie heute: Enthumanisierung des Mythos», in: Seidlin, *Von Goethe zu Thomas Mann*, Göttingen 1963, S. 211.

[22] Fiedler sieht in dem Aulis-Drama sogar noch eine Gegenüberstellung von Hekate und Artemis als zwei verschiedenen Gestalten. Ziolkowski hat diese Anschauung jedoch überzeugend widerlegt (110 f.).

[23] Diese klingt in der *Iphigenie in Aulis* schon einmal an, wo sie jedoch sinnwidrig bleibt: S. 909, doch vgl. S. 917.

Diese Alogie jedoch ist, im Gegensatz zu der erwähnten Verschiebung des Streits der Götter auf verschiedene Partner, nicht als Mangel zu verstehen: «Je inkommensurabler, desto besser» gilt ja durchaus von Hauptmanns Weltsicht, und besonders von den Mächten der Überwelt in seiner Dichtung.

Gleich zu Beginn der *Iphigenie in Delphi* klingt jedoch die Verheißung auf, daß sich der unerklärliche Streit der Götter lösen werde:

> doch wehe, wehe dem, der wie Orest
> gar von den Moiren ausersehen ist,
> sich schlichtend einzudrängen zwischen zwei
> Geschwistergötter, die veruneint hadern:
> die Todesgöttin und den Herrn des Lichts! (S. 1032)

Mit dieser Programmangabe für den Schlußteil kommt ein neues Element ins Spiel: Im Gegensatz zur einzigen antiken Quelle, der Fabelskizze des Hygin, im Gegensatz auch zu Goethes Entwurf für seine nie geschriebene «Iphigenie in Delphi» legt Hauptmann großes Gewicht auf die Versöhnung nicht nur der Menschen, sondern vor allem der Götter, aus deren Zwist das Leid der Menschen entsprang, und auf die Rolle, die der Mensch dabei spielt. Orests Auftrag ist, das Bild der Göttin Artemis und ihre Priesterin zu rauben und an den Altar Apolls in Delphi zu führen. Durch diese symbolische Handlung eines Sterblichen stellt sich die Harmonie unter den Göttern wieder her. Mithin ist es ganz unzutreffend, wenn einer der Greise des Chors ausruft: «Wir brauchen sie, die Götter, doch sie nicht uns» (S. 1058). Das Gegenteil ist der Fall; und damit kommt eine neue, überraschende Parallelität zu Hebbels Denken in Sicht. Denn auch bei ihm ist es das Tun und Leiden des Menschen, das dem Göttlichen in seiner dialektischen Entwicklung zum Innewerden seiner selbst verhilft, oder, um es mit dem Bilde der «Wunde Gottes» zu umschreiben: das Leiden des Gottes wird durch menschliches Leiden geheilt. Dabei verbleibt jedoch alles menschliche Handeln unfrei, werkzeughaft; es geschieht auf das Geheiß der Götter, gegen das auch nur der Gedanke an Widerstand Wahnwitz ist. Durch alle vier Dramen hindurch findet Hauptmann beredte Worte zur Kennzeichnung dieser menschlichen Grundsituation, so sehr es auch klar ist, daß die Götter von ihren Werkzeugen abhängig sind. Doch während dieses Gedankenmotiv in den drei auf den Höhepunkt hinleitenden Stücken überwiegend als Chiffre der tragischen Unfreiheit der Menschen in einem unverständlichen Spiel der Götter akzentuiert ist, deutet sich das in der *Iphigenie in Delphi* nur noch ganz peripher an. Statt dessen liegt der Nachdruck auf den Auswirkungen, welche die Harmonie der Götter – gestiftet durch die immer noch unveränderte leidvolle Werkzeughaftigkeit der Menschen – auf die Menschenwelt hat: Durch die Aufhebung von «Kampf und Not» der Olympier wird auch der Fluch aufgehoben, der auf dem Hause des Mittlers, Orests, ruht, also der Atriden- und der Tantalidenfluch und damit sinnbildlich und stellvertretend das Leid in der Menschenwelt überhaupt. Durch ein beiläufiges Motiv ist diese Parallelität zwischen «oben» und «unten» dann noch besonders betont: wie sich «oben» die göttlichen Geschwister hassen, so auch «unten» die menschlichen, nämlich in der (nur durch epische Rückschau vergegenwärtigten) Situation in Tauris, wo Orest die Priesterin (seine Schwester Iphigenie) und das Kultbild zu rauben beauftragt ist; da steht die Schwester im Begriff, den Bruder als Opfer der Hekate zu töten:

> Doch bald errang die Rache wiederum
> in mir den Sieg, der Rachedurst, der nie
> zu Tauris mich verließ. Ich sah im Bruder
> den Griechen, und ich haßte jeden! (S. 1081)

Und umgekehrt: «Nicht wenig fehlte», sagt Iphigenie zu Elektra, «und ich wurde die Beute schon von deines Bruders Schwert» (S. 1076). Noch eine weitere, schon tragisch-ironische Nuance bekommt dieser Geschwisterhaß im Hause der Atriden natürlich durch die in der Fabel vorgegebene Situation, in der Elektra das Beil gegen die unerkannte Iphigenie schwingt, um sie für die vermeintliche Ermordung ihres Bruders Orest zu strafen (S. 1063f.). Und wie es Elektra später vorkommt, «als hätten Götter mich zurückgerissen» vor dem Schwestermord (S. 1073), so mag es auch bei der doppelten Mordgefahr in Tauris so gewesen sein, daß die Götter die Menschen, und gerade diese Menschen, durch einen wunderbaren Eingriff vor dem Tod bewahrt haben: sich selbst und auch ihnen zum Heil, gemäß der schicksalhaften wechselseitigen Abhängigkeit der Menschen und der Götter, die die Moira verhängt zu haben scheint.

Hat man die *Atridentetralogie* soweit durchdacht, so muß es eigentlich inkonsequent erscheinen, daß dieser göttlich-menschlichen Entsühnungstat Orests noch eine zweite Opferhandlung parallelgeordnet wird: das Selbstopfer der Iphigenie, das zudem nicht einmal durch die Tradition sanktioniert ist. Man hat das neuerdings als schweren Mißgriff und Zeichen ermattender Gestaltungskraft gebrandmarkt[24], und in der Tat ist diese merkwürdige Schlußwendung von logischer Einsehbarkeit denkbar weit entfernt. Aber es zeigte sich schon bei dem Versuch, die Motivation des Götterstreits rational zu entschlüsseln, daß solches Vorgehen von vornherein zum Scheitern verurteilt ist, da Hauptmann, wie immer so auch hier, die Alogie und Unenträtselbarkeit der jenseitigen «Blutbeschlüsse» betont. Überhaupt sind ja in der *Atridentetralogie* die Götter nicht die höchste Instanz, das ist vielmehr die Kere, die Moira, kurzum das Schicksal, das sie lenkt und das seinerseits erst recht ins

---

[24] Claude David, «L'Iphigénie à Delphes de Gerhart Hauptmann et la crise de l'art dramatique», *Annales de l'Université de Paris*, XXIX (1959), 365–376.

Undurchdringliche entrückt ist; und als Auswirkung solcher inkommensurabler Schicksalskräfte mag man denn auch wohl die Doppelheit der Heilstat und des Opfers als vom poetischen Weltbild her gerechtfertigt hinnehmen.

Damit ist ein weiterer wichtiger Punkt berührt, der uns zugleich nochmals auf die Parallelität zu Hebbels Denken zurückführt. Die Deutungen der Atridentetralogie, so hat man gesagt[25], zerfallen in zwei Gruppen, eine optimistische, die sich an der *Iphigenie in Delphi*, und eine pessimistische, die sich stärker an den drei voranstehenden Stücken orientiert. Optimismus und Pessimismus beziehen sich dabei jeweils auf die Frage, ob die Götter in ihrem Verhältnis zu den Menschen Güte und Versöhnungsbereitschaft an den Tag legen oder Haß und Grausamkeit. Eine solche Einteilung ist gewiß sachlich zutreffend, doch wird von beiden Gruppen das Wesentliche übersehen: daß nämlich die Handlungsweise der Unsterblichen nicht von irgendwelchen menschlich einsehbaren, logisch-rationalen ethischen Prinzipien geleitet wird, sondern mit der Alogie und Unberechenbarkeit des Überwirklichen erfolgt, und das wohl letztlich, weil auch über ihnen noch der Spruch der Kere herrscht, der erst recht nicht vorauszusehen ist. Folglich liegen die Dinge in Wirklichkeit so, daß, wie man schon früh richtig formuliert hat[26], der Fluch nur «auf Widerruf» von den Menschen genommen ist. Auf den Götterraum angewandt, heißt das, daß der Streit hier auch nur als vorübergehend aufgehoben gedacht werden darf; als immer wieder neue Möglichkeit bleibt er auch weiterhin latent bestehen und mit ihm das Leid als nie endgültig zurückgenommene Grundbedingung der Welt der Sterblichen. Das ist die menschliche Situation unter der Fremdbestimmung durch die Mächte: durch die Götter und die sie bestimmende Kere. Das Wort der Elektra:

> Wie viele Schwerter zücken über uns
> in jeder Stunde, jedem Augenblick! (S. 1076)

ist durchaus in verallgemeinerter Bedeutung geäußert, und darin beschreibt es Hauptmanns Welt- und Menschenbild in diesem Spätwerk (wie auch in anderen Werken) durchaus treffend. Die Dialektik in der Idee kann, genau wie bei Hebbel, niemals endgültig aufgelöst werden, und wenn es auch noch so sehr den Anschein hat, daß sich die Götter in Harmonie gefunden haben und den Menschen friedlich gesinnt sind. Hauptmann hat für diesen Sachverhalt noch eine Symbolsprache gefunden, die ans Geniale grenzt: Artemis-Hekate wird auch als die Mondgöttin Selene verstanden (S. 1070 zum Beispiel), während Apoll als Sonnengott bezeichnet wird (S. 1089 zum Beispiel). Der ganze letzte Akt ist nun aber atmosphärisch ganz auf den Gegensatz zwischen

---

[25] Ziolkowski S. 105 ff.

[26] Fiedler S. 123. Ziolkowski meint hingegen, der Konflikt der Götter sei «definitely resolved» (112).

Mondlicht und Sonnenhelle gestellt, und die entscheidenden Enthüllungen geschehen in der Stunde des Zwielichts im ganz wörtlichen Sinne, in dem die beiden Gestirne sich wie die beiden göttlichen Geschwister, deren Attribute sie sind, in freundlicher Nähe und Gemeinschaft befinden. Diese Stunde ist also voller Bedeutung; sie bedeutet auch, daß die Zeit des Zwielichts *vorübergehen* wird, daß Nacht und Licht, Hekate und Apoll, auch wieder in Gegensatz und Hader stehen mögen, aber auch, daß dem Kairos der Harmonie noch Wiederkehr und ewige Erneuerung beschieden ist.

Das Mysterium der Dialektik des kosmischen Werdens ist so ins Bild gefaßt. Das Bild mag orientieren, aber erklären und Antwort geben kann es letztlich doch nicht. Die Antwort haben bei Hauptmann nur die Moiren, die sich in Schweigen hüllen. Aus verwandter Geistigkeit heißt es bei Hebbel, von dem wir ausgingen und auf den wir uns jetzt zum letzten Mal zurückverwiesen sehen: «Die wahre Tragödie [hat] es mit dem durchaus Unauflöslichen und nur durch ein unfruchtbares Hinwegdenken des von vornherein zuzugebenden Factums zu Beseitigenden zu thun.»[27] Die Unauflöslichkeit und Alogie bezieht sich auf «die dualistische Form des Seins»; unter diesem Begriff läßt sich das Tragische in allen drei, von Hebbel konstruierten geistesgeschichtlichen Weltperioden fassen; und so gilt als Erläuterung auch allgemein und für den Widerstreit im Göttlichen insbesondere, was Hebbel in *Mein Wort über das Drama* (ein Jahr vor der Formulierung der Theorie der historisch variablen Erscheinungsformen des Tragischen) für das Verhältnis des Individuums zum «Ganzen» feststellt: «Das Drama, wie ich es construire, *schließt* keineswegs mit der Dissonanz, denn es löst die dualistische Form des Seins, sobald sie zu schneidend hervor tritt, durch sich selbst wieder auf, es stellt, wenn ein Gleichnis erlaubt ist, die beiden Kreise auf dem Wasser dar, die sich eben dadurch, daß sie einander entgegenschwellen, zerstören und in einen einzigen großen Kreis, der den zerrissenen Spiegel für das Sonnenbild wieder glättet, zergehen. Aber es läßt allerdings eine Dissonanz unerledigt, und zwar die ursprüngliche Dissonanz, die es von Anfang an überging, indem es die Vereinzelung, ohne nach der *causa prima* zu forschen, als mit oder ohne Creation unmittelbar gegebenes Factum hinnahm, es läßt daher nicht die Schuld *unaufgehoben*, wohl aber den inneren Grund der Schuld *unenthüllt*. Doch dieß ist die Seite, wo das Drama sich mit dem Weltmysterium in eine und dieselbe Nacht verliert.»

In dem letzten Satz des Zitats ist ein Wort ausgesprochen, das auch dem alternden Gerhart Hauptmann immer mehr zum Kennwort des Weltverständnisses geworden ist: «Mysterium.»

[27] Vorwort zu *Maria Magdalene*, Wernersche Ausgabe, XI, 64. Das gleich folgende Zitat (*Mein Wort über das Drama*) ebd. XI, 31.

ANHANG

NACHWEISE

Die Studien erschienen ursprünglich, zum Teil unter anderem Titel, in den folgenden
Zeitschriften und Jahrbüchern:

I. 1. *Etudes Germaniques*, XVII, 1962.
    2. *Zeitschrift für Deutsche Philologie*, LXXVI, 1957.
    3. *Jahrbuch des Freien Deutschen Hochstifts*, 1964.

II. 1. *Monatshefte*, XLIX, 1957.
    2. *Die Neueren Sprachen*, N. F., VIII, 1959.

III. 1. *German Quarterly*, XXXIX, 1966.
    2. *Neophilologus*, XLII, 1958.
    3. *Maske und Kothurn*, VIII, 1962.

IV. 1. *Jahrbuch der Deutschen Shakespeare-Gesellschaft*, XCVIII, 1962.
    2. *Zeitschrift für Deutsche Philologie*, LXXVII, 1958.
    3. *Monatshefte*, LIV, 1962.

V. 1. *Der Deutschunterricht*, XI, 1959.
    2. *Wirkendes Wort*, VIII, 1958.
    3. *Archiv für das Studium der Neueren Sprachen und Literaturen*, CXCVIII, 1961.

VI. 1. *Jahrbuch der Deutschen Shakespeare-Gesellschaft*, CIII, 1967.
    2. *Zeitschrift für Deutsche Philologie*, LXXIX, 1960.
    3. *Jahrbuch der Hebbel-Gesellschaft*, 1961.

ABKÜRZUNGEN

DLD   Deutsche Literatur-Denkmäler
DVJS   Deutsche Vierteljahresschrift für Literaturwissenschaft und Geistesgeschichte
GRM   Germanisch-Romanische Monatsschrift
JEGP   Journal of English and Germanic Philology
MLN   Modern Language Notes
MLQ   Modern Language Quarterly
MLR   Modern Language Review
PEGS   Publications of the English Goethe Society
PMLA   Publications of the Modern Language Association of America
ZDU   Zeitschrift für Deutschen Unterricht
ZfdPh Zeitschrift für Deutsche Philologie

NAMENREGISTER

INHALT

ANHANG